ANNULÉ

LES DRAGONS
DE MEEREEN

GEORGE R.R. MARTIN

LES DRAGONS DE MEEREEN

Le Trône de Fer, 14

roman

Traduit de l'américain
par Patrick Marcel

Pygmalion

Titre original:
A SONG OF ICE AND FIRE, BOOK FIVE
A DANCE WITH DRAGONS
(Deuxième partie)

Sur simple demande adressée à
Pygmalion, 87 quai Panhard et Levassor, 75647 Paris Cedex 13
vous recevrez gratuitement notre catalogue
qui vous tiendra au courant de nos dernières publications.

Ce volume est pour mes fans

pour Lodey, Trebla, Stego, Pod,
Caress, Yags, X-Ray et Mr. X,
Kate, Chataya, Mormont, Mich,
Jamie, Vanessa, Ro,
pour Stubby, Louise, Agravaine,
Wert, Malt, Jo,
Mouse, Telisiane, Blackfyre,
Bronn Stone, Coyote's Daughter
et le reste des cinglés et des folles furieuses de
la Confrérie sans Bannières

pour les sorciers de mon site web
Elio et Linda, seigneurs de Westeros,
Winter et Fabio de WIC,
et Gibbs de Dragonstone, à l'origine de tout

pour les hommes et les femmes d'Asshai en Espagne
qui nous ont chanté un ours et une gente damoiselle
et les fabuleux fans d'Italie
qui m'ont tant donné de vin

pour mes lecteurs en Finlande, Allemagne,
Brésil, Portugal, France et Pays-Bas
et tous les autres pays lointains
où vous attendiez cette danse

et pour tous les amis et les fans
qu'il me reste encore à rencontrer

Merci de votre patience

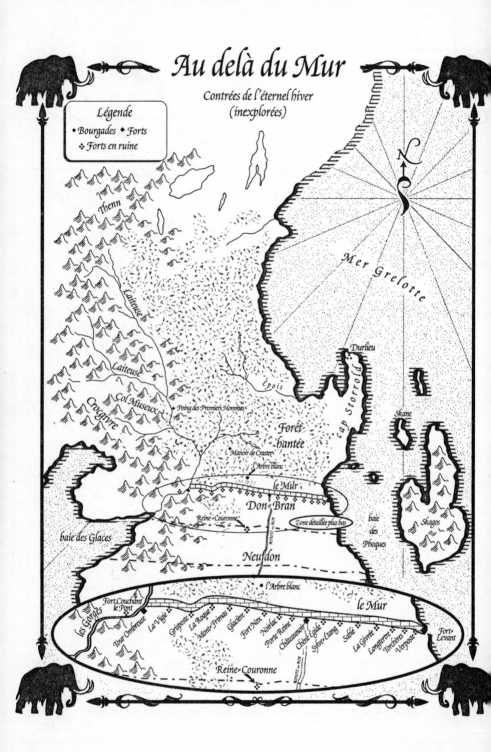

Au delà du Mur

Contrées de l'éternel hiver
(inexplorées)

Légende
- Bourgades ♦ Forts
- ❖ Forts en ruine

Thenn

Laiteuse

Laiteuse

Col Museux

Croccivre

• Poing des Premiers Hommes

Forêt hantée

Manoir de Craster

l'Arbre blanc

le Mur

Don-Bran

Reine-Couronne

Zone détaillée plus bas

baie des Glaces

Neufdon

• l'Arbre blanc

Mer Grelotte

Durlieu

cap Storrold

Skane

Skagos

baie des Phoques

Fort Couchant
le Pont

Tour Ombreuse

les Gorges

La Vigie

Grisposte
La Roque
Mont-Frimas
Glacière
Fort Nox
Norlac
Porte-Reine
Châteaunoir
Chêne-Égide
Sylve-Étang
Sablé
La Givrée
Longterre
Torchères
Veryposte

le Mur

Fort-Levant

Reine-Couronne

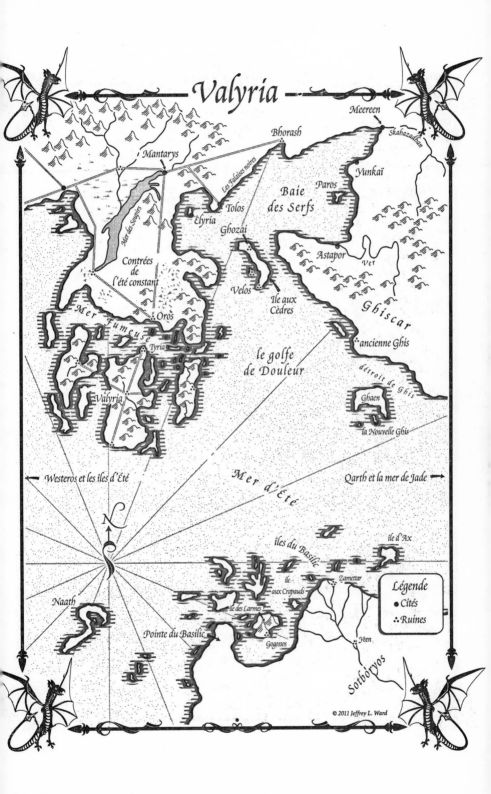

LES ERRE-AU-VENT

La nouvelle traversa le camp comme un vent brûlant. *Elle arrive. Son armée s'est mise en marche. Elle fond sur le sud à destination de Yunkaï pour incendier la ville et passer ses habitants au fil de l'épée, et nous allons monter vers le nord, à sa rencontre.*

Guernouille le tenait de Dick Chaume, qui avait appris la nouvelle par le vieux Bill les Os qui l'avait sue par un Pentoshi du nom de Myrio Myrakis, qui avait un cousin qui servait en qualité d'échanson auprès du Prince en Guenilles. « L' cousin a entendu dire ça sous la tente de commandement, d' la bouche même de Caggo, insistait Dick Chaume. On prend la route avant la fin du jour, zallez voir. »

Cela au moins fut confirmé. L'ordre descendit du Prince en Guenilles par le truchement de ses capitaines et de ses sergents : démontez les tentes, chargez les mules, sellez les chevaux, nous partons pour Yunkaï au point du jour. « Pas de risque que ces salauds de Yunkaïis veuillent nous voir dans leur Cité Jaune, à rôdailler autour de leurs filles », prédit Baqq, l'arbalétrier myrien aux yeux mi-clos dont le nom signifiait *haricots* et qu'on appelait donc *Fayots*. « À Yunkaï on se procurera des vivres, on aura p't-êt' des chevaux frais et après, on continuera vers Meereen pour aller danser avec la reine dragon. Alors, que ça saute, Guernouille ! Traîne pas, et affûte bien l'épée de ton maître. S'pourrait bien qu't'en aies b'soin sous peu ! »

À Dorne, Quentyn Martell avait été prince ; à Volantis, un commis de marchand ; mais sur les côtes de la baie des Serfs, il n'était plus que Guernouille, écuyer du grand chevalier dornien chauve que les épées-louées appelaient Vertes-tripes. Chez les Erre-au-Vent, les hommes employaient les noms qui leur chantaient et en variaient à leur guise. Ils lui avaient attribué celui de *Guernouille* à cause de sa diligence dès que le colosse beuglait un ordre. « Et qu' ca saute ! »

Même le commandant des Erre-au-Vent gardait pour lui son vrai nom. Certaines compagnies libres étaient nées durant le siècle de sang et de chaos qui avait suivi le Fléau de Valyria. D'autres, formées hier, disparaîtraient demain. Les Erre-au-Vent avaient trente ans d'histoire, et sous un seul commandant, un noble Pentoshi à la voix douce et aux yeux mélancoliques qu'on appelait le Prince en Guenilles. Ses cheveux et sa maille avaient le même gris argent, mais sa cape en loques mariait des haillons de couleurs variées, bleu, gris et mauve, rouge, or et vert, magenta, vermillon et vert céruléen, tous délavés par le soleil. Lorsque le Prince en Guenilles avait eu vingt-trois ans, d'après le récit qu'en faisait Dick Chaume, les magistrats de Pentos l'avaient choisi pour être leur nouveau prince, quelques heures après avoir décapité l'ancien. Il avait aussitôt ceint une épée à sa taille, sauté sur son cheval favori et fui dans les Terres Disputées, pour ne jamais revenir. Il avait chevauché avec les Puînés, les Rondaches de Fer et les Hommes de la Pucelle, puis s'était associé à cinq compagnons d'armes pour former les Erre-au-Vent. De ces six fondateurs, lui seul avait survécu.

Était-ce la vérité, Guernouille n'en avait pas la moindre idée. Depuis qu'il avait paraphé son entrée dans les Erre-au-Vent à Volantis, il n'avait aperçu le Prince en Guenilles que de loin. Les Dorniens étaient des recrues fraîches, des novices à former, de la chair à flèches, trois parmi deux mille. Leur commandant fréquentait des cercles plus élevés. « Je ne suis pas un écuyer », avait protesté Quentyn quand Gerris Boisleau – qu'on connaissait ici sous le nom de Gerrold le Dornien, pour le distinguer de Gerrold Dos-Rouge et de Gerrold le Noir, et parfois comme le Buveur, car le mastodonte, par bourde, l'avait appelé ainsi

– avait suggéré cette ruse. « J'ai gagné mes éperons à Dorne. Je suis autant chevalier que vous. »

Mais Gerris avait prévalu ; Archie et lui étaient ici pour protéger Quentyn, et cela signifiait qu'ils devaient le garder auprès du mastodonte. « De nous trois, Arch est le meilleur guerrier, avait fait observer Boisleau, mais vous seul pouvez espérer épouser la reine dragon. »

L'épouser ou la combattre ; en tout cas, je vais bientôt être face à face avec elle. Plus Quentyn entendait parler de Daenerys Targaryen et plus il appréhendait leur rencontre. Les Yunkaïis soutenaient qu'elle nourrissait ses dragons de chair humaine et se baignait dans le sang des vierges pour entretenir la souplesse et le satin de sa peau. Fayots en riait, mais il raffolait des anecdotes sur les appétits sexuels de la reine d'argent. « Un de ses capitaines descend d'une lignée où les hommes ont une anguille d'un pied de long, leur raconta-t-il, mais même lui, il est pas assez épais pour elle. Elle a vécu parmi les Dothrakis où elle a pris l'habitude de se faire fourbir par des étalons, si bien qu'aucun homme peut plus la satisfaire, désormais. » Et Bouquine, l'habile reître volantain qui semblait avoir en permanence le nez plongé dans un rouleau friable, jugeait la reine dragon aussi meurtrière que folle. « Son *khal* a tué son frère pour la faire reine. Ensuite, elle a tué son *khal* pour devenir *khaleesi*. Elle pratique des sacrifices sanglants, elle ment comme elle respire, elle se retourne contre les siens par caprice. Elle a violé des trêves, torturé des ambassadeurs… Son père était fou, lui aussi. Ça se transmet par le sang. »

Ça se transmet par le sang. Oui, le roi Aerys II était fou, tout Westeros le savait. Il avait banni deux de ses Mains et condamné au bûcher une troisième. *Si Daenerys est aussi meurtrière que son père, dois-je l'épouser quand même ?* Le prince Doran n'avait jamais abordé cette éventualité.

Guernouille serait content de laisser Astapor derrière lui. La Cité Rouge était le plus proche équivalent de l'enfer qu'il ait jamais imaginé fréquenter. Les Yunkaïis avaient consolidé les portes enfoncées afin de confiner les morts et les agonisants à l'intérieur de la ville, mais les scènes qu'il avait vues en parcourant à cheval ces rues de brique rouge hanteraient à jamais

Quentyn Martell. Un fleuve charriant des cadavres. La prêtresse dans ses robes en lambeaux, empalée sur un pieu et environnée d'une cour de mouches vertes luisantes. Des mourants qui titubaient à travers les rues, couverts de sang et d'ordure. Des enfants qui se disputaient des chiots à moitié cuits. Le dernier roi libre d'Astapor, hurlant nu au fond de l'arène, tandis qu'une vingtaine de dogues affamés se jetaient sur lui. Et des feux, partout des incendies. Il pouvait clore les yeux et les voir encore : des flammes se déployant contre des pyramides de brique plus hautes que tous les châteaux qu'il avait jamais contemplés, des panaches de fumée grasse qui montaient en se lovant comme d'immenses serpents noirs.

Quand le vent soufflait du sud, l'air sentait la fumée, même ici, à trois milles de la cité. Derrière ses remparts de brique rouge décatis, Astapor brûlait toujours, bien que la plupart des grands brasiers se fussent épuisés, désormais. Des cendres dérivaient paresseusement sur la brise comme les gros flocons d'une neige grise. Quitter ces lieux serait une bonne chose.

Le mastodonte partageait cette opinion. « Il est que trop temps », déclara-t-il quand Guernouille le trouva en train de jouer aux dés avec Fayots, Bouquine et le vieux Bill les Os, et de perdre encore une fois. Les épées-louées adoraient Vertes-tripes, qui pariait avec toute la témérité qu'il mettait au combat, mais une bien moindre réussite. « Va me falloir mon armure, Guernouille. T'as récuré le sang qu'y avait sur ma maille ?

— Oui-da, ser. » La maille de Vertes-tripes était vieille et lourde, reprisée encore et encore, très usée. Il en allait de même de son casque, son gorgerin, ses grèves, ses gantelets et le reste de sa plate dépareillée. L'équipement de Guernouille valait à peine mieux, et celui de ser Gerris était visiblement pire. *L'acier de la compagnie*, selon les termes de l'armurier. Quentyn n'avait pas demandé combien l'avaient porté avant lui, combien étaient morts dedans. Ils avaient abandonné leurs propres belles armures à Volantis, en même temps que leur or et leurs vrais noms. Des chevaliers fortunés venus de maisons anciennes et honorables ne traversaient pas le détroit pour louer leurs épées, à moins d'avoir été exilés pour une infamie. « Je préfère passer pour pauvre que pour abject », avait déclaré Quentyn quand Gerris leur avait expliqué sa ruse.

Il fallut aux Erre-au-Vent moins d'une heure pour lever le camp. « Et maintenant, en selle », commanda le Prince en Guenilles de son énorme palefroi gris, dans un haut valyrien classique qui était ce qui s'approchait le plus d'une Langue Commune à la compagnie. Les quartiers arrière pommelés de son étalon étaient couverts de bandes de tissu, déchirées aux surcots des hommes qu'avait tués son maître.

La cape du prince avait été cousue selon la même méthode. L'homme avait un âge certain, plus de soixante ans, mais il se tenait encore droit et fier sur sa selle, et sa voix avait assez de vigueur pour porter à chaque recoin du champ de bataille. « Astapor n'était qu'un amuse-gueule, déclara-t-il. Meereen sera notre banquet », et les mercenaires poussèrent une féroce clameur. Des rubans de soie bleu ciel palpitaient à leurs piques, tandis que des bannières en queue d'aronde, bleu et blanc, l'étendard des Erre-au-Vent, volaient au-dessus.

Les trois Dorniens braillèrent de concert. Leur silence aurait attiré l'attention. Mais tandis que les Erre-au-Vent prenaient la direction du nord en empruntant la route côtière, suivant de près Barbesang et la Compagnie du Chat, Guernouille vint se ranger à hauteur de Gerrold le Dornien. « Bientôt », annonça-t-il dans la Langue Commune de Westeros. La Compagnie comptait d'autres Ouestriens, mais peu, et aucun à portée. « Nous avons besoin d'agir sans tarder.

— Pas ici », le mit en garde Gerris, avec le sourire vide d'un comédien. « Nous en reparlerons ce soir, lorsque nous dresserons le camp. »

Cent lieues séparaient Astapor de Yunkaï en prenant la vieille route côtière ghiscarie, et cinquante de plus de Yunkaï à Meereen. Les compagnies libres, sur de bonnes montures, pouvaient atteindre Yunkaï en six jours de chevauchées forcées, ou huit à une allure plus mesurée. Les légions de l'ancienne Ghis en mettraient moitié plus en progressant à pied, et les Yunkaïis avec leurs soldats esclaves... « Avec les généraux qu'ils ont, c'est déjà merveille qu'ils avancent pas dans la mer », commenta Fayots.

Les Yunkaïis ne manquaient pas de généraux. Un vieux héros du nom de Yurkhaz zo Yunzak exerçait le commandement suprême, mais les hommes des Erre-au-Vent ne l'apercevaient que de loin, allant et venant dans un palanquin tellement énorme qu'il exigeait quarante esclaves pour le transporter.

En revanche, ils ne pouvaient pas manquer de voir ses subalternes. Les petits seigneurs yunkaïis galopaient en tous sens comme des cafards. La moitié paraissait se nommer Ghazdan, Grazdan, Mazdhan ou Ghaznak ; distinguer un nom ghiscari d'un autre semblait un art que peu d'Erre-au-Vent pratiquaient, si bien qu'ils leur attribuaient des sobriquets moqueurs de leur cru.

Premier d'entre eux, la Baleine Jaune, un homme obscène de ventripotence, qui portait de sempiternels *tokars* en soie jaune avec des franges dorées. Trop lourd pour pouvoir même tenir debout sans assistance, il n'arrivait pas à maîtriser ses besoins naturels et puait donc la pisse en permanence, une si épouvantable infection que même de puissants parfums ne parvenaient pas à la masquer. Mais on le prétendait l'homme le plus riche de Yunkaï, et il avait une passion pour les grotesques ; ses esclaves comprenaient un gamin aux pattes et aux sabots de chèvre, une femme à barbe, un monstre à deux têtes venu de Mantarys et un hermaphrodite qui réchauffait sa couche, la nuit. « Vit et connin concurremment, leur dit Dick Chaume. La Baleine possédait aussi un géant, et aimait l' regarder baiser ses esclaves. Et puis, l' géant est mort. J'ai entendu dire qu' la Baleine paierait un sac d'or pour en avoir un nouveau. »

Il y avait aussi la Générale, qui se déplaçait sur un cheval blanc à crinière rouge et commandait une centaine de solides esclaves soldats qu'elle avait formés et entraînés elle-même, tous jeunes, minces, bosselés de muscles et nus, à l'exception d'un pagne, de capes jaunes et de longs boucliers de bronze couverts d'ornementations érotiques. Leur maîtresse, qui ne devait pas avoir plus de seize ans, se voyait comme la Daenerys Targaryen de Yunkaï.

Le Ramier n'était pas tout à fait nain, mais on aurait pu s'y tromper quand la lumière déclinait. Et pourtant, il se pavanait comme un géant, écartant largement ses petites jambes replètes et bombant son petit torse grassouillet. Ses soldats étaient les plus grands qu'aient vus les Erre-au-Vent ; le plus court mesurait sept pieds de haut, et les échasses intégrées aux jambières de leurs armures ornementées les faisaient paraître encore plus grands. Des écailles d'émail rose leur couvraient le torse ; sur leur tête étaient perchés des casques allongés, agrémentés de becs d'acier pointus et de crêtes de plumes roses qui dansaient. Chaque homme portait à la hanche une longue épée courbe, et serrait une pique aussi haute que lui, avec un fer en feuille à chaque extrémité.

« Le Ramier en fait l'élevage, les informa Dick Chaume. Il achète de grands esclaves dans le monde entier, accouple les hommes avec les femmes et garde les plus grands enfants pour les Hérons. Il espère pouvoir un jour s' dispenser des échasses.

— Quelques sessions sur un chevalet pourraient accélérer le processus », suggéra le mastodonte.

Gerris Boisleau éclata de rire. « Une bande qui inspire la terreur. Rien ne me terrifie plus qu'une troupe d'échassiers couverts d'écailles roses et de plumes. Si j'en avais un aux trousses, je rirais tellement que ma vessie pourrait lâcher.

— Y en a qui trouvent que les Hérons ont d' la majesté, observa le vieux Bill les Os.

— Ouais, si ton roi bouffe des grenouilles en se tenant sur une seule patte.

— C'est froussard, les hérons, glissa le mastodonte. Un jour qu'on chassait, le Buveur, Cletus et moi, on est tombés sur des hérons qui arpentaient les hauts-fonds en se gobergeant de têtards et de vairons. Ah, ça, le spectacle valait le coup d'œil, mais un faucon est soudain passé dans les airs et ils se sont tous envolés comme s'ils avaient vu un dragon. Ils ont soulevé tant de vent qu'ils m'en ont culbuté de mon cheval, mais Cletus a tiré une flèche et en a abattu un. Ça a le goût du canard, en moins gras. »

Même le Ramier et ses Hérons pâlissaient devant la folie des frères que les épées-louées avaient baptisés les Lords de la Sonnaille. La dernière fois que les esclaves soldats de Yunkaï avaient affronté les Immaculés de la reine dragon, ils avaient rompu les rangs et s'étaient enfuis. Les Lords de la Sonnaille avaient mis au point un dispositif pour pallier le problème ; ils enchaînaient les hommes entre eux par groupes de dix, poignet à poignet et cheville à cheville. « Aucun d' ces pauvres couillons peut s'enfuir s'ils fuient pas tous, expliqua Dick Chaume en se tordant de rire. Et s'i' détalent tous, ils vont pas courir très vite.

— Putain, mais pour marcher, ils vont vraiment pas vite non plus, maugréa Fayots. On entend leurs bruits de ferraille à dix lieues. »

Il y en avait d'autres, presque aussi fous, ou pires. Lord Ballotte-bajoues, le Conquérant ivrogne, le Maître des Fauves, Trogne-de-Gruau, le Lièvre, l'Aurige, le Héros parfumé. Certains avaient vingt soldats, d'autres deux cents ou deux mille, tous des esclaves qu'ils avaient formés et équipés eux-mêmes. Chacun était fort riche et arrogant, capitaine ou commandant, et ne répondait à personne d'autre qu'à Yurkhaz zo Yunzak, dédaigneux des vulgaires épées-louées et enclins, sur des questions de protocole, à des chamailleries aussi interminables qu'incompréhensibles.

Dans le temps qu'il fallut aux Erre-au-Vent pour chevaucher sur trois milles, les Yunkaïis en avaient pris deux et demi de retard. « Un tas d'imbéciles jaunes qui puent, se plaignit Fayots. Ils ont toujours pas réussi à comprendre pourquoi les Corbeaux Tornade et les Puînés sont passés sous les ordres de la reine dragon.

— Pour l'or, pensent-ils, répondit Bouquine. Pourquoi crois-tu qu'ils nous paient si bien ?

— L'or, j'aime ça, mais j'aime encore plus la vie, reprit Fayots. À Astapor, on a dansé avec des estropiés. Tu tiens à affronter de véritables Immaculés, avec cette bande dans ton camp ?

— On s'est battu contre des Immaculés à Astapor, protesta le mastodonte.

— Je parle de *vrais* Immaculés. Suffit pas de couper les bougettes d'un gamin au hachoir de boucher et de lui donner un chapeau pointu pour en faire un Immaculé. La reine dragon, c'est des vrais, qu'elle a, le genre de matériel qui se débande pas pour prendre ses jambes à son cou quand on pète dans leur direction générale.

— Eux, et des dragons, aussi. » Dick Chaume leva les yeux vers le ciel comme s'il imaginait que la simple mention de dragons pourrait suffire à les voir fondre sur la compagnie. « Aiguisez bien vos épées, les petits, on va avoir une vraie bataille sous peu. »

Une vraie bataille, songea Guernouille. Les mots lui restaient en travers de la gorge. Le combat sous les remparts d'Astapor ne lui avait pas paru manquer de véracité, mais il savait que les mercenaires avaient un autre point de vue. « C'était de la boucherie, pas un combat », avait-on entendu Denzo D'han, le barde guerrier, déclarer à la fin. Denzo était capitaine, vétéran de cent batailles. L'expérience de Guernouille se limitait à la cour d'exercice et à la lice de joute, si bien qu'il ne se jugeait pas apte à contester le verdict d'un combattant aussi aguerri.

Ça ressemblait pourtant bien à une bataille. Il se souvenait comment son ventre s'était serré quand il avait été réveillé d'un coup de pied, à l'aube, le mastodonte dressé au-dessus de lui. « En armure, fainéant, avait tonné le colosse. Le Boucher s'en vient nous livrer bataille. Debout, debout, si tu ne veux pas finir comme viande à l'étal.

— Le Roi Boucher est mort », avait-il protesté d'une voix ensommeillée. Chacun avait entendu la nouvelle en débarquant des navires qui l'amenaient de l'Antique Volantis. Un second roi Cleon s'était emparé de la couronne pour périr à son tour, apparemment, et les Astaporis étaient désormais gouvernés par une putain et un barbier fou dont les partisans se battaient entre eux pour le contrôle de la ville.

« Ils ont pu mentir, avait répliqué le mastodonte. Ou sinon, c'est encore un autre boucher. Peut-être que le premier est revenu tout hurlant de sa tombe pour massacrer des Yunkaïis. On s'en fout un peu, Guernouille. *Enfile ton armure.* » La tente abritait dix personnes, et toutes étaient déjà levées, passant leurs chausses et leurs bottes, glissant de longues cottes de maille annelée par-dessus leurs épaules, bouclant des pectoraux en place, assurant les sangles de leurs grèves ou de leurs canons, empoignant leurs casques, boucliers et baudriers. Gerris, toujours aussi prompt, fut le premier tout équipé, Arch le suivant de peu. Ensemble, ils aidèrent Quentyn à endosser son propre harnois.

À trois cents pas de là, les nouveaux Immaculés d'Astapor se déversaient par les portes de la ville et se rangeaient sous les remparts abîmés en brique rouge de leur cité, les feux de l'aube miroitant sur les pointes en bronze de leurs casques et de leurs longues piques.

Les trois Dorniens quittèrent ensemble leur tente pour rejoindre les combattants qui couraient vers les lignes de chevaux. *Le combat.* Quentyn s'exerçait avec épée et bouclier depuis qu'il avait l'âge de marcher, mais cela ne signifiait plus rien, désormais. *Guerrier, rends-moi brave*, pria Guernouille tandis qu'au loin battaient les tambours, *BOUM boum BOUM boum BOUM boum.* Le mastodonte lui montra où se trouvait le Roi Boucher, assis raide et haut sur un cheval caparaçonné d'une armure dont les écailles de bronze rutilaient au soleil du matin. Il se souvenait de Gerris qui se coula près de lui comme la bataille commençait. « Reste près d'Arch, quoi qu'il arrive. Souviens-toi, tu es le seul d'entre nous à pouvoir décrocher la fille. » Déjà, les Astaporis avançaient.

Mort ou vif, le Roi Boucher prit quand même Leurs Bontés par surprise. Leurs Yunkaïis couraient encore en *tokars* claquant au vent pour essayer de disposer leurs esclaves soldats à demi formés en une approximation d'ordre de bataille lorsque les piques immaculées s'abattirent sur leurs lignes de siège. Sans leurs alliés et ces mercenaires tant méprisés, ils auraient sans doute été submergés, mais les Erre-au-Vent et la Compagnie du Chat, montés en quelques minutes, fondirent sur les flancs astaporis dans un fracas de tonnerre, alors même qu'une légion de la Nouvelle-Ghis se forçait de l'autre côté un passage à travers le camp yunkaïi et rencontrait les Immaculés, pique contre pique, bouclier contre bouclier.

Le reste tourna à la boucherie, mais cette fois-ci, le Roi Boucher se retrouva du mauvais côté du couperet. Ce fut Caggo qui l'abattit enfin, en traversant sur son monstrueux palefroi les rangs qui protégeaient le roi, pour trancher Cleon le Grand de l'épaule à la hanche, d'un coup de son *arakh* valyrien courbe.

Guernouille n'y avait pas assisté en personne, mais ceux qui étaient là affirmèrent que l'armure de cuivre de Cleon s'était fendue comme de la soie et que, de l'intérieur, s'étaient répandues une puanteur ignoble et une centaine de vers des tombes, tout gigotants. Cleon était bel et bien mort. Les Astaporis aux abois l'avaient hissé hors de sa tombe pour le barder d'armure et l'amarrer sur un cheval, dans l'espoir de donner du cœur au ventre aux Immaculés.

La chute de Cleon le Trépassé signa la fin de l'affaire. Les nouveaux Immaculés jetèrent armes et boucliers pour décamper et trouvèrent les portes d'Astapor refermées derrière eux. Guernouille avait tenu son rôle dans le massacre qui suivit, piétinant à cheval les eunuques affolés, en compagnie des autres Erre-au-Vent. Il avait galopé avec ardeur aux côtés du mastodonte, frappant de droite et de gauche tandis qu'ils s'enfonçaient comme un coin dans la masse des Immaculés, les perçant comme un fer de pique. Lorsqu'ils émergèrent à l'autre bout, le Prince en Guenilles les fit volter pour les conduire de nouveau dans la mêlée. Ce fut uniquement au retour que Guernouille avait pu bien regarder les visages sous les casques de bronze à pointe et s'apercevoir qu'ils n'étaient pas plus vieux que lui. Des bleus qui gueulaient en appelant leur mère, avait-il songé, mais cela ne l'empêcha pas de les tuer. Le temps qu'il quitte le champ de bataille, son épée ruisselait de sang et son bras était tellement épuisé qu'il avait du mal à le soulever.

Et pourtant, ce n'était pas un vrai combat, songea-t-il. *La bataille véritable nous arrivera bientôt, et nous devrons partir avant qu'elle n'éclate, sinon nous allons nous retrouver en train de combattre dans le mauvais camp.*

Cette nuit-là, les Erre-au-Vent dressèrent le camp sur les rives de la baie des Serfs. Guernouille tira au sort le premier quart et on l'envoya garder les lignes de chevaux. Gerris vint l'y rejoindre juste après le coucher du soleil, tandis qu'une demi-lune brillait sur les eaux.

« Le mastodonte devrait être là, lui aussi, commenta Quentyn.

— Il est parti rendre visite au vieux Bill les Os et perdre le reste de sa monnaie d'argent, expliqua Gerris. Laissez-le en dehors de tout ça. Il fera ce que nous lui demanderons, même si ça ne l'enchante guère.

— Non. » Il y avait en tout cela tant et plus de choses qui déplaisaient aussi à Quentyn. Naviguer sur un navire bondé ballotté par les vents et les flots, manger du pain dur grouillant de charançons et boire du tafia noir comme le goudron jusqu'à perdre conscience, dormir sur des tas de paille moisie, l'odeur d'inconnus dans les narines... Tout cela, il s'y était attendu en traçant sa marque sur le bout de parchemin à Volantis, en jurant au Prince en Guenilles son arme et ses services pour un an. C'étaient des aléas qu'on endurait, l'étoffe de toutes les aventures.

Mais ce qui devrait suivre était de la trahison, pure et simple. Les Yunkaïis les avaient transportés de l'Antique Volantis afin de combattre pour le compte de la Cité Jaune ; mais à présent les Dorniens se préparaient à tourner casaque et à passer dans le camp adverse. Cela signifierait abandonner également leurs nouveaux frères d'armes. Les Erre-au-Vent n'étaient pas le genre de compagnons qu'aurait choisis Quentyn, pourtant avec eux il avait passé la mer, partagé la viande et l'hydromel, combattu, échangé des histoires – avec les rares dont il comprenait le langage. Et si tous les contes étaient mensonges, ma foi, tel était le prix d'une traversée vers Meereen.

« Ce n'est pas ce qu'on pourrait imaginer de plus honorable », les avait prévenus Gerris, au Comptoir des Marchands.

« Daenerys se trouve désormais peut-être à mi-chemin de Yunkaï, avec une armée derrière elle, déclara Quentyn tandis qu'ils avançaient parmi les chevaux.

— Possible, répondit Gerris, mais ce n'est pas le cas. Nous avons déjà entendu raconter ça. Les Astaporis avaient la conviction que Daenerys s'en venait au sud avec ses dragons pour briser le siège. Elle n'est pas venue à l'époque, elle ne viendra pas maintenant.

— On n'en sait rien, pas avec certitude. Il faut nous éclipser avant de nous retrouver à combattre la femme qu'on m'a envoyé séduire.

— Attendons Yunkaï. » D'un geste, Gerris indiqua les collines. « Ces territoires appartiennent aux Yunkaïis. Personne ne risque de ravitailler ou d'abriter trois déserteurs. Au nord de Yunkaï, on arrive dans un pays qui n'appartient à personne. »

Il n'avait pas tort. Mais tout de même, Quentyn était mal à l'aise. « Le mastodonte s'est fait trop d'amis. Depuis le début, il sait que notre plan demandait de s'enfuir pour rejoindre Daenerys, mais il ne va pas apprécier d'abandonner des hommes auprès desquels il s'est battu. Si nous attendons trop longtemps, nous aurons l'impression de déserter à la veille de la bataille. Jamais il ne voudra. Tu le connais aussi bien que moi.

— Ce sera une désertion, où que nous la décidions, objecta Gerris, et le Prince en Guenilles n'aime pas beaucoup les déserteurs. Il nous enverra des chasseurs aux trousses, et les Sept nous viennent en aide s'ils nous attrapent. Si on a de la chance, ils se borneront à nous trancher un pied pour s'assurer que nous ne courrons plus jamais. Si on n'en a pas, ils nous confieront à la Belle Meris. »

Ce dernier argument donna à réfléchir à Quentyn. La Belle Meris lui faisait peur. Une Ouestrienne, mais plus grande que lui, un pouce au-dessous de six pieds. Au bout de vingt ans passés dans les compagnies libres, elle n'avait plus rien de beau, ni à l'extérieur, ni à l'intérieur.

Gerris l'attrapa par le bras. « Attendez. Encore quelques jours, c'est tout. Nous avons traversé la moitié du monde, patientez encore quelques lieues. Quelque part au nord de Yunkaï, notre occasion se présentera.

— Si tu le dis », soupira Guernouille sur un ton sceptique.

Mais pour une fois les dieux prêtaient l'oreille, et leur chance se présenta bien plus tôt que cela.

C'était deux jours plus tard. Hugues Sylvegué arrêta sa monture près du feu où ils cuisaient leur repas et lança : « Dorniens. On vous demande sous la tente de commandement.

— Lequel d'entre nous ? voulut savoir Gerris. Nous sommes tous dorniens.

— Eh bien, tous, en ce cas. » Morose et lunatique, affligé d'une main estropiée, Sylvegué avait tenu quelque temps le poste de trésorier de la compagnie, jusqu'à ce que le Prince en Guenilles le surprît à voler dans les coffres et lui retirât trois doigts. Désormais, il n'était plus que sergent.

De quoi peut-il s'agir ? Jusque-là, rien n'indiquait à Guernouille que leur commandant connût même son existence. Toutefois, Sylvegué était reparti au galop, si bien que l'heure n'était plus à poser des questions. Restait à aller quérir le mastodonte pour se présenter au rapport, selon les ordres. « N'avouez rien et soyez prêts à vous battre, conseilla Quentyn à ses amis.

— Je suis toujours prêt à me battre », riposta le mastodonte.

Le grand pavillon en toile de voile grise que le Prince en Guenilles aimait à appeler son château de toile était comble quand les Dorniens arrivèrent. Il ne fallut qu'un instant à Quentyn pour se rendre compte que la plupart des membres de l'assistance venaient des Sept Couronnes, ou s'enorgueillissaient de leur sang ouestrien. *Exilés ou fils d'exilés.* Dick Chaume revendiquait la présence d'une soixantaine d'Ouestriens dans la compagnie ; un bon tiers était réuni ici, dont Dick lui-même, Hugues Sylvegué, la Belle Meris et Lewis Lanster aux blonds cheveux, le meilleur archer de la compagnie.

Denzo D'han se trouvait sur place, lui aussi, avec Caggo, énorme à côté de lui. *Caggo Tue-les-Morts*, comme les hommes l'appelaient désormais, mais pas en face ; il était prompt à s'enrager, et son épée noire et courbe était aussi méchante que son propriétaire. Il y avait au monde des centaines d'épées longues valyriennes, mais à peine une poignée d'*arakhs* valyriens. Ni Caggo ni D'han n'étaient ouestriens, mais tous deux étaient capitaines, haut placés dans l'estime du Prince en Guenilles. *Son bras droit et son gauche. Il se trame quelque chose d'important.*

Ce fut le Prince en Guenilles lui-même qui parla. « Des ordres sont arrivés de Yurkhaz, annonça-t-il. Les Astaporis survivants ont rampé hors de leurs tanières, apparemment. Il ne reste plus que des cadavres, à Astapor, et ils se répandent donc dans la campagne environnante, par centaines, peut-être par milliers, crevant tous de faim et de maladies. Les Yunkaïs ne veulent pas les voir traîner autour de la Cité Jaune. On nous a ordonné de les traquer et de leur faire rebrousser chemin, de les repousser vers Astapor ou au nord, vers Meereen. Si la reine dragon veut les accueillir, grand bien lui fasse. La moitié d'entre eux ont la caquesangue, et même les valides représentent des bouches à nourrir.

— Yunkaï est plus proche que Meereen, objecta Hugues Sylvegué. Et s'ils ne veulent pas changer de direction, messire ?

— C'est pour ça que vous portez des piques et des épées, Hugues. Mais les arcs seraient peut-être d'un meilleur usage. Tenez-vous bien à distance de ceux qui manifestent les symptômes de la caquesangue. J'envoie la moitié de nos forces dans les collines. Cinquante patrouilles, de vingt cavaliers chacune. Barbesang a les mêmes ordres, si bien que les Chats seront sur le terrain, eux aussi. »

Les hommes échangèrent des coups d'œil, et quelques-uns grommelèrent dans leur barbe. Si la compagnie des Erre-au-Vent et celle du Chat étaient toutes deux sous contrat avec Yunkaï, un an plus tôt dans les Terres Disputées, ils s'étaient retrouvés sur les lignes de bataille dans des camps opposés, et le ressentiment persistait. Barbesang, le féroce commandant des Chats, était un géant tonitruant avec un farouche appétit de massacre qui ne faisait pas mystère de son dédain pour « les vieux barbons en chiffons ».

Dick Chaume s'éclaircit la gorge. « J' vous demande pardon, mais on est tous natifs des Sept Couronnes, ici. Zaviez encore jamais cassé la Compagnie par origine, messire. Pourquoi nous envoyer d'un seul paquet ?

— La question mérite réponse. Vous devrez chevaucher vers l'est, pénétrer dans les collines, puis contourner Yunkaï à bonne distance et vous diriger vers Meereen. Si vous deviez croiser des Astaporis, repoussez-les vers le nord ou tuez-les... mais sachez que tel n'est pas le but de votre mission. Au-delà de la Cité Jaune, vous avez des chances de rencontrer les patrouilles de la reine dragon. Des Puînés ou des Corbeaux Tornade. Les uns ou les autres feront l'affaire. Rejoignez-les.

— Les rejoindre ? s'exclama le chevalier bâtard, ser Orson Roche. Vous voudriez nous faire tourner casaque ?

— Oui », répondit le Prince en Guenilles.

Quentyn Martell faillit éclater de rire. *Les dieux sont fous.*

Les Ouestriens s'agitèrent, mal à l'aise. Certains fixaient leur coupe de vin, comme dans l'espoir d'y trouver quelque sagesse.

Hugues Sylvegué fit grise mine. « Vous pensez que la reine Daenerys nous accueillera…

— En effet.

— Mais en ce cas, qu'adviendra-t-il ? Sommes-nous des espions ? Des émissaires ? Songez-vous à changer d'allégeance ? » Caggo se renfrogna. « C'est au prince de décider, Sylvegué. Votre rôle est d'exécuter les ordres.

— Toujours. » Sylvegué leva sa main à deux doigts.

« Parlons franc, intervint Denzo D'han, le barde guerrier. Les Yunkaïis ne m'inspirent aucune confiance. Quelle que soit l'issue de cette guerre, les Erre-au-Vent se doivent de partager le butin de la victoire. Notre prince est sage de nous garder toutes les issues ouvertes.

— Meris vous commandera, ajouta le Prince en Guenilles. Elle connaît mon avis sur ce chapitre… et peut-être Daenerys Targaryen acceptera-t-elle plus aisément une autre femme. »

Quentyn jeta un coup d'œil par-dessus son épaule à la Belle Meris. Quand le regard froid et mort de la femme croisa le sien, il se sentit frissonner. *Ça ne me plaît pas.*

Dick Chaume avait encore des doutes, lui aussi. « La fille serait sotte de nous faire confiance. Même avec Meris. *Surtout* avec Meris. Enfer, je lui fais pas confiance, moi, et je l'ai baisée plusieurs fois. » Il grimaça un sourire, mais personne ne rit. Surtout pas la Belle Meris.

« Vous avez tort, je crois, Dick, lui répondit le Prince en Guenilles. Vous êtes tous ouestriens. Des amis de chez elle. Vous parlez la même langue qu'elle, adorez les mêmes dieux. Quant à vos motivations, vous avez tous subi des vexations de ma part. Dick, je t'ai fouetté plus que n'importe quel homme de la Compagnie, et tu as ton dos pour preuve. Ma discipline a fait perdre trois doigts à Hugues. Meris a été violée par la moitié de la Compagnie. Pas celle-ci, bien entendu, mais inutile d'entrer dans les détails. Will des Forêts, ma foi, tu es de la racaille. Ser Orson me blâme d'avoir envoyé son frère aux Chagrins, et ser Lucifer bout encore de rage à propos de l'esclave que Caggo lui a prise.

— Il aurait pu la restituer après en avoir profité, protesta Lucifer Long. Il n'avait aucune raison de la tuer.

— Elle était laide, déclara Caggo. C'est assez de raison. »

Le Prince en Guenilles poursuivit comme si personne n'avait rien dit. « Tyssier, tu conserves des revendications sur des terres perdues, à Westeros. Lanster, j'ai tué ce garçon qui te plaisait tant. Vous, les trois Dorniens, vous pensez que nous vous avons menti. Le butin d'Astapor était bien moindre qu'on vous l'avait promis à Volantis, et j'en ai prélevé la part du lion.

— Cette dernière partie est vraie, commenta ser Orson.

— Les meilleures ruses renferment toujours un germe de vérité, répondit le Prince en Guenilles. Chacun d'entre vous a d'amples raisons de vouloir m'abandonner. Et Daenerys Targaryen le sait, les épées-louées sont une race volage. Ses propres Puînés et les Corbeaux Tornade ont pris l'or yunkaïi, mais n'ont pas hésité à la rejoindre quand le flot de la bataille a commencé à s'orienter vers elle.

— Quand devons-nous partir ? demanda Lewis Lanster.

— Sur-le-champ. Méfiez-vous des Chats et des Longues Lances que vous pourriez croiser. Nul ne saura que votre défection est une ruse, hormis ceux d'entre nous sous cette tente. Retournez trop tôt vos jetons et on vous mutilera comme déserteurs ou on vous éventrera comme tourne-casaque. »

Les trois Dorniens quittèrent en silence la tente de commandement. *Vingt cavaliers, parlant tous la Langue Commune*, songea Quentyn. *Chuchoter vient tout juste de devenir une activité nettement plus dangereuse.*

Le mastodonte vint lui flanquer une claque vigoureuse dans le dos. « Eh bien. Voilà qui est bon, Guernouille. Une chasse au dragon. »

L'ÉPOUSE REBELLE

Asha Greyjoy siégeait dans la grande salle de Galbart Glover, à boire le vin de Galbart Glover, quand le mestre de Galbart Glover vint lui apporter la lettre.

« Madame. » Le mestre parlait d'une voix inquiète, comme toujours lorsqu'il s'adressait à elle. « Un oiseau venu de Tertre-bourg. » Il lui tendit vivement le parchemin, comme s'il avait hâte de s'en débarrasser. L'objet, roulé serré, était scellé par un bouton dur de cire rose.

Tertre-bourg. Asha essaya de se remémorer qui régnait à Tertre-bourg. *Un seigneur nordien, personne qui soit mon ami.* Et ce sceau… Les Bolton de Fort-Terreur marchaient à la bataille sous des bannières roses éclaboussées de gouttelettes de sang. Il semblait logique qu'ils employassent également de la cire à cacheter rose.

C'est du poison que j'ai en main, se dit-elle. *Je devrais le jeter au feu.* Mais elle rompit le sceau. Un bout de cuir voleta pour tomber dans son giron. Quand elle lut le texte brun et sec, sa méchante humeur s'assombrit encore. *Noires ailes, noires nouvelles.* Jamais les corbeaux n'apportaient d'heureuses informations. Le dernier message expédié à Motte-la-Forêt était venu de Stannis Baratheon, pour exiger hommage. Celui-ci était pire. « Les Nordiens ont pris Moat Cailin.

— Le Bâtard de Bolton ? s'enquit Qarl, près d'elle.

— *Ramsay Bolton, sire de Winterfell*, signe-t-il. Mais il y a d'autres noms, également. » Lady Dustin, lady Cerwyn et quatre

Ryswell avaient ajouté leur propre paraphe au sien. Auprès d'eux était figuré un géant grossier, la marque d'un Omble.

Ceux-ci étaient tracés avec de l'encre de mestre, un mélange de suie et de coaltar, mais le texte au-dessus était rédigé en brun d'une ample écriture toute en piques. Elle décrivait la chute de Moat Cailin, le retour triomphal du gouverneur du Nord en ses domaines, et un mariage à conclure promptement. Les premiers mots annonçaient : « *J'écris cette lettre avec du sang de Fer-nés* », les derniers : « *J'adresse à chacun de vous un morceau de prince. Attardez-vous sur mes terres et vous partagerez son sort.* »

Asha avait cru son petit frère mort. *Plutôt mort que ceci.* Le fragment de peau lui avait chu sur ses genoux. Elle le porta à la bougie et regarda la fumée s'entortiller jusqu'à ce qu'il eût été consumé et que la flamme lui léchât les doigts.

Le mestre de Galbart Glover attendait près de son coude, avec des flottements d'inquiétude. « Il n'y aura pas de réponse, l'informa-t-elle.

— Puis-je partager ces nouvelles avec lady Sybelle ?

— Si vous y tenez. » Dire si Sybelle Glover puiserait grande joie dans la chute de Moat Cailin, Asha ne l'aurait su. Lady Sybelle vivait pratiquement dans son bois sacré, priant pour le retour, sains et saufs, de ses enfants et de son époux. *Encore une prière qui risque de ne pas se voir exaucée. Son arbre-cœur est aussi sourd et aveugle que notre dieu Noyé.* Robett Glover et son frère Galbart avaient chevauché vers le sud en compagnie du Jeune Loup. Si les contes qu'on leur avait faits des Noces Pourpres avaient seulement pour moitié de vérité, ils avaient peu de chances de retourner dans le Nord. *Ses enfants sont vivants, au moins, et cela, elle me le doit.* Asha les avait laissés à Dix-Tours aux bons soins de ses tantes. La plus petite de lady Sybelle tétait encore, et elle avait jugé la fillette trop fragile pour l'exposer aux rigueurs d'une nouvelle traversée dans la tempête. Asha fourra la lettre entre les mains du mestre. « Tenez. Qu'elle y trouve réconfort, si elle le peut. Vous avez ma permission de vous retirer. »

Le mestre inclina la tête et s'en fut. Après son départ, Tris Botley se tourna vers Asha. « Si Moat Cailin est tombée, Quart-Torrhen ne saurait tarder. Puis ce sera notre tour.

— Pas avant un moment. Le Gueule-en-Deux leur fera pisser le sang. » Quart-Torrhen n'était pas une ruine à l'instar de Moat Cailin, et Dagmer avait du fer jusque dans l'os. Il mourrait avant que de se rendre.

Si mon père vivait encore, Moat Cailin ne serait jamais tombée. Balon Greyjoy savait que Moat était la clé pour tenir le Nord. Euron le savait aussi ; simplement, il s'en moquait. Pas plus qu'il n'avait cure du sort de Motte-la-Forêt ou de Quart-Torrhen. « Euron se fout des conquêtes de Balon. Mon oncle s'en va chasser le dragon. » L'Œil-de-Choucas avait convoqué à Vieux Wyk toute la puissance des îles de Fer et pris le large vers les profondeurs des Mers du Crépuscule, son frère Victarion sur ses talons comme un chien battu. Il ne restait sur Pyk personne vers qui l'on pût se tourner, sinon le seigneur son époux. « Nous sommes seuls.

— Dagmer les écrasera », assura Cromm, qui n'avait jamais rencontré de femme qu'il aimât moitié autant qu'une bataille. « Ce ne sont que des Loups.

— Tous les Loups ont été tués. » De son ongle, Asha grattait la cire rose. « Et voilà les écorcheurs qui les ont abattus.

— Nous devrions gagner Quart-Torrhen pour nous joindre au combat », les pressa Quenton Greyjoy, un lointain cousin et capitaine de la *Luronne*.

« Certes », appuya Dagon Greyjoy, un cousin encore plus éloigné. Dagon le Poivrot, comme l'appelaient les hommes, mais ivre ou pas, il adorait combattre. « Pourquoi le Gueule-en-Deux devrait-il garder toute la gloire pour lui ? »

Deux des serviteurs de Galbart Glover apportèrent le rôti, mais ce lambeau de peau avait coupé l'appétit d'Asha. *Mes hommes ont renoncé à tout espoir de victoire*, comprenait-elle avec abattement. *Tout ce qu'ils recherchent, désormais, c'est une belle mort.* Les Loups la leur fourniraient, elle n'en doutait pas. *Tôt ou tard, ils viendront reprendre ce castel.*

Le soleil sombrait derrière les grands pins du Bois-aux-Loups quand Asha gravit les degrés de bois menant à la chambre à coucher qui avait naguère appartenu à Galbart Glover. Elle avait bu trop de vin et la tête lui battait. Asha Greyjoy avait beaucoup d'affection pour ses hommes, tant capitaines qu'équipage, mais la moitié étaient des idiots. *De vaillants idiots, mais des idiots quand même. Aller retrouver le Gueule-en-Deux, oui-da, comme si nous le pouvions...*

Entre Motte-la-Forêt et Dagmer s'étiraient de longues lieues, des collines rudes, des forêts épaisses, des rivières sauvages et plus de Nordiens qu'elle n'aimait en envisager. Asha possédait quatre vaisseaux et pas tout à fait deux cents hommes... en comptant Tristifer Botley, sur lequel on ne pouvait point compter. En dépit de toutes ses belles déclarations enamourées, elle n'imaginait pas Tris se ruer à Quart-Torrhen pour y périr aux côtés de Dagmer Gueule-en-Deux.

Qarl la suivit en haut jusqu'à la chambre de Galbart Glover. « Sors, lui ordonna-t-elle. Je veux rester seule.

— Ce que tu veux, en fait, c'est moi. » Il tenta de l'embrasser. Asha le repoussa. « Si tu me touches encore, je...

— Tu quoi ? » Il dégaina son poignard. « Déshabille-toi, ma fille.

— Va te faire foutre, puceau.

— C'est toi que je préfère foutre. » Un rapide coup de lame dégrafa le justaucorps d'Asha. Elle tendit la main vers sa hache, mais Qarl, lâchant son poignard, la saisit par le poignet, lui tordant le bras en arrière jusqu'à ce que l'arme tombât des doigts d'Asha. Il repoussa la jeune femme vers le lit de Glover, l'embrassa avec brutalité et arracha sa tunique pour lui libérer les seins. Quand elle essaya de lui flanquer un coup de genou dans le bas-ventre, il esquiva d'une torsion et, avec les genoux, la força à écarter les cuisses. « Je vais te prendre, maintenant.

— Vas-y, cracha-t-elle, et je te tuerai dans ton sommeil. »

Elle était complètement mouillée quand il la pénétra. « Crève, dit-elle. Crève crève crève. » Il lui suça les pointes de seins jusqu'à la faire crier, à demi de douleur, à demi de plaisir. Son conet devint le monde. Elle oublia Moat Cailin, Ramsay Bolton et son petit fragment de peau, oublia les états généraux de la royauté, oublia son échec, oublia son exil, ses ennemis et son époux. Ne comptaient plus que les mains de l'homme, sa bouche, ses bras autour d'elle, son vit en elle. Il la baisa jusqu'à ce qu'elle hurlât, et puis recommença jusqu'à ce qu'elle pleurât, avant de répandre enfin sa semence dans le ventre d'Asha.

« Je suis une femme mariée, lui rappela-t-elle ensuite. Tu m'as souillée, godelureau sans barbe. Le seigneur mon époux te coupera les couilles et te fera porter une jupe. »

Qarl roula sur lui-même pour la libérer. « S'il arrive à s'extirper de sa chaise. »

Dans la chambre, il faisait froid. Asha se leva du lit de Galbart Glover et retira ses vêtements déchirés. Le justaucorps aurait besoin de nouveaux lacets, mais on ne pourrait pas sauver la tunique. *Bah, je ne l'ai jamais aimée.* Elle la jeta dans les flammes. Elle laissa le reste en une flaque de tissu à côté du lit. Elle avait les seins tout dolents, et la semence de Qarl lui dégouttelait le long de la cuisse. Elle devrait se préparer un thé de lune ou courir le risque de mettre au monde une seiche nouvelle. *Quelle importance ? Mon père est mort, ma mère agonise, on écorche mon frère et je suis impuissante à agir en quelque manière que ce soit. Et je suis mariée. Mariée et déflorée... certes, pas par le même homme.*

Lorsqu'elle vint se glisser de nouveau sous les fourrures, Qarl dormait. « À présent, ta vie m'appartient. Où ai-je mis ma dague ? » Asha se pressa contre le dos de l'homme et l'entoura de ses bras. Dans les îles, on le connaissait sous le nom de Qarl Pucelle, en partie pour le distinguer de Qarl Berger, de Qarl Kenning Lestrange, de Qarl Prompte-Hache et de Qarl le Serf, mais surtout pour ses joues lisses. La première fois qu'Asha l'avait rencontré, Qarl essayait de se laisser pousser la barbe. « Du duvet de pêche », avait-elle tranché, en riant. Qarl avoua n'avoir jamais vu de pêche, aussi Asha l'invita-t-elle à l'accompagner lors du voyage suivant qu'elle fit dans le Sud.

C'était encore l'été, à l'époque ; Robert occupait le Trône de Fer, Balon se morfondait sur le Trône de Grès, et la paix régnait sur les Sept Couronnes. Avec le *Vent noir*, Asha avait caboté, pour commercer. Ils avaient fait escale à Belle Île, Port-Lannis, et vingt autres ports de moindre taille avant d'atteindre La Treille, fameuse pour ses énormes pêches sucrées. « Tu vois », avait-elle dit la première fois qu'elle en avait placé une contre la joue de Qarl. Quand elle avait encouragé le jeune homme à y mordre, le jus lui avait dégouliné sur le menton, et elle avait dû le nettoyer de ses baisers.

Cette nuit-là, ils l'avaient passée à se régaler de pêches et de leurs deux corps et, le temps que revienne le jour, Asha était repue, poisseuse et heureuse comme elle l'avait rarement été. *Cela remontait à quoi ? Six, sept ans ?* Le souvenir de l'été s'effaçait, et voilà trois ans qu'Asha n'avait plus dégusté de pêche. Elle continuait d'apprécier Qarl, en revanche. Les capitaines et les rois n'avaient peut-être pas voulu d'elle, mais Qarl, si.

Asha avait connu d'autres amants ; certains partageaient son lit une moitié d'année, d'autres, une moitié de nuit. Qarl la satisfaisait plus que tout le reste pris ensemble. Il ne se rasait peut-être que deux fois par mois, mais la barbe en broussaille ne fait point l'homme. Elle aimait le contact de sa peau lisse et douce sous ses doigts ; la façon dont les longs cheveux raides de Qarl lui tombaient sur les épaules ; sa manière d'embrasser ; son sourire quand elle frottait du pouce la pointe de ses pectoraux. Le poil entre les jambes de Qarl avait une nuance sable plus sombre que ses cheveux, mais il était doux comme du duvet en comparaison avec la fourrure rêche autour du sexe d'Asha. Cela lui plaisait aussi. Il avait un corps de nageur, long et svelte, dénué de toute cicatrice.

Un sourire timide, des bras vigoureux, des doigts habiles et deux épées fiables. Que pouvait demander de plus une femme ? Elle aurait pris Qarl pour mari, et de grand cœur, mais elle était la fille de lord Balon et Qarl était d'origine vulgaire, un petit-fils de serf. *De trop basse naissance pour que je l'épouse, mais point trop bas pour que je lui suce la queue.* Ivre, souriante, elle se faufila sous les fourrures et le prit en bouche. Qarl remua dans son sommeil et, au bout d'un moment, commença à raidir. Le temps qu'elle l'ait de nouveau rendu dur, il était réveillé et elle était humide. Asha drapa de fourrures ses épaules nues et enfourcha Qarl, l'attirant si profondément en elle qu'elle n'aurait su dire qui avait le conet et qui le vit. Cette fois-ci, tous deux atteignirent leur paroxysme ensemble.

« Ma douce dame, murmura-t-il ensuite d'une voix encore pâteuse de sommeil. Ma douce reine. »

Non, songea Asha. *Je ne suis pas reine, ni jamais ne le serai.*

« Rendors-toi. » Elle le baisa sur la joue, traversa pieds nus la chambre à coucher de Galbart Glover, et ouvrit largement les volets. La lune était presque pleine, la nuit si claire qu'elle apercevait les montagnes, et leurs cimes couronnées de neige. *Froides, sinistres et inhospitalières, mais magnifiques au clair de lune.* Leurs crêtes luisaient, pâles et déchiquetées comme une rangée de crocs aiguisés. Les contreforts et les premiers pics étaient perdus dans l'ombre.

La mer se situait plus près, à peine à cinq lieues au nord, mais Asha n'en voyait rien. Trop de collines lui bouchaient la vue. *Et des arbres, tant d'arbres.* Le Bois-aux-Loups, le nommaient les Nordiens. En général, la nuit, on entendait l'appel des loups entre eux dans le noir. *Un océan de feuillages. Si cela pouvait être un océan d'eau.*

Motte-la-Forêt pouvait bien être plus proche de la mer que Winterfell, elle en demeurait trop éloignée au goût d'Asha. L'air sentait le pin et non le sel. Au nord-est de ces mornes montagnes grises se tenait le Mur, où Stannis Baratheon avait dressé ses bannières. *L'ennemi de mon ennemi est mon ami*, répétait-on, mais le revers de cette médaille impliquait : *L'ennemi de mon ami est mon ennemi.* Les Fer-nés étaient les ennemis des seigneurs nordiens dont ce prétendant Baratheon avait désespérément besoin. *Je pourrais lui offrir mon séduisant jeune corps*, songea-t-elle en écartant de ses yeux une mèche de cheveux, mais Stannis était marié et elle aussi, et les Fer-nés et lui étaient adversaires de longue date. Durant la première rébellion du père d'Asha, Stannis avait écrasé la Flotte de Fer au large de Belle Île et soumis Grand Wyk au nom de son frère.

Les murailles moussues de Motte-la-Forêt tenaient enclose une large colline bombée au sommet aplati, couronnée par une maison commune vaste comme une caverne, avec les cinquante pieds d'une tour de guet à une extrémité, qui dominait la colline. À son pied s'étendait la cour intérieure, avec ses écuries, son pré, sa forge, son puits et sa bergerie, défendus par des douves profondes, un talus de terre et une palissade en rondins. Les défenses extérieures dessinaient un ovale, qui suivait les contours du terrain. Il y avait deux portes, chacune protégée par deux tours carrées en bois, et des chemins de ronde suivaient le périmètre. Sur le flanc sud du château, la mousse garnissait les palissades d'une couche épaisse et montait à mi-hauteur des tours. À l'est et à l'ouest s'étendaient des champs vides. Y poussaient de l'avoine et de l'orge, lorsque Asha s'était emparée du château, qu'on avait piétinées au cours de l'attaque. Une série de gels féroces avait tué les récoltes qu'ils avaient plantées par la suite, ne laissant que de la boue et de la cendre, et des tiges flétries en train de pourrir.

C'était un vieux château, mais pas une forteresse. Asha l'avait pris aux Glover, et le Bâtard de Bolton le prendrait à Asha. Il ne l'écorcherait pas, toutefois. Asha Greyjoy n'avait aucune intention de se laisser capturer vivante. Elle mourrait comme elle avait vécu, une hache à la main et un rire aux lèvres.

Le seigneur son père lui avait confié trente navires pour s'emparer de Motte-la-Forêt. Il en restait quatre, en comptant son propre *Vent noir*, et l'un d'eux appartenait à Tris Botley, qui l'avait rejointe quand tous ses autres hommes avaient fui. *Non. Ce n'est pas juste. Ils avaient pris la mer pour rendre hommage à leur roi. Si quelqu'un a fui, c'était moi.* Ce souvenir continuait de lui inspirer de la honte.

« Va-t'en », l'avait pressée le Bouquineur, tandis que les capitaines descendaient la colline de Nagga en portant son oncle Euron, qui s'en allait coiffer la couronne de bois flotté.

« Dit le corbeau à la corneille. Venez avec moi. J'ai besoin de vous pour soulever les hommes de Harloi. » À l'époque, elle avait la ferme intention de se battre.

« Les hommes de Harloi sont ici. Ceux qui comptent. Certains criaient le nom d'Euron. Je ne dresserai pas Harloi contre Harloi.

— Euron est fou. Et dangereux. Ce cor infernal…

— Je l'ai entendu. *Va-t'en*, Asha. Une fois couronné, Euron va se lancer à ta recherche. Ne laisse pas son œil se poser sur toi.

— Si je me tiens auprès de mes autres oncles…

— … tu mourras bannie, toutes les armes tournées contre toi. En jetant ton nom face aux capitaines, tu t'es soumise à leur jugement. Tu ne peux aller à l'encontre de ce jugement, désormais.

Le choix des états généraux n'a été renversé qu'une seule fois. Lis donc Haereg. »

Seul Rodrik le Bouquineur pouvait évoquer un vieux grimoire alors que leurs vies étaient en équilibre sur le fil de l'épée. « Si vous restez, je reste aussi, avait-elle affirmé avec entêtement.

— Ne sois pas idiote. Euron offre ce soir au monde son visage avenant, mais quand viendra demain... Asha, tu es la fille de Balon, et tes prétentions sont plus fondées que les siennes. Tant que tu respireras, tu représenteras pour lui un danger. Si tu restes ici, tu seras tuée, ou mariée au Rameur Rouge. Je ne sais ce qui serait pire. *Va-t'en.* L'occasion ne se représentera pas. »

Asha avait échoué le *Vent noir* sur l'autre côté de l'île en prévision d'une telle éventualité. Vieux Wyk n'était guère étendue. La jeune femme pourrait regagner son navire avant que le soleil se lève, prendre la mer vers Harloi avant qu'Euron ne s'aperçoive de sa disparition. Néanmoins, elle hésita jusqu'à ce que son oncle ajoute : « Fais-le pour l'amour que tu me portes, mon enfant. Ne me contrains pas à te regarder mourir. »

Aussi s'en fut-elle. À Dix-Tours tout d'abord, pour faire ses adieux à sa mère. « Longtemps risque de s'écouler avant que je revienne », la prévint Asha. Lady Alannys n'avait pas compris. « Où est Theon ? demanda-t-elle. Où est mon tout-petit ? » Lady Gwynesse voulait seulement savoir quand lord Rodrik reviendrait. « Je suis de sept ans son aînée. Dix-Tours devrait m'échoir. »

Asha se trouvait encore à Dix-Tours en train de charger à bord des provisions lorsque la nouvelle de son mariage lui parvint. « Ma rebelle de nièce a besoin qu'on la dresse, aurait déclaré l'Œil-de-Choucas, et je connais l'homme qui s'en chargera. » Il l'avait mariée à Erik Forgefer et désigné le Brise-enclumes pour gouverner les îles de Fer tandis que lui-même chassait les dragons. Erik avait été un grand homme en son temps, un hardi razzieur qui pouvait se vanter d'avoir navigué avec l'aïeul de l'aïeul d'Asha, ce même Dagon Greyjoy en l'honneur duquel on avait nommé Dagon le Poivrot. Sur Belle Île, les vieilles effrayaient encore leurs petits-enfants avec les contes de lord Dagon et ses hommes. *Aux états généraux de la royauté, j'ai blessé l'orgueil d'Erik*, songea Asha. *Il y a peu de chances qu'il l'oublie.*

Elle devait rendre justice à son oncle. D'un coup, d'un seul, Euron avait changé un rival en soutien, protégé les îles durant son absence et éliminé la menace d'Asha. *Et ri de bien bon cœur, au surplus.* Selon Tris Botley, l'Œil-de-Choucas avait employé un phoque pour tenir la place d'Asha au mariage. « J'espère qu'Erik n'a pas insisté pour qu'il y ait consommation », avait-elle répliqué.

Je ne peux rentrer chez moi, se dit-elle, *mais je ne puis plus m'attarder encore ici.* Le silence des forêts la troublait. Elle avait passé sa vie sur des îles et des navires. Jamais la mer ne se taisait. Asha avait dans le sang la rumeur du ressac sur une côte rocailleuse, mais il n'y avait pas de vagues à Motte-la-Forêt... Seuls les arbres, les arbres sans fin, pins plantons et vigiers, bouleaux et frênes, et les chênes vénérables, les châtaigniers, les ferrugiers et les sapins. Le bruissement qu'ils produisaient était plus doux que celui de la mer, et elle ne l'entendait que lorsque le vent se levait ; alors, ce soupir semblait monter de partout autour d'elle, comme si les arbres murmuraient ensemble dans une langue qu'elle ne comprenait pas.

Ce soir, ils paraissaient chuchoter plus fort qu'avant. *Une envolée de feuilles mortes*, se dit Asha, *des branches nues qui grincent au vent.* Elle se détourna de la fenêtre, se détourna des forêts. *J'ai besoin de sentir de nouveau un pont sous mes pieds. Ou à défaut d'avoir de la nourriture dans le ventre.* Elle avait bu trop de vin, ce soir, mais trop peu mangé de pain et rien de ce superbe rôti saignant.

Le clair de lune était assez vif pour qu'elle retrouvât ses vêtements. Elle enfila un épais haut-de-chausses noir, un gambison matelassé et un justaucorps de cuir vert recouvert d'écailles d'acier chevauchantes. Laissant Qarl à ses rêves, elle descendit à pas de loup l'escalier extérieur de la tour, les marches craquant sous ses pieds nus. Un des hommes qui montaient la garde sur le rempart l'aperçut qui descendait et il leva sa pique à son adresse. Asha lui répondit par un coup de sifflet. Lorsqu'elle traversa la cour intérieure pour gagner les cuisines, les chiens de Galbart Glover se mirent à aboyer. *Parfait*, se dit-elle. *Voici qui couvrira le bruit des arbres.*

Elle taillait une part de fromage jaune dans une meule aussi grosse qu'une roue de chariot quand Tris Botley entra dans la cuisine, emmitouflé dans une épaisse cape de fourrure. « Ma reine.

— Pas de moquerie.

— Toujours vous régnerez sur mon cœur. Ce ne sont pas ces gueulards imbéciles aux états généraux qui pourront y changer quoi que ce soit. »

Qu'est-ce que je vais pouvoir faire de cet enfant ? Asha ne doutait pas de son dévouement. Non seulement il avait été son champion sur la colline de Nagga et crié son nom, mais il avait par la suite traversé la mer pour la rejoindre, en délaissant son roi, les siens et sa maison. *Non qu'il ait osé défier Euron en face.* Quand l'Œil-de-Choucas avait pris la mer avec sa flotte, Tris était simplement resté à la traîne, ne changeant de cap qu'une fois les autres navires hors de vue. Mais même pour cela il fallait un certain courage ; jamais il ne pourrait revenir dans les îles. « Du fromage ? lui proposa-t-elle. Il y a également du jambon et de la moutarde.

— Ce n'est pas de nourriture que j'ai besoin, madame. Vous le savez bien. » À Motte-la-Forêt, Tris s'était laissé pousser une épaisse barbe brune. Il affirmait qu'elle l'aidait à lui tenir le visage au chaud. « Je vous ai vue, de la tour de guet.

— Si tu es de garde, que fiches-tu ici ?

— Cromm est là-haut, avec Hagen la Trompe. De combien d'yeux avons-nous besoin pour surveiller des feuillages frissonner au clair de lune ? Il faut que nous discutions.

— Encore ? » Elle poussa un soupir. « Tu connais la fille d'Hagen, celle qui a les cheveux roux. Elle tient un navire aussi bien qu'un homme et a un joli minois. Dix-sept ans, et je l'ai vue te regarder.

— Je ne veux pas de la fille d'Hagen. » Il faillit la toucher, avant de se raviser. « Asha, il est temps de partir. Moat Cailin était la seule chose qui retenait la marée. Si nous restons ici, les Nordiens nous tueront tous, vous le savez.

— Voudrais-tu que je m'enfuie ?

— Je voudrais que vous viviez. Je vous aime. »

Non, pensa-t-elle, *tu aimes une innocente jeune fille qui ne vit que dans ta tête, une enfant affolée qui a besoin de ta protection.* « Je ne t'aime pas, déclara-t-elle sans ambages, et je ne suis pas femme à m'enfuir.

— Qu'y a-t-il ici qui vous retienne si fortement, sinon des pins, de la boue et des ennemis ? Nous avons nos navires. Prenez la mer avec moi, et nous entamerons en mer de nouvelles vies.

— Comme pirates ? » Elle était presque tentée. *Que les Loups récupèrent leurs bois sinistres. Reprends la mer.*

« Comme négociants, insista-t-il. Nous partirons en Orient, comme l'Œil-de-Choucas, mais nous reviendrons avec des soieries et des épices, plutôt qu'une corne de dragon. Un voyage en mer de Jade, et nous serons riches comme des dieux. Nous pourrons avoir une demeure à Villevieille ou dans l'une des Cités libres.

— Toi, moi et Qarl ? » Elle le vit broncher à la mention du nom de Qarl. « La fille d'Hagen aimerait peut-être parcourir la mer de Jade avec toi. Je demeure la fille de la Seiche. Ma place est...

— ... *Où ?* Vous ne pouvez pas retourner dans les îles. Sauf si vous avez l'intention de vous soumettre au seigneur votre époux. »

Asha essaya de se représenter au lit avec Erik Forgefer, écrasée sous sa masse, endurant ses étreintes. *Plutôt lui que le Rameur Rouge ou Lucas Morru, dit Main-gauche.* Le Brise-enclumes avait été jadis un géant rugissant, d'une terrifiante vigueur, d'une loyauté farouche, absolument dénué de peur. *Ce ne serait peut-être pas si mal. Il a de bonnes chances de claquer la première fois qu'il tentera d'accomplir son devoir conjugal.* Cela ferait d'elle la veuve d'Erik au lieu de sa femme, ce qui pourrait être mieux ou bien pire, en fonction des petits-fils du Brise-enclumes. *Et de mon noncle. Au bout du compte, tous les vents me rabattent vers Euron.* « J'ai des otages, sur Harloi, lui rappela-t-elle. Et il y a toujours la presqu'île de Merdragon... Si je ne puis avoir le royaume de mon père, pourquoi ne pas m'en créer un ? » La presqu'île n'avait pas toujours été si chichement peuplée qu'elle l'était à l'heure actuelle. On trouvait encore des ruines anciennes parmi ses collines et ses tourbières, les vestiges de vieilles places fortes des Premiers Hommes. Dans les hauteurs, il y avait des cercles de barrals laissés par les enfants de la forêt.

« Vous vous accrochez à Merdragon comme un naufragé agrippe un débris d'épave. Qu'a donc cette presqu'île qui puisse intéresser quiconque ? On n'y trouve pas de mines, pas d'or, d'argent, ni même d'étain ou de fer. La terre est trop humide pour l'avoine ou le blé. »

Je n'ai pas l'intention de planter de l'avoine ou du blé. « Ce qu'il y a là ? Je vais te le dire. Deux longues côtes, une centaine de criques cachées, des loutres dans les lacs, des saumons dans les rivières, des palourdes sur les plages, des colonies de phoques au large, de hauts pins pour construire des navires.

— Et qui les construira, ces navires, ma reine ? Où Votre Grâce trouvera-t-elle des sujets pour son royaume, si les Nordiens vous le laissent avoir ? À moins que vous n'ayez en tête de gouverner un royaume de phoques et de loutres ? »

Elle rit avec amertume. « Les loutres seraient peut-être plus aisées à gouverner que les hommes, je te l'accorde. Et les phoques sont plus intelligents. Non, tu as peut-être raison. Je serais sans doute mieux avisée de rentrer sur Pyk. Il en est sur Harloi qui se réjouiraient de mon retour. Sur Pyk, également. Et Euron ne s'est pas gagné des amis à Noirmarées en tuant lord Baelor. Je pourrais rejoindre mon noncle Aeron, soulever les îles. » Nul n'avait revu le Tifs-trempés depuis les états généraux de la royauté, mais ses Noyés affirmaient qu'il se cachait sur Grand Wyk et en sortirait bientôt pour invoquer le courroux du dieu Noyé sur l'Œil-de-Choucas et ses sbires.

« Brise-enclumes cherche le Tifs-trempés, lui aussi. Et il traque les Noyés. Beron Noirmarées l'Aveugle a été capturé et soumis à la question. Même le Vieux Goéland Gris a été mis aux fers. Comment trouverez-vous le prêtre, alors que tous les hommes d'Euron ne le peuvent ?

— Il est de mon sang. Le frère de mon père. » Piètre réponse, et Asha le savait bien.

« Savez-vous ce que je crois ?

— Je ne vais pas tarder, je le soupçonne.

43

— Je crois que le Tifs-trempés est mort. Je crois que l'Œil-de-Choucas s'est chargé de lui trancher la gorge. La quête de Forgefer sert uniquement à nous faire croire à une évasion du prêtre. Euron craint de passer pour un fratricide.

— Ne t'avise jamais de laisser mon oncle entendre dire ça. Dis à l'Œil-de-Choucas qu'il a peur de tuer les siens, et il assassinera l'un de ses propres fils simplement pour prouver que tu as tort. » Asha commençait à se sentir presque sobre. Tristifer Botley avait sur elle ce genre d'effet.

« Même si vous retrouviez votre oncle le Tifs-trempés, vous échoueriez, tous les deux. Vous avez tous deux *participé* aux états généraux de la royauté, aussi ne pouvez-vous prétendre qu'il a contrevenu aux lois, comme l'a fait Torgon. Vous êtes liés à sa décision par toutes les lois des dieux et des hommes. Vous... »

Asha fronça les sourcils. « Attends. Torgon ? Quel Torgon ?

— Torgon le Retardataire.

— Il a régné durant l'Âge des héros. » Elle se souvenait de cela, sur lui, mais pas de grand-chose d'autre. « Qu'a-t-il fait ?

— Torgon Greyfer était le fils aîné du roi. Mais le roi se faisait vieux et Torgon ne pouvait tenir en place, aussi arriva-t-il que, lorsque son père mourut, il multipliait les razzias le long de la Mander à partir de sa forteresse sur Bouclier Gris. Ses frères ne lui transmirent pas la nouvelle, convoquant en hâte des états généraux de la royauté, certains que l'un d'entre eux serait choisi pour porter la couronne de bois flotté. Mais les capitaines et les rois préférèrent choisir Urragon Bonfrère pour régner. La première action du nouveau roi fut d'ordonner qu'on mît à mort tous les fils de l'ancien roi, ce qui fut fait. Après quoi, les hommes le dénommèrent Malfrère, bien qu'à dire vrai, ils n'aient avec lui aucun lien de parenté. Il régna pratiquement deux ans... »

Asha se souvenait, maintenant. « Torgon est rentré chez lui...

— ... et a déclaré les états généraux de la royauté illégitimes, car il n'était pas sur place pour faire valoir ses droits. Malfrère s'était révélé aussi ladre qu'il était cruel, et il n'avait plus guère d'amis dans les îles. Les prêtres le dénoncèrent, les lords se soulevèrent contre lui et ses propres capitaines le taillèrent en pièces. Torgon le Retardataire devint roi et gouverna quarante ans. »

Asha empoigna Tris Botley par les oreilles et l'embrassa sur la bouche. Lorsqu'elle le lâcha enfin, il était écarlate et avait le souffle coupé. « Qu'est-ce que c'était que ça ? bredouilla-t-il.

— On appelle ça un baiser. Je veux bien être noyée pour ma sottise, Tris, j'aurais dû me souvenir... » Elle s'interrompit brusquement. Lorsque Tris voulut parler, elle lui intima silence d'un *chut*, tendant l'oreille. « Une trompe de guerre. Hagen. » Sa première idée fut qu'il s'agissait de son époux. Erik Forgefer avait-il pu venir de si loin pour revendiquer son épouse rebelle ? « Le dieu Noyé m'aime, en fin de compte. Je ne savais que faire et il m'envoie des ennemis à combattre. » Asha se remit debout et renfonça d'un claquement son poignard au fourreau. « La bataille vient à nous. »

Elle trottait, le temps d'atteindre la cour intérieure, Tris sur ses talons, mais elle arriva quand même trop tard. Le combat était achevé. Asha trouva deux Nordiens baignant dans leur sang près du rempart est, pas très loin de la poterne, avec Lorren Longue-hache, Harl Six-Orteils et Âpre-langue debout au-dessus d'eux. « Cromm et Hagen les ont vus en train de franchir le mur, expliqua Âpre-langue.

— Rien que ces deux-là ? demanda Asha.

— Cinq. Nous en avons tué deux avant qu'ils ne parviennent à passer, et Harl en a occis un autre sur le chemin de ronde. Ces deux-là ont réussi à atteindre la cour. »

Un homme était mort, son sang et sa cervelle empoissant la longue hache de Lorren, mais le second respirait encore avec difficulté, bien que la pique d'Âpre-langue l'eût cloué au sol dans une mare de sang qui allait en s'élargissant. Tous deux étaient revêtus de cuir bouilli et de capes tachetées de brun, vert et noir, avec des branches, des feuilles et des broussailles cousues autour de leur tête et de leurs épaules.

« Qui es-tu ? demanda-t-elle au blessé.

— Un Flint. Et vous ?

— Asha de la maison Greyjoy. Ce château est le mien.

— Motte est le siège de Galbart Glover. C'est pas un lieu pour les encornets.

— Il y en a d'autres que toi ? » lui demanda Asha. Comme il ne répondait pas, elle empoigna la pique d'Âpre-langue et la tourna ; le Nordien poussa un cri de souffrance, et du sang jaillit plus fort de sa blessure. « Quelle était ton intention, ici ?

— La dame, dit-il en tressaillant. Dieux, arrêtez. On est venus pour la dame. Pour la sauver. Y avait que nous cinq. »

Asha le regarda dans les yeux. Quand elle y lut le mensonge, elle pesa sur la pique en la tordant. « *Combien d'autres ?* insista-t-elle. Dis-le-moi, ou je prolonge ta mort jusqu'à l'aube.

— Beaucoup, finit-il par hoqueter entre des hurlements. *Des milliers*. Trois mille, quatre... *Ahhhh*... Par pitié... »

Elle lui arracha la pique du corps et la planta à deux mains dans sa gorge de menteur. Le mestre de Galbart Glover avait prétendu que les clans des montagnes étaient trop querelleurs pour jamais s'unir sans un Stark pour les mener. *Peut-être ne mentait-il pas. Il a simplement pu se tromper.* Elle avait appris le goût de l'erreur aux états généraux de la royauté de son oncle. « On a envoyé ces cinq-là ouvrir nos portes avant l'attaque principale, décida-t-elle. Lorren, Harl, allez me chercher lady Glover et son mestre.

— En un seul morceau, ou saignant ? voulut savoir Lorren Longue-hache.

— Un seul morceau et sauve. Âpre-langue, monte donc dans cette foutue tour et dis à Cromm et Hagen de bien ouvrir l'œil. S'ils voient ne serait-ce qu'un lièvre, je veux en être informée. »

La cour de Motte fut bien vite envahie de gens affolés. Ses propres hommes enfilaient tant bien que mal leur armure ou grimpaient sur les chemins de ronde. Les gens de Galbart Glover, chuchotant entre eux, contemplaient la scène avec des mines apeurées. On dut transporter l'intendant de Glover hors de la cave, car il avait perdu une jambe lors de la prise du château par Asha. Le mestre protesta à grand bruit jusqu'à ce que Lorren le frappe durement au visage, d'un poing ganté de maille. Lady Glover émergea du bois sacré, au bras de sa camériste. « Je vous avais avertie que ce jour viendrait, madame », dit-elle en voyant les cadavres sur le sol.

Le mestre se força un passage en avant, son nez cassé pissant le sang. « Lady Asha, je vous en supplie, abattez vos bannières et laissez-moi parlementer afin de préserver votre vie. Vous nous avez traités avec justice et honneur. Je le leur dirai.

— Nous vous échangerons contre les enfants. » Sybelle Glover avait les yeux rougis par les larmes et des nuits sans sommeil. « Gawen a quatre ans, désormais. J'ai manqué son anniversaire. Et ma douce fille… rendez-moi mes enfants, et il ne vous sera fait aucun mal. Ni à vos hommes. »

Cette dernière partie était un mensonge, Asha le savait. Elle, on l'échangerait, sans doute, renvoyée par navire aux îles de Fer vers les bras aimants de son époux. Ses cousins aussi seraient échangés contre rançon, de même que Tris Botley et quelques autres de sa compagnie, ceux dont la famille avait assez de fortune pour les racheter. Pour le reste, ce serait la hache, la corde ou le Mur. *Néanmoins, ils ont le droit de choisir.*

Asha grimpa sur une barrique afin que tous puissent la voir. « Les Loups fondent sur nous, tous crocs dehors. Ils seront à nos portes avant le lever du soleil. Devons-nous jeter nos piques et nos haches, et les supplier de nous épargner ?

— Non. » Qarl Pucelle tira son épée. « Non », reprit en écho Lorren Longue-hache. « *Non* », tonna Rolfe le Gnome, un véritable ours qui dépassait d'une bonne tête tout le reste de l'équipage d'Asha. « *Jamais.* » Et des hauteurs, retentit de nouveau le cor d'Hagen, sonnant dans la cour intérieure.

La trompe de guerre mugit un son grave et prolongé qui glaçait le sang. Asha commençait à détester le son des cors. Sur Vieux Wyk, le cor d'enfer de son oncle avait sonné le glas de ses rêves, et voilà que Hagen annonçait ce qui pourrait bien être sa dernière heure sur terre. *Si je dois mourir, que ce soit la hache à la main et une malédiction aux lèvres.*

« Aux remparts », ordonna Asha à ses hommes. Elle-même tourna ses pas vers la tour de guet, Tris Botley toujours sur les talons.

La tour de guet en bois était le point le plus élevé de ce côté-ci des montagnes, culminant vingt pieds au-dessus des plus hauts vigiers et des pins plantons des bois alentours. « Là, capitaine », annonça Cromm, lorsqu'elle atteignit la plate-forme. Asha ne vit que des arbres et des ombres, les collines éclairées par la lune et les pics enneigés, au loin. Puis elle s'aperçut que les arbres se rapprochaient peu à peu. « Oh oh, commenta-t-elle en riant, ces chèvres de montagne se sont enveloppées de branches de pin. » Les bois étaient en marche, avançant lentement vers le château comme une lente marée verte. Elle songea à un conte qu'elle avait entendu petite, sur les enfants de la forêt et leurs batailles contre les Premiers Hommes, où les vervoyants avaient changé les arbres en guerriers.

« Nous ne pouvons combattre autant de monde, déclara Tris Botley.

— Nous pouvons en combattre autant qu'il en viendra, petit, riposta Cromm. Plus il y en aura et plus grande sera la gloire. Les hommes chanteront nos exploits. »

Certes. Mais chanteront-ils ton courage ou ma folie ? La mer se situait à cinq longues lieues de là. Valait-il mieux tenir bon et combattre derrière les profondes douves et les remparts de bois de Motte-la-Forêt ? *Les palissades de Motte n'ont pas fait grand bien aux Glover quand je me suis emparée de leur castel,* se remémora-t-elle. *Pourquoi me serviraient-ils mieux ?*

« Demain, nous festoierons sous la mer. » Cromm caressait sa hache comme s'il était impatient.

Hagen abaissa son cor. « Si nous mourons les pieds au sec, comment trouverons-nous le chemin des demeures liquides du dieu Noyé ?

— Ces bois abondent de petits ruisseaux, assura Cromm. Tous conduisent à des fleuves, et tous les fleuves mènent à la mer. »

Asha n'était pas prête à mourir, pas ici, pas déjà. « Un vivant repère le chemin de la mer plus aisément qu'un mort. Que les Loups gardent leurs bois sinistres. Nous regagnons les navires. »

Elle se demanda qui était à la tête de ses ennemis. *À sa place, je m'emparerais de la plage et j'incendierais nos navires avant d'attaquer Motte.* Toutefois, les Loups ne rencontreraient pas une tâche aisée, pas s'ils étaient dépourvus de vaisseaux. Asha n'échouait jamais plus de la moitié de sa flotte. L'autre moitié serait en sécurité au large, avec l'ordre de lever la voile et de cingler sur Merdragon si les Nordiens prenaient la plage. « Hagen, sonne du cor et fais trembler la forêt. Tris, enfile une cotte de mailles, il est temps que tu étrennes ta belle épée. »

Lorsqu'elle le vit si pâle, elle lui pinça la joue. « Éclabousse la lune de sang avec moi, et je te promets un baiser pour chaque mort.

— Ma reine, répondit Tristifer, ici nous avons des remparts, mais si nous atteignons la mer pour découvrir que les Loups ont pris nos navires ou les ont chassés...

— ... nous mourrons, termina-t-elle sur un ton jovial. Mais au moins, nous mourrons les pieds mouillés. Les Fer-nés se battent mieux quand ils ont les embruns salés dans les narines plutôt que le bruit du ressac dans le dos. »

Hagen sonna trois courts appels de trompe en rapide succession, le signal qui devait renvoyer les Fer-nés à leurs navires. D'en bas montèrent des cris, le choc des piques et des épées, le hennissement des chevaux. *Trop peu de montures et trop peu de cavaliers.* Asha se dirigea vers l'escalier. Dans la cour, elle trouva Qarl Pucelle qui attendait avec la jument baie d'Asha, son casque de guerre et ses haches de jet. Des Fer-nés conduisaient des chevaux hors des écuries de Galbart Glover.

« Un *boutoir* ! cria une voix du haut des remparts. *Ils ont un boutoir !*

— À quelle porte ? demanda Asha en sautant en selle.

— Au nord ! » De l'autre côté des remparts de bois moussu de Motte-la-Forêt résonna soudain la clameur des trompettes.

Des trompettes ? Des Loups avec des trompettes ? Ce n'était pas normal, mais Asha n'avait pas le temps d'y réfléchir. « Ouvrez la porte sud », ordonna-t-elle au moment même où le portail nord s'ébranlait sous l'impact du boutoir. Elle tira une hache de lancer à manche court de sa bandoulière sur son épaule. « L'heure du hibou s'est enfuie, mes frères. Voici venue l'heure de la pique, de l'épée, de la hache. En formation. Nous rentrons chez nous ! »

De cent gorges jaillirent des rugissements : « *Chez nous !* » et « *Asha !* » Tris Botley vint au galop se placer près d'elle sur un grand étalon rouan. Dans la cour, ses hommes se regroupèrent entre eux, brandissant épieux et boucliers. Qarl Pucelle, qui n'était point cavalier, alla se placer entre Âpre-langue et Lorren Longue-hache. Lorsque Hagen dévala les degrés de la tour de guet pour venir les rejoindre, la flèche d'un fils de Loup le cueillit en plein ventre et l'envoya plonger, tête la première, sur le sol. Sa fille courut à lui, en se lamentant. « Amenez-la », ordonna Asha. L'heure n'était pas au deuil. Rolfe le Gnome hissa la fille sur son cheval, dans une envolée de cheveux roux. Asha entendit grincer la porte nord quand le boutoir la percuta de nouveau. *Nous aurons peut-être besoin de nous tailler un passage dans leurs rangs*, songea-t-elle, alors que la porte sud s'ouvrait largement devant eux. La voie était libre. *Pour combien de temps ?*

« Sortez ! » Asha enfonça les talons dans les flancs de son cheval.

Les hommes et les montures étaient tous également au trot en atteignant les arbres de l'autre côté du champ détrempé, où des tiges mortes de blé d'hiver moisissaient sous la lune. Asha maintint ses cavaliers en arrière-garde, afin de presser les retardataires et de veiller à ce que nul ne demeure à la traîne. De hauts pins plantons et d'anciens chênes contrefaits se refermèrent sur eux. La forêt entourant Motte portait à bon escient le nom de Bois-Profond. Ses arbres étaient énormes et sombres, vaguement menaçants. Leurs branches s'entremêlaient et grinçaient à chaque souffle de vent, et leurs plus hautes branches griffaient la face de la lune. *Le plus tôt nous serons sortis d'ici, le mieux je me sentirai*, se dit Asha. *Ces arbres nous détestent tous, au profond de leur cœur de bois.*

Ils poursuivirent leur progression vers le sud-sud-ouest, jusqu'à ce que les tours en bois de Motte-la-Forêt eussent disparu à la vue et que la clameur des trompettes eût été avalée par la forêt. *Les Loups ont repris leur château*, jugea-t-elle, *peut-être se satisferont-ils de nous laisser aller.*

Tris Botley vint au trot se placer à sa hauteur. « Nous prenons la mauvaise direction », dit-il en indiquant d'un geste la lune qui les épiait à travers le couvert des ramures. « Il faut virer au nord, vers les navires.

— À l'ouest d'abord, insista Asha. À l'ouest, jusqu'à ce que le soleil se lève. Ensuite, au nord. » Elle se tourna vers Rolfe le Gnome et Roggon Barbe-rouille, ses meilleurs cavaliers. « Partez en éclaireurs, et assurez-vous que la voie est libre. Je ne veux pas de surprises quand nous atteindrons la côte. Si vous tombez sur des Loups, revenez me porter la nouvelle.

— S'il le faut », promit Roggon à travers son immense barbe rousse.

Après que les éclaireurs eurent disparu entre les arbres, le reste des Fer-nés reprirent leur route, mais la progression était lente. Les arbres leur masquaient la lune et les étoiles, et sous leurs pieds le sol de la forêt était noir et trompeur. Avant qu'ils aient parcouru un demi-mille, la jument de son cousin Quenton trébucha dans un trou et se brisa la jambe avant. Quenton dut lui trancher la gorge pour l'arrêter de hennir. « Nous devrions fabriquer des torches, la pressa Tris.

— Le feu va attirer les Nordiens sur nous. » Asha jura dans sa barbe, se demandant si elle n'avait pas commis une erreur en quittant le château. *Non. Si nous étions restés pour nous battre, nous serions sans doute tous morts à l'heure qu'il est.* Mais il ne servait à rien de continuer à tâtonner dans le noir, non plus. *Ces arbres nous tueront s'ils le peuvent.* Elle retira son casque et repoussa ses cheveux trempés de sueur. « Le soleil se lève dans quelques heures. Nous allons faire halte ici et nous reposer jusqu'au point du jour. »

Faire halte se révéla simple ; le repos vint difficilement. Nul ne dormit, pas même Dale Paupières-lourdes, un rameur qu'on avait vu somnoler entre deux coups de rame. Certains hommes firent circuler une outre du vin de pomme de Galbart Glover, se la passant de main en main. Ceux qui avaient apporté de la nourriture la partagèrent avec ceux qui n'en avaient pas. Les cavaliers nourrirent et abreuvèrent leurs chevaux. Son cousin Quenton Greyjoy envoya trois hommes escalader des arbres, afin de guetter dans la forêt le moindre signe de torches. Cromm aiguisa sa hache, et Qarl Pucelle son épée. Les chevaux broutèrent une herbe folle morte et brune. La fille rousse d'Hagen attrapa Tris Botley par la main pour l'entraîner parmi les arbres. Quand il se refusa, elle s'en fut avec Harl Six-Orteils.

Si seulement je pouvais en faire autant. Il serait bon de se perdre une dernière fois entre les bras de Qarl. Asha avait au creux du ventre un mauvais pressentiment. Sentirait-elle jamais le pont du *Vent noir* sous ses pieds à nouveau ? Et si cela arrivait, où mènerait-elle le navire ? *Les îles me sont fermées, à moins que je ne veuille ployer le genou, écarter les cuisses et subir les étreintes d'Erik Forgefer, et aucun port de Westeros ne risque d'accueillir la fille de la Seiche à bras ouverts.* Elle pouvait se reconvertir dans le commerce, comme Tris semblait le souhaiter, ou cingler vers les Degrés de Pierre et y rejoindre les pirates. *Ou...*

« J'adresse à chacun de vous un morceau de prince », marmonna-t-elle.

Qarl sourit. « C'est de toi que je préférerais avoir un morceau, chuchota-t-il, un bas morceau qui... »

Un objet jaillit des fourrés pour atterrir parmi eux avec un choc mou, roulant et rebondissant. C'était rond, sombre et humide, avec de longs poils qui se fouettaient l'air autour de lui tandis que ça roulait. Quand cela vint s'arrêter entre les racines d'un chêne, Âpre-langue déclara : « Rolfe le Gnome n'est plus si grand qu'il en avait coutume. » La moitié de ses hommes étaient déjà debout, tendant la main vers leur bouclier, leur pique et leur hache. *Eux non plus n'ont pas allumé de torches*, eut le temps de constater Asha, *et ils connaissent ces forêts mieux que nous ne le pourrons jamais.* Puis les arbres entrèrent en éruption tout autour d'eux, et les Nordiens déferlèrent en s'égosillant. *Des loups*, songea-t-elle, *ils hurlent comme des saloperies de loups. Le cri de guerre du Nord.* Ses Fer-nés répliquèrent par des clameurs et le combat s'engagea.

Aucun barde ne composerait jamais de chanson sur cette bataille. Aucun mestre n'en consignerait jamais la chronique dans un des livres chéris du Bouquineur. Ne vola nulle bannière, ne mugit nulle trompe, nul grand seigneur n'appela ses hommes autour de lui pour entendre résonner ses dernières paroles. Ils se battaient dans le crépuscule qui précède l'aube, ombre contre ombre, trébuchant sur des racines et des pierres, avec sous leurs pieds, la boue et un humus de feuilles en décomposition. Les Fer-nés étaient vêtus de maille et de cuir taché de sel, les Nordiens de fourrures, de peaux et de branches de pin. La lune et les étoiles d'en haut contemplaient leur combat, leur clarté pâle filtrant à travers le lacis de branches nues qui se tordaient au-dessus d'eux.

Le premier homme à courir sus à Asha Greyjoy mourut à ses pieds, la hache de jet de la fille de Balon plantée entre les yeux. Cela laissa à la jeune femme un répit suffisant pour glisser son bouclier à son bras. «*À moi !*» appela-t-elle, mais savoir si elle ralliait ses propres hommes ou l'ennemi, Asha elle-même ne l'aurait pu dire avec certitude. Un Nordien armé d'une hache se dressa devant elle, l'abattant des deux mains en s'étranglant de fureur inarticulée. Asha leva son bouclier pour bloquer le choc, puis se porta au contact pour l'éventrer d'un coup de miséricorde. Le hurlement de l'homme changea de tonalité quand il tomba. Asha pivota, trouva derrière elle un autre Loup et le frappa au front, sous son casque. La riposte de l'homme atteignit Asha sous le sein, mais la maille détourna la lame, si bien qu'elle planta la pointe de sa miséricorde dans la gorge de l'homme et le laissa se noyer dans son sang. Une main l'attrapa par les cheveux, mais ils étaient si courts que l'ennemi ne put assurer une prise suffisante pour tirer la tête d'Asha en arrière. Celle-ci abattit son talon de botte sur le cou-de-pied de l'autre et se libéra tandis qu'il beuglait de douleur. Le temps qu'elle se tournât, l'homme agonisait à terre, serrant toujours une poignée de cheveux. Qarl se dressait au-dessus de lui, sa longue épée dégoulinant, le clair de lune brillant dans ses yeux.

Âpre-langue décomptait les Nordiens au fur et à mesure qu'il les tuait, annonçant à haute voix « quatre » quand l'un s'écroula et « cinq » un battement de cœur plus tard. Les chevaux hennissaient, ruaient et roulaient des yeux, terrifiés, affolés par tant de boucherie et de sang… Tous, sauf le grand étalon rouan de Tris Botley. Tris avait sauté en selle, et sa monture se cabrait et voltait tandis que l'homme frappait avec son épée. *Je vais peut-être lui devoir plus d'un baiser avant que la nuit ne s'achève*, se dit Asha.

« Sept », s'écria Âpre-langue, mais à côté de lui Lorren Longue-hache s'étala, une jambe repliée sous lui, et les ombres avançaient toujours, avec des clameurs et des bruissements. *Nous nous battons contre des jardinets*, songea Asha en tuant un homme qui portait sur lui plus de feuillage que les arbres environnants. Cette idée la fit rire. Ce rire attira à elle d'autres Loups, et elle les tua eux aussi, en se demandant si elle ne devrait pas entamer un compte, elle aussi. *Je suis une femme mariée, et voilà le marmot que j'allaite.* Elle enfonça sa miséricorde dans la poitrine d'un Nordien, transperçant la fourrure, la laine et le cuir bouilli. Il avait le visage si proche d'elle qu'elle put renifler le remugle rance de sa bouche, et il avait la main sur la gorge d'Asha. Elle sentit le fer racler l'os quand sa pointe dérapa sur une côte. Puis l'homme fut secoué d'un spasme et mourut. Lorsqu'elle le lâcha, elle avait si peu de forces qu'elle faillit s'écrouler sur lui.

Plus tard, elle se retrouva dos à dos avec Qarl, à écouter autour d'eux les grognements et les jurons, les braves qui rampaient en pleurs parmi les ombres, en appelant leur mère. Un buisson se jeta sur elle avec une pique assez longue pour lui traverser le ventre et percer le dos de Qarl par la même occasion, mais son cousin Quenton tua le piquier avant qu'il n'atteignît Asha. Un battement de cœur plus tard, un autre buisson tua Quenton, lui plantant une hache à la base du crâne.

Derrière elle, Âpre-langue s'exclama : « *Neuf*, et soyez tous maudits. » La fille d'Hagen jaillit toute nue de sous les arbres, deux Loups sur ses talons. Asha dégagea une hache de jet et l'envoya voler en tourbillonnant pour frapper l'un des deux dans le dos. Quand celui-ci tomba, la fille d'Hagen trébucha et chuta sur les genoux, s'empara de son épée, pour en percer le deuxième homme, puis elle se releva, toute maculée de sang et de boue, ses longs cheveux roux libres, et plongea dans la bataille.

Quelque part, dans le flux et le reflux des combats, Asha perdit Qarl, perdit Tris, les perdit tous. Sa miséricorde avait disparu aussi, et toutes ses haches de jet ; ne lui restait à leur place qu'une épée à la main, une épée courte à la lame large et épaisse, presque comparable à un couperet de boucher. Même pour sauver sa vie, elle n'aurait su dire où elle l'avait trouvée. Elle avait le bras douloureux, un goût de sang dans la bouche, ses jambes tremblaient, et les pâles rais de l'aube descendaient en oblique à travers les arbres. *Est-ce qu'il s'est écoulé si longtemps ? Depuis combien de temps nous battons-nous ?*

Son dernier adversaire était un Nordien armé d'une hache, un gaillard chauve et barbu, revêtu d'une broigne en maille rapiécée et rouillée qui ne pouvait que le désigner comme un chef ou un champion. Il n'appréciait pas de devoir affronter une femme. « *Conne !* » rugissait-il à chaque fois qu'il la frappait, ses postillons venant mouiller les joues d'Asha. « *Conne ! Conne !* »

Asha voulait répliquer en criant aussi, mais elle avait la gorge si sèche qu'elle n'était plus capable que de grogner. La hache de l'homme faisait frémir le bouclier, fendant le bois en s'abattant, arrachant de longues éclisses pâles quand il la retirait d'une saccade. Sous peu, Asha n'aurait plus au bras qu'une brassée de petit bois. Elle recula et se débarrassa de son bouclier détruit, puis recula encore et dansa, à gauche, à droite, puis encore à gauche pour éviter la hache qui descendait.

Et soudain son dos vint buter durement contre un arbre ; elle ne pouvait plus danser. Le Loup leva sa hache au-dessus de sa tête pour lui fendre le crâne en deux. Asha essaya d'esquiver sur la droite, mais elle avait les pieds retenus dans des racines, qui la prenaient au piège. Elle se tortilla, perdit l'équilibre, et la tête de la hache la frappa à la tempe avec un hurlement d'acier contre l'acier. Le monde vira au rouge, au noir, et de nouveau au rouge. La douleur crépita dans sa jambe comme la foudre et, au loin, elle entendit son Nordien déclarer : « Foutue conne », en brandissant sa hache pour donner le coup qui l'achèverait.

Une trompette sonna.

Ce n'est pas normal, se dit-elle. *Il n'y a pas de trompettes dans les demeures liquides du dieu Noyé. Sous les vagues les tritons saluent leur seigneur en soufflant dans des conques.*

Elle rêva de cœurs rouges qui brûlaient, et d'un cerf noir dans une forêt d'or, avec des bannières de flammes sur ses andouillers.

TYRION

Le temps qu'ils atteignent Volantis, le ciel était pourpre à l'occident et noir au levant, et les étoiles paraissaient. *Les mêmes qu'à Westeros*, songea Tyrion Lannister.

Il aurait pu puiser quelque réconfort à l'idée qu'on ne l'avait pas troussé comme une oie et attaché en travers d'une selle. Il avait renoncé à se débattre. Les nœuds qui le retenaient étaient trop serrés. Il s'était laissé aller, aussi mou qu'un sac de farine. *J'économise mes forces*, se répétait-il, mais à quelle fin, il n'aurait su le dire.

Volantis fermait ses portes à la tombée de la nuit, et les gardes à sa porte du Nord maugréaient avec impatience devant les retardataires. Ils se joignirent à la file, derrière un chariot chargé de citrons et d'oranges. De leurs torches, les gardes firent signe au chariot de passer, mais leur regard se durcit en voyant le grand Andal sur son palefroi, avec sa longue épée et sa maille. On fit venir un capitaine. Tandis que celui-ci échangeait avec le chevalier quelques mots en volantain, un des gardes retira son gantelet griffu pour frictionner le crâne de Tyrion. « Je déborde de chance, l'encouragea le nain. Tranche mes liens, l'ami, et je veillerai à ce que tu en sois bien récompensé. »

Son ravisseur l'entendit. « Garde tes mensonges pour ceux qui parlent ta langue, Lutin », lui conseilla-t-il, puis les Volantains leur firent signe de passer.

Ils avaient repris leur progression, franchissant la porte et traversant les remparts massifs de la ville. « Vous parlez ma langue, vous. Puis-je vous enjôler par mes promesses, ou êtes-vous résolu à vous payer un titre de lord avec ma tête ?

— J'*étais* lord, de plein droit par la naissance. Je ne veux pas d'un titre vide.

— C'est tout ce que vous avez des chances de recevoir de ma tendre sœur.

— Et moi qui avais entendu raconter qu'un Lannister payait toujours ses dettes.

— Oh, jusqu'au dernier sol... Mais jamais un liard de plus, messire. Vous obtiendrez le repas que vous guignez, mais ne comptez pas sur une sauce de gratitude et, au final, il ne vous nourrira pas.

— Il se pourrait que je cherche seulement à te voir payer tes crimes. Celui qui tue les siens est maudit aux yeux des dieux et des hommes.

— Les dieux sont aveugles. Et les hommes ne voient que ce qui leur sied.

— Je te vois fort clairement, Lutin. » Une nuance sombre s'était introduite dans le ton du chevalier. « J'ai commis des actions dont je ne tire pas fierté, des actions qui ont jeté l'opprobre sur ma maison et le nom de mon père... Mais tuer son propre géniteur ? Comment un homme peut-il agir de la sorte ?

— Donnez-moi une arbalète, baissez vos chausses et je vous en ferai démonstration. » *Avec grande joie.*

« Tu prends cela comme une plaisanterie ?

— C'est la vie que je prends comme une plaisanterie. La vôtre, la mienne, celle de tout un chacun. »

À l'intérieur des remparts, ils longèrent des comptoirs de guildes, des marchés et des établissements de bains. Des fontaines jaillissaient et chantaient au cœur de vastes places, où des hommes assis à des tables de pierre déplaçaient des pièces de *cyvosse* et sirotaient du vin dans des flûtes de cristal tandis que des esclaves allumaient des lanternes ornementées pour tenir le noir en respect. Palmiers et cèdres croissaient en bordure de la rue pavée, et des monuments se dressaient à chaque carrefour. Nombre de statues étaient dépourvues de tête, nota le nain, mais, même décapitées, réussissaient à en imposer dans le crépuscule.

Tandis que le palefroi progressait au pas vers le sud en longeant le fleuve, les échoppes se firent plus modestes et plus miséreuses, les arbres en bord de route devenant une rangée de souches. Sous les sabots du cheval, les pavés cédèrent la place à l'herbe-au-diable, puis à une boue molle et détrempée, couleur d'excréments de nourrisson. Les ponceaux qui enjambaient les affluents mineurs de la Rhoyne grinçaient de façon inquiétante sous leur poids. À l'endroit où un fort dominait jadis le fleuve se dressait désormais une porte démolie, béante comme la bouche édentée d'un vieillard. On apercevait des chèvres qui regardaient par-dessus les parapets.

L'Antique Volantis, fille aînée de Valyria, songea le nain. *La fière Volantis, reine de la Rhoyne et maîtresse de la mer d'Été, siège de nobles seigneurs et de belles dames du sang le plus ancien.* Et peu importaient les meutes de gamins nus qui galopaient dans les ruelles en glapissant de leurs voix aiguës, les spadassins postés sur le seuil des échoppes de vin, la main jouant avec la poignée de leur épée, ou les esclaves au dos voûté et aux visages tatoués qui couraient en tous sens comme autant de cafards. *La puissante Volantis, la plus grandiose et la plus populeuse des neuf Cités libres.* Des guerres anciennes avaient toutefois dépeuplé l'essentiel de la ville, et d'importants secteurs avaient commencé à retourner à la boue sur laquelle elle s'érigeait. *La belle Volantis, cité des fontaines et des fleurs.* Mais la moitié des fontaines étaient taries, la moitié des bassins fissurés et stagnants. Des lianes fleuries projetaient leurs vrilles de chaque crevasse dans les murs et les chaussées, et des arbrisseaux s'enracinaient dans le mur de boutiques abandonnées et de temples sans toit.

Et puis, il y avait l'odeur. Elle flottait dans l'atmosphère chaude et humide, riche, rance, insidieuse. *Il y a là-dedans du poisson, et des fleurs, ainsi que du crottin d'éléphant. Quelque chose de sucré, de terrien, et quelque chose de mort et putréfié.* « La ville sent comme une vieille putain, annonça Tyrion. Comme une gourgandine flétrie qui s'asperge de parfum les parties intimes afin de couvrir la puanteur qui s'exhale d'entre ses jambes. Notez bien, je ne me plains pas. Avec les putains, si les jeunes sentent bien meilleur, les vieilles connaissent plus de tours.

— Tu dois en savoir plus long que moi sur ce compte.

— Ah, mais bien entendu. Et ce bordel où nous nous sommes rencontrés… vous l'aviez confondu avec un septuaire ? Et c'était votre sœur vierge qui se trémoussait dans votre giron ? »

La pique le fit grimacer. « Mets ta langue en repos si tu ne veux pas que j'y fasse un nœud. »

Tyrion ravala sa réplique. Il avait encore la lèvre gonflée et douloureuse de la dernière occasion où il avait poussé le grand chevalier trop loin. *Des mains dures, et aucun sens de l'humour ; voilà un mauvais mariage.* Le voyage depuis Selhorys lui avait au moins enseigné cela. Il reporta ses pensées vers sa botte, et les champignons dans la pointe. Son ravisseur ne l'avait pas fouillé avec tout le soin qu'il aurait dû y mettre. *Il me reste toujours cette évasion. Au moins, Cersei ne m'aura pas vivant.*

Plus loin au sud, des signes de prospérité commencèrent à reparaître. On voyait moins souvent des immeubles déserts, les enfants nus disparurent, les spadassins sur le seuil semblaient vêtus avec plus d'apparat. Quelques-unes des auberges qu'ils croisèrent ressemblaient à des établissements où l'on pouvait passer la nuit sans craindre d'avoir la gorge tranchée. Des lanternes pendaient à des potences au long de la route du fleuve, oscillant dès que le vent se levait. Les rues s'élargirent, les bâtiments prirent de l'ampleur. Certains étaient coiffés de grands dômes en verre coloré. Dans le crépuscule qui montait, avec les feux qui s'allumaient au-dessous, les dômes s'éclairaient de bleu, de rouge, de vert, de mauve.

Toutefois, un certain je-ne-sais-quoi mettait Tyrion mal à l'aise. À l'ouest de la Rhoyne, il ne l'ignorait pas, les docks de Volantis grouillaient de marins, d'esclaves et de négociants, dont les boutiques de vins, les auberges et les bordels courtisaient la clientèle. À l'est, on voyait moins souvent des étrangers venus d'au-delà des mers. *On ne veut pas de nous, ici*, comprit-il.

La première fois qu'ils croisèrent un éléphant, Tyrion ne put s'empêcher de le fixer. La ménagerie de Port-Lannis avait compté une éléphante quand il était enfant, mais elle était morte lorsqu'il avait sept ans… et ce nouveau mastodonte gris paraissait deux fois plus grand qu'elle l'avait été.

Plus loin encore, ils suivirent un éléphant plus réduit, blanc comme un vieil os, qui tirait un char à bœufs décoré. « Est-ce qu'on dit toujours *char à bœufs* quand le char à bœufs n'a pas de bœufs ? » demanda Tyrion à son ravisseur. Quand ce trait d'esprit resta sans réponse, il retomba dans le silence en contemplant la croupe de l'éléphant blanc nain qui tanguait devant eux.

Volantis pullulait d'éléphants blancs nains. En approchant du Mur Noir et des quartiers surpeuplés voisins du Long Pont, ils en virent une douzaine. Les grands éléphants gris n'étaient pas rares, non plus – d'énormes bêtes portant sur leur dos des castelets. Et dans la pénombre du soir, les carrioles à crottin étaient de sortie, pilotées par des esclaves demi-nus qui avaient pour tâche de ramasser à la pelle les piles fumantes abandonnées par les éléphants petits et grands. Des nuées de mouches escortaient les carrioles, aussi les esclaves assignés à la corvée de crottin portaient-ils des mouches tatouées sur les joues, pour signifier leur rôle. *Voilà l'emploi idéal pour ma tendre sœur*, rumina Tyrion. *Qu'elle serait charmante, avec sa petite pelle et des mouches tatouées sur ses jolies joues roses.*

Désormais, ils n'avançaient plus qu'au pas. La route du fleuve était engorgée par la circulation, qui se faisait presque uniquement vers le sud. Le chevalier la suivit, une bûche prise dans le courant. Tyrion considéra les foules qu'ils croisaient. Neuf hommes sur dix portaient des marques d'esclave sur leurs joues. « Que d'esclaves... où vont-ils tous ?

— Les prêtres rouges allument leurs feux nocturnes au crépuscule. Le Grand Prêtre va parler. Je l'éviterais si je pouvais, mais, pour atteindre le Long Pont, nous devons passer devant le temple rouge. »

Trois pâtés de maisons plus loin, la rue s'ouvrit devant eux sur une immense plaza éclairée par des flambeaux, où il se dressait. *Les Sept me préservent, il doit bien faire trois fois la taille du Grand Septuaire de Baelor.* Énormité de colonnes, d'escaliers, d'arcs-boutants, de ponts, de dômes et de tours se fondant les uns dans les autres comme s'ils avaient tous été taillés dans un seul rocher colossal, le Temple du Maître de la Lumière les surplombait comme la grande colline d'Aegon. Cent nuances de rouge, de jaune, d'or et d'orange confluaient et se mêlaient sur les parois du temple, se dissolvant l'une en l'autre comme les nuages au couchant. Ses graciles tourelles se vrillaient toujours plus haut, comme des flammes figées dans leur danse en tentant d'atteindre le ciel. *Un brasier pétrifié.* Près du parvis du temple flambaient de gigantesques feux nocturnes et, entre eux, le Grand Prêtre avait commencé à parler.

Benerro. Le prêtre se tenait au sommet d'une colonne de roc rouge, reliée par un mince pont de pierre à une terrasse en hauteur qui regroupait les prêtres mineurs et les acolytes. Les acolytes portaient des robes jaune pâle et orange vif, les prêtres et prêtresses des rouges.

À leurs pieds, la grande plaza était pratiquement impénétrable. Tant et plus de fidèles arboraient un bout de tissu écarlate agrafé à leur manche ou noué sur le front. Tous les yeux, hormis ceux de Tyrion et du chevalier, fixaient le prêtre rouge. « Place », gronda le cavalier tandis que sa monture se frayait un chemin dans la presse. « Dégagez le passage. » Les Volantains s'écartaient de mauvais gré, avec des grommellements et des regards mauvais.

La voix haut perchée de Benerro portait loin. Grand, mince, il avait un visage aux traits tirés et une peau de la blancheur du lait. On lui avait tatoué des flammes sur les joues, le menton et son crâne rasé, pour composer un masque rouge vif qui crépitait autour de ses yeux et descendait cerner sa bouche sans lèvres. « C'est un tatouage d'esclave ? » voulut savoir Tyrion.

Le chevalier opina. « Le temple rouge les achète enfants pour en faire des prêtres, des prostituées sacrées ou des guerriers. Regarde là-bas. » Il indiqua du doigt le parvis, où une ligne d'hommes en armures ornementées et capes orange se tenaient devant les portes du temple, serrant des piques aux pointes ondulées comme des flammes. « La Main Ardente. Les soldats sacrés du Maître de la Lumière, défenseurs du temple. »

Des chevaliers de feu. « Et combien de doigts compte cette main, je vous prie ?

— Mille. Jamais plus, et jamais moins. Une nouvelle flamme s'allume à chacune qui s'éteint. »

Benerro pointa un doigt vers la lune, serra le poing, écarta largement les mains. Alors que sa voix allait crescendo, des flammes lui jaillirent des doigts en exhalant un grondement soudain, suscitant dans la foule un hoquet de surprise. Le prêtre savait également tracer dans l'air des lettres de feu. *Des glyphes valyriens.* Tyrion en reconnut peut-être deux sur dix ; l'un d'eux disait *Fléau*, l'autre *Ténèbres*.

Des cris jaillirent de la foule. Des femmes pleuraient, des hommes secouaient le poing. *J'ai un mauvais pressentiment.* Le nain se remémorait le jour où Myrcella avait pris la mer pour Dorne et l'émeute qui avait éclaté alors qu'ils rentraient au Donjon Rouge.

Haldon Demi-Mestre avait parlé d'utiliser le prêtre rouge au bénéfice de Griff le Jeune, se souvenait Tyrion. Maintenant qu'il avait personnellement vu et entendu l'individu, l'idée lui parut très mauvaise. Il espéra que Griff aurait plus de bon sens. *Certains alliés sont plus dangereux que des ennemis. Mais lord Connington devra démêler ce problème tout seul. J'ai de bonnes chances de me retrouver à l'état de tête au bout d'une pique.*

Le prêtre indiquait le Mur Noir derrière le temple, montrant du geste les parapets où une poignée de gardes en armure regardaient en contrebas. « Qu'est-ce qu'il raconte ? demanda Tyrion au chevalier.

— Que Daenerys est en danger. L'œil sombre s'est posé sur elle, et les sbires de la nuit complotent sa destruction, en priant leurs faux dieux dans des temples du mensonge... conspirant pour la trahir avec des étrangers sans dieux... »

Les petits cheveux sur la nuque de Tyrion commencèrent à se hérisser. *Le prince Aegon ne trouvera pas d'amis ici.* Le prêtre rouge parlait d'une antique prophétie, une prophétie qui annonçait la venue d'un héros pour délivrer le monde des ténèbres. *Un héros. Pas deux. Daenerys a des dragons. Pas Aegon.* Nul besoin pour le nain d'être lui-même prophète pour prévoir la réaction de Benerro et de ses fidèles face à un deuxième Targaryen. *Griff s'en apercevra aussi, assurément,* songea-t-il, surpris de constater combien il s'en inquiétait.

Le chevalier s'était forcé un passage à travers la plus grosse partie de la foule à l'arrière de la plaza, ignorant les imprécations qu'on leur lançait au passage. Un homme vint se placer devant eux, mais le ravisseur de Tyrion saisit la poignée de sa longue épée et la tira juste assez pour exposer un pied d'acier nu.

L'homme s'évapora et une ruelle s'ouvrit d'un seul coup devant eux. Le chevalier poussa sa monture au trot, et ils laissèrent la foule derrière eux. Un moment, Tyrion entendit encore la voix de Benerro qui allait en diminuant dans leur dos, et les rugissements soulevés par ses harangues, soudains comme le tonnerre.

Ils arrivèrent devant une écurie. Le chevalier mit pied à terre, puis tambourina à la porte jusqu'à ce qu'un esclave hagard avec une tête de cheval sur la joue accourût. Le nain fut débarqué sans douceur de la selle et attaché à un poteau tandis que son ravisseur tirait du sommeil le propriétaire de l'écurie et marchandait avec lui le prix de son cheval et de sa selle. *Vendre un cheval coûte moins cher que de le faire transporter à l'autre bout du monde.* Tyrion pressentit un navire dans son avenir immédiat. Peut-être était-il prophète, finalement.

Au terme des négociations, le chevalier jeta ses armes, son bouclier et ses fontes sur son épaule et demanda qu'on lui indiquât la forge la plus proche. Celle-ci se révéla fermée elle aussi, mais s'ouvrit très vite, aux cris du chevalier. Le forgeron regarda Tyrion en plissant les yeux, puis hocha la tête et accepta une poignée de pièces. « Viens par ici », ordonna le chevalier à son prisonnier. Il tira son poignard et trancha les liens de Tyrion. « Grand merci », dit le nain en se frictionnant les poignets, mais le chevalier se borna à rire et à lui répondre : « Garde ta gratitude pour quelqu'un qui la méritera, Lutin. La suite des événements ne va pas te plaire. »

Il ne se trompait pas.

Les bracelets étaient de fer noir, épais, lourds, pesant chacun deux bonnes livres, pour autant que le nain pouvait en juger. Les chaînes ajoutaient encore au poids. « Je dois être plus terrifiant que je ne le pensais », confessa Tyrion tandis que les derniers maillons étaient refermés à coups de masse. Chaque martèlement envoyait dans son bras une onde de choc, presque jusqu'à l'épaule. « Ou craignez-vous de me voir détaler sur mes petites jambes contrefaites ? »

Le forgeron ne leva même pas les yeux de son ouvrage, mais le chevalier eut un ricanement rogue. « C'est ta bouche qui m'inquiète, pas tes jambes. Avec des fers, tu es un esclave.

Personne n'ira écouter un mot de ce que tu racontes, pas même ceux qui parlent la langue de Westeros.

— Il n'y a pas besoin de tout ça, protesta Tyrion. Je serai un bon petit captif, je le jure, je le jure.

— Alors, prouve-le en fermant ton clapet. »

Aussi inclina-t-il la tête et retint-il sa langue tandis qu'on assurait les chaînes en place, un poignet à l'autre, le poignet à la cheville, la cheville à l'autre. *Ces saloperies pèsent plus lourd que moi.* Au moins, il respirait encore. Son ravisseur aurait tout aussi aisément pu lui trancher la tête. Cersei n'en demandait pas davantage, à vrai dire. Ne pas le décapiter sur-le-champ avait été la première erreur de son ravisseur. *Entre Volantis et Port-Réal s'étend la moitié d'un monde, et il peut se produire en route tant et plus de choses, ser.*

Le reste du chemin, ils le parcoururent à pied, Tyrion tintant et cliquetant tandis qu'il s'évertuait à égaler l'allure des longues enjambées impatientes de son ravisseur. Chaque fois qu'il semblait près de se retrouver à la traîne, le chevalier empoignait ses fers, qu'il halait d'un coup sec, ramenant le nain titubant et clopinant à sa hauteur. *Ça aurait pu être pire. Il pourrait me faire presser le pas à coups de fouet.*

Volantis enjambait un des estuaires de la Rhoyne à l'endroit où le fleuve venait embrasser la mer, ses deux moitiés unies par le Long Pont. La plus ancienne partie de la ville, la plus opulente, se situait à l'est du fleuve, mais les épées-louées, les barbares et autres étrangers mal dégrossis n'y étaient pas les bienvenus, aussi devaient-ils traverser et passer à l'ouest.

La porte du Long Pont était un arc en pierre noire sculpté de sphinx, de manticores, de dragons et de créatures encore plus étranges. Par-delà la porte s'étirait le grand pont que les Valyriens avaient bâti au zénith de leur gloire, sa chaussée en pierre fondue supportée par des piles massives. La largeur de la route permettait tout juste à deux chariots d'y circuler de front, aussi, chaque fois qu'un chariot à destination de l'ouest en rencontrait un autre se dirigeant vers l'est, tous deux devaient-ils ralentir pour se croiser au pas.

Les deux hommes avaient de la chance de le traverser à pied. Au tiers du parcours, un chariot chargé de melons s'était accroché les roues avec un autre transportant une montagne de tapis en soie, et il bloquait toute la circulation des véhicules roulants. La plus grosse part du flot des piétons s'était également arrêtée pour suivre l'échange de cris et d'imprécations entre les deux charretiers, mais le chevalier empoigna Tyrion par sa chaîne et leur ouvrit à tous deux un passage à travers la foule. En pleine presse, un gamin tenta d'introduire les doigts dans sa bourse, mais la dureté d'un coude y mit bon ordre et écrasa le nez sanglant du voleur sur la moitié de son visage.

Des deux côtés s'élevaient des bâtiments : des boutiques et des temples, des tavernes et des auberges, des académies de *cyvosse* et des bordels. La plupart montaient sur deux ou trois étages, chaque niveau en encorbellement par rapport à celui du dessous. Les derniers étages se frôlaient presque. En traversant le pont, on avait l'impression de parcourir un tunnel éclairé de flambeaux. Toutes sortes d'échoppes et d'étals se succédaient au long du trajet ; tisserands et dentellières exposaient leurs articles côte à côte avec des souffleurs de verre, des chandeliers et des poissonnières proposant anguilles et huîtres. Chaque orfèvre avait un garde posté à sa porte, et chaque marchand d'épices, deux, car ils vendaient des denrées deux fois plus précieuses. Çà et là, entre les boutiques, le voyageur pouvait entrevoir le fleuve qu'il était en train de franchir. Au nord, la Rhoyne formait un large ruban noir éclairé d'étoiles, cinq fois plus large que les rapides de la Néra à Port-Réal. Au sud du pont, le fleuve s'épanouissait pour étreindre la mer salée.

Au milieu du pont, les mains tranchées de voleurs et de tire-laine pendaient en bord de route à des potences de fer, comme des colliers d'oignons. Trois têtes étaient exposées, au surplus – deux hommes et une femme, leurs forfaits griffonnés sur des tablettes en dessous d'eux. Un duo de hallebardiers, revêtus de heaumes polis et de cottes en maille d'argent, veillait sur elles. Sur leurs joues s'étiraient des rayures de tigre, vertes comme le jade. De temps en temps, les gardes agitaient leur pertuisane pour chasser les goélands, les mouettes et les freux venus rendre hommage aux défunts. Les oiseaux revenaient aux têtes au bout de quelques instants.

« Qu'ont-ils fait ? » s'enquit Tyrion sur un ton innocent.

Le chevalier jeta un coup d'œil aux inscriptions. « La femme était une esclave qui a levé la main contre sa maîtresse. Le plus vieux des deux hommes a été accusé de fomenter une rébellion et d'espionner pour le compte de la reine dragon.

— Et le plus jeune ?

— Il a tué son père. »

Tyrion jeta à la tête en décomposition un second regard. *Dites-moi... On dirait presque que ses lèvres sourient.*

Plus loin, le chevalier s'arrêta brièvement pour considérer une tiare couverte de joyaux, présentée sur un coussinet de velours pourpre. Il passa son chemin, mais, quelques pas plus loin, il s'arrêta encore pour marchander une paire de gants à l'étal d'un maroquinier. Des répits dont se félicita Tyrion. L'allure rapide l'essoufflait, et les menottes lui écorchaient les poignets.

Depuis l'autre extrémité du Long Pont, il y avait juste une courte marche à travers les grouillants quartiers du front de port de la rive ouest jusqu'aux rues éclairées de torches et encombrées de matelots, d'esclaves et de fêtards avinés. Une fois, un éléphant passa lourdement, chargé d'une demi-douzaine d'esclaves à demi nues qui saluaient du haut du castelet sur son dos en aguichant les passants par de fugaces aperçus de leurs seins, et en criant : « Malaquo, Malaquo. » Elles offraient un spectacle tellement fascinant que Tyrion manqua poser le pied en plein dans la pile de crottin fumant que l'éléphant avait laissée pour marquer son passage. Il fut sauvé au dernier moment quand le chevalier le tira de côté, si rudement que le nain pivota sur lui-même et tituba.

« C'est encore loin ? demanda-t-il.

— Nous y sommes. La place des Poissonniers. »

Leur destination se révéla être le Comptoir des Marchands, une monstruosité comptant trois étages, accroupie entre les entrepôts, les bordels et les tavernes du port comme un prodigieux obèse cerné d'enfants. Sa salle commune dépassait en superficie la grande salle de la moitié des châteaux de Westeros, un labyrinthe de pénombre, avec cent alcôves retirées et recoins cachés dont les solives noircies et les plafonds fissurés résonnaient du hourvari des marins, des négociants, des capitaines, des usuriers, des armateurs et des esclavagistes, qui mentaient, juraient, et se flouaient mutuellement dans une demi-centaine de langues différentes. Le choix de cette hostellerie reçut l'approbation de Tyrion. Tôt ou tard, la *Farouche Pucelle* atteindrait Volantis. On se trouvait ici dans la plus grande auberge de la ville, la première où descendaient commanditaires, capitaines et négociants. Nombre de marchés se concluaient dans l'énorme caverne de cette salle commune. Tyrion en connaissait assez long sur Volantis pour le savoir. Que Griff débarque ici avec Canard et Haldon, et le nain ne tarderait pas à se retrouver libre.

Dans l'intervalle, il saurait se montrer patient. Sa chance viendrait.

Toutefois, les chambres des étages se révélèrent rien moins que grandioses, en particulier les soupentes à bas prix, au troisième. Engoncé sous les combles à un coin du bâtiment, le galetas retenu par son ravisseur comportait un plafond bas, un lit de plume avachi aux déplaisants relents et un plancher incliné qui rappela à Tyrion son séjour aux Eyrié. *Au moins, cette chambre a des murs.* Et des fenêtres, aussi ; en cela résidait son attrait principal, en même temps qu'en un anneau de fer rivé au mur, si commode pour enchaîner les esclaves. Son ravisseur prit seulement le temps d'allumer une chandelle de suif avant d'arrimer les fers de Tyrion à l'anneau.

« Est-ce bien nécessaire ? protesta le nain en agitant vaguement ses entraves. Par où est-ce que je pourrais m'en aller ? Par la fenêtre ?

— Tu en serais capable.

— Nous sommes au troisième, et je ne sais pas voler.

— Tu pourrais tomber. Je te veux en vie. »

Certes, mais pourquoi ? Ce n'est pas comme si Cersei y tenait tant. Tyrion secoua ses chaînes. « Je sais qui vous êtes, ser. » L'énigme n'avait pas été difficile à percer. L'ours sur son surcot, les armes sur son bouclier, la seigneurie perdue qu'il avait évoquée. « Je sais *ce que* vous êtes. Et si vous savez qui je suis, vous savez par la même occasion que j'étais la Main du Roi et que je siégeais en conseil avec l'Araignée. Vous intéresserait-il de savoir que c'est l'eunuque qui m'a envoyé faire ce voyage ? » *Lui et Jaime, mais je vais laisser mon frère en dehors de l'affaire.* « Je suis sa créature autant que vous. Nous n'avons pas de raison d'être opposés. »

Cela ne plut guère au chevalier. « J'ai perçu l'argent de l'Araignée, je n'en disconviens point, mais jamais je n'ai été sa créature. Et ma loyauté s'attache désormais ailleurs.

— À Cersei ? Vous êtes bien sot. Tout ce que veut ma sœur, c'est ma tête, et vous avez une belle épée bien aiguisée. Pourquoi ne pas mettre tout de suite fin à cette farce et nous rendre tous deux service ? »

Le chevalier s'esclaffa. « Est-ce là une ruse de nain ? Implorer la mort dans l'espoir que je te laisserai vivre ? » Il alla à la porte. « Je te rapporterai quelque chose des cuisines.

— Comme c'est aimable de votre part. Je vais attendre ici.

— Je sais bien. » Cependant, en partant, le chevalier verrouilla la porte derrière lui avec une lourde clé en fer. Le Comptoir des Marchands était réputé pour ses serrures. *Aussi sûr qu'une geôle*, songea le nain avec amertume, *mais au moins, il y a les fenêtres.*

Tyrion le savait bien, il avait tant et moins de chances de s'extirper de ses chaînes, mais il se sentit néanmoins forcé d'essayer. Ses efforts pour faire glisser une main hors de la menotte ne réussirent qu'à meurtrir un peu plus sa peau et à lui laisser le poignet poissé de sang, et toutes ses tractions et ses torsions échouèrent à arracher l'anneau du mur. *Et merde*, conclut-il en s'affalant dans les limites qu'autorisaient ses chaînes. Des crampes commençaient à lui brûler les jambes. La nuit s'annonçait d'un inconfort infernal. *La première d'une longue série, n'en doutons pas.*

On étouffait, dans cette chambre, aussi le chevalier avait-il ouvert les volets pour laisser entrer un courant d'air. Rencognée sous les aîtres du bâtiment, la pièce avait la bonne fortune de posséder deux fenêtres. L'une donnait sur le Long Pont et le cœur de l'Antique Volantis, avec ses remparts noirs de l'autre côté du fleuve. L'autre s'ouvrait sur la plaza en contrebas. La place des Poissonniers, comme l'avait appelée Mormont. Si serrées que fussent les chaînes, Tyrion découvrit qu'en s'inclinant de côté et en laissant l'anneau de fer retenir son poids, il arrivait à regarder par cette seconde fenêtre. *La chute n'est point si longue que depuis les cellules aériennes de Lysa Arryn, mais elle me laisserait tout aussi mort. Si j'étais ivre, peut-être...*

Même à cette heure, la plaza était bondée, on y voyait des marins en goguette, des ribaudes qui cherchaient commerce et des marchands vaquant à leurs affaires. Une prêtresse rouge passa en se hâtant, escortée par une douzaine d'acolytes porteurs de torches, leurs robes leur fouettant les chevilles. Ailleurs, deux joueurs de *cyvosse* se faisaient la guerre devant une taverne. À côté de leur table, un esclave soutenait une lanterne au-dessus du tablier. Tyrion entendait une femme chanter. Les paroles lui étaient étranges, la mélodie douce et triste. *Si je comprenais ce qu'elle chante, peut-être pleurerais-je.* Plus près de lui, une foule se pressait autour de deux jongleurs qui s'entrelançaient des torches.

Son ravisseur ne tarda pas à revenir, chargé de deux chopes et d'un canard rôti. Il claqua la porte d'un coup de pied, rompit le canard en deux, et en jeta la moitié à Tyrion. Celui-ci l'aurait attrapée au vol, mais ses chaînes le retinrent quand il voulut lever les bras. Le volatile le heurta à la tempe et glissa, chaud et graisseux, contre son visage, et le nain dut s'accroupir et s'étirer afin de s'en saisir, dans des sonnailles de fers. Il l'atteignit à sa troisième tentative et se mit à le déchirer à belles dents, fort satisfait. « Une bière pour arroser tout ça ? »

Mormont lui tendit une chope. « La majorité de Volantis se soûle, pourquoi pas toi ? »

La bière aussi était sucrée, avec un goût fruité. Tyrion en but une honnête lampée et rota avec contentement. La chope était en étain, très lourde. *Vide-la et lance-la-lui à la tête,* se dit-il. *Si j'ai de la chance, elle lui fendra le crâne. Si j'en ai beaucoup, elle manquera sa cible et il me tuera à coups de poing.* Il but une nouvelle gorgée. « C'est jour de fête ? »

— Le troisième jour de leurs élections. Elles en durent dix. Dix jours de démence. Marches aux flambeaux, discours, baladins, ménestrels et danseurs, éléphants peints du nom des aspirants triarques. Ces jongleurs se produisent au nom de Methyso.

— Rappelez-moi de voter pour un autre. » Tyrion lécha la graisse sur ses doigts. En bas, la foule jetait des pièces aux jongleurs. « Et tous ces aspirants triarques fournissent des spectacles de baladins ?

— Ils font tout ce qui pourra leur rapporter des voix, selon eux, expliqua Mormont. Ripailles, boissons, spectacles… Alios a répandu dans les rues une centaine d'accortes esclaves pour coucher avec les électeurs.

— Je vote pour lui, décida Tyrion. Qu'on m'amène une esclave.

— Elles sont réservées aux Volantains nés libres et dotés de propriétés assez grandes pour leur donner le droit de vote. Il y a très peu d'électeurs à l'ouest du fleuve.

— Et ça dure dix jours ? » Tyrion ricana. « Ça pourrait me plaire, tout ça, mais trois rois, en voilà deux de trop. J'essaie de m'imaginer régner sur les Sept Couronnes auprès de ma tendre sœur et mon brave frère. L'un de nous occirait les deux autres en moins d'un an. Je suis surpris que ces triarques n'agissent pas de même.

— Quelques-uns s'y sont essayés. Il se pourrait bien que la sagesse soit dans le camp volantain, et la sottise chez les Ouestriens. Volantis a connu sa part de folies, mais elle n'a jamais souffert un enfant triarque. Chaque fois qu'un fou a été élu, ses collègues l'ont contenu jusqu'à échéance de l'année. Songe aux morts qui vivraient peut-être encore, si Aerys le Fol avait eu deux compères rois pour partager son règne. »

Mais il avait mon père, songea Tyrion.

« Dans les Cités libres, certains nous considèrent tous comme des sauvages, de notre côté du détroit, poursuivit le chevalier. Ceux qui ne nous prennent pas pour des enfants qui auraient bien besoin de la main ferme d'un père.

— Ou d'une mère ? » *Cersei va adorer ça. En particulier quand il lui offrira ma tête.* « Vous paraissez bien connaître cette cité.

— J'y ai passé presque une année. » Le chevalier fit tourner la lie au fond de sa chope. « Quand Stark m'a poussé à l'exil, j'ai fui vers Lys avec ma seconde épouse. Braavos m'aurait convenu davantage, mais Lynce souhaitait un endroit chaud. Plutôt que de me mettre au service des Braaviens, je les ai combattus sur la Rhoyne. Mais pour chaque pièce d'argent que je gagnais, mon épouse en dépensait dix. Le temps que je rentre à Lys, elle avait pris un amant, qui m'annonça d'un ton guilleret que je goûterais à l'esclavage pour dettes si je n'abandonnais pas ma femme et ne quittais pas la cité. Et voilà comment je suis arrivé à Volantis... gardant une étape d'avance sur l'esclavage, et avec mon épée et les vêtements que je portais pour tout bien.

— Et maintenant, vous voulez rentrer au galop chez vous. » Le chevalier finit sa bière. « Demain, je nous dénicherai un navire. Je me réserve le lit. Tu peux disposer de tout le plancher que tes chaînes te permettront d'occuper. Dors si tu le peux. Sinon, énumère tes crimes. Ça devrait te tenir occupé jusqu'au matin. »

Tu as toi-même à répondre de crimes, Jorah Mormont, se dit le nain, mais il lui parut plus judicieux de garder cette pensée pour lui.

Ser Jorah accrocha son ceinturon à un montant du lit, ôta ses bottes d'un coup de pied, tira sa cotte de mailles par-dessus sa tête et se dépouilla de sa laine, de son cuir et de sa camisole tachée de sueur, pour révéler un torse musclé couvert de cicatrices et de poil noir. *Si je le pouvais écorcher, je vendrais sa toison comme manteau de fourrure,* jugea Tyrion tandis que Mormont s'écroulait dans le confort légèrement nauséabond de son lit de plumes décati.

En moins de temps qu'il n'en faut pour le dire, le chevalier ronflait, laissant son trophée seul avec ses entraves. Avec les deux fenêtres ouvertes, un clair de lune à son dernier quartier se répandait dans la chambre. Des bruits montaient de la plaza en contrebas : des bribes de chants avinés, les feulements d'une chatte en chaleur, le lointain tintement de l'acier contre l'acier. *Quelqu'un va mourir,* pronostiqua Tyrion.

Son poignet le lançait à l'endroit où il s'était écorché, et ses fers lui interdisaient de s'asseoir, et plus encore de se coucher. La meilleure posture réalisable consistait à se tordre en biais pour s'appuyer contre le mur ; très vite, il commença à perdre toute sensation dans ses mains. Lorsqu'il bougea pour soulager la tension, sa sensibilité revint en un flot douloureux. Il dut serrer les dents pour se retenir de hurler. Il se demanda à quel point son père avait souffert quand le carreau lui avait percé le bas-ventre, ce que Shae avait ressenti tandis qu'il serrait la chaîne autour de sa gorge de menteuse, ce que Tysha avait enduré pendant qu'on la violait. Comparées aux leurs, les souffrances de Tyrion n'étaient rien, mais l'idée ne le soulageait pas pour autant. *Faites que ça s'arrête.*

Ser Jorah avait roulé sur le flanc, si bien que Tyrion ne voyait de lui qu'un large dos, musclé et velu. *Même si je pouvais me glisser hors de ces fers, je devrais l'escalader pour atteindre son baudrier. Peut-être que si je parvenais à lui soustraire son poignard...* Ou sinon, tenter de prendre la clé, déverrouiller la porte, descendre l'escalier à pas de loup et traverser la salle commune... *et partir où ? Je n'ai pas d'amis, pas d'argent, je ne parle même pas le sabir du cru.*

L'épuisement finit par l'emporter sur ses douleurs et Tyrion dériva dans un sommeil pénible. Mais chaque fois qu'une nouvelle crampe s'enracinait dans son mollet et le tordait, le nain criait dans son sommeil, tremblant dans ses chaînes. Il s'éveilla, tous les muscles meurtris, pour trouver le matin qui se déversait par les fenêtres, brillant et doré comme le lion des Lannister. En bas, il entendait crier des poissonnières et gronder des roues cerclées de fer sur les pavés.

Jorah Mormont se dressait au-dessus de lui. « Si je te détache de l'anneau, feras-tu ce qu'on te dit ?

— Est-ce qu'il faudra danser ? Je vais avoir quelque mal à danser. Je ne sens plus mes jambes. Elles ont dû se décrocher. À tout autre égard, je serai votre créature. Sur mon honneur de Lannister.

— Les Lannister n'ont pas d'honneur. » Ser Jorah défit quand même ses chaînes. Tyrion avança de deux pas flageolants et chuta. Le reflux du sang dans ses mains lui mit les larmes aux yeux. Il se mordit la lèvre et dit : « Je ne sais pas où nous allons, mais il faudra me faire rouler jusque-là. »

En fait, le grand chevalier le porta, le soulevant par la chaîne unissant ses poignets.

La salle commune du Comptoir des Marchands était un dédale obscur d'alcôves et de grottes construites autour d'une cour centrale où une tonnelle chargée de fleurs dessinait des motifs complexes sur le sol dallé et où une mousse verte et mauve garnissait l'intervalle entre les pierres. De promptes esclaves s'activaient entre lumière et ombre, chargées de carafes de bière, de vin, et d'une boisson verte glacée qui embaumait la menthe. Une table sur vingt était occupée, à cette heure de la matinée.

L'une d'elles l'était par un nain. Rasé de près et rose de joue, avec une tignasse de cheveux marron, un front lourd et un nez épaté, il était perché sur un haut tabouret, une cuillère en bois à la main, à contempler un bol de gruau vaguement pourpre avec des yeux cernés de rouge. *Qu'il est donc laid, le petit bougre*, fut la réaction de Tyrion.

L'autre nain perçut son regard. Lorsqu'il leva la tête et qu'il vit Tyrion, la cuillère lui glissa des doigts.

Tyrion alerta Mormont. « Il m'a vu.

— Et alors ?

— Il me *reconnaît*. Il sait qui je suis.

— Dois-je te fourrer dans un sac afin que nul ne te voie ? » Le chevalier toucha la poignée de sa longue épée. « S'il a l'intention de s'emparer de toi, je l'y convie de bon cœur. »

Tu le convies à mourir, tu veux dire, traduisit Tyrion dans sa tête. *Quelle menace pourrait-il poser contre un grand gaillard comme toi ? Ce n'est qu'un nain.*

Ser Jorah s'arrogea une table dans un coin tranquille et commanda à manger et à boire. Ils déjeunèrent de molles galettes de pain chaud, de frai de poisson rose, de saucisses au miel et de sauterelles frites, arrosées d'une bière noire aigre-douce. Tyrion dévora comme un homme à demi mort de faim. « Tu as un solide appétit, ce matin, commenta le chevalier.

— J'ai entendu dire qu'on mangeait très mal, aux enfers. » Tyrion jeta un coup d'œil vers la porte, par laquelle un homme venait d'entrer : grand et voûté, sa barbe en pointe teinte de taches mauves. *Un négociant tyroshi.* Une bouffée de bruits du dehors entrèrent avec lui : les cris des mouettes, un rire de femme, les voix des poissonnières. L'espace d'un demi-battement de cœur, il crut voir Illyrio Mopatis, mais ce n'était qu'un de ces éléphants blancs nains qui passait devant l'entrée principale.

Mormont étala du frai de poisson sur une tranche de galette et mordit dedans. « Tu attends quelqu'un ? »

Tyrion haussa les épaules. « On ne sait jamais qui le vent peut pousser à l'intérieur. L'amour de ma vie, le fantôme de mon père, un canard. » Il jeta une sauterelle dans sa bouche et la croqua. « Pas mal. Pour une bestiole.

— La nuit dernière, toutes les conversations portaient sur Westeros, ici. Un lord en exil a engagé la Compagnie Dorée pour lui regagner ses terres. La moitié des capitaines de Volantis se hâtent de remonter le fleuve jusqu'à Volon Therys pour lui proposer leurs navires. »

Tyrion venait tout juste d'avaler une autre sauterelle. Il faillit s'étrangler avec. *Est-ce qu'il se moque de moi ? Que peut-il savoir de Griff et d'Aegon ?* « Merde, dit-il. J'avais moi-même l'intention d'engager la Compagnie Dorée pour me reconquérir Castral Roc. » *Pourrait-il s'agir d'une manœuvre de Griff, de fausses nouvelles répandues délibérément ? À moins...* Le joli petit prince avait-il gobé l'appât ? Les avait-il tournés vers l'ouest plutôt que l'est, aurait-il renoncé à l'espoir d'épouser la reine Daenerys ? *Renoncé aux dragons... Griff le lui permettrait-il ?*

« Je louerais volontiers vos services également, ser. Le trône de mon père me revient de droit. Jurez-moi votre épée et, quand je l'aurai remporté, je vous couvrirai d'or.

— J'ai vu un jour un homme couvert d'or. Ce n'était pas un beau spectacle. Si jamais tu prends mon épée, ce sera dans les tripes.

— Un remède assuré à la constipation, admit Tyrion. Demandez donc à mon père. » Il tendit la main vers sa chope et y but lentement, pour aider à masquer tout ce qui pouvait paraître sur son visage. Ce devait être un stratagème, conçu pour apaiser les soupçons volantains. *Faire monter les hommes à bord sous ce prétexte et s'emparer des navires une fois que la flotte serait en haute mer. Serait-ce là le plan de Griff ?* Cela pourrait marcher. La Compagnie Dorée était forte de dix mille hommes, aguerris, disciplinés. *Aucun d'eux n'est marin, toutefois. Griff devra garder une épée sous chaque gorge, et s'ils devaient entrer en baie des Serfs et se battre...*

La serveuse revint. « La veuve va vous recevoir ensuite, noble ser. Lui avez-vous apporté un présent ?

— Oui. Merci. » Ser Jorah glissa une pièce dans la paume de la fille et la renvoya.

Tyrion fronça les sourcils. « De quelle veuve s'agit-il ?

— La veuve du front de fleuve. À l'est de la Rhoyne, on l'appelle encore la gueuse de Vogarro, quoique jamais en face. »

Cela n'éclaira guère le nain. « Et Vogarro était... ?

— Un Éléphant, sept fois triarque, très riche, une puissance des quais. Tandis que d'autres bâtissaient des navires et les pilotaient, il construisait des quais et des entrepôts, recevait les cargaisons, changeait l'argent, assurait les propriétaires de navires contre les fortunes de mer. Il faisait également la traite des esclaves. Quand il s'est entiché de l'une d'entre eux, une chaufferette formée à Yunkaï à la méthode des sept soupirs, il y a eu un grand scandale... et encore un plus grand quand il l'eut affranchie et prise pour femme. Après sa mort, elle lui a succédé aux affaires. Comme nul affranchi ne peut vivre dans l'enceinte du Mur Noir, elle a été contrainte de vendre la résidence de Vogarro. Elle s'est établie au Comptoir des Marchands. Cela s'est passé il y a trente-deux ans, et elle y demeure encore à ce jour. Elle est là, derrière toi, au fond de la cour, en train de donner audience à sa table habituelle. Non, ne regarde pas. Il y a quelqu'un avec elle en ce moment. Quand il aura terminé, ce sera notre tour.

— Et de quelle façon cette vieille chouette vous aidera-t-elle ? »

Ser Jorah se mit debout. « Observe, tu verras bien. Il s'en va. »

Tyrion sauta de sa chaise avec un désordre de fers. *Voilà qui devrait être instructif.*

Il y avait quelque chose du renard dans la façon dont la femme siégeait dans son coin en bordure de cour, quelque chose du reptile dans ses yeux. Ses cheveux blancs étaient si fins que le rose de son cuir chevelu transparaissait. Sous un œil, elle portait encore de légères cicatrices à l'endroit où un scalpel avait découpé ses larmes. Les reliefs de son repas du matin jonchaient littéralement la table – des têtes de sardines, des noyaux d'olives, des morceaux de galette. Tyrion ne manqua pas de noter avec quelle habileté elle avait choisi sa « table habituelle » ; un mur de pierre dans son dos, une alcôve feuillue sur un côté pour ses entrées et ses sorties, un point de vue parfait sur la porte principale de l'auberge, et pourtant un tel retrait dans l'ombre qu'elle-même était pratiquement invisible.

La vue de Tyrion fit sourire la vieille femme. « Un nain », ronronna-t-elle d'une voix aussi sinistre que douce. Elle parlait la Langue Commune avec à peine une pointe d'accent. « Les nains envahissent Volantis, ces derniers temps, dirait-on. Celui-ci connaît-il des tours ? »

Oui, eut envie de répondre Tyrion. *Donnez-moi une arbalète, et je vous montrerai mon préféré.* « Non, répondit ser Jorah.

— Quel dommage. J'ai eu jadis un singe qui savait exécuter toutes sortes de malices. Votre nain me le rappelle. Est-ce un cadeau ?

— Non. Je vous ai apporté ceci. » Ser Jorah tira sa paire de gants et les fit claquer sur la table à côté des autres présents que la veuve avait reçus ce matin-là : un ciboire d'argent, un éventail ornementé taillé dans des lames de jade si fines qu'elles étaient translucides, et une antique dague en bronze marquée de runes. À côté de tels trésors, les gants paraissaient bon marché et vulgaires.

« Des gants pour mes pauvres vieilles mains ridées. Que c'est gentil. » La veuve ne fit pas un geste pour les toucher.

« Je les ai achetés sur le Long Pont.

— On peut acheter à peu près n'importe quoi, sur le Long Pont. Des gants, des esclaves, des singes. » Les années lui avaient courbé l'échine et posé sur le dos une bosse de vieillarde, mais la veuve avait les yeux noirs et brillants. « À présent, racontez à la pauvre vieille veuve en quoi elle peut vous être utile.

— Nous avons besoin d'une traversée rapide vers Meereen. »

Un seul mot. Le monde de Tyrion Lannister bascula cul par-dessus tête.

Un seul mot. *Meereen.* Mais avait-il entendu correctement ?

Un seul mot. *Meereen, il a dit Meereen, il m'emmène à Meereen.* Meereen, c'était la vie. Ou l'espoir de la vie, au moins.

« Pourquoi venir me voir ? demanda la veuve. Je ne possède pas de bateaux.

— Bien des capitaines ont contracté une dette envers vous. »

Me livrer à la reine, a-t-il dit. Certes, mais laquelle ? Il ne va pas me vendre à Cersei. Il m'offre à Daenerys Targaryen. Voilà pourquoi il ne m'a pas tranché le col. Nous partons pour l'est, et Griff et son prince s'en vont à l'ouest, ces crétins.

Oh, tout cela était trop. *Des manigances entremêlées les unes dans les autres, mais toutes les routes plongent dans le gosier du dragon.* Un éclat de rire s'échappa de ses lèvres, et soudain Tyrion ne pouvait plus s'arrêter de rire.

« Votre nain est pris d'une crise, commenta la veuve.

— Mon nain va se taire, s'il ne veut pas que je le bâillonne. »
Tyrion couvrit sa bouche de ses mains. *Meereen !*

La veuve du front de fleuve décida de l'ignorer. « Voulez-
vous boire quelque chose ? » s'enquit-elle. Des particules de
poussière flottaient dans l'air tandis qu'une servante remplissait deux coupes en verre émeraude pour ser Jorah et la veuve.
Tyrion avait la gorge sèche, mais on ne lui versa pas de coupe.
La veuve but une gorgée, fit tourner le vin dans sa bouche,
avala. « Tous les autres exilés prennent la mer vers l'ouest, du
moins à ce que mes vieilles oreilles ont entendu dire. Et tous
ces capitaines qui ont une dette envers moi se bousculent pour
les y transporter et aspirer un peu de l'or des coffres de la Compagnie Dorée. Nos nobles triarques ont dédié une douzaine de
navires de guerre à cette cause, afin d'assurer la sécurité de la
flotte jusqu'aux Degrés de Pierre. Même le vieux Doniphos a
accordé son assentiment. Une aventure tellement glorieuse. Et
pourtant, vous partez dans l'autre sens, ser.

— Mes affaires m'entraînent à l'est.

— Et de quelles affaires s'agit-il, je me le demande bien ?
Pas les esclaves, la reine d'argent y a mis bonne fin. Elle a
également fermé les arènes de combat, si bien que ce ne peut
être le goût du sang. Que pourrait encore offrir Meereen à un
chevalier ouestrien ? Des briques ? Des olives ? *Des dragons ?*
Ah, voilà. » Le sourire de la vieille femme se fit carnassier.
« J'ai entendu dire que la reine d'argent les nourrit de la chair
de marmots tandis qu'elle se baigne elle-même dans du sang
de vierges et prend chaque nuit un amant différent. »

La bouche de ser Jorah s'était faite dure. « Les Yunkaïis vous
versent du poison dans les oreilles. Vous ne devriez pas ajouter
foi à de telles ordures, madame.

— Je ne suis pas une dame, mais même la gueuse de Vogarro
connaît le goût du mensonge. Une chose est vraie, toutefois…
La reine dragon a des ennemis… Yunkaï, la Nouvelle-Ghis, Tolos,
Qarth… certes, et Volantis, avant longtemps. Vous voulez voyager vers Meereen ? Attendez donc un peu, ser. On aura bientôt
besoin d'épées, quand les navires de guerre feront force de
rames vers l'est pour renverser la reine d'argent. Les Tigres

adorent dégainer leurs griffes, et même les Éléphants tuent quand on les menace. Malaquo a soif de gloire, et Nyessos doit une grande part de sa fortune à la traite des esclaves. Qu'Alios, Parquello ou Bellicho accèdent au triarcat, et les flottes prendront la mer. »

Ser Jorah fit la grimace. « Si Doniphos repassait...

— Vogarro repassera avant lui, et mon doux seigneur est mort depuis trente ans. »

Derrière eux, un marin beuglait avec énergie. « Vous appelez ça de la bière ? *Bordel*, mais un singe pourrait en pisser de la meilleure.

— Et tu la boirais », riposta une autre voix.

Tyrion se retourna pour jeter un coup d'œil, espérant contre toute évidence qu'il s'agissait de Canard et d'Haldon qu'il entendait. Mais en fait, il vit deux étrangers... et le nain, qui, à quelques pas de là, le fixait avec intensité. Il paraissait curieusement familier.

La veuve sirota son vin avec délicatesse. « Certains des premiers Éléphants étaient des femmes, dit-elle, celles qui ont renversé les Tigres et mis fin aux guerres anciennes. Trianna a été quatre fois reconduite. C'était il y a trois cents ans, hélas. Depuis, Volantis n'a plus eu de femme triarque, bien que certaines femmes aient le droit de vote. Des femmes de bonne naissance qui habitent d'antiques palais derrière les Murs Noirs, pas des créatures de mon genre. L'Ancien Sang laissera voter les chiens et les enfants avant n'importe quel affranchi. Non, ce sera Belicho, peut-être Alios, mais que ce soit l'un ou l'autre, il y aura la guerre. Du moins le pensent-ils.

— Et vous, que pensez-vous ? » interrogea ser Jorah.

Très bien, jugea Tyrion. *La question qu'il fallait.*

« Oh, moi aussi, je pense qu'il y aura la guerre, mais pas celle qu'ils veulent. » La vieille femme se pencha en avant, ses yeux noirs brillant. « Je crois que R'hllor le Rouge a dans cette cité plus d'adorateurs que tous les autres dieux réunis. Avez-vous entendu Benerro prêcher ?

— Hier au soir.

— Benerro lit l'avenir dans ses flammes, assura la veuve. Le triarque Malaquo a essayé d'engager la Compagnie Dorée, vous le saviez ? Il avait l'intention de nettoyer le temple rouge et de passer Benerro au fil de l'épée. Il n'ose pas employer les capes de tigre. La moitié d'entre eux sont eux aussi des adorateurs du Maître de la Lumière. Oh, nous traversons une période sombre dans l'Antique Volantis, même pour de vieilles veuves ridées. Mais pas à moitié si sombre que Meereen, je crois. Alors, dites-moi, ser... Pourquoi voulez-vous rejoindre la reine d'argent ?

— C'est mon affaire. Je puis payer notre traversée et payer bien. J'ai de l'argent. »

Imbécile, songea Tyrion. *Ce n'est pas de l'argent qu'elle veut, c'est du respect. Tu n'as donc pas entendu un mot de ce qu'elle disait ?* Il jeta un coup d'œil par-dessus son épaule. Le nain s'était approché de leur table. Et il semblait avoir un couteau à la main. Les poils sur la nuque de Tyrion commencèrent à le chatouiller.

« Gardez votre argent. J'ai de l'or. Et épargnez-moi vos regards noirs, ser. Je suis trop vieille pour m'effrayer d'une moue. Vous êtes un homme peu commode, je le vois, et habile sans doute avec cette longue épée que je vois à votre côté, mais je suis ici dans mon royaume. Que je plie le doigt et vous pourriez vous retrouver en route vers Meereen enchaîné à une rame, dans le ventre d'une galère. » Elle ramassa son éventail de jade et l'ouvrit. On entendit un froissement de feuillage et un homme se coula hors de l'arche bouchée par la végétation, à sa gauche. Son visage était une masse de cicatrices, et dans une main il tenait une épée, lourde et trapue comme un couperet. « *Va voir la veuve du front de fleuve*, vous a dit quelqu'un, mais il aurait également dû vous avertir, *prends garde aux fils de la veuve*. Toutefois, il fait si beau, ce matin, que je vais vous poser à nouveau la question. Pourquoi voulez-vous rejoindre Daenerys Targaryen, dont la moitié du monde souhaite la mort ? »

Le visage de Jorah Mormont était noir de colère, mais il répondit. « Pour la servir. La défendre. Mourir pour elle, si besoin est. »

Cela fit rire la veuve. « Vous voulez la *sauver*, est-ce là votre intention ? D'ennemis plus nombreux que je ne pourrais en nommer, armés d'épées innombrables... C'est *cela* que vous voudriez faire croire à une pauvre veuve ? Que vous êtes un vrai et preux chevalier ouestrien, qui traverse la moitié du monde pour courir à l'aide de cette... ma foi, elle n'est pas une pure jeune fille, malgré la beauté qu'elle peut encore posséder. » Elle rit encore. « Et pensez-vous que votre nain va lui plaire ? Va-t-elle se baigner dans son sang, à votre avis, ou se contentera-t-elle de le décapiter ? »

Ser Jorah hésita. « Le nain est...

— Je sais qui est le nain, et ce qu'il est. » Ses yeux noirs se tournèrent vers Tyrion, durs comme la pierre. « Parricide, fratricide, régicide, assassin, tourne-casaque. *Lannister.* » Elle prononça ce dernier mot comme un juron. « Et toi, petit homme, qu'as-tu l'intention d'offrir à la reine dragon ? »

Ma haine, aurait aimé dire Tyrion. Mais il écarta ses mains autant que ses fers le lui permettaient. « Tout ce qu'elle voudra de moi. De sages conseils, un humour féroce, quelques cabrioles. Ma queue, si elle la désire. Ma langue, sinon. Je mènerai ses armées ou je lui masserai les pieds, à sa guise. Et la seule récompense que je demande sera d'avoir permission de violer et de tuer ma sœur. »

Ces mots ramenèrent le sourire au visage de la vieille. « En voilà au moins un d'honnête, annonça-t-elle, mais vous, ser... J'ai connu une douzaine de chevaliers ouestriens, et mille aventuriers de même engeance, mais nul si pur que vous vous dépeignez. Les hommes sont des sauvages, égoïstes et brutaux. Si doux que soient les mots, ils couvrent toujours de plus noirs motifs. Je n'ai pas confiance en vous, ser. » Elle les congédia d'un vif mouvement d'éventail, comme s'ils n'étaient que des mouches bourdonnant autour de sa tête. « Si vous voulez atteindre Meereen, nagez. Je n'ai pas d'aide à vous fournir. »

Alors sept enfers se déchaînèrent simultanément.

Ser Jorah commença à se lever, la veuve referma son éventail avec un claquement, son garde couvert de cicatrices se coula hors des ombres... et, derrière eux, une fille poussa un hurlement. Tyrion pivota juste à temps pour voir le nain se précipiter sur lui. *C'est une fille*, comprit-il sur-le-champ, *une fille habillée en homme. Et elle a l'intention de m'éventrer avec ce couteau.*

L'espace d'un demi-battement de cœur, ser Jorah, la veuve et l'homme aux cicatrices demeurèrent figés comme la pierre. Les badauds observaient depuis les tables voisines, buvant leur bière ou leur vin, mais nul n'esquissa un mouvement pour intervenir. Tyrion dut déplacer les deux mains en même temps, mais ses chaînes lui permettaient juste assez de jeu pour le laisser atteindre la carafe sur la table. Il referma le poing dessus, pivota et en projeta le contenu à la face de la naine qui chargeait, puis il se jeta de côté pour esquiver l'arme. La carafe se brisa sous lui tandis que le sol montait le gifler en pleine tête. Ensuite, la fille se rua de nouveau sur lui. Tyrion roula sur un côté, alors qu'elle plantait la lame dans les lattes du parquet, la dégageait d'une secousse pour la lever à nouveau...

... et soudain quitta le sol, battant des jambes, affolée, en se tortillant dans la poigne de ser Jorah. « Non ! protesta-t-elle dans la Langue Commune de Westeros. *Lâchez-moi !* » Tyrion entendit sa tunique craquer alors qu'elle se démenait pour se libérer.

Mormont la tenait d'une main par le collet. De l'autre, il lui arracha le poignard des mains. « Ça suffit. »

Le tenancier fit son apparition à ce moment-là, un gourdin à la main. Lorsqu'il vit la carafe brisée, il poussa un juron enflammé et exigea de savoir ce qui se passait ici. « Un combat de nains », répliqua le Tyroshi à barbe mauve en gloussant.

Tyrion regarda en clignant les yeux la fille trempée qui se tordait dans les airs. « Pourquoi ? demanda-t-il. Qu'est-ce que j'ai bien pu te faire ?

— Ils l'ont tué. » Avec ces mots, toute velléité de combat la déserta. Elle resta ballante dans la poigne de Mormont, et ses yeux s'emplirent de larmes. « Mon frère. Ils l'ont pris et ils l'ont tué.

— Qui l'a tué ? voulut savoir Mormont.

— Des marins. Des marins des Sept Couronnes. Ils étaient cinq, soûls. Ils nous ont vus jouter sur la place et nous ont suivis. Quand ils se sont aperçus que j'étais une fille, ils m'ont laissée partir, mais ils ont pris mon frère et ils l'ont tué. *Ils lui ont coupé la tête.* »

Tyrion éprouva un choc de familiarité. *Ils nous ont vus jouter sur la place.* Il sut alors qui était la fille. « Tu chevauchais le cochon ? lui demanda-t-il. Ou le chien ?

— Le chien, sanglota-t-elle. Le cochon, c'était toujours Oppo qui le montait. »

Les nains du mariage de Joffrey. C'était leur spectacle qui avait déclenché tous les événements, ce soir-là. *Que c'est curieux de les retrouver ici, à l'autre bout du monde.* Mais peut-être pas si curieux que cela. *S'ils ont eu moitié autant de bon sens que leur goret, ils ont dû fuir Port-Réal la nuit où Joff est mort, avant que Cersei puisse les charger d'une part du blâme pour le trépas de son fils.* « Déposez-la, ser, demanda-t-il à Jorah Mormont. Elle ne nous fera plus de mal. »

Ser Jorah laissa choir la naine à terre. « Je suis navré pour ton frère… mais nous n'avons eu aucun rôle dans son meurtre.

— Lui, si. » La fille se remit à genoux, serrant sa tunique déchirée et trempée de vin contre de petits seins pâles. « C'était lui qu'ils voulaient. Ils ont pris Oppo pour *lui.* » La fille pleurait, implorant l'aide de qui voudrait l'entendre. « Il devrait mourir, comme mon pauvre frère est mort. Je vous en prie. Aidez-moi, quelqu'un. Tuez-le. » Le tenancier l'empoigna avec brutalité par un bras et la releva d'une traction, gueulant en volantain, exigeant de savoir qui allait payer les dégâts.

La veuve du front de fleuve jeta à Mormont un regard mesuré. « On dit que les chevaliers défendent le faible et protègent l'innocent. Et moi, je suis la plus belle pucelle de tout Volantis. » Son rire dégoulinait de dédain. « Comment t'appelle-t-on, mon enfant ?

— Sol. »

La vieille femme s'adressa au tenancier dans la langue de l'Antique Volantis. Tyrion en avait des notions suffisantes pour comprendre qu'elle lui demandait de conduire la naine dans ses appartements, de lui donner du vin et de lui trouver des vêtements à porter.

Quand ils furent partis, la veuve inspecta Tyrion, avec des yeux noirs qui brillaient. « Les monstres devraient être plus grands, il me semble. Tu vaux une seigneurie, à Westeros, petit homme. Ta valeur ici est nettement moindre, je le crains. Mais je pense qu'il vaudrait mieux que je t'aide, après tout. Apparemment, Volantis n'est pas un lieu sûr pour les nains.

— Vous êtes trop bonne. » Tyrion lui adressa son plus suave sourire. « Peut-être pourriez-vous me retirer ces charmants bracelets de fer, par la même occasion ? Le monstre en question ne possède qu'une moitié de nez, et celui-ci le démange d'une façon tout à fait abominable. Ces chaînes sont trop courtes pour que je le gratte. Je vous en ferai don, et de grand cœur.

— Quelle générosité. Mais j'ai porté le fer, en mon temps, et je m'aperçois désormais que je préfère l'or et l'argent. Et puis, c'est triste à dire, mais nous sommes à Volantis, où les fers et les chaînes coûtent moins cher que le pain rassis et où il est interdit d'aider un esclave à s'évader.

— Je ne suis pas un esclave.

— Tout homme capturé par des esclavagistes entonne le même lamentable refrain. Je ne puis me risquer à t'aider... ici. » Elle se pencha de nouveau en avant. « Dans deux jours, la cogue *Selaesori Qhoran* prendra la mer pour Qarth, via la Nouvelle-Ghis, chargée d'étain et de fer, de balles de laine et de dentelle, cinquante tapis myriens, un cadavre en saumure, vingt jarres de poivre dragon, et un prêtre rouge. Soyez à bord quand elle lèvera l'ancre.

— Nous y serons, dit Tyrion. Et merci. »

Ser Jorah se rembrunit. « Qarth n'est pas notre destination.

— Elle n'atteindra jamais Qarth. Benerro a vu cela dans ses feux. » La vieillarde eut un sourire de renard.

« Qu'il en soit comme vous dites. » Tyrion sourit largement. « Si j'étais volantain et libre, et que mon sang m'y autorisât, vous auriez mon vote comme triarque, madame.

— Je ne suis pas une dame, riposta la veuve, mais simplement la gueuse de Vogarro. Vous avez intérêt à être partis d'ici avant l'arrivée des Tigres. Si vous deviez atteindre votre reine, transmettez-lui un message de la part des esclaves de l'Antique Volantis. » Elle toucha la cicatrice effacée sur sa joue flétrie, où l'on avait retiré ses larmes. « Dites-lui que nous attendons. Dites-lui de ne pas tarder. »

JON

Quand il reçut l'ordre, ser Alliser tordit la bouche en une apparence de sourire, mais ses yeux demeurèrent aussi froids et durs que du silex. « Ainsi donc, le bâtard m'envoie crever.

— *Crever*, s'égosilla le corbeau de Mormont. *Crever, crever, crever.* »

Tu n'aides vraiment pas. Jon chassa l'oiseau d'une taloche. « Le bâtard vous envoie en patrouille. Trouver nos ennemis et les tuer, si nécessaire. Vous êtes habile avec une lame. Vous étiez maître d'armes, ici et à Fort-Levant. »

Thorne toucha la poignée de son épée. « Certes. J'ai gaspillé le tiers de ma vie à vouloir enseigner les rudiments de l'escrime à des rustauds, des imbéciles et des sots. Grand bien cela me fera dans ces forêts.

— Vous aurez Dywen avec vous, ainsi qu'un autre patrouilleur aguerri.

— On v' zapprendra c' que zavez besoin d' savoir, ser, promit Dywen à Thorne en ricanant. On v' zapprendra à vous torcher vot' nob' cul avec des feuilles, pareil qu'un vrai patrouilleur. »

Cela fit s'esclaffer Kedge Œilblanc, et Jack Bulwer le Noir cracha par terre. Ser Alliser se borna à commenter : « Vous aimeriez me voir refuser. Vous pourriez alors me trancher le col, tout comme vous l'avez fait avec Slynt. Je ne vous offrirai pas ce plaisir, bâtard. Mais priez que ce soit une lame de sauvageon qui me tue, cependant. Ceux que tuent les Autres ne restent pas morts... et *ils se souviennent*. Je reviendrai, lord Snow.

— Je prie pour cela. » Jamais Jon ne compterait ser Alliser Thorne au nombre de ses amis, mais il demeurait un frère. *Personne n'a jamais prétendu qu'on se devait d'aimer ses frères.*

Il n'était point facile d'envoyer des hommes dans la nature, en sachant qu'il y avait de bonnes chances pour qu'ils ne reviennent jamais. *Ce sont tous des soldats aguerris...* se répétait Jon. Mais son oncle Benjen et ses patrouilleurs avaient été des hommes d'expérience, eux aussi, et la forêt hantée les avait avalés sans laisser de traces. Quand deux d'entre eux s'étaient finalement traînés au Mur, ils étaient des spectres. Ni pour la première, ni pour la dernière fois, Jon Snow se retrouvait à se demander ce qu'était devenu Benjen Stark. *Peut-être les patrouilleurs découvriront-ils des indices*, se répétait-il, sans jamais totalement y croire.

Dywen conduirait une patrouille, Jack le Noir et Kedge Œilblanc les deux autres. Eux au moins étaient impatients d'accomplir leur devoir. « Ça fait du bien d' sentir à nouveau un cheval entre les jambes, déclara Dywen à la porte, en suçant ses dents de bois. Sauf vot' respect, m'sire, mais tous tant qu'on est, on commençait à avoir le cul piqué d'échardes, à force d' rester assis. » Aucun homme de Châteaunoir ne connaissait aussi bien que Dywen la forêt, ses arbres, ses rivières, les plantes comestibles, les mœurs des prédateurs et de leurs proies. *Thorne est en meilleures mains qu'il ne le mérite.*

Jon regarda du haut du Mur partir les cavaliers – trois groupes, chacun de trois hommes, chacun porteur d'une paire de corbeaux. D'en haut, leurs poneys n'étaient pas plus gros que des fourmis, et Jon ne distinguait pas les patrouilleurs l'un de l'autre. Mais il les connaissait. Chaque nom était gravé sur son cœur. *Huit braves*, songeait-il, *et un... Ma foi, nous verrons bien.*

Quand le dernier cavalier eut disparu dans les arbres, Jon Snow descendit par la cage sur poulie, en compagnie d'Eddla-Douleur. Quelques flocons épars tombaient pendant qu'ils progressaient lentement, dansant sur les rafales. L'un d'eux suivit la cage vers le bas, flottant juste à l'extérieur des barreaux.

Il tombait plus vite qu'ils ne descendaient et, de temps en temps, disparaissait au-dessous d'eux. Puis une reprise de vent le saisissait et le poussait de nouveau vers le haut. Jon aurait pu passer le bras par la grille pour l'attraper, s'il l'avait souhaité.

« J'ai fait un rêve affreux, la nuit dernière, m'sire, confessa Edd-la-Douleur. Zétiez mon intendant, zalliez me chercher à manger, débarrasser les restes. J'étais lord Commandant, sans jamais un moment de répit. »

Jon ne sourit pas. « Pour toi, un cauchemar ; pour moi, ma vie. »

Les galères de Cotter Pyke signalaient le peuple libre en nombre sans cesse croissant le long des côtes boisées, au nord-est du Mur. On avait noté des camps, des radeaux en construction, et même la coque d'une cogue fracassée que l'on avait commencé à réparer. Les sauvageons disparaissaient toujours dans la forêt lorsqu'on les repérait, sans doute pour émerger de nouveau dès que les navires de Cotter étaient passés. Dans l'intervalle, ser Denys Mallister continuait de voir des feux dans la nuit au nord de la Gorge. Les deux commandants réclamaient des renforts.

Et où vais-je trouver des hommes supplémentaires ? Jon leur avait envoyé à chacun dix des sauvageons de La Mole : des novices, des vieillards, certains blessés et infirmes, mais tous capables de travailler à l'une ou l'autre tâche. Loin de s'en réjouir, Pyke et Mallister avaient tous deux répondu par courrier pour se plaindre. « Quand j'ai demandé des hommes, j'avais en tête des hommes de la Garde de Nuit, entraînés et disciplinés, de la loyauté desquels je n'aurais nulle cause de douter », avait écrit ser Denys. Cotter Pyke avait été plus brutal. « Je pourrais les pendre au Mur pour avertir les autres sauvageons de tenir leurs distances, mais je ne leur vois pas d'autre utilité, avait noté pour lui mestre Harmune. Je ne me fierais pas à de telles gens pour nettoyer mon pot de chambre, et *dix ne suffisent pas*. »

La cage de fer descendait au bout de sa longue chaîne, en grinçant et en cahotant, jusqu'à s'arrêter enfin avec une secousse à la base du Mur, un pied au-dessus du sol. Edd-la-Douleur poussa la porte pour l'ouvrir et sauta à terre, ses bottes brisant la carapace de la dernière neige. Jon le suivit.

Devant l'armurerie, Emmett-en-Fer continuait à encourager ses élèves dans la cour. Le chant de l'acier contre l'acier éveilla un appétit en Jon. Il lui rappelait des jours plus chauds, plus simples, des jours où, enfant à Winterfell, il rivalisait à l'épée avec Robb sous l'œil vigilant de ser Rodrik Cassel. Ser Rodrik était tombé, lui aussi, tué par Theon Tourne-Casaque et ses Fer-nés, alors qu'il tentait de reprendre Winterfell. Ne restait de la grande forteresse de la maison Stark qu'une désolation calcinée. *Tous mes souvenirs sont empoisonnés.*

Lorsque Emmett-en-Fer l'aperçut, il leva une main et le combat cessa. « Lord Commandant. Comment pouvons-nous vous être utiles ?

— Avec tes trois meilleurs éléments. »

Emmett grimaça un sourire. « Arron. Emrick. Jace. »

Tocard et Hop Robin allèrent chercher un gambison matelassé pour le lord Commandant, en même temps qu'un haubert de maille annelée à porter par-dessus, des grèves, un gorgerin et un demi-heaume. Une rondache noire cerclée de fer à son bras gauche, une bâtarde pas encore aiguisée à la main droite. L'épée, presque neuve, avait des reflets gris argent dans la lumière de l'aube. *Une des dernières à sortir de la forge de Donal. Dommage qu'il n'ait pas vécu assez longtemps pour lui donner du tranchant.* La lame était plus courte que Grand-Griffe, mais son acier ordinaire la rendait plus lourde. Il porterait des coups un peu plus lents. « Ça ira comme ça. » Jon se retourna pour affronter ses adversaires. « Venez.

— Lequel voulez-vous d'abord ? demanda Arron.

— Tous les trois. Ensemble.

— Trois contre un ? » Jace était incrédule. « Ce ne serait pas juste. » Il faisait partie de la dernière fournée amenée par Conwy, un fils de cordonnier venu de Belle Île. Peut-être ceci expliquait-il cela.

« C'est vrai. Viens ici. »

Quand il obéit, la lame de Jon le frappa sur le côté de la tête, pour l'envoyer cul par-dessus tête. En un clin d'œil, le jeune homme se retrouva avec une botte contre la poitrine et une pointe d'épée à sa gorge. « La guerre n'est jamais juste, lui annonça Jon. C'est deux contre un, à présent, et tu es mort. »

Quand il entendit crisser le gravier, il sut que les jumeaux approchaient. *On finira par faire des patrouilleurs de ces deux-là.* Il pivota, bloquant le coup de taille d'Arron avec le rebord de son bouclier et accueillant celui d'Emrick avec son épée. « Ce ne sont pas des piques, cria-t-il. Approchez-vous. » Il monta en attaque pour leur montrer comment on procédait. D'abord, Emrick. Il frappa d'estoc en direction de sa tête et de ses épaules, à droite, à gauche et encore à droite. Le jeune homme leva son bouclier et tenta une parade maladroite. Jon choqua sa rondache contre le bouclier d'Emrick et fit tomber le jeune homme d'un coup en bas de la jambe... Mais Arron était déjà sur lui, assenant à l'arrière de sa cuisse un féroce coup d'estoc qui lui força un genou en terre. *Ça va me laisser un bleu.* Il reçut le coup d'estoc suivant sur son bouclier, puis se remit debout d'un sursaut et repoussa Arron à travers la cour. *Il est vif,* songea-t-il, tandis que les bâtardes s'embrassaient une fois, deux fois, trois fois, *mais il a besoin de prendre du muscle.* Lorsqu'il lut du soulagement dans les yeux d'Arron, il comprit qu'Emrick se trouvait derrière lui. Il pivota sur lui-même et lui administra en travers des épaules un coup qui l'envoya s'affaler contre son frère. Entre-temps, Jace s'était relevé, aussi Jon l'expédia-t-il derechef à terre. « Je déteste voir un mort se relever. Tu penseras comme moi, le jour où tu rencontreras un spectre. » S'écartant, il abaissa son épée.

« Le grand corbac sait picorer du bec les plus petits, gronda une voix derrière lui, mais a-t-il assez de cœur pour affronter un homme ? »

Clinquefrac était adossé contre un mur. Un début de barbe lui mangeait des joues creusées, et de fins cheveux bruns dansaient devant ses petits yeux jaunes.

« Tu te flattes, répliqua Jon.

— Certes, mais j' t'écrabouillerais.

— Stannis n'a pas brûlé l'homme qu'il fallait.

— Si. » Le sauvageon lui lança un sourire avec une bouche de chicots bruns et cassés. « Il a brûlé çui qu'i devait brûler, devant tout l' monde. On fait tous c'qu'on doit faire, Snow. Même les rois.

— Emmett, trouve-lui une armure. Je veux le voir vêtu d'acier, et non de vieux os. »

Une fois couvert de maille et de plate, le Seigneur des Os sembla se tenir un peu plus droit. Il paraissait plus grand, aussi, avec des épaules plus larges et plus puissantes que Jon l'aurait cru. *C'est l'armure, et non l'homme*, se dit-il. *Même Sam paraîtrait presque formidable, revêtu de pied en cap de l'acier de Donal Noye.* Le sauvageon repoussa d'un geste la rondache que lui proposait Tocard. Il demanda à la place une épée à deux mains. « En voilà un joli son, jugea-t-il en en fendant les airs. Bats des ailes plus près, Snow. J' vais faire voler tes plumes. »

Jon se précipita sur lui avec férocité.

Clinquefrac recula d'un pas et accueillit la charge par un revers à deux mains. Si Jon n'avait pas interposé son bouclier, le coup aurait pu lui enfoncer la cuirasse et lui briser la moitié des côtes. La force d'impact le fit vaciller un instant et expédia une robuste onde de choc le long de son bras. *Il frappe avec plus de force que je ne l'aurais pensé.* Sa vivacité était une autre surprise désagréable. Ils tournèrent autour l'un de l'autre, rendant coup pour coup. Le Seigneur des Os ripostait sans désemparer. En bonne logique, l'épée à deux mains aurait dû être considérablement plus encombrante que la bâtarde de Jon, mais le sauvageon la maniait avec une rapidité aveuglante.

Au commencement, les recrues d'Emmett-en-Fer encouragèrent leur lord Commandant, mais l'impitoyable rapidité de l'attaque de Clinquefrac les réduisit bien vite au silence. *Il ne peut pas continuer longtemps ainsi*, se dit Jon en parant un nouveau coup. L'impact lui arracha un grognement. Même émoussée, la flamberge fendit sa rondache en pin et tordit le cerclage en fer. *Il va bientôt se fatiguer. C'est inévitable.* Jon frappa d'estoc au visage du sauvageon, et Clinquefrac écarta la tête. Il faucha en direction du mollet pour voir Clinquefrac esquiver la lame d'un bond habile. La flamberge s'abattit sur l'épaule de Jon, assez fort pour enfoncer sa spallière et engourdir le bras au-dessous. Jon recula. Le Seigneur des Os le suivit, en gloussant. *Il n'a pas de bouclier*, se remémora Jon, *et cette épée de monstre est trop encombrante pour parer. Je devrais lui assener deux coups à chaque coup qu'il me porte.*

Pourtant il n'y parvenait pas et, quand un coup portait, il restait sans effet. Le sauvageon semblait sans cesse s'écarter ou esquiver, si bien que la bâtarde de Jon rebondissait sur une épaule ou un bras. Bientôt, il se vit céder davantage de terrain, en essayant d'éviter les coups de taille fracassants de l'autre, échouant une fois sur deux. Son bouclier avait été réduit à l'état de petit bois. D'une secousse, il en débarrassa son bras. La sueur coulait sur son visage et lui piquait les yeux, sous le casque. *Il est trop fort, trop rapide*, comprit-il, *et, avec sa flamberge, il a sur moi l'avantage de l'allonge et du poids*. Le combat aurait tourné autrement si Jon avait été armé de Grand-Griffe, mais…

Sa chance arriva au revers suivant de Clinquefrac. Jon se jeta en avant, percutant l'autre homme, et ils tombèrent ensemble, les jambes emmêlées. L'acier s'entrechoqua. Les deux hommes perdirent leurs épées en roulant sur le sol dur. Le sauvageon frappa du genou entre les jambes de Jon. Jon riposta avec un poing ganté de maille. Sans qu'on sache comment, Clinquefrac se retrouva en position supérieure, la tête de Jon entre ses mains. Il la cogna contre le sol, puis remonta brutalement sa visière. « Si j'avais un poignard, i' vous manqu'rait un œil à l'heure qu'il est », gronda-t-il, avant que Tocard et Emmett-en-Fer l'entraînent pour libérer le torse du lord Commandant. « Mais *lâchez*-moi, foutus corbacs ! » rugit-il.

Jon se hissa sur un genou, avec effort. Sa tête carillonnait et il avait la bouche remplie de sang. Il le cracha et dit : « Beau combat.

— Tu t' flattes, corbac. Je transpirais même pas.

— La fois prochaine, tu sueras », répliqua Jon. Edd-la-Douleur l'aida à se remettre sur ses pieds et lui déboucla le casque. Il présentait plusieurs sérieuses bosselures qui n'étaient pas là lorsqu'il s'en était coiffé. « Lâchez-le. » Jon jeta le casque à Hop Robin, qui le laissa choir.

« Messire, protesta Emmett-en-Fer, il a prononcé des menaces contre votre vie, nous l'avons tous entendu. Il a dit que s'il avait un poignard…

— Il a bel et bien un poignard. Là, à sa ceinture. » *Il y a toujours quelqu'un de plus rapide et de plus fort*, avait dit un jour ser Rodrik à Jon et à Robb. *C'est lui que vous devez affronter dans la cour avant de devoir affronter son pareil sur un champ de bataille.*

« Lord Snow ? » intervint une voix douce.

Il se tourna pour voir Clydas debout sous l'arche brisée, un parchemin à la main. « De la part de Stannis ? » Jon espérait des nouvelles du roi. La Garde de Nuit ne prenait pas parti, il en avait conscience, et savoir quel roi triompherait n'aurait pas dû lui importer. Mais apparemment, si. « Est-ce de Motte ?

— Non, messire. » Clydas tendit le parchemin devant lui. Il était étroitement roulé et scellé, avec un bouton de cire rose et dure. *Seul Fort-Terreur use de cire à cacheter rose.* Jon arracha son gantelet, saisit la lettre, rompit le sceau. Lorsqu'il vit la signature, il oublia la correction que lui avait infligée Clinque-frac.

Ramsay Bolton, sire de Corbois, disait-elle, d'une ample écriture pointue. L'encre brune se détacha par écailles quand Jon la frôla du pouce. Sous la signature de Bolton, lord Dustin, lady Cerwyn et quatre Ryswell avaient apposé leurs propres marques et sceaux. Une main plus fruste avait tracé le géant de la maison Omble. « Pouvons-nous savoir ce que cela dit, messire ? » s'enquit Emmett-en-Fer.

Jon ne vit aucune raison de ne pas le lui révéler. « Moat Cailin est tombée. Les cadavres écorchés des Fer-nés ont été cloués à des poteaux le long de la route Royale. Roose Bolton convoque tous les seigneurs féaux à Tertre-bourg, afin d'affirmer leur loyauté au Trône de Fer, et de célébrer les noces de son fils avec... » Son cœur lui parut s'arrêter un instant. *Non, ce n'est pas possible. Elle est morte à Port-Réal, avec Père.*

« Lord Snow ? » Clydas le scruta de près avec ses yeux roses et troubles. « Êtes-vous... souffrant ? Vous semblez...

— Il doit épouser Arya Stark. Ma petite sœur. » À cet instant, Jon la voyait presque, toute en genoux cagneux et en coudes pointus, avec son visage allongé et sa maladresse, sa frimousse barbouillée et ses cheveux emmêlés. On laverait l'une et peignerait les autres, il n'en doutait pas, mais il ne pouvait imaginer Arya en robe de mariée, ni dans le lit de Ramsay Bolton.

Aussi effrayée qu'elle puisse être, elle n'en montrera rien. S'il essaie de poser la main sur elle, elle résistera.

« Votre sœur, dit Emmett-en-Fer, quel âge… »

Elle doit désormais avoir onze ans, songea Jon. *Encore une enfant.* « Je n'ai pas de sœur. Rien que des frères. Rien que vous. » Lady Catelyn se serait réjouie d'entendre ces mots, il le savait. Cela ne les rendait pas plus faciles à prononcer. Ses doigts se refermèrent sur le parchemin. *Si seulement ils avaient pu broyer aussi aisément la gorge de Ramsay Bolton.*

Clydas s'éclaircit la gorge. « Y aura-t-il une réponse ? »

Jon secoua la tête et s'en fut.

À la tombée de la nuit, les bleus que Clinquefrac lui avait infligés avaient viré au mauve. « Ils passeront à l'ambre avant que de s'effacer, annonça-t-il au corbeau de Mormont. J'aurai le teint aussi jaune que le Seigneur des Os.

— *Des os*, approuva l'oiseau. *Des os, des os.* »

Il entendait au-dehors un léger brouhaha de voix, bien que le son fût trop faible pour distinguer les mots. *On les croirait à mille lieues d'ici.* C'était lady Mélisandre et ses fidèles devant leur feu nocturne. Chaque nuit au crépuscule la femme rouge conduisait la prière du crépuscule pour ses fidèles, afin de demander à leur dieu rouge de les guider au sein des ténèbres. *Car la nuit est sombre, et pleine de terreurs.* Avec le départ de Stannis et de la plupart des gens de la reine, ses ouailles avaient beaucoup diminué ; une cinquantaine pour le peuple libre venu de La Mole, la poignée de gardes que le roi lui avait laissés, peut-être une douzaine de frères noirs qui avaient fait leur le dieu rouge.

Jon se sentait courbaturé comme un homme de soixante ans. *Des rêves noirs*, se dit-il, *et la culpabilité.* Sans cesse ses pensées revenaient à Arya. *Il n'y a aucun moyen pour moi de lui venir en aide. J'ai écarté tous les miens quand j'ai prononcé le serment. Si l'un de mes hommes me disait que sa sœur court un danger, je lui répondrais que ce n'est pas son affaire.* Une fois qu'un homme avait prononcé le serment, son sang était noir. *Noir comme un cœur de bâtard.* Il avait un jour demandé à Mikken de forger pour Arya une épée, une lame de spadassin, de taille réduite pour loger dans sa main. *Aiguille.* Il se demanda si elle l'avait encore. *Frappe-les avec le bout pointu*, lui avait-il dit, mais qu'elle tente d'embrocher le Bâtard, et cela pourrait lui coûter la vie.

« *Snow*, murmura le corbeau de Mormont. *Snow, Snow.* »

Et soudain, il ne put plus supporter le volatile.

Il trouva Fantôme devant sa porte, en train de ronger un os de bœuf pour atteindre la moelle. « Quand es-tu revenu ? » Le loup géant se remit debout, abandonnant son os pour suivre Jon au petit trot.

Mully et Muids se tenaient dans l'encadrement des portes, appuyés sur leurs piques. « 'Fait un froid cruel, dehors, m'sire, le mit en garde Mully à travers sa barbe orange en broussaille. Vous partez longtemps ?

— Non. J'ai simplement besoin de respirer. » Jon sortit dans la nuit. Le ciel était rempli d'étoiles, et le vent soufflait en rafales le long du Mur. Même la lune paraissait froide ; elle avait le visage couvert de chair de poule. Puis le premier coup de vent le cueillit, transperçant toutes ses couches de laine et de cuir pour lui faire claquer des dents. Il traversa la cour à grands pas, dans les crocs de ce vent. Sa cape claquait bruyamment à ses épaules. Fantôme le suivait. *Où est-ce que je vais ? Qu'est-ce que je fais ?* Châteaunoir était immobile et silencieux, ses salles et ses tours obscures. *Mon siège*, se dit Jon Snow. *Ma demeure, mon foyer, mon commandement. Une ruine.*

Dans l'ombre du Mur, le loup géant se frotta à ses doigts. L'espace d'un demi-battement de cœur, la nuit s'anima d'un millier d'odeurs, et Jon Snow entendit craquer la carapace d'une vieille plaque de neige. Il y avait quelqu'un derrière lui, comprit-il soudain. Quelqu'un qui avait l'odeur chaude d'un jour d'été.

En se tournant, il vit Ygrid.

Elle se tenait sous les pierres calcinées de la tour du lord Commandant, drapée d'obscurité et de souvenirs. La lumière de la lune jouait dans ses cheveux, ses cheveux roux qui avaient reçu le baiser du feu. Quand il vit cela, Jon sentit son cœur bondir dans sa poitrine. « Ygrid, dit-il.

— Lord Snow. » C'était la voix de Mélisandre.

La surprise fit reculer Jon devant elle. « Lady Mélisandre. »
Il fit un pas en arrière. « Je vous ai prise pour quelqu'un
d'autre. » *La nuit, toutes les robes sont grises.* Pourtant, subitement, les siennes étaient rouges. Il ne comprit pas comment
il avait pu la confondre avec Ygrid. Elle était plus grande, plus
mince, plus âgée, malgré le clair de lune qui lavait les années
de son visage. De la buée montait de ses narines et de ses mains
pâles nues dans la nuit. « Vous allez vous geler les doigts, la
mit en garde Jon.

— Si telle est la volonté de R'hllor. Les puissances de la
nuit ne peuvent toucher celle dont le cœur est baigné par le
feu sacré du dieu.

— Ce n'est pas de votre cœur que je m'inquiète. Juste de
vos mains.

— Seul le cœur importe. Ne désespérez pas, lord Snow. Le
désespoir est une arme de cet ennemi dont on ne peut prononcer
le nom. Votre sœur n'est pas perdue pour vous.

— Je n'ai pas de sœur. » Les mots étaient des couteaux. *Que
sais-tu de mon cœur, prêtresse ? Que sais-tu de ma sœur ?*

Mélisandre parut amusée. « Comment s'appelle-t-elle, cette
petite sœur que vous n'avez pas ?

— Arya. » Il parlait d'une voix enrouée. « Ma demi-sœur, en
vérité…

— … car vous êtes né bâtard. Je n'avais pas oublié. J'ai vu
votre sœur dans mes feux, fuyant ce mariage qu'ils ont conclu
pour elle. S'en venant ici, vers vous. Une fille en gris, sur un
cheval agonisant. Je l'ai vue, aussi clair que le jour. Ce n'est
pas encore arrivé, mais cela se passera. » Elle jeta un coup d'œil
à Fantôme. « Puis-je toucher votre… loup ? »

L'idée mit Jon mal à l'aise. « Mieux vaudrait éviter.

— Il ne me fera aucun mal. Vous l'appelez Fantôme, non ?

— Si, mais…

— *Fantôme.* » Mélisandre fit du nom une mélodie.

Le loup géant vint à elle. Méfiant, il l'approcha par un mouvement tournant, en humant. Quand elle tendit sa main, il la
flaira aussi, puis fourra sa truffe contre les doigts.

Jon laissa échapper un souffle blanc. « Il n'est pas toujours
si…

— ... chaleureux ? La chaleur appelle la chaleur, Jon Snow. »
Ses yeux étaient deux étoiles rouges, brillant dans le noir. À
sa gorge, son rubis chatoyait, un troisième œil qui luisait plus
fort que les autres. Jon avait vu les yeux de Fantôme flamboyer
rouge de la même façon, quand ils reflétaient la lumière sous
le bon angle. « *Fantôme*, appela-t-il. À moi. »

Le loup géant le regarda comme s'il était un étranger.

Jon fronça les sourcils, incrédule. « C'est... singulier.

— Vous trouvez ? » Elle s'agenouilla et gratta Fantôme derrière l'oreille. « Votre Mur est un lieu singulier, mais il y a de
la puissance, ici, si vous en voulez user. De la puissance en
vous et en cet animal. Vous lui résistez, et vous commettez une
erreur. Embrassez-la. Employez-la. »

Je ne suis pas un loup, se dit-il. « Et comment le ferais-je ?

— Je peux vous montrer. » Mélisandre posa un bras mince
sur Fantôme, et l'énorme loup lui lécha le visage. « Dans sa
sagesse, le Maître de la Lumière nous a créés homme et femme,
deux parties d'un plus grand tout. De notre union naît un pouvoir. Le pouvoir d'engendrer la vie. Le pouvoir d'engendrer la
lumière. Le pouvoir de projeter des ombres.

— Des ombres. » Le monde parut plus obscur quand il prononça le mot.

« Tout homme qui foule cette terre projette une ombre sur
le monde. Certaines sont pâles et faibles, d'autres longues et
noires. Vous devriez regarder derrière vous, lord Snow. En vous
donnant son baiser, la lune a gravé sur la glace une ombre de
vingt pieds de haut. »

Jon regarda par-dessus son épaule. L'ombre se trouvait là,
exactement comme elle l'avait décrite, ciselée contre le Mur
par le clair de lune. *Une fille en gris, sur un cheval agonisant,*
se répéta-t-il. *S'en venant ici, vers vous. Arya.* Jon se retourna
vers la prêtresse rouge. Il percevait la chaleur qui émanait
d'elle. *Elle a du pouvoir.* Cette pensée lui vint sans prévenir,
le serrant dans des crocs de fer, mais ce n'était pas une femme
envers qui il voulait contracter une dette, pas même pour sa
petite sœur. « Della m'a dit quelque chose, un jour. La sœur de
Val, l'épouse de Mance Rayder. Elle m'a dit que la sorcellerie

était une épée dépourvue de poignée. Il n'y avait aucun moyen de la saisir sans risque.

— Une femme pleine de sagesse. » Mélisandre se leva, ses robes rouges s'agitant sous le vent. « Une épée dépourvue de poignée reste une épée, toutefois, et il est bon d'avoir une épée lorsque des ennemis vous cernent tous côtés. Entendez-moi à présent, Jon Snow. Neuf corbeaux se sont envolés dans le bois blanc afin de trouver vos ennemis pour vous. Trois d'entre eux sont morts. Ils n'ont pas encore péri, mais leur mort est là-bas qui les attend, et ils chevauchent à sa rencontre. Vous les avez envoyés pour être vos yeux dans les ténèbres, mais ils n'auront plus d'yeux quand ils vous reviendront. J'ai vu dans mes flammes leurs visages morts et blafards. Des orbites creuses, pleurant du sang. » Elle repoussa en arrière ses cheveux roux, et ses yeux rouges brillèrent. « Vous ne me croyez pas. Vous y viendrez. Cette confiance va vous coûter trois vies. Un prix modeste pour la sagesse, jugeront certains… Mais un prix que vous n'étiez pas obligé d'acquitter. Souvenez-vous-en quand vous contemplerez les visages aveugles et ravagés de vos morts. Et quand arrivera ce jour, prenez ma main. » Une vapeur montait de sa chair pâle et, un instant, il sembla que de blêmes flammes sorcières jouaient autour de ses doigts. « Prenez ma main, répéta-t-elle, et laissez-moi sauver votre sœur. »

DAVOS

Même dans la pénombre de l'Antre du Loup, Davos Mervault sentait quelque chose d'anormal, ce matin-là.

Il s'éveilla à un bruit de voix et alla à pas feutrés jusqu'à la porte de sa cellule, mais le bois trop épais l'empêcha de distinguer les mots. L'aube était venue, mais pas le gruau d'avoine que lui apportait chaque matin Garth pour son petit déjeuner. Il s'en inquiéta. Les jours se ressemblaient tous beaucoup à l'intérieur de l'Antre du Loup, et tout changement apportait en général une dégradation. *C'est peut-être aujourd'hui que je vais mourir. Garth est sans doute assis en ce moment, à affûter Madame Lou sur sa pierre à aiguiser.*

Le chevalier oignon n'avait pas oublié les dernières paroles que lui avait lancées Wyman Manderly. *Emportez cette créature dans l'Antre du Loup, et tranchez-lui le chef et les mains*, avait ordonné le gras seigneur. *Je ne pourrai avaler une bouchée que je n'aie vu la tête de ce contrebandier au bout d'une pique, avec un oignon enfoncé entre ses dents de menteur.* Chaque nuit, Davos s'endormait avec ces mots dans la tête, et chaque aube, il se réveillait à leur bruit. Et les eût-il oubliés que Garth prenait toujours plaisir à les lui remettre en mémoire. Il appelait Davos « le mort ». En passant le matin, il lançait toujours : « Tiens, du gruau pour le mort. » Le soir, il disait : « Souffle ta chandelle, le mort. »

Une fois, Garth avait amené ses dames pour les présenter au mort. « L'a l'air de rien, la Garce, dit-il en caressant une barre de fer noir et froid, mais quand j' la porterai au rouge et que j' la laisserai te toucher la queue, tu vas réclamer ta mère. Et v'là Madame Lou. C'est elle qui t' prendra la tête et les mains, quand lord Wyman en enverra l'ordre. » Davos n'avait jamais vu de hache plus grande que Madame Lou, ni aucune au fil plus tranchant. Garth passait ses journées à l'affûter, selon les autres gardiens. *Je n'implorerai pas grâce*, décida Davos. Il irait à la mort en chevalier, demandant seulement qu'on lui prît le chef avant les mains. Même Garth n'aurait pas assez de cruauté pour le lui refuser, espérait-il.

Les bruits qui parvenaient à travers la porte étaient faibles et étouffés. Davos se leva et arpenta sa cellule. En matière de geôles, elle était spacieuse et étrangement confortable. Il la soupçonnait d'avoir été la chambre à coucher de quelque nobliau. Elle avait trois fois la taille de sa cabine de capitaine sur la *Botha Noire*, et plus encore, par rapport à celle dont jouissait Sladhor Saan sur son *Valyrien*. Bien que son unique fenêtre eût été murée de briques des années plus tôt, un mur s'enorgueillissait encore d'un âtre assez grand pour accueillir une marmite, et il y avait bel et bien un cabinet d'aisances construit dans un recoin de la pièce. Le parquet était constitué de lattes gauchies et hérissées d'échardes, et sa couchette sentait le moisi, mais c'étaient des inconforts mineurs par rapport aux craintes de Davos.

La nourriture avait constitué une surprise, également. En lieu de gruau, de pain sec et de viande gâtée, régime coutumier des cachots, ses gardiens lui apportaient des poissons frais pêchés, du pain tout chaud sorti du four, du mouton aux épices, des navets, des carottes et même du crabe. Ce qui n'enchantait guère Garth. « Les morts ne devraient pas manger mieux que les vivants », s'était-il indigné plus d'une fois. Davos avaient des fourrures pour lui tenir chaud la nuit, du bois pour alimenter son feu, des vêtements propres, une chandelle de suif. Lorsqu'il avait demandé du papier, une plume et de l'encre, Therry les lui avait apportés le jour suivant. Quand il avait sollicité un livre, de façon à persévérer dans la lecture, Therry s'était présenté avec *L'Étoile à sept branches*.

En dépit de tout son confort, cependant, sa cellule demeurait une cellule. Elle avait des murs en pierre ferme, si épais qu'il n'entendait rien du monde extérieur. La porte était de chêne et de fer, et ses geôliers la maintenaient barrée. Quatre jeux de lourdes chaînes en fer pendaient du plafond, dans l'attente du jour où lord Manderly déciderait de l'entraver et de le confier à la Garce. *Ce pourrait être aujourd'hui. La prochaine fois que Garth ouvrira ma porte, ce ne sera peut-être pas pour m'apporter du gruau d'avoine.*

Son estomac grondait, indicateur infaillible que la matinée avançait, et toujours aucun signe de nourriture. *Le pire n'est pas de mourir, c'est d'ignorer quand ou comment.* Il avait vu l'intérieur de plus d'une geôle et de plus d'un cachot aux temps où il était contrebandier, mais il partageait ceux-là avec d'autres prisonniers, si bien qu'il y avait toujours un interlocuteur avec qui discuter, partager ses craintes et ses espoirs. Pas ici. Exception faite de ses gardiens, Davos Mervault avait l'Antre du Loup pour lui tout seul.

Il savait qu'existaient de véritables cachots dans les caves du château – des oubliettes et des chambres de torture, des fosses détrempées où d'énormes rats noirs furetaient dans les ténèbres. Ses geôliers affirmaient que tous étaient inoccupés à l'heure actuelle. « Y a qu' nous, ici, l'Oignon », lui avait déclaré ser Bartimus. C'était le geôlier en chef, un chevalier cadavérique et unijambiste, avec un visage couvert de cicatrices et un œil aveugle. Lorsque ser Bartimus était pris de boisson (et il l'était quasiment tous les jours), il aimait à se vanter d'avoir sauvé la vie de lord Wyman à la bataille du Trident. L'Antre du Loup était sa récompense.

Pour le reste, ce « nous » se résumait à un cuisinier que ne voyait jamais Davos, six gardes dans le casernement du rez-de-chaussée, deux lavandières et les deux geôliers qui surveillaient le prisonnier. Le plus jeune était Therry, un gamin de quatorze ans, fils d'une des lavandières. Le plus vieux, Garth, énorme, chauve et taciturne, portait chaque jour le même justaucorps de cuir ensuifé et semblait afficher en permanence sur le visage un rictus goguenard.

Ses années de contrebande avaient donné à Davos la faculté de détecter si l'on pouvait se fier à un homme, et Garth n'était pas fiable. En sa présence, le chevalier oignon prenait garde à tenir sa langue. Face à Therry et ser Bartimus, il avait moins de réticence. Il les remerciait pour sa nourriture, les encourageait à évoquer leurs espoirs et leur passé, répondait avec courtoisie à leurs questions et n'insistait jamais trop avec les siennes. Lorsqu'il formulait des requêtes, elles étaient modestes : une cuvette d'eau et un bout de savon, un livre à lire, de nouvelles chandelles. La plupart lui étaient accordées, et Davos en éprouvait une juste reconnaissance.

Aucun des deux hommes ne parlait de lord Manderly, du roi Stannis ni des Frey, mais ils discutaient d'autres sujets. Therry voulait aller à la guerre quand il en aurait l'âge, pour livrer bataille et devenir chevalier. Il aimait aussi se plaindre de sa mère. Elle couchait avec deux des gardes, lui avait-il confié. Les deux hommes avaient des tours de service différents et aucun ne connaissait l'existence de l'autre, mais un de ces jours, l'un des deux découvrirait le pot aux roses, et le sang coulerait. Certaines nuits, le gamin apportait même dans la cellule une outre de vin et, tout en buvant avec lui, il interrogeait Davos sur la vie de contrebandier.

Ser Bartimus n'éprouvait aucun intérêt vis-à-vis du monde extérieur, ni de quoi que ce soit, d'ailleurs, depuis qu'il avait perdu sa jambe, à cause d'un cheval sans cavalier et de la scie d'un mestre. Il en était venu toutefois à vénérer l'Antre du Loup, et n'appréciait rien plus que de discuter de la longue et sanglante histoire du lieu. L'Antre était bien plus ancien que Blancport, avait révélé le chevalier à Davos. Il avait été édifié par le roi Jon Stark pour défendre l'embouchure de la Blanche-dague contre les razzieurs venus de la mer. Plus d'un fils cadet du roi du Nord s'était établi ici, plus d'un frère, plus d'un oncle, plus d'un cousin. Certains avaient transmis le château à leurs propres fils et petits-fils, donnant naissance à des branches cadettes de la maison Stark ; la plus durable avait été celle des Greystark, maîtres de l'Antre du Loup cinq siècles durant, jusqu'à ce qu'ils aient l'audace de rejoindre Fort-Terreur dans sa rébellion contre les Stark de Winterfell.

Après leur chute, le château était passé dans bien d'autres mains. La maison Flint l'avait conservé un siècle, la maison Locke presque deux. Des Ardoise, des Long, des Holt et des Boisfrêne avaient gouverné ici, chargés par Winterfell d'assurer la sécurité du fleuve. Des razzieurs des Trois Sœurs avaient une fois pris le château, afin d'en faire un marchepied vers le Nord. Au cours des guerres entre Winterfell et le Val, Osgood Arryn, le Vieux Faucon, l'avait assiégé et son fils, celui qui était resté connu sous le nom de La Serre, l'avait incendié. Lorsque le vieux roi Edrick Stark était devenu trop faible pour défendre son royaume, des négriers des Degrés de Pierre s'étaient emparés de l'Antre du Loup. Ils marquaient leurs captifs au fer rouge et les brisaient à coups de fouet avant de les expédier sur l'autre rive du détroit, et ces mêmes murs de pierre noire en portaient témoignage.

« Alors est survenu un long et cruel hiver, racontait ser Bartimus. La Blanchedague a été prise par les glaces, même l'estuaire en a gelé. Les vents débagoulaient du Nord en hurlant et y-z-ont repoussé les esclavagistes à l'intérieur, pour aller s'pelotonner autour de leurs feux et, pendant qu'ils étaient en train d'se chauffer, un roi leur est tombé d'sus. *Brandon* Stark, c'était, l'arrière-p'tit-fils d'Edrick Barbeneige, çui qu'on a app'lé Yeux de Glace. Il a repris l'Antre du Loup, il a foutu les esclavagistes à poil et il les a donnés aux esclaves qu'il avait trouvés enchaînés dans les cachots. On raconte qu'les esclaves ont enguirlandé de leurs entrailles les ramures de l'arbre-cœur, en offrande aux dieux. Aux *anciens* dieux, pas à ces nouveaux, là, venus du Sud. Vos Sept, ils connaissent pas l'hiver, et l'hiver les connaît pas. »

Davos n'aurait pas pu discuter la véracité de la chose. Après ce qu'il avait vu à Fort-Levant, il ne tenait pas lui non plus à connaître l'hiver. « Quels dieux vénères-tu ? demanda-t-il au chevalier unijambiste.

— Les anciens. » Quand ser Bartimus souriait, il ressemblait tout à fait à un crâne. « Moi et les miens, on était ici avant les Manderly. Si ça s'trouve, c'est mes ancêtres qu'ont accroché ces entrailles dans tout l'arbre.

— Je ne savais pas que les Nordiens offraient des sacrifices sanglants à leurs arbres-cœur.

— Y a tant et plus de choses que vous savez pas sur le Nord, vous les Sudiers », répliqua ser Bartimus.

Il n'avait pas tort. Davos, assis auprès de sa chandelle, regardait les lettres qu'il avait griffonnées mot après mot durant ses jours de captivité. *J'ai été meilleur trafiquant que chevalier*, avait-il écrit à sa femme, *meilleur chevalier que Main du Roi, meilleure Main du Roi que mari. Je regrette tant, Marya, je t'ai aimée. Je t'en prie, pardonne-moi mes torts envers toi. Si Stannis vient à perdre cette guerre, nos terres seront perdues aussi. Conduis les enfants de l'autre côté du détroit, à Braavos, et apprends-leur à penser à moi avec bienveillance, si tu le veux bien. Si Stannis remporte le Trône de Fer, la maison Mervault survivra et Devan restera à la cour. Il t'aidera à placer les autres garçons auprès de nobles seigneurs, où ils pourront servir en tant que pages et écuyers et gagner leur rang de chevalier.* C'était le meilleur conseil qu'il pût lui donner, mais il aurait souhaité que cela rendît un son plus sage.

Il avait également écrit à chacun de ses trois fils encore en vie, pour les aider à conserver le souvenir de ce père qui leur avait payé des noms avec des bouts de ses doigts. Ses notes à l'adresse de Steffon et du jeune Stannis étaient brèves, raides et maladroites ; à vrai dire, il ne les connaissait pas moitié aussi bien qu'il avait connu leurs aînés, ceux qui avaient péri brûlés ou noyés sur la Néra. À Devan, il écrivit plus longuement, pour lui dire combien il était fier de voir son propre fils écuyer du roi, et lui rappeler qu'en tant qu'aîné, il avait pour devoir de protéger la dame sa mère et ses plus jeunes frères. *Dis à Sa Grâce que j'ai fait de mon mieux. Je regrette de l'avoir failli. J'ai perdu ma chance en perdant les os de mes phalanges, le jour où le fleuve a brûlé, en contrebas de Port-Réal.*

Davos feuilleta lentement les lettres, relisant chacune plusieurs fois, en se demandant s'il devait changer un mot ici ou en ajouter un là. On devrait avoir davantage à dire quand on contemple la fin de sa vie, songea-t-il, mais les mots lui venaient difficilement. *Je n'ai pas si mal réussi*, essaya-t-il de se persuader. *J'ai fait du chemin depuis Culpucier pour devenir Main du Roi, et j'ai appris à lire et à écrire.*

Il était encore penché sur les missives quand il entendit le bruit de clés en fer tintant à un anneau. Le temps d'un demi-battement de cœur, la porte de sa cellule s'ouvrit largement.

Celui qui passa le seuil n'était aucun de ses geôliers. C'était un homme grand et hâve, au visage profondément buriné, avec une crinière de cheveux bruns grisonnants. Une longue épée pendait à sa hanche, et sa cape écarlate au riche coloris était retenue sur son épaule par une lourde broche d'argent en forme de poing ganté de maille. « Lord Mervault, déclara-t-il, nous n'avons pas beaucoup de temps. Je vous prie de me suivre. »

Davos considéra l'étranger d'un œil méfiant. Le « je vous prie » le désarçonnait. Les hommes qui vont perdre leur chef et leurs mains ne se voyaient pas souvent accorder de telles formules de courtoisie. « Qui êtes-vous ?

— Robett Glover, ne vous déplaise, messire.

— Glover. Votre siège ancestral était Motte-la-Forêt.

— Celui de mon frère Galbart. Il l'était, et l'est encore, grâce à Stannis votre roi. Il a repris Motte à la garce fer-née qui l'avait usurpé et offre de le restituer à ses légitimes propriétaires. Il s'est passé tant et plus de choses tandis que vous étiez confiné entre ces murs, lord Davos. Moat Cailin est tombée, et Roose Bolton est rentré au Nord avec la benjamine de Ned Stark. Un ost de Frey l'y a accompagné. Bolton a envoyé des corbeaux, pour convoquer tous les seigneurs du Nord à Tertre-bourg. Il exige hommage et otages… et des témoins aux noces d'Arya Stark avec son bâtard Ramsay Snow, alliance par laquelle les Bolton ont l'intention de revendiquer Winterfell. Et maintenant, allez-vous venir avec moi, ou pas ?

— Quel choix ai-je, messire ? Venir avec vous ou rester avec Garth et Madame Lou ?

— Qui est cette Madame Lou ? Une des lavandières ? » Glover s'impatientait. « Tout vous sera expliqué si vous me suivez. »

Davos se mit debout. « Si je venais à mourir, je prie Votre Seigneurie de veiller à ce que mes lettres soient transmises.

— Vous avez ma parole sur cela… quoique, si vous mourez, ce ne sera point aux mains d'un Glover, ni de lord Wyman. Allons, vite à présent, avec moi. »

Glover le mena le long d'un couloir obscur et au bas d'une volée de marches usées. Ils traversèrent le bois sacré du château, où l'arbre-cœur était devenu si énorme et noueux qu'il en avait étouffé tous les chênes, les ormes et les bouleaux et envoyé ses épaisses ramures pâles crever les murs et les fenêtres qui lui faisaient face. Il avait des racines aussi larges que la taille d'un homme, un tronc si vaste que le visage qui y était gravé paraissait gras et furieux. Au-delà du barral, Glover ouvrit un portail de fer rouillé et s'arrêta pour allumer une torche. Lorsqu'elle flamba, rouge et ardente, il conduisit Davos au bas d'autres marches dans une cave aux plafonds voûtés où les murs suintants portaient une croûte de sel blanc, et où l'eau de mer clapotait sous leurs pieds à chaque pas. Ils traversèrent plusieurs caves, et des rangées de petites cellules humides et puantes, très différentes de la pièce où avait été confiné Davos. Puis, il y eut un mur de pierre nue qui pivota quand Glover poussa dessus. Au-delà s'étendaient un long tunnel étroit, et encore des marches. Celles-ci montaient.

« Où sommes-nous ? » demanda Davos tandis qu'ils grimpaient. Ses mots résonnèrent faiblement dans le noir.

« Les degrés sous les marches. Le passage court en dessous de l'Escalier du Château, qui mène au Châteauneuf. Un passage secret. Il ne faudrait pas que l'on vous voie, messire. Vous êtes réputé mort. »

Du gruau pour le mort. Davos monta.

Ils émergèrent à travers un autre mur, mais celui-ci était de lattes et de plâtre, sur son autre face. Il donnait sur une pièce douillette, réduite et confortablement meublée, avec un tapis de Myr sur le sol et des chandelles en cire d'abeille allumées sur une table. Davos entendait jouer des cornemuses et des violes, à peu de distance. Au mur était accrochée une peau de mouton peinte d'une carte du Nord aux coloris fanés. Sous la carte siégeait Wyman Manderly, le colossal sire de Blancport.

« Veuillez vous asseoir. » Lord Manderly était vêtu avec richesse. Son pourpoint de velours était d'un bleu vert tendre, brodé de fils d'or aux ourlets, sur les manches et au col. Son manteau d'hermine s'accrochait à l'épaule par un trident d'or. « Avez-vous faim ?

— Non, messire. Vos geôliers m'ont bien nourri.

— Il y a du vin, si vous avez soif.

— Je vais traiter avec vous, messire. Mon roi me l'a ordonné. Je n'ai point à trinquer avec vous. »

Lord Wyman poussa un soupir. « Je vous ai traité de la façon la plus honteuse, je le sais. J'avais mes raisons, mais... Je vous en prie, asseyez-vous et buvez, vous m'obligerez. Buvez au retour de mon fils sain et sauf. Wylis, mon aîné et héritier. Il est revenu. C'est le banquet de bienvenue que vous entendez. À la cour du Triton, on mange de la tourte de lamproie et de la venaison avec des marrons rôtis. Wynafryd danse avec le Frey qu'elle va épouser. Les autres Frey lèvent des coupes de vin à la santé de notre amitié. »

Par-dessous la musique, Davos distinguait un brouhaha de voix nombreuses, le tintement des coupes et des plateaux. Il ne dit rien.

« J'arrive tout juste du haut bout de la table, enchaîna lord Wyman. J'ai trop mangé, comme toujours, et tout Blancport sait que mes entrailles me jouent des tours. Mes amis Frey ne s'interrogeront pas sur une longue visite au cabinet d'aisances, nous l'espérons. » Il retourna sa coupe. « Tenez. Vous allez boire et pas moi. Asseyez-vous. Le temps presse et il y a beaucoup à dire. Robett, du vin pour la Main, si vous voulez bien. Lord Davos, vous n'en savez rien, mais vous êtes mort. »

Robett Glover remplit une coupe de vin et l'offrit à Davos. Il la prit, la renifla et but. « Comment suis-je mort, si je puis me permettre cette question ?

— Par la hache. Votre tête et vos mains ont été exposées au-dessus de la porte des Otaries, avec le visage ainsi tourné que vos yeux contemplent par-delà le port. Désormais, vous êtes fort décomposé, bien que nous ayons trempé votre tête dans le goudron avant que de la placer au bout de la pique. Les corbeaux charognards et les oiseaux de mer se sont disputé vos yeux, dit-on. »

Davos s'agita avec inconfort. C'était une étrange sensation, que d'être mort. « S'il plaît à Votre Seigneurie, qui est mort à ma place ?

— Quelle importance ? Vous avez un visage commun, lord Davos. J'espère que je ne vous offense point en le disant. L'homme avait votre complexion, un nez de même forme, deux oreilles point trop différentes, une longue barbe qu'on a pu retailler et conformer selon la vôtre. Vous pouvez être assuré que nous l'avons bien enduit de goudron, et que l'oignon enfoncé entre ses dents a servi à lui déformer les traits. Ser Bartimus a veillé à ce qu'il ait les doigts de la main gauche raccourcis à l'identique des vôtres. L'homme était un criminel, si cela peut vous consoler quelque peu. Sa mort pourrait accomplir plus de bien que tout ce qu'il a jamais fait durant sa vie. Messire, je n'ai nulle malveillance à votre encontre. La rancœur que je vous ai témoignée dans la cour du Triton était une farce de bateleur jouée pour le contentement de nos amis Frey.

— Votre Seigneurie devrait entamer une carrière de bateleur, commenta Davos. Vous et les vôtres étiez fort convaincants. Votre bru semblait bien sincèrement souhaiter ma mort, et la petite fille...

— Wylla. » Lord Wyman sourit. « Avez-vous vu combien elle était brave ? Alors que je la menaçais de lui trancher la langue, elle m'a rappelé la dette de Blancport envers les Stark de Winterfell, une dette qui ne pourra jamais être remboursée. Wylla a parlé avec le cœur, comme l'a fait lady Leona. Pardonnez-la si vous pouvez, messire. C'est une sotte, et elle a peur : Wylis est toute sa vie. Tous les hommes n'ont pas en leur cœur d'être le prince Aemon, Chevalier-Dragon, ou Symeon Prunelles étoilées, et toute femme ne peut être aussi brave que ma Wylla et sa sœur Wynafryd... qui savait, elle, et a pourtant tenu son rôle sans frémir.

» Quand il traite avec des menteurs, même l'honnête homme doit mentir. Je n'osais pas défier Port-Réal tant que mon dernier fils en vie demeurait en captivité. Lord Tywin Lannister m'avait personnellement écrit pour me dire qu'il détenait Wylis. Si je voulais le revoir sauf et libre, m'a-t-il dit, je devais me repentir de ma trahison, capituler, déclarer ma loyauté envers l'enfant sur le Trône de Fer... et ployer le genou devant Roose Bolton, son gouverneur du Nord. Si je refusais, Wylis connaîtrait la mort des traîtres. Blancport serait pris et mis à sac, et mon peuple subirait le sort des Reyne de Castamere.

» Je suis gras, et bien des gens s'imaginent que cela me rend faible et sot. Il se peut que Tywin Lannister ait été du nombre. Je lui ai renvoyé un corbeau pour lui dire que je plierais le genou et que j'ouvrirais mes portes *après* que mon fils serait revenu, mais pas avant. L'affaire en était restée là à la mort de Tywin. Par la suite, les Frey se sont présentés avec les os de Wendel... pour conclure la paix et la sceller par un pacte de mariage, prétendaient-ils, mais je n'allais pas leur donner ce qu'ils souhaitaient avant d'avoir Wylis, sain et sauf, et ils n'allaient pas me restituer Wylis tant que je n'aurais pas prouvé ma loyauté. Votre arrivée m'a fourni le moyen de le faire. Voilà les raisons de la discourtoisie que je vous ai témoignée à la cour du Triton, et de la tête et des mains qui pourrissent au-dessus de la porte des Otaries.

— Vous avez pris un grand risque, messire, commenta Davos. Si les Frey avaient percé à jour votre ruse...

— Je n'ai pris aucun risque. Si l'un des Frey s'était mêlé d'escalader ma porte pour regarder de près l'homme à l'oignon dans la bouche, j'aurai blâmé mes geôliers pour cette erreur et vous aurais produit pour les apaiser. »

Davos sentit un frisson lui parcourir l'échine. « Je vois.

— J'espère bien. Vous avez des fils, vous aussi, avez-vous dit. »

Trois, songea Davos, *bien que j'en aie mis sept au monde.*

« Je vais devoir sous peu rejoindre le banquet pour boire à la santé de mes amis Frey, enchaîna Manderly. Ils me surveillent, ser. Jour et nuit, leurs yeux sont posés sur moi, leurs narines cherchent un parfum de traîtrise. Vous les avez vus, l'arrogant ser Jared et son neveu Rhaegar, cette larve goguenarde qui porte un nom de dragon. Derrière eux deux se tient Symond, qui fait tinter des pièces. Celui-là a acheté et payé plusieurs de mes serviteurs et deux de mes chevaliers. Une des cameristes de son épouse s'est faufilée dans le lit de mon propre bouffon. Si Stannis s'étonne que mes lettres soient si peu disertes, c'est que je n'ose pas même me fier à mon mestre. Théomore est tout en tête, sans rien en cœur. Vous l'avez entendu, dans ma cour. Les mestres sont censés mettre leurs anciennes loyautés de côté quand ils ceignent leurs chaînes, mais je ne puis oublier que Théomore est né Lannister de Port-Lannis et qu'il revendique quelque parenté avec les Lannister de Castral Roc. Les ennemis et les faux amis me cernent de toutes parts, lord Davos. Ils infestent ma cité comme des cafards et, la nuit, je les sens me courir dessus. » Les doigts du gros homme se resserrèrent en un poing et tous ses mentons frémirent. « Mon fils Wendel est arrivé en invité aux Jumeaux. Il a partagé le pain et le sel de lord Walder et a accroché son épée au mur pour banqueter avec des amis. Et ils l'ont assassiné. *Assassiné*, je dis, et puissent les Frey s'étouffer sur leurs fables. Je bois avec Jared, je plaisante avec Symond, je promets à Rhaegar la main de ma propre petite-fille chérie… Mais ne vous figurez jamais que cela signifie que j'aie oublié. Le Nord se souvient, lord Davos. Le Nord se souvient et la farce du bateleur est presque arrivée à son terme. Mon fils est chez lui. »

Quelque chose dans la façon dont lord Wyman prononça ces mots glaça Davos jusqu'à la moelle. « Si c'est justice que vous voulez, messire, tournez-vous vers le roi Stannis. Nul homme n'est plus juste. »

Robett Glover coupa pour ajouter. « Votre loyauté vous honore, messire, mais Stannis Baratheon demeure votre roi, et point le nôtre.

— Votre propre roi est mort, leur rappela Davos, assassiné lors des Noces Pourpres auprès du fils de lord Wyman.

— Le Jeune Loup est mort, admit Manderly, mais ce brave garçon n'était point l'unique fils de lord Eddard. Robett, fais venir l'enfant.

— Tout de suite, messire. » Glover s'éclipsa par la porte.

L'enfant ? Était-il possible qu'un des frères de Robb Stark ait survécu à la ruine de Winterfell ? Manderly avait-il un héritier des Stark caché dans son château ? *Un garçon trouvé ou un garçon feint ?* Le Nord se soulèverait pour l'un comme pour l'autre… mais jamais Stannis Baratheon ne ferait cause commune avec un imposteur.

Le jeune garçon qui suivit Robett Glover par la porte n'était pas un Stark, et ne pourrait jamais espérer passer pour l'un d'eux. Il était plus âgé que les frères assassinés du Jeune Loup, quatorze ou quinze ans, à sa mine, et ses yeux étaient plus anciens encore. Sous une crinière de cheveux brun sombre, il avait un visage presque sauvage, avec une large bouche, un nez aigu et un menton pointu. « Qui êtes-vous ? » demanda Davos.

Le garçon jeta un regard à Robett Glover.

« C'est un muet, mais nous lui avons appris les lettres. Il apprend vite. » Glover tira un stylet de sa ceinture pour le donner au jeune homme. « Écris ton nom pour lord Mervault. »

Il n'y avait pas de parchemin dans la chambre. Le garçon grava les lettres dans une poutre de bois du mur. W... E... X... Il insista avec énergie sur le X. Quand il eut terminé, il jeta le stylet en l'air pour le retourner, l'attrapa et resta à admirer son ouvrage.

« Wex est fer-né. Il était l'écuyer de Theon Greyjoy. Wex se trouvait à Winterfell. » Glover s'assit. « Que sait lord Stannis de ce qui est arrivé à Winterfell ? »

Davos se remémora les histoires qu'ils avaient entendues. « Winterfell a été prise par Theon Greyjoy, qui était naguère le pupille de lord Stark. Il a fait mettre à mort les deux jeunes fils de Stark et a exposé leurs têtes au-dessus des remparts du château. Lorsque les Nordiens sont arrivés pour le chasser, il a passé tout le château au fil de l'épée, jusqu'au dernier enfant, avant d'être lui-même occis par le bâtard de lord Bolton.

— Non pas occis, corrigea Glover. Capturé et ramené à Fort-Terreur. Le Bâtard l'a écorché. »

Lord Wyman hocha la tête. « L'histoire que vous contez est celle que nous avons tous entendue, farcie de mensonges comme un gâteau l'est de raisins secs. C'est le Bâtard de Bolton qui a passé Winterfell au fil de l'épée... Ramsay Snow, comme il s'appelait alors, avant que l'enfant roi ne le fasse Bolton. Snow ne les a point tous tués. Il a épargné les femmes, les a ligotées ensemble et les a fait marcher jusqu'à Fort-Terreur pour ses jeux.

— Ses jeux ?

— C'est un grand chasseur, expliqua Wyman Manderly, et les femmes constituent son gibier favori. Il les met nues et les lâche dans les bois. Elles ont droit à une demi-journée d'avance avant qu'il se lance à leurs trousses avec chiens et trompes. De temps en temps, une fille lui échappe et survit pour conter l'épisode. La plupart sont moins heureuses. Quand Ramsay les rattrape, il les viole, les écorche, donne leur corps en pâture à ses chiennes et rapporte en trophée leur peau à Fort-Terreur. Si elles lui ont causé un plaisant divertissement, il leur tranche la gorge avant de les écorcher. Sinon, il procède à l'inverse. »

Davos pâlit. « Bonté des dieux. Comment un homme peut-il...

— Il a le mal dans le sang, déclara Robett Glover. C'est un bâtard né d'un viol. Un *Snow*, quoi qu'en dise l'enfant roi.

— Y a-t-il jamais eu âme plus noire ? demanda lord Wyman. Ramsay s'est acquis les terres du sire de Corbois en épousant de force sa veuve, puis en enfermant celle-ci dans une tour et en l'y oubliant. On raconte qu'en dernière extrémité, elle s'est dévoré les doigts... et la notion qu'ont les Lannister de la justice royale consiste à récompenser son assassin par la jeune fille de Ned Stark.

— Les Bolton ont toujours été aussi cruels que malins, mais celui-ci semble un animal revêtu d'une peau d'homme », commenta Glover.

Le sire de Blancport se pencha en avant. « Les Frey ne valent pas mieux. Ils parlent de zomans, de change-peaux, et assurent que c'était Robb Stark qui a tué mon Wendel. Quelle arrogance ! Ils ne s'attendent point à ce que le Nord croie leurs mensonges, mais ils jugent que nous devons feindre de les croire ou mourir. Roose Bolton ment sur son rôle lors des Noces Pourpres, et son bâtard ment sur la chute de Winterfell. Et pourtant, tant qu'ils détenaient Wylis, je n'avais d'autre choix que de gober tous ces excréments et d'en louer la saveur.

— Et maintenant, messire ? » voulut savoir Davos.

Il avait espéré entendre lord Wyman annoncer : *Et maintenant je me déclare en faveur du roi Stannis*, mais le gros homme se borna à afficher un étrange sourire folâtre, et à dire : « Maintenant, je me dois d'aller assister à un mariage. Je suis trop gras pour tenir sur un cheval, comme le verra clairement tout homme doté de ses yeux. Enfant, j'aimais à chevaucher et, jeune homme, je me suis assez bien comporté sur une monture pour remporter sur les lices de modestes accolades, mais ce temps est révolu. Mon corps est devenu une prison plus terrible que l'Antre du Loup. Quand bien même, je me dois d'aller à Winterfell. Roose Bolton me veut à genoux et, sous le velours de la courtoisie, il laisse paraître le fer de la maille. J'irai par barge et par litière, escorté d'une centaine de chevaliers et de mes bons amis des Jumeaux. Les Frey sont arrivés ici par mer. Ils n'ont pas pris de chevaux, aussi offrirai-je à chacun un palefroi, des cadeaux de courtoisie. Les invités regardent-ils à deux fois les présents qu'on leur donne, dans le Sud ?

— Certains le font, messire. Le jour du départ de leur hôte.

— Peut-être avez-vous compris, en ce cas. » Wyman Manderly se remit pesamment debout. « Voilà plus d'un an que je construis des vaisseaux de guerre. Vous en avez vu certains, mais il y en a bien davantage, dissimulés en amont sur la Blanchedague. Même après les pertes que j'ai subies, je commande encore plus de cavalerie lourde que n'importe quel autre seigneur au nord du Neck. J'ai de solides remparts et mes caves regorgent d'argent. Châteauvieux et La Veuve s'appliqueront à imiter ma conduite. Mes bannerets comptent une douzaine de nobliaux et cent chevaliers fieffés. Je puis apporter au roi Stannis l'allégeance de toutes les terres à l'est de la Blanchedague, de La Veuve et de Porte-Béline jusqu'aux collines des Toisonnées et aux sources de la Brèchesaigue. Tout ceci, j'en fais le serment si vous acceptez mon prix.

— Je puis présenter vos conditions au roi, mais... »

Lord Wyman lui coupa la parole. « Si *vous*, vous acceptez mon prix, ai-je dit. Et non point Stannis. Ce n'est pas d'un roi que j'ai besoin, mais d'un contrebandier. »

Robett Glover reprit la narration. « Nous ne saurons peut-être jamais tout ce qui est advenu à Winterfell lorsque ser Rodrik Cassel a essayé de reprendre le castel aux Fer-nés de Theon Greyjoy. Le Bâtard de Bolton prétend que Greyjoy a assassiné ser Rodrik lors de pourparlers. Wex dit que non. Jusqu'à ce qu'il sache mieux écrire, nous ne saurons jamais qu'une mi-vérité… Mais il est venu à nous en sachant *oui* et *non*, et cela peut mener loin dès que l'on trouve les bonnes questions.

— C'est le Bâtard qui a assassiné ser Rodrik et les hommes de Winterfell, déclara lord Wyman. Il a également occis les Fer-nés de Greyjoy. Wex a vu abattre des hommes qui tentaient de se rendre. Lorsque nous avons demandé comment il y avait échappé, il a pris un morceau de craie et dessiné un arbre avec un visage. »

Davos y réfléchit. « Les anciens dieux l'ont sauvé ?

— D'une certaine façon. Il a escaladé l'arbre-cœur et s'est dissimulé dans son feuillage. Les hommes de Bolton ont fouillé à deux reprises le bois sacré, et tué les hommes qu'ils y trouvaient, mais personne n'a songé à grimper dans les arbres. Est-ce bien ce qui s'est passé, Wex ? »

Le gamin fit sauter en l'air le stylet de Glover, le rattrapa et hocha la tête.

« Il est longtemps resté dans l'arbre, reprit Glover. Il a dormi dans les branches, sans oser descendre. Finalement, il a entendu des voix au-dessous de lui.

— Les voix des morts », compléta Wyman Manderly.

Wex leva cinq doigts, tapota chacun d'eux avec le stylet, puis il en replia quatre et tapota à nouveau le dernier.

« Six, demanda Davos. Ils étaient six.

— Deux d'entre eux étaient les fils assassinés de Ned Stark.

— Comment un muet pourrait-il dire une telle chose ?

— Avec sa craie. Il a dessiné deux garçons… et deux loups.

— Le gamin est fer-né, aussi a-t-il jugé plus sage de ne pas se montrer, dit Glover. Il a écouté. Les six ne se sont guère attardés parmi les ruines de Winterfell. Quatre sont partis d'un côté, deux d'un autre. Wex s'en est allé à la suite des deux, une femme et un jeune garçon. Il a dû rester sous le vent, afin que le loup ne puisse flairer sa présence.

— Il sait où ils sont allés », assura lord Wyman.

Davos comprit. « Vous voulez l'enfant.

— Roose Bolton détient la fille de lord Eddard. Pour le contrer, Blancport doit avoir le fils du Ned… et le loup géant. Le loup prouvera que l'enfant est qui nous le prétendons être, si Fort-Terreur essayait de nier. Voilà mon prix, lord Davos. Ramenez-moi en contrebande mon suzerain, et je prendrai Stannis Baratheon pour roi. »

Un vieil instinct poussa Davos Mervault à amener la main à sa gorge. Les os de ses doigts lui avaient porté bonheur et il sentait confusément qu'il aurait besoin de chance pour accomplir ce que Wyman Manderly exigeait de lui. Mais les osselets avaient disparu, aussi dit-il : « Vous avez à votre service de meilleurs hommes que moi. Des chevaliers, des seigneurs et des mestres. Quel besoin avez-vous d'un contrebandier ? Vous avez des vaisseaux.

— Des vaisseaux, confirma lord Wyman, mais mes équipages sont des hommes du fleuve, ou des pêcheurs qui ne se sont jamais aventurés au-delà de la Morsure. Pour cette tâche, j'ai besoin d'un homme qui a navigué en des eaux plus noires, et qui sait esquiver les dangers, sans être vu ni saisi.

— Où est le petit ? » Instinctivement, Davos sut que la réponse n'allait pas lui plaire. « Où est-ce que vous voulez que j'aille, messire ?

— Wex, montre-lui », demanda Robett Glover.

Le muet fit sauter le stylet, l'attrapa, puis le lança en le faisant pivoter vers la carte en peau de mouton qui ornait le mur de lord Wyman. La lame se planta en vibrant. Puis Wex sourit.

L'espace d'un demi-battement de cœur, Davos songea à prier Wyman Manderly de le renvoyer dans l'Antre du Loup, à ser Bartimus et ses contes, et à Garth et ses dames fatales. Dans l'Antre, même les prisonniers mangeaient du gruau d'avoine le matin. Mais il existait en ce monde d'autres lieux, où l'on disait que les hommes déjeunaient de chair humaine.

DAENERYS

Chaque matin, de ses remparts à l'ouest, la reine comptait les voiles sur la baie des Serfs.

Ce jour, elle en compta vingt et cinq, bien que certaines fussent lointaines et mobiles, si bien qu'il était difficile d'être catégorique. Parfois, elle en manquait une, ou en comptait une autre deux fois. *Quelle importance ? Un étrangleur n'a besoin que de dix doigts.* Tout commerce avait cessé, et ses pêcheurs n'osaient pas sortir sur la baie. Les plus hardis continuaient à plonger quelques lignes dans le fleuve, malgré les dangers que cela aussi présentait ; la plupart restaient à l'ancre sous les murailles de brique multicolore de Meereen.

Il y avait également des navires de Meereen sur la baie, des navires de guerre et des galères de commerce auxquelles leurs capitaines avaient fait prendre le large quand l'ost de Daenerys était venu assiéger la cité, désormais de retour afin d'augmenter les flottes de Qarth, de Tolos et de la Nouvelle-Ghis.

Les conseils de son amiral s'étaient révélés pires qu'inutiles. « Montrez-leur vos dragons, avait recommandé Groleo. Que les Yunkaïis goûtent au feu, et le flot du négoce reprendra.

— Ces navires nous étranglent, et tout ce que mon amiral sait faire, c'est de parler de dragons, commenta Daenerys. Vous êtes bien mon amiral, je ne me trompe pas ?

— Un amiral sans vaisseaux.

— Eh bien, construisez-en.

— On ne peut construire des vaisseaux de guerre avec des briques. Les esclavagistes ont brûlé toute source de bois à vingt lieues à la ronde.

— En ce cas, galopez à vingt-deux. Je vous donnerai des chariots, des ouvriers, des mules, tout ce dont vous aurez besoin.

— Je suis marin, et non architecte naval. On m'a envoyé pour ramener Votre Grâce à Pentos. Au lieu de quoi vous nous avez conduits ici et vous avez démembré mon *Saduleon* pour récupérer des clous et des pièces de bois. Jamais plus je ne reverrai son pareil. Je ne reverrai peut-être plus ma maison, ni ma vieille femme. Ce n'est pas moi qui ai refusé les navires qu'offrait ce Daxos. Je ne peux combattre les Qarthiens avec des bateaux de pêche. »

Son fiel décontenança Daenerys, à tel point qu'elle commença à se demander si le vieux Pentoshi pourrait être un de ses trois traîtres. *Non, ce n'est qu'un vieil homme, loin de chez lui et nostalgique.* « Il doit bien y avoir quelque chose que nous puissions faire.

— Certes, et je vous l'ai dit. Ces navires sont bâtis de haubans, de poix et de toile, de pin de Qohor et de teck de Sothoros, de vieux chêne de Norvos la Grande, d'if et de frêne et de sapin. De bois, Votre Grâce. Le bois brûle. Les dragons...

— Je ne veux plus entendre parler de mes dragons. Laissez-moi. Allez implorer auprès de vos dieux pentoshis une tempête qui coule nos ennemis.

— Aucun marin ne prie pour qu'éclate une tempête, Votre Grâce.

— Je suis lasse de vous entendre dire ce que vous ne voulez pas faire. Allez-vous-en. »

Ser Barristan resta. « Nous avons pour le moment d'amples provisions, lui rappela-t-il, et Votre Grâce a planté des haricots, de la vigne et du blé. Vos Dothrakis ont harcelé les esclavagistes des collines et brisé les fers de leurs esclaves. Ils plantent, eux aussi, et ils apporteront leurs récoltes à Meereen pour les vendre. Et vous aurez l'amitié de Lhazar. »

C'est Daario qui m'a gagné cela, pour ce que ça vaut. « Les Agnelets. Si seulement les agneaux avaient des crocs.

— Cela rendrait les loups plus prudents, assurément. »

Cette remarque la fit rire. « Comment se comportent vos orphelins, ser ? »

Le vieux chevalier sourit. « Bien, Votre Grâce. C'est aimable à vous de poser la question. » Ces garçons faisaient son orgueil. « Quatre ou cinq ont l'étoffe de chevaliers. Peut-être même une douzaine.

— Un seul suffirait s'il avait votre loyauté. » Le jour viendrait peut-être où elle aurait besoin de chaque chevalier. « Jouteront-ils pour moi ? Cela me plairait. » Viserys lui avait cent fois conté les tournois auxquels il avait assisté dans les Sept Couronnes, mais elle-même n'avait jamais vu de joute.

« Ils ne sont pas prêts, Votre Grâce. Quand ils le seront, ils auront plaisir à faire démonstration de leurs prouesses.

— J'espère que ce jour viendra vite. » Elle aurait embrassé son brave chevalier sur la joue, mais, à cet instant précis, Missandei apparut sous l'arche de la porte. « Missandei ?

— Votre Grâce. Skahaz attend votre bon vouloir.

— Fais-le monter. »

Le Crâne-ras était accompagné de deux de ses Bêtes d'airain. L'un portait un masque de faucon, l'autre la semblance d'un chacal. Derrière le bronze, on ne distinguait que leurs yeux. « Votre Splendeur, on a vu Hizdahr entrer hier au soir dans la pyramide de Zhak. Il n'en est sorti que bien après la tombée de la nuit.

— Combien de pyramides a-t-il visitées ? s'enquit Daenerys.

— Onze.

— Et combien de temps depuis le dernier meurtre ?

— Vingt et six jours. » La fureur affleurait dans les yeux du Crâne-ras. L'idée de suivre le promis de Daenerys et de noter tous ses actes venait de lui.

« Jusqu'ici, Hizdahr a tenu ses promesses.

— *Comment ?* Les Fils de la Harpie ont déposé leurs poignards, mais pourquoi ? Parce que le noble Hizdahr le leur a demandé aimablement ? Il est l'un des leurs, je vous le dis. Et voilà pourquoi ils lui obéissent. Il se pourrait bien qu'il soit la Harpie.

— Si Harpie il y a. » Skahaz avait la conviction que, quelque part dans Meereen, les Fils de la Harpie avaient un chef de

119

haute naissance, un général secret à la tête d'une armée des ombres. Daenerys ne partageait pas sa certitude. Les Bêtes d'airain avaient capturé des dizaines de Fils de la Harpie, et ceux qui avaient survécu à leur capture avaient livré des noms lorsqu'on leur avait appliqué la question avec dureté... trop de noms, lui semblait-il. Elle aurait aimé imaginer que toutes les morts étaient l'œuvre d'un seul ennemi qu'on pouvait capturer et tuer, mais Daenerys soupçonnait une tout autre réalité. *Mes ennemis sont légion.* « Hizdahr zo Loraq est un homme persuasif aux nombreux amis. Et il est riche. Peut-être nous a-t-il acheté cette paix au prix de l'or, ou a-t-il convaincu les autres nobles que notre mariage servait leurs meilleurs intérêts.

— S'il n'est pas la Harpie, il la connaît. Je peux fort aisément découvrir la vérité sur ce compte. Permettez-moi de soumettre Hizdahr à la question, et je vous apporterai une confession.

— Non, dit-elle. Je n'ai aucune confiance en ces confessions. Tu m'en as trop apporté, et toutes sans valeur.

— Votre Splendeur...

— *Non*, j'ai dit. »

La grimace du Crâne-ras enlaidit encore sa trogne. « Une erreur. Le Grand Maître Hizdahr se rit de vous, Votre Grâce. Voulez-vous laisser entrer un serpent dans votre couche ? »

C'est Daario que je voudrais dans ma couche, mais je l'ai envoyé au loin, pour ton bien et celui des tiens. « Continue à surveiller Hizdahr zo Loraq, mais aucun mal ne doit lui être fait. Est-ce bien compris ?

— Je ne suis pas sourd, Votre Magnificence. J'obéirai. » Skahaz tira de sa manche un rouleau de parchemin. « Votre Altesse devrait jeter un coup d'œil là-dessus. Une liste de tous les vaisseaux meereenais participant au blocus, avec leurs capitaines. Tous de Grands Maîtres. »

Daenerys étudia le rouleau. Il citait la totalité des familles dirigeantes de Meereen : Hazkar, Merreq, Quazzar, Zhak, Rhazdar, Ghazeen, Pahl, et même Reznak, et Loraq. « Que dois-je faire d'une liste de noms ?

— Chaque homme sur cette liste a de la famille dans la cité. Des fils et des frères, des femmes et des filles, des mères et des pères. Laissez mes Bêtes d'airain s'emparer d'eux. Leurs vies vous restitueront ces vaisseaux.

— Si j'envoie les Bêtes d'airain dans les pyramides, cela déclenchera une guerre ouverte dans la cité. Je dois me fier à Hizdahr. Je dois espérer la paix. » Daenerys maintint le parchemin au-dessus d'une chandelle et regarda les noms partir en flamme, tandis que Skahaz fulminait en la voyant agir.

Par la suite, ser Barristan lui assura que son frère Rhaegar aurait été fier d'elle. Daenerys se remémora les paroles prononcées par ser Jorah à Astapor : *Rhaegar se battit vaillamment, Rhaegar se battit noblement, Rhaegar se battit en homme d'honneur. Et Rhaegar* périt.

En descendant dans la salle de marbre pourpre, elle la trouva presque vide. « Pas de pétitionnaires, aujourd'hui ? demanda-t-elle à Reznak mo Reznak. Personne qui réclame justice ou de l'argent pour un mouton ?

— Non, Votre Altesse. La cité a peur.

— Il n'y a rien à craindre. »

Mais il y avait tant et plus de sujets de crainte, ainsi qu'elle l'apprit ce soir-là. Tandis que Miklaz et Kezmya, ses jeunes otages, lui dressaient la table d'un repas simple de légumes d'automne et de potage au gingembre, Irri vint la prévenir que Galazza Galare était revenue, avec trois Grâces Bleues du temple. « Ver Gris est là également, *Khaleesi*. Ils sollicitent la faveur d'un entretien avec vous, de toute urgence.

— Amène-les dans ma salle. Et fais venir Reznak et Skahaz. La Grâce Verte a-t-elle dit de quoi il s'agissait ?

— D'Astapor », répondit Irri.

Ver Gris débuta le rapport. « Il est sorti des brumes du matin, un cavalier sur une monture pâle, agonisant. Sa jument titubait en approchant des portes de la cité, ses flancs rosés de sang et d'écume, ses yeux roulant de terreur. Son cavalier a lancé : *Elle brûle, elle brûle*, et il est tombé de sa selle. On a envoyé chercher ma personne, qui a donné des ordres afin qu'on présente le cavalier aux Grâces Bleues. Lorsque vos serviteurs ont franchi les portes, il a crié de nouveau : *Elle brûle*. Sous son *tokar*, c'était un squelette, tout d'os et de chair enfiévrée. »

Ici, une des Grâces Bleues prit la suite : « Les Immaculés ont transporté cet homme au temple, où nous l'avons dévêtu et baigné dans l'eau fraîche. Ses vêtements étaient souillés et mes sœurs ont trouvé la moitié d'une flèche dans sa cuisse. Bien qu'il en ait brisé la hampe, la tête était restée en lui et la blessure s'était nécrosée, l'emplissant de poisons. Il est mort dans l'heure, criant toujours qu'elle brûlait.

— *Elle brûle*, répéta Daenerys. Qui est cette *elle* ?

— Astapor, Votre Splendeur, répondit une autre Grâce Bleue. Il l'a dit, une fois. Il a dit : *Astapor brûle*.

— Ce pouvait être la fièvre qui parlait.

— La remarque de Votre Splendeur est pleine de sagesse, admit Galazza Galare, mais Ezzara a vu autre chose. »

Une des Grâces Bleues – Ezzara – plia les mains. « Ma reine, murmura-t-elle, sa fièvre ne venait pas de la flèche. Il s'était souillé non pas une, mais de nombreuses fois. Les taches lui montaient jusqu'aux genoux et il y avait du sang séché, parmi les excréments.

— Son cheval saignait, a dit Ver Gris.

— La chose est vraie, Votre Grâce, confirma l'eunuque. Ses éperons avaient labouré les flancs de la jument pâle.

— Cela se peut, Votre Splendeur, reprit Ezzara, mais ce sang se mêlait à ses défécations. Il maculait son linge intime.

— Il saignait des entrailles, déclara Galazza Galare.

— Nous n'avons aucune certitude, insista Ezzara, mais il se peut que Meereen ait plus à craindre que les piques des Yunkaïis.

— Nous devons prier, déclara la Grâce Verte. Les dieux nous ont envoyé cet homme. Il nous vient comme un héraut. Il nous vient comme un signe.

— Un signe de quoi ? demanda Daenerys.

— Un signe de courroux et de ruine. »

Elle ne voulait pas y croire. « C'était un homme seul. Un malade avec une flèche dans la jambe. C'est un cheval qui l'a amené ici, pas un dieu. » *Une jument pâle.* Daenerys se leva subitement. « Je vous remercie de vos conseils et de tout ce que vous avez fait pour ce malheureux. »

Avant de se retirer, la Grâce Verte baisa les doigts de Daenerys. « Nous prierons pour Astapor. »

Et pour moi. Oh, priez pour moi, madame. Si Astapor était
tombée, plus rien ne retenait Yunkaï de se tourner vers le nord.
Elle pivota vers ser Barristan. « Envoyez des cavaliers dans
les collines pour retrouver mes Sang-coureurs. Rappelez aussi
Ben Prünh et les Puînés.

— Et les Corbeaux Tornade, Votre Grâce ? »

Daario. « Oui. Oui. » Tout juste trois nuits plus tôt, elle avait
rêvé de Daario, couché mort en bord de route, qui contemplait
le ciel sans le voir tandis que des corbeaux se disputaient au-
dessus de son cadavre. D'autres nuits, elle se retournait dans
son lit, imaginant qu'il l'avait trahie comme il avait jadis trahi
ses camarades capitaines des Corbeaux Tornade. *Il m'a rapporté leurs têtes.* Et s'il avait ramené sa compagnie jusqu'à
Yunkaï, afin de la vendre contre une jarre d'or ? *Jamais il ne
ferait une telle chose. En serait-il capable ?* « Les Corbeaux Tornade aussi. Envoyez tout de suite des cavaliers à leur recherche. »

Les Puînés furent les premiers à revenir, huit jours après que
la reine eut envoyé son rappel. Quand ser Barristan lui dit que
son capitaine désirait s'entretenir avec elle, elle crut un instant
qu'il s'agissait de Daario et son cœur bondit. Mais le capitaine
en question était Brun Ben Prünh.

Brun Ben avait le visage ridé et buriné, une peau couleur de
vieux teck, des cheveux blancs et des pattes d'oie au coin des
yeux. Daenerys était si contente de voir son visage coloré et
tanné qu'elle le serra contre elle. Les yeux de Ben pétillèrent
d'amusement. « J'avais entendu raconter que Votre Grâce se
préparait à prendre un époux, fit-il, mais personne m'avait pré-
venu que c'était moi. » Ils rirent ensemble tandis que Reznak
s'étranglait, mais les rires cessèrent quand Brun Ben déclara :
« Nous avons capturé trois Astaporis. Votre Altesse devrait
entendre ce qu'ils racontent.

— Faites-les venir. »

Daenerys les reçut dans la splendeur de sa salle où de grands
cierges brûlaient entre les colonnes de marbre. Lorsqu'elle vit
que les Astaporis étaient à demi morts de faim, elle leur fit
immédiatement porter à manger. Le trio était tout ce qu'il restait

d'une douzaine, partis ensemble de la Cité Rouge : un briqueteur, une tisserande et un cordonnier. « Qu'est-il arrivé au reste de votre groupe ? demanda la reine.

— Tués, répondit le cordonnier. Les épées-louées de Yunkaï écument les collines au nord d'Astapor, en traquant ceux qui fuient les flammes.

— La cité est-elle donc tombée ? Elle avait d'épais remparts.

— Si fait, reconnut le briqueteur, un homme au dos voûté et aux yeux chassieux, mais ils étaient également anciens et délabrés. »

La tisserande redressa la tête. « Chaque jour, on se répétait que la reine dragon allait revenir. » La femme avait des lèvres minces et des yeux ternes et morts, sertis dans un visage pincé, étroit. « Cleon vous avait envoyé chercher, disait-on, et vous arriviez. »

Il m'a envoyé chercher, se dit Daenerys. *Cela au moins est la vérité.*

« Sous nos murs, les Yunkaïis dévoraient nos récoltes et abattaient nos troupeaux, poursuivit le cordonnier. À l'intérieur, on crevait de faim. On mangeait des chats, des rats, du cuir. Une peau de cheval était un banquet. Le roi Coupe-Gorge et la reine Putain s'accusaient mutuellement de s'empiffrer de la chair des morts. Des hommes et des femmes se réunissaient en secret pour tirer au sort et se repaître de la chair de celui à qui avait échu la pierre noire. La pyramide de Nakloz a été mise à sac et incendiée par ceux qui désignaient Kraznys mo Nakloz comme la source de tous nos malheurs.

— D'autres blâmaient Daenerys, fit la tisserande, mais on était plus nombreux à vous aimer encore. "Elle est en route", on se répétait entre nous. "Elle vient à la tête d'une grande armée, avec de la nourriture pour tous." »

Je réussis à peine à nourrir mon propre peuple. Si j'avais marché sur Astapor, j'aurais perdu Meereen.

Le cordonnier leur raconta comment l'on avait déterré le corps du Roi Boucher pour le revêtir d'une armure en cuivre, après que la Grâce Verte d'Astapor avait eu la vision qu'il les délivrerait des Yunkaïis. On avait sanglé le cadavre de Cleon le Grand, caparaçonné et pestilentiel, sur le dos d'un cheval famélique pour conduire une sortie avec le reliquat de ses nouveaux Immaculés, mais ils avaient chargé tout droit dans les mâchoires de fer d'une légion de la Nouvelle-Ghis et avaient été fauchés jusqu'au dernier.

« Ensuite, la Grâce Verte a été empalée sur un pieu, sur la plaza du Châtiment, et on l'a laissée mourir. Dans la pyramide d'Ullhor, les survivants ont donné un grand banquet qui a duré la moitié de la nuit, et arrosé leurs derniers vivres de vin empoisonné, afin que nul ne se doive réveiller au matin. Peu après est survenue la maladie, une caquesangue qui tuait trois hommes sur quatre, jusqu'à ce qu'une foule de moribonds devenus fous massacre les gardes à la porte principale. »

Le vieux briqueteur interrompit, pour déclarer : « Non. Ça, c'était l'ouvrage de gens valides, qui s'enfuyaient pour échapper à la caquesangue.

— Est-ce que ça importe vraiment ? lui demanda le cordonnier. Ils ont taillé les gardes en pièces et ouvert les portes, à deux battants. Les légions de la Nouvelle-Ghis se sont précipitées dans Astapor, suivies par les Yunkaïis et les épées-louées à cheval. La reine Putain est morte en les combattant, une malédiction sur les lèvres. Le roi Coupe-Gorge a capitulé et on l'a jeté dans une arène de combat, où il a été déchiqueté par une meute de chiens affamés.

— Malgré tout, certains continuaient d'affirmer que vous alliez venir, reprit la tisserande. Ils juraient qu'ils vous avaient vue, chevauchant un dragon, en train de voler haut au-dessus des campements yunkaïis. Chaque jour, on vous guettait. »

Je ne pouvais pas venir, songea la reine. *Je ne pouvais pas prendre ce risque.*

« Et quand la cité est tombée ? voulut savoir Skahaz. Qu'est-il arrivé, alors ?

— La boucherie a commencé. Le Temple des Grâces débordait de malades venus demander la guérison aux dieux. Les légions ont bloqué les portes et mis le feu au temple avec des torches. Dans l'heure, des incendies ont fait rage à chaque coin de la cité. En se propageant, ils fusionnaient. Les rues étaient pleines de foules, qui couraient d'un côté ou d'un autre pour échapper aux flammes, mais il n'y avait aucune issue. Les Yunkaïs tenaient les portes.

— Mais vous, vous y avez échappé, dit le Crâne-ras. Comment cela se fait-il ? »

Le vieil homme lui répondit. « Je suis briqueteur de mon état, comme l'étaient avant moi mon père et le sien. Mon grand-père a bâti notre maison contre les remparts de la ville. Il a été facile de desceller chaque nuit quelques briques. Quand j'en ai parlé à mes amis, ils m'ont aidé à étayer le tunnel pour qu'il ne s'écroule pas. Nous étions tous d'accord pour juger qu'il pourrait être bon de disposer d'une issue. »

Je vous ai laissé un conseil pour vous gouverner, se disait Daenerys, *une guérisseuse, un érudit et un prêtre*. Elle se souvenait encore de la Cité Rouge ainsi qu'elle l'avait vue la première fois, sèche et poussiéreuse derrière ses remparts de brique rouge, rêvant de cruautés et cependant gorgée de vie. *Il y avait sur le Ver des îles où les amants s'embrassaient, mais sur la plaza du Châtiment on écorchait les hommes en retirant leur peau par bandeaux, et on les laissait suspendus nus, livrés aux mouches.* « Il est bon que vous soyez venus, déclara-t-elle aux Astaporis. Vous serez en sécurité à Meereen. »

Le cordonnier l'en remercia et le vieux briqueteur lui baisa le pied, mais la tisserande la regardait avec des yeux durs comme l'ardoise. *Elle sait que je mens*, se dit la reine. *Elle sait que je ne peux assurer leur sécurité. Astapor brûle, et le tour de Meereen viendra bientôt.*

« Il y en arrivera d'autres, annonça Brun Ben quand on eut guidé les Astaporis hors de la salle. Ces trois-là avaient des chevaux. La plupart vont à pied.

— Combien y en a-t-il ? » demanda Reznak.

Brun Ben haussa les épaules. « Des centaines. Des milliers. Des malades, des brûlés, des blessés. Les Chats et les Erre-au-Vent grouillent dans les collines, avec piques et fouets, ils les poussent vers le nord et abattent les traînards.

— Des ventres sur pied. Et *malades*, dites-vous ? » Reznak se tordit les mains. « Votre Excellence ne doit pas leur permettre d'entrer en ville.

— Je ne le ferais pas, déclara Brun Ben Prünh. Certes, je ne suis point mestre, mais je sais qu'on doit séparer les bons fruits des mauvais.

— Ce ne sont pas des fruits, Ben, corrigea Daenerys. Ce sont des hommes et des femmes, malades, affamés, terrifiés. » *Mes enfants.* « J'aurais dû aller à Astapor.

— Votre Grâce n'aurait pu les sauver, assura ser Barristan. Vous avez mis le roi Cleon en garde contre cette guerre avec Yunkaï. C'était un imbécile, et il avait les mains rouges de sang. »

Et mes mains, sont-elles plus propres ? Elle se souvenait de ce qu'avait dit Daario – que tous les rois doivent être le boucher plutôt que la viande. « Cleon était l'ennemi de notre ennemi. Si je l'avais rejoint aux Cornes d'Hazzat, nous aurions pu broyer les Yunkaïis entre nous. »

Le Crâne-ras était d'un avis différent. « Si vous aviez conduit les Immaculés au sud vers Hazzat, les Fils de la Harpie...

— Je sais. *Je sais.* C'est encore une fois Eroeh. »

La remarque intrigua Brun Ben Prünh. « Eroeh ? De quoi s'agit-il ?

— D'une jeune femme que je croyais avoir sauvée du viol et des tourments. Je n'ai réussi qu'à aggraver son sort final. Et à Astapor, je n'ai réussi qu'à créer dix mille Eroeh.

— Votre Grâce ne pouvait savoir...

— Je suis la reine. Il est de mon rôle de savoir.

— Ce qui est fait est fait, assura Reznak mo Reznak. Votre Altesse, je vous en supplie, prenez sur-le-champ le noble Hizdahr pour roi. Il pourra parlementer avec les Judicieux, négocier la paix pour nous.

— À quel prix ? » *Méfie-toi du sénéchal parfumé,* avait dit Quaithe. La femme masquée avait prédit l'arrivée de la jument pâle, avait-elle également raison pour le noble Reznak ? « Je suis peut-être une jeune femme innocente en matière de guerre, mais je ne suis pas un agneau qu'on conduit bêlant dans l'antre de la Harpie. J'ai toujours mes Immaculés. J'ai les Corbeaux Tornade et les Puînés. J'ai trois compagnies d'affranchis.

— Eux, et des dragons, ajouta Brun Ben Prünh avec un sourire.

— Dans la fosse, enchaînés, se lamenta Reznak mo Reznak. « À quoi servent des dragons qu'on ne peut contrôler ? Même les Immaculés commencent à avoir peur lorsqu'ils doivent ouvrir les portes pour les nourrir.

— De quoi, des p'tits animaux de compagnie de la reine ? » Les yeux de Brun Ben se plissèrent d'amusement. Le capitaine des Puînés, blanchi sous le harnois, était un pur produit des compagnies libres, un métis charriant dans ses veines le sang d'une douzaine de peuples différents, mais il avait toujours eu de l'affection pour les dragons, et eux pour lui.

« De petits animaux ? couina Reznak. Des monstres, plutôt. Des monstres qui se repaissent d'enfants. Nous ne pouvons…

— *Silence*, intima Daenerys. Nous ne parlerons pas de cela. »

Reznak se recroquevilla face à elle, tressaillant devant la fureur dans le ton de sa voix. « Pardonnez-moi, Magnificence, je ne… »

Brun Ben Prünh couvrit ses jérémiades. « Votre Grâce, les Yunkaïis ont trois compagnies libres contre nos deux, et l'on parle d'émissaires partis à Volantis afin de ramener la Compagnie Dorée. Ces salauds alignent dix mille hommes sur le champ de bataille. Yunkaï dispose également de trois légions ghiscaries, peut-être davantage, et j'ai entendu dire qu'ils avaient envoyé des cavaliers à travers la mer Dothrak pour lancer peut-être un grand *khalasar* contre nous. Nous avons *besoin* de ces dragons, me semble-t-il. »

Daenerys poussa un soupir. « Je regrette, Ben. Je ne peux me risquer à libérer les dragons. » Elle vit bien que ce n'était pas la réponse qu'il attendait.

Prünh gratta ses moustaches tachetées. « S'il n'y a pas de dragons dans la balance, ma foi… Nous devrions quitter les lieux avant que ces crapules de Yunkaïis referment le piège… Mais d'abord, faisons payer aux esclavagistes le prix de nous voir de dos. Ils rémunèrent les *khals* pour qu'ils laissent leurs cités en paix, pourquoi pas nous ? Revendons-leur Meereen et partons vers l'ouest avec des chariots chargés d'or, de joyaux et d'autres babioles.

— Tu voudrais que je pille Meereen avant de fuir ? Non, cela, jamais. Ver Gris, mes affranchis sont-ils prêts à livrer bataille ? »

L'eunuque croisa ses bras sur son torse. « Ce ne sont pas des Immaculés, mais ils ne vous feront pas honte. Ma personne peut en jurer, par la pique et l'épée, Votre Altesse.

— Bien. Cela est bien. » Daenerys considéra les visages des hommes qui l'entouraient. Le Crâne-ras, faisant la moue. Ser Barristan, avec son visage ridé et ses yeux tristes et bleus. Reznak mo Reznak, pâle, transpirant. Brun Ben, aux cheveux blancs, buriné, aussi dur qu'un vieux cuir. Ver Gris, lisse de joues, placide, impénétrable. *Daario devrait être ici également, et mes Sang-coureurs*, jugea-t-elle. *S'il doit y avoir bataille, le sang de mon sang devrait être auprès de moi.* Ser Jorah Mormont lui manquait, aussi. *Il m'a menti, il informait mes ennemis, mais il m'aimait également, et m'a toujours bien conseillée.* « J'ai vaincu les Yunkaïis une fois auparavant. Je les vaincrai à nouveau. Mais où, cependant ? De quelle façon ?

— Vous avez l'intention d'aller sur le champ de bataille ? » L'incrédulité poissait la voix du Crâne-ras. « Ce serait une folie. Nos murailles sont plus hautes et plus épaisses que les remparts d'Astapor, et nos défenseurs plus vaillants. Les Yunkaïis ne prendront pas la cité aisément. »

Ser Barristan était d'un avis contraire. « Je ne pense pas que nous devrions les laisser nous assiéger. Leur ost est disparate, à tout le moins. Ces esclavagistes ne sont pas des soldats. Si nous les prenons à l'improviste…

— Il y a peu de chances, répliqua le Crâne-ras. Les Yunkaïis ne manquent pas d'amis à l'intérieur de la cité. Ils sauront.

— Quelle taille pourrait atteindre notre armée ? voulut savoir Daenerys.

— Pas assez grande, j'en implore votre royal pardon, répondit Brun Ben Prünh. Qu'en pense Naharis ? S'il faut nous battre, nous aurons besoin de ses Corbeaux Tornade.

— Daario est encore en campagne. » *Oh, dieux, qu'ai-je fait ? L'ai-je envoyé à la mort ?* « Ben, je vais avoir besoin de vos Puînés pour évaluer la situation de nos ennemis. Leur position, la vitesse à laquelle ils progressent, le nombre d'hommes dont ils disposent, et la façon dont ils sont répartis.

— Il nous faudra des vivres. Des montures fraîches, également.

— Bien entendu. Ser Barristan y pourvoira. »

Brun Ben se gratta le menton. « Nous pourrions peut-être en persuader quelques-uns de changer de camp. Si Votre Grâce a quelques sacs d'or et de joyaux en réserve... Simple question de donner un avant-goût à leurs capitaines, pour ainsi dire... Ma foi, qui sait ?

— Les acheter, pourquoi pas ? » répondit Daenerys. Cette sorte de choses se pratiquait couramment dans les compagnies libres des Terres Disputées, elle le savait. « Oui, très bien. Reznak, occupez-vous-en. Une fois que les Puînés auront pris la route, refermez les portes et doublez la garde sur les remparts.

— Ce sera fait, Votre Magnificence, assura Reznak mo Reznak. Et pour ces Astaporis ? »

Mes enfants. « Ils viennent ici chercher de l'aide. Des secours et une protection. Nous ne pouvons leur tourner le dos. »

Ser Barristan fronça les sourcils. « Votre Grâce, j'ai vu la dysenterie balayer des armées entières quand on la laissait se propager à sa guise. Le sénéchal a raison. Nous ne pouvons accueillir les Astaporis dans Meereen. »

Daenerys le fixa, désemparée. Les dragons ne pleurent pas, et c'était une bonne chose. « Qu'il en soit ainsi, en ce cas. Nous les tiendrons à l'extérieur des remparts jusqu'à ce que ce... cette malédiction ait atteint son terme. Dressez pour eux un camp au bord du fleuve, à l'ouest de la cité. Nous leur enverrons les vivres qu'il nous sera loisible de leur prodiguer. Peut-être pourrions-nous séparer valides et malades. » Tous la regardaient. « Voulez-vous me faire dire les choses deux fois ? Allez, et agissez comme je l'ai ordonné. » Daenerys se leva, frôlant Brun Ben, et gravit les marches jusqu'à la douce solitude de sa terrasse.

Deux cents lieues séparaient Meereen d'Astapor, et pourtant il sembla à Daenerys que le ciel était plus sombre au sud-ouest, brouillé et embrumé par la fumée de l'agonie de la Cité Rouge. *La brique et le sang bâtirent Astapor, et la brique et le sang sa population.* La vieille chanson résonnait dans sa tête. *En cendres et en os est Astapor, et en cendres et en os sa population.* Elle chercha à se remémorer le visage d'Eroeh, mais les traits de la morte se muaient sans cesse en fumée.

Quand Daenerys se détourna enfin, ser Barristan se tenait près d'elle, enveloppé dans sa cape blanche contre le froid du soir. « Pouvons-nous nous battre pour tout ceci ? l'interrogea-t-elle.

— Les hommes peuvent toujours se battre, Votre Grâce. Demandez-moi plutôt si nous pouvons gagner. Mourir est aisé, mais vaincre est ardu. Vos affranchis ne sont qu'à demi formés, et n'ont jamais connu le combat. Vos épées-louées ont naguère servi vos ennemis, et une fois qu'un homme tourne casaque, il ne se fera pas scrupule de recommencer. Vous avez deux dragons qu'on ne peut contrôler, et un troisième qui pourrait être perdu pour vous. Au-delà de ces murs, vos seuls amis sont les Lhazaréens, qui n'ont aucun goût pour la guerre.

— Mais mes murailles sont solides.

— Pas plus que lorsque nous étions assis à l'extérieur. Et les Fils de la Harpie sont à l'intérieur avec nous. De même que les Grands Maîtres, tant ceux que vous n'avez pas tués que les fils de ceux que vous avez tués.

— Je le sais. » La reine poussa un soupir. « Que me conseillez-vous, ser ?

— La bataille, répondit ser Barristan. Meereen est trop peuplée et remplie de bouches affamées, et vous avez trop d'ennemis à l'intérieur. Nous ne pouvons soutenir un siège prolongé, je le crains. Laissez-moi aller à la rencontre de l'ennemi quand il arrivera au nord, sur un terrain que j'aurai moi-même choisi.

— Aller à la rencontre de l'ennemi, reprit-elle en écho, avec ces affranchis dont vous dites qu'ils sont à demi formés et qu'ils n'ont jamais connu le combat.

— Nous avons tous été novices un jour, Votre Grâce. Les Immaculés les aideront à raidir l'échine. Si j'avais cinq cents chevaliers...

— Ou cinq. Et si je vous donne les Immaculés, je n'aurai plus que les Bêtes d'airain pour tenir Meereen. » Comme ser Barristan ne contestait pas, Daenerys ferma les yeux. *Dieux*, pria-t-elle, *vous m'avez pris le khal Drogo qui était mon soleil et mes étoiles. Vous avez pris notre vaillant fils avant qu'il ait connu son premier souffle. Vous avez obtenu de moi le sang que vous vouliez. Aidez-moi à présent, je vous en supplie. Accordez-moi la sagesse de discerner le chemin à venir et la force de faire ce que je dois pour assurer la sécurité de mes enfants.*

Les dieux ne répondirent pas.

Quand elle rouvrit les yeux, Daenerys déclara : « Je ne peux affronter deux ennemis, l'un à l'intérieur et l'autre à l'extérieur. Si je veux conserver Meereen, je dois avoir la cité derrière moi. *Toute* la cité. Il me faut... J'ai besoin... » Elle ne parvenait pas à prononcer les mots.

« Votre Grâce », l'encouragea ser Barristan avec douceur. *Une reine ne s'appartient pas, elle appartient à son peuple.*

« Il me faut Hizdahr zo Loraq. »

MÉLISANDRE

L'obscurité ne régnait jamais vraiment dans les appartements de Mélisandre.

Trois chandelles de suif brûlaient sur l'appui de sa fenêtre pour tenir en respect les terreurs de la nuit. Quatre autres tremblotaient auprès de son lit, deux de chaque côté. Dans l'âtre, la flambée était entretenue jour et nuit. La première leçon que devaient apprendre tous ceux qui entraient à son service était qu'on ne devait jamais laisser le feu s'éteindre. Jamais.

La prêtresse rouge ferma les yeux et prononça une prière, puis elle les rouvrit afin de confronter le feu dans la cheminée. *Une fois encore.* Elle devait acquérir une certitude. Plus d'un prêtre ou d'une prêtresse avant elle avaient été égarés par de fausses visions, voyant ce qu'ils souhaitaient voir au lieu de ce que le Maître de la Lumière avait envoyé. Stannis marchait vers le sud et ses périls, le roi qui portait le sort du monde sur ses épaules, Azor Ahaï ressuscité. Assurément, R'hllor accorderait à Mélisandre une brève vision de ce qui le guettait. *Montrez-moi Stannis, Seigneur*, pria-t-elle. *Montrez-moi votre roi, votre instrument.*

Des visions dansèrent devant elle, d'or et d'écarlate, palpitant, se formant, se fondant et se dissolvant l'une dans l'autre, des configurations étranges, terrifiantes, séduisantes. Elle vit de nouveau les visages sans yeux, qui la contemplaient de leurs orbites pleurant le sang. Ensuite, les tours en bord de mer, croulant sous la marée de ténèbres qui les engloutissait, montée des profondeurs. Des ombres dessinant des crânes, des crânes qui se changeaient en brume, des corps entremêlés par le désir qui se tordaient, roulaient, se déchiraient. À travers des rideaux de flammes, de grandes ombres ailées tournoyaient sur un ciel dur et bleu.

La fille. Je dois retrouver la fille, la fille en gris, sur un cheval agonisant. Jon Snow attendrait cela d'elle, sous peu. Il ne suffirait pas de dire que la fille fuyait. Il en demanderait davantage, il voudrait connaître quand et où, et elle n'avait pas ces informations pour lui. Elle n'avait vu la fille qu'une fois. *Une fille, aussi grise que cendre, et sous mes yeux elle s'est effritée pour s'envoler.*

Un visage se forma dans l'âtre. *Stannis ?* s'interrogea-t-elle, l'espace d'un instant seulement... Mais non, ce n'étaient pas ses traits. *Un visage de bois, blême comme les cadavres.* Était-ce l'ennemi ? Mille prunelles rouges flottèrent dans la montée des flammes. *Il me voit.* À ses côtés, un garçon au visage de loup rejeta sa tête en arrière et hurla.

La prêtresse rouge frissonna. Un filet de sang courut le long de sa cuisse, noir et fumant. Le feu était en elle, souffrance, extase, il l'emplissait, la calcinait, la transformait. Des ondoiements de chaleur inscrivaient des motifs sur sa peau, aussi insistants que la main d'un amant. Des voix inconnues l'appelaient de temps depuis longtemps révolus. « Melony », entendit-elle crier une femme. Une voix masculine lança : « Lot sept ». Elle pleurait, et ses larmes étaient de flamme. Et toujours elle buvait tout cela.

Des tourbillons de neige descendirent d'un ciel obscur et des cendres montèrent à leur rencontre, gris et blanc tournoyant ensemble tandis que des flèches embrasées décrivaient des paraboles au-dessus d'un rempart de bois et que des créatures mortes avançaient en silence d'un pas lourd dans le froid, sous une immense falaise grise au sein de laquelle brûlaient des feux dans cent cavernes. Puis le vent se leva et le brouillard blanc déferla comme une vague d'un froid impossible, et, un par un, les feux s'éteignirent. Ensuite ne demeurèrent que les crânes.

La mort, décida Mélisandre. *Les crânes sont la mort.*

Les flammes crépitaient doucement et dans leurs craquements la prêtresse rouge entendit chuchoter le nom de *Jon Snow*. Son long visage flotta devant elle, souligné de langues rouges et orange, apparaissant et disparaissant, une ombre entrevue derrière un rideau qui oscillait. Tantôt il était homme, tantôt loup, puis de nouveau homme. Mais les crânes étaient là aussi, les crânes le cernaient tous. Mélisandre avait déjà vu le danger, avait tenté de mettre le jeune homme en garde. *Des ennemis tout autour de lui, des poignards dans le noir.* Il ne voulait pas écouter.

Les sceptiques n'écoutaient jamais jusqu'à ce qu'il soit trop tard.

« Que voyez-vous, madame ? » demanda le garçon, tout bas.

Des crânes. Un millier de crânes, et de nouveau le bâtard. Jon Snow. Chaque fois qu'on lui demandait ce qu'elle voyait dans ses feux, Mélisandre répondait : « Tant et plus », mais voir n'était jamais aussi simple que ces mots le suggéraient. C'était un art et, comme tous les arts, il exigeait de la maîtrise, de la discipline, de l'étude. *De la douleur. Cela aussi.* R'hllor parlait à ses élus à travers le feu béni, dans une langue de cendres, de charbons et de flammes torses que seul un dieu pouvait réellement appréhender. Mélisandre pratiquait son art depuis des années sans nombre, et elle en avait payé le prix. Il n'y avait personne, même au sein de son ordre, qui possédât son habileté à distinguer les secrets à demi révélés et à demi voilés au sein des flammes sacrées.

Et pourtant, voilà qu'elle ne semblait pas même pouvoir trouver son roi. *Je prie pour entrevoir Azor Ahaï, et R'hllor ne me montre que Snow.* « Devan, appela-t-elle, à boire. » Elle avait la gorge râpeuse et desséchée.

« Oui, madame. » Le gamin remplit d'eau un gobelet avec le pichet en grès près de la fenêtre, et le lui apporta.

« Merci. » Mélisandre but une gorgée, avala et adressa un sourire au garçon. Cela le fit rougir. Le gamin était à moitié amoureux d'elle, elle le savait. *Il me craint, il me désire et il me révère.*

Néanmoins, sa position ici ne plaisait pas à Devan. Le jeune garçon avait été très fier de servir le roi comme écuyer, et il avait été blessé que Stannis lui ordonnât de rester à Châteaunoir. Comme tous les garçons de son âge, il avait la tête farcie de rêves de gloire ; sans doute se représentait-il déjà les prouesses qu'il accomplirait à Motte-la-Forêt. D'autres jouvenceaux de son âge étaient partis au sud, pour être écuyers des chevaliers du roi et chevaucher auprès d'eux à la bataille. L'exclusion de Devan avait dû sonner comme un reproche, le châtiment de quelque manquement de sa part, ou d'une faute de son père, peut-être.

En vérité, s'il était ici, c'était que Mélisandre l'avait demandé. Les quatre fils aînés de Davos Mervault avaient péri au cours de la bataille sur la Néra, quand la flotte du roi avait été dévorée par un brasier vert. Devan était le cinquième né et plus en sécurité ici avec elle qu'aux côtés du roi. Lord Davos ne lui en saurait pas gré, non plus que l'enfant lui-même, mais il semblait à Mélisandre que Mervault avait connu assez de chagrins. Aussi mal avisé qu'il fût, on ne pouvait douter de sa loyauté envers Stannis. Elle avait lu cela dans ses flammes.

Devan était vif, intelligent et habile aussi, ce qui était plus qu'elle n'en aurait pu dire de la majorité de sa suite. Stannis avait laissé derrière lui une douzaine de ses hommes pour la servir tandis qu'il ferait route vers le sud, mais la plupart étaient des inutiles. Sa Grâce avait besoin de chaque épée, aussi Stannis n'avait-il pu se séparer que de vieillards et d'estropiés. Un homme avait été aveuglé par un coup à la tête au cours de la bataille sous le Mur, un autre rendu boiteux quand la chute de son cheval lui avait broyé les jambes. Son sergent avait perdu un bras sous la massue d'un géant. Trois de ses gardes étaient des hongres, castrés par Stannis pour avoir violé des sauvageonnes. Elle avait également deux ivrognes et un poltron. On aurait dû pendre ce dernier, comme le roi l'avait lui-même reconnu, mais il descendait d'une noble famille et son père et ses frères avaient été loyaux dès le début.

Avoir des gardes autour d'elle aiderait sans doute à maintenir le respect que lui devaient les frères noirs, la prêtresse rouge le savait, mais aucun de ceux que lui avait donnés Stannis n'avait beaucoup de chances d'être très utile si elle devait se trouver en péril. Peu importait. Mélisandre d'Asshaï ne craignait point pour elle-même. R'hllor la protégerait.

Elle but une autre gorgée d'eau, déposa son gobelet, battit des paupières, s'étira et se leva de son siège, les muscles douloureux et courbaturés. Après avoir contemplé si longtemps les flammes, il lui fallut quelques instants pour s'accommoder à la pénombre. Elle avait les yeux secs et fatigués, mais si elle les frottait, elle ne ferait qu'aggraver la situation.

Son foyer avait baissé, vit-elle. « Devan, apporte du bois. Quelle heure est-il ?

— Presque l'aube, madame. »

L'aube. Un autre jour nous est donné, R'hllor soit loué. Les terreurs de la nuit refluent. Mélisandre avait passé la nuit sur son siège devant le feu, comme elle en avait souvent coutume. Maintenant que Stannis était parti, son lit ne lui servait plus guère. Elle n'avait pas de temps à perdre à dormir, avec le poids du monde sur ses épaules. Et elle craignait de rêver. *Le sommeil est une petite mort, les rêves les chuchotis de l'Autre, qui voudrait tous nous entraîner dans sa nuit éternelle.* Elle préférait s'asseoir, baignée de la lueur rutilante des flammes sacrées de son rouge seigneur, ses joues avivées par la chaleur exhalée comme par les baisers d'un amant. Certaines nuits, elle somnolait, mais jamais plus d'une heure. Un jour, priait Mélisandre, elle ne dormirait plus du tout. Un jour, elle serait libérée des rêves. *Melony*, songea-t-elle. *Lot sept.*

Devan alimenta le feu de bûches fraîches jusqu'à ce que les flammes bondissent de nouveau, féroces et furieuses, rejetant les ombres dans les recoins de la pièce, dévorant tous les rêves honnis par Mélisandre. *L'obscurité se retire à nouveau... pour un petit moment. Mais au-delà du Mur, l'ennemi se renforce, et s'il devait l'emporter, l'aube ne reviendrait plus jamais.* Elle se demanda si elle avait vu son visage la fixer depuis les flammes. *Non. Assurément non. Son visage devrait être plus effrayant que ça, froid, noir, trop terrible pour qu'un humain qui le contemple survive.* L'homme de bois qu'elle avait aperçu, cependant, et le gamin au visage de loup... C'étaient ses serviteurs, certainement... ses champions, comme Stannis était celui de Mélisandre.

Elle se rendit à sa fenêtre, poussa les volets pour les ouvrir. Au-dehors, l'est s'éclairait tout juste, et les étoiles du matin étaient encore accrochées dans un ciel noir comme poix. Châteaunoir remuait déjà, des hommes en noir traversaient la cour pour aller déjeuner d'une écuelle de gruau d'avoine avant d'aller relever leurs frères au sommet du Mur. Quelques flocons de neige passèrent devant la fenêtre ouverte, flottant au gré du vent.

« Madame souhaite-t-elle déjeuner ? » s'enquit Devan.

De la nourriture. Oui, je devrais manger. Certains jours, elle oubliait. R'hllor lui fournissait toute la subsistance dont son corps avait besoin, mais c'était une chose qu'il valait mieux dissimuler aux mortels.

C'était de Jon Snow qu'elle avait besoin, et non point de pain frit et de bacon, mais envoyer Devan trouver le lord Commandant ne servirait à rien. Ce dernier ne répondrait pas aux convocations de la prêtresse rouge. Snow choisissait encore de loger derrière l'armurerie, dans deux modestes pièces qu'avait avant lui occupées le défunt forgeron de la Garde. Peut-être ne se jugeait-il pas digne de la tour du Roi, à moins qu'il n'en ait cure. En cela, il commettait une erreur, la fausse humilité de la jeunesse qui constitue en elle-même une variété d'orgueil. Jamais il n'était sage, pour un dirigeant, de dédaigner les attributs du pouvoir, car le pouvoir lui-même découle en une mesure non négligeable de tels attributs.

Le jeune homme n'était pas totalement naïf, cependant. Il avait assez de jugement pour ne pas venir visiter Mélisandre dans ses appartements, en pétitionnaire, et insister afin qu'elle vînt plutôt à lui si elle avait besoin de lui parler. Et plus souvent qu'à son tour, lorsqu'elle se déplaçait, il la faisait attendre ou refusait de la voir. En cela au moins, il était adroit.

« Je vais prendre un thé d'orties, un œuf à la coque et du pain beurré. Du pain frais, s'il te plaît, pas frit. Envoie-moi également le sauvageon, va. Dis-lui que je souhaite lui parler.

— Clinquefrac, madame ?

— Et prestement. »

En l'absence du gamin, Mélisandre se lava et changea de robe. Ses manches abondaient en poches secrètes, et elle les vérifia avec soin, comme chaque matin, pour s'assurer que ses poudres étaient toutes à leur place. Des poudres pour teindre le feu en vert, bleu ou argent, des poudres pour qu'une flamme rugisse, chuinte et bondisse plus haut que hauteur d'homme, des poudres pour dégager de la fumée. Une fumée pour la vérité, une fumée pour le désir, une fumée pour la peur, et l'épaisse fumée noire qui pouvait tuer un homme sur-le-champ. La prêtresse rouge s'arma d'une pincée de chaque.

Le coffre sculpté qu'elle avait transporté à travers le détroit était désormais plus qu'aux trois quarts vide. Et si Mélisandre avait les connaissances pour composer de nouvelles quantités de poudres, maints ingrédients rares lui faisaient défaut. *Mes sortilèges devraient suffire.* Au Mur, elle était plus forte, plus même qu'en Asshaï. Chacun de ses mots et de ses gestes avait plus de puissance, et elle était capable de choses qu'elle n'avait jamais accomplies avant. *Les ombres que j'invoquerai ici seront terribles, et nulle créature des ténèbres ne tiendra contre elles.* Avec de telles sorcelleries à son pouvoir, elle ne devrait bientôt plus avoir besoin des pauvres tours de passe-passe des alchimistes et des pyromanciens.

Elle referma le coffre, le verrouilla et cacha la clé à l'intérieur de ses jupons dans une autre poche secrète. Puis se firent entendre de légers coups à la porte. Son sergent manchot, à en juger par cette façon tremblante de frapper. « Lady Mélisandre, le Seigneur des Os est ici.

— Faites-le entrer. » Mélisandre prit place dans son siège près de l'âtre.

Le sauvageon portait un justaucorps sans manches en cuir bouilli, ponctué de clous de bronze sous une cape fatiguée, mouchetée de nuances vertes et brunes. *Pas d'ossements.* Il était également revêtu d'ombres, de filets décousus de brume grise, glissant sur son visage et sa forme à chaque pas qu'il faisait. *Des disgrâces. Aussi laides que ses os.* Une ligne de cheveux en pointe sur le front, des yeux sombres et rapprochés, des joues pincées, une moustache qui se tortillait comme un ver au-dessus d'une pleine bouche de chicots bruns et brisés.

Mélisandre sentit la chaleur au creux de sa gorge lorsque son rubis s'anima, devant la proximité de son esclave. « Vous avez délaissé votre tenue d'ossements, constata-t-elle.

— Les claquements allaient me rendre fou.

— Les os vous protègent, lui rappela-t-elle. Les frères noirs ne vous aiment pas. Devan me rapporte qu'hier encore, vous avez eu des mots avec l'un d'entre eux, au souper.

— Quelques-uns. Je mangeais ma soupe de haricots et de lard pendant que Bowen Marsh prenait des airs supérieurs. La vieille Pomme Granate s'imaginait que je l'espionnais et m'a annoncé qu'il ne souffrirait pas que des meurtriers écoutassent leurs conseils. Je lui ai répondu qu'en ce cas, ils auraient peut-être intérêt à ne pas les tenir au coin du feu. Bowen a tourné au rouge et émis quelques bruits suffoqués, mais l'affaire en est restée là. » Le sauvageon s'assit sur le rebord de la fenêtre, fit glisser son poignard hors du fourreau. « Si un corbac a envie de me glisser une lame entre les côtes pendant que je soupe, qu'il s'y essaie. Le gruau d'Hobb gagnerait à être assaisonné d'une goutte de sang. »

Mélisandre n'accorda aucune attention à la lame nue. Si le sauvageon lui avait voulu du mal, elle l'aurait lu dans ses flammes. Les dangers contre sa personne avaient été une des premières choses qu'elle avait appris à voir, à l'époque où elle était encore à demi une enfant, une petite esclave liée à vie au grand temple rouge. Cela restait la première chose qu'elle cherchait chaque fois qu'elle plongeait le regard dans un feu. « Ce sont leurs yeux qui devraient vous inquiéter, pas leurs poignards, le mit-elle en garde.

— Le sortilège, certes. » Sur le bracelet de fer noir qui lui entourait le poignet, le rubis parut palpiter. Il le tapota du fil de sa lame. L'acier produisit un léger cliquetis contre la pierre. « Je le sens quand je dors. Chaud contre ma peau, même à travers le fer. Doux comme le baiser d'une femme. *Le vôtre.* Mais parfois dans mes rêves, il se met à brûler, et vos lèvres se changent en dents. Chaque jour, je me dis combien il serait facile de le dessertir, et chaque jour je m'en abstiens. Faut-il aussi que je porte ces foutus ossements ?

— Le sortilège marie les ombres et la suggestion. Les hommes voient ce qu'ils s'attendent à voir. Les ossements y participent. » *Ai-je eu tort d'épargner celui-ci ?* « Si le sortilège échoue, ils vous tueront. »

Le sauvageon commença à curer la crasse sous ses ongles avec la pointe de son poignard. « J'ai chanté mes ballades, livré mes batailles, bu le vin de l'été, goûté la femme du Dornien. Un homme devrait mourir ainsi qu'il a vécu. Pour moi, ce sera l'acier à la main. »

Rêve-t-il de mort ? L'ennemi aurait-il pu l'atteindre ? La mort est son domaine, et les morts ses soldats. « Vous aurez de l'ouvrage pour votre acier, sous peu. L'ennemi est en marche, le véritable ennemi. Et les patrouilleurs de lord Snow seront de retour avant le terme du jour, avec leurs yeux aveugles et sanglants. »

Les yeux du sauvageon se rétrécirent. Yeux gris, yeux bruns ; Mélisandre voyait la couleur changer à chaque palpitation du rubis. « Arracher les yeux, c'est l'œuvre du Chassieux. Les meilleurs corbacs sont les corbacs aveugles, aime-t-il répéter. Je me dis parfois qu'il aimerait s'arracher les siens, tant ils pleurent et le grattent en permanence. Snow a supposé que le peuple libre se tournerait vers Tormund pour les mener, parce que lui-même aurait agi de la sorte. Il aimait bien Tormund, et cette vieille canaille l'aimait bien, également. Mais si c'est le Chassieux... voilà qui n'est pas bon. Ni pour lui, ni pour nous. »

Mélisandre hocha la tête d'un air solennel, comme si elle avait pris ses paroles à cœur, mais ce Chassieux n'avait pas d'importance. Non plus que son peuple libre. C'était un peuple perdu, un peuple condamné, destiné à disparaître de la surface de la terre, comme avaient disparu les enfants de la forêt. Ce n'était toutefois pas ce qu'il souhaitait entendre, et elle ne pouvait se permettre de le perdre, pas maintenant. « Connaissez-vous bien le Nord ? »

Il rangea sa lame. « Autant que n'importe quel pillard. Certaines régions mieux que d'autres. Il y a beaucoup de Nords. Pourquoi ?

— La fille, dit-elle. Une fille en gris, sur un cheval agonisant. La sœur de Jon Snow. » De qui d'autre pouvait-il s'agir ? Elle galopait vers lui pour chercher protection, cela au moins Mélisandre l'avait vu clairement. « Je l'ai vue dans mes flammes, mais une seule fois. Nous devons gagner la confiance du lord

Commandant, et la seule façon d'y parvenir est de sauver sa sœur.

— Moi, la sauver, vous voulez dire ? Le Seigneur des Os ? » Il s'esclaffa. « Personne n'a jamais eu confiance en Clinquefrac, sinon des sots. Snow n'est pas sot. S'il faut sauver sa sœur, il enverra ses corbacs. Je le ferais.

— Il n'est pas vous. Il a prononcé ses vœux, et a l'intention de les observer. La Garde de Nuit ne prend pas parti. Mais vous n'êtes pas de la Garde de Nuit, vous. Vous pouvez accomplir ce qu'il ne peut pas.

— Si le raide lord Commandant le permet. Vos feux vous ont-ils montré où trouver cette fille ?

— J'ai vu de l'eau. Profonde et bleue, immobile, avec une fine couche de glace qui commençait tout juste à se former à sa surface. Elle semblait s'étirer à l'infini.

— Le Lonlac. Qu'avez-vous vu d'autre, autour de cette fille ?

— Des collines. Des champs. Des arbres. Un cerf, une fois. Des pierres. Elle reste bien à l'écart des villages. Quand elle le peut, elle galope en suivant le lit de petits ruisseaux, pour égarer les chasseurs. »

Il fronça les sourcils. « Voilà qui va compliquer les choses. Elle se dirigeait au nord, avez-vous dit. Le lac se situait-il pour elle à l'est ou à l'ouest ? »

Mélisandre ferma les yeux, pour se remémorer. « À l'ouest.

— Elle ne remonte pas par la route Royale, par conséquent. Une fine mouche. De l'autre côté, il y a moins de guetteurs, et plus de couvert. Et quelques cachettes dont j'ai eu l'emploi de temps... » Il s'interrompit au son d'une trompe de guerre et se leva avec vivacité. Dans tout Châteaunoir, Mélisandre le savait, le même silence s'était abattu, et chaque homme, chaque jouvenceau, se tournait vers le Mur, pour écouter, pour attendre. Un long coup de trompe marquait le retour de patrouilleurs, mais deux...

Le jour est venu, songea la prêtresse. *Lord Snow va devoir m'écouter, désormais.*

Une fois que le long cri lugubre de la trompe se fut éteint, le silence sembla s'étirer durant une heure. Le sauvageon rompit enfin le charme. « Un seul, donc. Des patrouilleurs.

— Des patrouilleurs morts. » Mélisandre se leva à son tour. « Allez revêtir vos os et attendez. Je reviens.

— Je devrais vous accompagner.

— Ne dites pas de bêtises. Une fois qu'ils auront trouvé ce qu'ils vont trouver, la vue de n'importe quel sauvageon va les mettre en fureur. Restez ici, le temps qu'ils puissent recouvrer leur sang-froid. »

Devan gravissait l'escalier de la tour du Roi quand Mélisandre entama sa descente, flanquée de deux des gardes que lui avait laissés Stannis. Le garçon lui apportait sur un plateau son petit déjeuner à demi oublié. « J'ai attendu qu'Hobb tire du fournil les miches fraîches, madame. Le pain est encore chaud.

— Dépose-le dans mes appartements. » Le sauvageon le mangerait, très probablement. « Lord Snow a besoin de moi, de l'autre côté du Mur. » *Il ne le sait pas encore, mais bientôt...*

Dehors, une neige légère avait commencé à tomber. Une foule de corbeaux s'étaient assemblés autour de la porte, le temps qu'arrivent Mélisandre et son escorte, mais ils s'écartèrent devant la prêtresse rouge. Le lord Commandant l'avait précédée à travers la glace, accompagné de Bowen Marsh et de vingt piquiers. Snow avait également envoyé une douzaine d'archers au sommet du Mur, au cas où des ennemis seraient tapis dans les bois voisins. Les gardes à la porte n'étaient point gens de la reine, mais ils la laissèrent passer tout autant.

Le froid et l'obscurité régnaient sous la glace, dans le tunnel étroit qui se tordait et rampait à travers le Mur. Morgan ouvrit la voie à Mélisandre avec un flambeau et Merrel la suivit avec une hache. Tous deux étaient des ivrognes invétérés, mais sobres, à cette heure de la matinée. Gens de la reine, au moins de nom, tous deux avaient d'elle une saine crainte, et Merrel pouvait se montrer formidable, quand il n'avait pas bu. Elle n'aurait nul besoin d'eux ce jour, mais Mélisandre s'appliquait à conserver deux gardes autour d'elle partout où elle allait. Cela exprimait un certain message. *Les attributs du pouvoir.*

Le temps que tous trois émergent sur la face nord du Mur, la neige tombait régulièrement. Une couverture d'un blanc inégal nappait la terre ravagée et torturée qui séparait le Mur de la lisière de la forêt hantée. Jon Snow et ses frères noirs étaient réunis autour de trois épieux, à quelque vingt pas de là. Les piques, longues de huit pieds, étaient taillées dans le frêne. Celle de gauche trahissait une légère courbure, mais les deux autres étaient lisses et droites. Au bout de chacune était fichée une tête humaine. Les barbes étaient remplies de glace, et la neige en tombant les avait coiffées de blancs capuchons. À l'emplacement de leurs yeux ne subsistaient que des orbites vides, des trous noirs et sanglants qui les toisaient avec une accusation muette.

« Qui était-ce ? demanda Mélisandre aux corbacs.

— Jack Bulwer le Noir, Hal le Velu et Garth Plumegrise, énuméra solennellement Bowen Marsh. Le sol est à moitié gelé. Les sauvageons ont dû y passer une bonne partie de la nuit, pour planter des piques si profondément. Ils pourraient encore se trouver dans les parages. En train de nous observer. » Le lord Intendant scruta la ligne d'arbres en plissant les yeux.

« Pourrait y en avoir une centaine, par là-bas, commenta le frère noir à la triste figure. Ou un millier.

— Non, répliqua Jon Snow. Ils ont déposé leurs présents dans le noir de la nuit, et ont ensuite détalé. » Son énorme loup rôdait autour des piques en les flairant, puis il leva la patte et pissa sur celle qui portait la tête de Jack Bulwer le Noir. « Fantôme aurait senti leur présence s'ils étaient encore là.

— J'espère que le Chassieux a brûlé les corps », reprit le morose, celui qu'ils appelaient Edd-la-Douleur. « Sinon, ils seraient bien capables de revenir chercher leur tête. »

Jon Snow empoigna la pique qui portait la tête de Garth Plumegrise et l'arracha violemment du sol. « Retirez les deux autres », ordonna-t-il et quatre des corbeaux se hâtèrent d'obéir.

Bowen Marsh avait les joues rouges de froid. « Jamais nous n'aurions dû expédier des patrouilleurs.

— Ce n'est ni le lieu ni le temps de rouvrir cette blessure. Pas ici, messire. Pas maintenant. » Aux hommes qui s'échinaient sur les piques, Snow lança : « Prenez les têtes et brûlez-les. Ne laissez que l'os nu. » C'est alors seulement qu'il parut remarquer Mélisandre. « Madame. Quelques pas avec moi, s'il vous plaît. »

Enfin. « Comme il plaira au lord Commandant. »

Tandis qu'ils marchaient sous le Mur, elle glissa le bras sous celui de Snow. Morgan et Merrel leur ouvraient la voie, Fantôme trottinait sur leurs talons. Sans rien dire, la prêtresse ralentit délibérément son allure et, aux endroits où elle posait le pied, la glace commença à fondre. *Il ne pourra manquer de s'en apercevoir.*

Sous la grille en fer d'une meurtrière, Snow rompit le silence, comme elle savait qu'il le ferait. « Et les six autres ?

— Je ne les ai pas vus, répondit Mélisandre.

— Voulez-vous regarder ?

— Bien sûr, messire.

— Nous avons reçu un corbeau de ser Denys Mallister, à Tour Ombreuse, lui apprit Jon Snow. Ses hommes ont repéré des feux dans les montagnes sur l'autre versant de la Gorge. Les sauvageons en train de se masser, selon ser Denys. Il juge qu'ils vont de nouveau tenter de forcer le pont des Crânes.

— Certains, peut-être. » Les crânes de sa vision désignaient-ils ce pont ? Confusément, Mélisandre ne le croyait pas. « Si elle vient, l'attaque ne sera que simple diversion. J'ai vu des tours en bord de mer, submergées par une marée noire et sanglante. C'est là que s'abattra le coup le plus fort.

— Fort-Levant ? »

Était-ce cela ? Mélisandre avait vu Fort-Levant en compagnie du roi Stannis. C'était là que Sa Grâce avait laissé la reine Selyse et leur fille Shôren, lorsqu'il avait réuni ses chevaliers pour marcher vers Châteaunoir. Les tours dans son feu avaient paru différentes, mais il en allait souvent ainsi, avec les visions. « Oui. Fort-Levant, messire.

— Quand ? »

Elle écarta les mains. « Demain. Dans une lune. Dans un an. Et il se peut que, si vous agissez, vous empêchiez totalement ce que j'ai vu. » *Sinon, à quoi bon les visions ?*

« Bien », commenta Snow.

L'assemblée des corbacs devant la porte avait grossi jusqu'à atteindre deux douzaines le temps qu'ils émergent de sous le Mur. Les hommes se massèrent autour d'eux. Mélisandre en connaissait quelques-uns de nom ; Hobb Trois-Doigts le cuisinier,

Mully et ses gras cheveux orange, le simplet qu'on appelait Owen Ballot, Cellador le septon ivrogne.

« C'est vrai, m'sire ? voulut savoir Hobb Trois-Doigts.

— Qui c'est ? voulut savoir Owen Ballot. C'est pas Dywen, hein ?

— Ni Garth », demanda l'homme de la reine qu'elle connaissait comme Alf de Bouecoulant, un des premiers à troquer ses sept faux dieux contre la vérité de R'hllor. « Garth est trop futé pour ces sauvageons.

— Combien ? interrogea Mully.

— Trois, leur répondit Jon. Jack le Noir, Hal le Velu et Garth. »

Alf de Bouecoulant poussa un hurlement assez sonore pour réveiller des dormeurs à Tour Ombreuse. « Mets-le au lit et fais-lui boire du vin chaud, ordonna Jon à Hobb Trois-Doigts.

— Lord Snow, intervint doucement Mélisandre. Voulez-vous m'accompagner à la tour du Roi ? J'ai d'autres choses à partager avec vous. »

Il la dévisagea un instant, de ses yeux gris et froids. Il ferma sa main droite, l'ouvrit, la referma. « À votre guise. Edd, ramène Fantôme à mes quartiers. »

Mélisandre y vit un signal et congédia également sa propre garde. Ils traversèrent la cour ensemble, rien qu'eux deux. La neige tombait tout autour d'eux. Elle marchait aussi près de Jon qu'elle l'osait, assez près pour sentir la défiance émaner de lui, comme un noir brouillard. *Il ne m'aime pas, ne m'aimera jamais, mais il veut bien se servir de moi. Voilà qui est bel et bon.* Mélisandre avait exécuté la même danse avec Stannis Baratheon, au tout début. À la vérité, le jeune lord Commandant et son roi avaient plus de points communs qu'ils ne l'auraient admis l'un ou l'autre. Stannis avait été un fils cadet vivant dans l'ombre de son aîné, tout comme Jon Snow, né bâtard, avait toujours été éclipsé par son demi-frère de naissance légitime, le héros foudroyé que les hommes avaient surnommé le Jeune Loup. Les deux hommes étaient des sceptiques par nature, méfiants, soupçonneux. Les seuls dieux qu'ils vénéraient réellement étaient l'honneur et le devoir.

« Vous n'avez rien demandé sur votre sœur », observa Mélisandre, tandis qu'ils gravissaient l'escalier en colimaçon de la tour du Roi.

« Je vous l'ai dit. Je n'ai pas de sœur. Nous mettons de côté notre famille en prononçant nos vœux. Je ne puis aider Arya, malgré toute... »

Il s'interrompit quand ils entrèrent dans les appartements de la prêtresse. Le sauvageon se trouvait à l'intérieur, assis à sa table, en train de tartiner de beurre avec son poignard un morceau déchiqueté de pain bis chaud. Il avait endossé son armure d'ossements, eut-elle la satisfaction de constater. Le crâne brisé du géant qui lui servait de heaume reposait sur le siège près de la fenêtre derrière lui.

Jon Snow se crispa. « Vous.

— Lord Snow. » Le sauvageon leur grimaça un sourire avec une bouche pleine de dents brunes et cassées. Le rubis à son poignet rutilait à la lumière du matin comme une obscure étoile rouge.

« Que faites-vous ici ?

— Je déjeune. Si vous en voulez, ne vous gênez pas.

— Je ne romprai pas le pain avec vous.

— Tant pis pour vous. La miche est encore chaude. Voilà au moins une chose que sait faire Hobb. » Le sauvageon déchira une bouchée. « Je pourrais tout aussi facilement vous rendre visite, messire. Ces gardes à votre porte sont une piètre amusette. Un homme qui a cinquante fois gravi le Mur peut fort aisément grimper à une fenêtre. Mais à quoi bon vous tuer ? Les corbacs choisiraient quelqu'un de pire, et voilà tout. » Il mastiqua, avala. « J'ai entendu, pour vos patrouilleurs. Vous auriez dû m'envoyer avec eux.

— Pour que vous puissiez les livrer au Chassieux ?

— S'agit-il de trahisons ? Comment s'appelait donc votre sauvageonne d'épouse, Snow ? Ygrid, non ? » Il se tourna vers Mélisandre. « J'aurai besoin de chevaux. Une demi-douzaine, et des bons. Et je pourrai rien accomplir tout seul. Certaines des piqueuses claquemurées à La Mole devraient faire l'affaire. Des femmes conviendront mieux à la besogne. Il y a plus de chances que la fille leur fasse confiance, et elles m'aideront à exécuter certaine manigance que j'ai en tête.

— Mais de quoi parle-t-il ? demanda lord Snow à la prêtresse rouge.

— De votre sœur. » Mélisandre lui posa une main sur le bras. « Vous ne pouvez pas l'aider, mais lui le peut. »

Snow libéra son bras d'une secousse. « Je ne crois pas. Vous ne connaissez pas cette créature. Clinquefrac pourrait cent fois se laver les mains, il aurait toujours du sang sous les ongles. Il serait plus capable de violer et d'assassiner Arya que de la sauver. Non. Si c'est cela que vous avez vu dans vos feux, madame, vous deviez avoir quelque cendre dans l'œil. Qu'il tente de quitter Châteaunoir sans mon assentiment, et je le ferai décapiter. »

Il ne me laisse pas le choix. Eh bien, soit. « Devan, laisse-nous », demanda-t-elle, et le garçon s'éclipsa en refermant la porte derrière lui.

Mélisandre toucha le rubis à son cou et prononça un mot.

Le son se répercuta de curieuse façon dans les recoins de la pièce et se tortilla comme un ver dans leurs oreilles. Le sauvageon entendit un mot et le corbeau un autre. Aucun n'était celui qui avait quitté les lèvres de la prêtresse rouge. Le rubis au poignet du sauvageon s'assombrit, et les fumerolles de lumière et d'ombre qui l'entouraient se tordirent et s'effacèrent.

Les os demeurèrent – les côtes qui s'entrechoquaient, les griffes et les dents au long de ses bras et de ses épaules, la grande clavicule jaunie en travers de ses épaules. Le crâne brisé de géant demeura un crâne brisé de géant, terni et fendu, ricanant d'un sourire sali et féroce.

Mais la pointe de cheveux sur le front fondit. La moustache brune, le menton osseux, la chair jaune et hâve et les petits yeux sombres, tout cela s'en fut, dissous. Des doigts gris se coulèrent à travers de longs cheveux bruns. Des rides de rire apparurent aux coins de sa bouche. Subitement, il était plus grand qu'avant, plus large de torse et de carrure, plus long de jambes et mince, le visage glabre et tanné par le vent.

Les yeux gris de Jon Snow s'écarquillèrent. « Mance ? »

— Lord Snow. » Mance Rayder ne sourit pas.

« *Elle vous a fait brûler !*

— Elle a fait brûler le Seigneur des Os. »

Jon Snow se tourna vers Mélisandre. « Quelle est cette sorcellerie ?

— Appelez cela comme vous le voudrez. Charme, simulacre, illusion. R'hllor est Maître de la Lumière, Jon Snow, et il est accordé à ses serviteurs de la tisser, comme d'autres tissent le fil. »

Mance Rayder gloussa. « J'avais des doutes, moi aussi, Snow, mais pourquoi ne pas la laisser essayer ? C'était cela, ou laisser Stannis me rôtir.

— Les os apportent une assistance, expliqua Mélisandre. Les os se souviennent. Les plus solides charmes s'architecturent sur de tels éléments. Les bottes d'un mort, une poignée de cheveux, un sac de phalanges. Avec des mots chuchotés et une prière, on peut tirer l'ombre d'un homme de telles choses, pour en draper un autre comme d'une cape. L'essence de celui qui la revêt ne change pas, uniquement son apparence. »

À l'écouter, cela était simple, et facile. Ils n'avaient pas besoin de savoir combien cela avait été ardu, ni le prix qu'elle avait payé. C'était une leçon que Mélisandre avait apprise bien avant Asshaï ; moins la sorcellerie semble requérir d'efforts, et plus les hommes redoutent le sorcier. Quand les flammes avaient léché Clinquefrac, le rubis à sa gorge était devenu si brûlant qu'elle avait craint que sa propre chair ne commençât à fumer et à noircir. Heureusement, lord Snow l'avait délivrée de cette douleur avec ses flèches. Alors que Stannis bouillait devant ce geste de défi, elle avait frémi de soulagement.

« Notre faux roi a des dehors revêches, assura Mélisandre à Jon Snow, mais il ne vous trahira pas. Nous détenons son fils, souvenez-vous. Et il vous doit la vie.

— À moi ? » Snow parut stupéfait.

— À qui sinon, messire ? Seul son sang pouvait payer ses crimes, selon vos lois, et Stannis Baratheon n'est pas homme à aller à l'encontre de la loi... Mais ainsi que vous l'avez affirmé avec tant de sagesse, les lois des hommes s'arrêtent au Mur. Je vous ai dit que le Maître de la Lumière entendrait vos prières. Vous cherchiez un moyen de sauver votre petite sœur tout en vous agrippant à cet honneur, qui signifie tant pour vous, aux vœux que vous avez prononcés devant votre dieu de bois. » Elle tendit un doigt pâle. « Le voici, lord Snow. Le salut d'Arya. Un présent du Maître de la Lumière… et de moi. »

SCHLINGUE

Tout d'abord, il entendit les filles, aboyant dans leur course de retour au bercail. Le tambour des sabots résonnant sur les dalles le remit debout d'un bond, dans un cliquetis de fers. Celui qu'il portait entre ses chevilles ne mesurait pas plus d'un pied de long, réduisant sa foulée à des pas chassés. On avait du mal à se déplacer rapidement ainsi, mais il fit son possible, sautant en tintant à bas de sa couchette. Ramsay Bolton était de retour et voudrait avoir son Schlingue à portée de main pour le servir.

Dehors, sous de froids cieux d'automne, les chasseurs se déversaient par les portes. Ben-les-Os ouvrait la voie, les filles hurlant et aboyant autour de lui. Derrière venaient l'Écorcheur, Alyn le Rogue et Damon Danse-pour-moi, avec son long fouet graissé, puis les Walder montant les poulains gris que leur avait offerts lady Dustin. Sa Seigneurie elle-même chevauchait Sang, un étalon rouge au caractère voisin du sien. Il riait. Cela pouvait être très bon, ou très mauvais, comme Schlingue le savait.

Les chiennes, attirées par son odeur, se jetèrent sur lui avant qu'il ait pu déterminer ce qu'il en était. Elles adoraient Schlingue ; il dormait la plupart du temps avec elles, et Ben-les-Os lui laissait parfois partager leur dîner. La meute courait sur les dalles en aboyant, lui tournant autour, en sautant pour lécher son visage crasseux, lui mordillant les jambes. Helicent lui attrapa la main gauche dans ses crocs et joua avec tant de

151

férocité que Schlingue craignit d'y perdre deux doigts supplémentaires. Jeyne la Rouge lui sauta à la poitrine et le fit tomber. Elle était tout en muscles fins et durs, alors que Schlingue n'était que peau grise et lâche et os fragiles, un crevard aux cheveux blancs.

Le temps qu'il repoussât Jeyne la Rouge et se remît tant bien que mal à genoux, les cavaliers sautaient de selle. Ils étaient partis une vingtaine, et une vingtaine revenait ; cela signifiait que les recherches se soldaient par un échec. Mauvaise affaire. Ramsay ne goûtait point la saveur de l'échec. *Il sera d'humeur à faire souffrir quelqu'un.*

Dernièrement, son seigneur avait été contraint de se retenir, car Tertre-bourg était rempli d'hommes dont la maison Bolton avait besoin, et Ramsay savait se montrer prudent auprès des Dustin, Ryswell et autres nobliaux alliés. Devant eux, il s'affichait toujours courtois et souriant. Derrière les portes closes, il était bien autre.

Ramsay Bolton était vêtu ainsi qu'il convenait au sire de Corbois et à l'héritier de Fort-Terreur. Son manteau était un assemblage de peaux de loups cousues, fermé contre la froidure de l'automne par les crocs jaunis de la tête de loup sur son épaule droite. À une hanche, il portait un fauchon, avec une lame aussi épaisse et lourde qu'un couperet ; à l'autre, un long poignard et un petit couteau courbe d'écorcheur à la pointe en crochet et au fil tranchant comme celui d'un rasoir. Les trois lames s'ornaient de poignées assorties en os jauni. « Schlingue, appela Sa Seigneurie du haut de sa selle, tu pues. Je peux te sentir de l'autre côté de la cour.

— Je sais, messire, dut répondre Schlingue. Je vous en demande le pardon.

— Je t'ai apporté un présent. » Ramsay pivota, tendit le bras derrière lui, tira quelque chose de ses fontes et le lança. « Attrape ! »

Entre la chaîne, les fers et ses doigts manquants, Schlingue était plus maladroit qu'avant d'apprendre son nom. La tête heurta ses mains mutilées, rebondit sur les moignons de ses doigts et atterrit à ses pieds, dans une pluie d'asticots. Tant de sang séché l'encroûtait qu'elle en était méconnaissable.

« Je t'avais ordonné d'attraper, dit Ramsay. Ramasse. »

Schlingue essaya de soulever la tête par une oreille. Rien à faire. La chair verdie se décomposait et l'oreille se déchira entre ses doigts. Petit Walder éclata de rire et, un instant plus tard, tous les autres riaient aussi. « Oh, laisse donc, lança Ramsay. Contente-toi de t'occuper de Sang. Je l'ai mené durement, ce salaud.

— Oui, messire. J'y veillerai. » Schlingue se hâta vers le cheval, laissant aux chiennes la tête tranchée.

« Tu sens le lisier de porc, aujourd'hui, Schlingue, jugea Ramsay.

— Pour lui, c'est une amélioration », commenta Damon Danse-pour-moi, souriant tandis qu'il enroulait son fouet.

Petit Walder sauta de sa selle. « Tu pourras aussi t'occuper de mon cheval, Schlingue. Et de celui de mon petit cousin.

— Je peux m'occuper de mon propre cheval », protesta Grand Walder. Petit Walder était devenu le préféré de lord Ramsay et lui ressemblait chaque jour davantage, mais le plus petit des deux Frey était d'un autre bois et prenait rarement part aux jeux et aux cruautés de son cousin.

Schlingue ne prêta aucune attention aux écuyers. Il guida Sang jusqu'aux écuries, sautant de côté quand l'étalon essaya de lui décocher un coup de sabot. Les chasseurs entrèrent dans la grande salle, tous à l'exception de Ben-les-Os, qui maudissait les chiennes tout en cherchant à les empêcher de se disputer la tête tranchée.

Grand Walder le suivit à l'écurie, menant sa propre monture lui-même. Schlingue lui lança un regard à la dérobée tout en retirant le mors de Sang. « C'était qui ? » demanda-t-il tout bas, afin que les autres garçons d'écurie ne l'entendissent point.

« Personne. » Grand Walder enleva la selle de son cheval gris. « Un vieux que nous avons croisé sur la route, c'est tout. Il menait une pauvre bique et quatre chevreaux.

— Sa Seigneurie l'a tué pour ses chèvres ?

— Sa Seigneurie l'a tué pour l'avoir appelé lord Snow. Mais les chèvres étaient bonnes. On a trait la mère et rôti les chevreaux. »

Lord Snow. Schlingue hocha la tête, ses chaînes cliquetant tandis qu'il s'échinait à détacher les sangles de la selle de Sang. *Sous quelque nom que ce soit, Ramsay n'est pas un homme à côtoyer, quand il est en fureur. Ou quand il ne l'est pas.* « Avez-vous retrouvé vos cousins, messire ?

— Non. Je n'ai jamais imaginé que nous les trouverions. Ils sont morts. Lord Wyman les a fait tuer. C'est ainsi que j'aurais agi, à sa place. »

Schlingue ne dit rien. Certaines paroles étaient dangereuses à exprimer, même dans l'écurie, alors que Sa Seigneurie se trouvait dans la grande salle. Un mot de travers pouvait lui coûter encore un orteil, voire un doigt. *Pas ma langue, cependant. Jamais il ne me prendra la langue. Il aime à m'entendre le supplier de m'épargner la douleur. Il aime à me le faire répéter.*

Les cavaliers avaient passé seize jours à la chasse, sans autre chose à manger que du pain dur et du bœuf salé, hormis un chevreau volé par aventure, aussi lord Ramsay ordonna-t-il ce soir-là qu'un banquet fût donné pour fêter son retour à Tertrebourg. Leur hôte, un nobliau grisonnant et manchot du nom d'Harbois Stout, savait qu'on ne pouvait le lui refuser, bien que désormais ses garde-manger dussent être proches de l'épuisement. Schlingue entendit les serviteurs de Stout marmonner que le Bâtard et ses hommes dévoraient les provisions d'hiver. « Y va mett' la p'tite de lord Eddard dans son lit, à c' qu'y paraît, se plaignit la cuisinière de Stout, qui n'avait pas remarqué que Schlingue écoutait, mais quand viendront les neiges, c'est nous qu'allons êt' baisés, c'est moi qui vous le dis. »

Néanmoins, lord Ramsay avait décrété un banquet, aussi fallait-il en donner un. On avait dressé des tréteaux dans la grande salle de Stout et abattu un bœuf et, ce soir-là, alors que le soleil se couchait, les chasseurs bredouilles dévorèrent rôtis et côtelettes, pain d'orge, purée de carottes et de pois, en arrosant le tout de prodigieuses quantités de bière.

Il échut à Petit Walder de garder pleine la coupe de lord Ramsay, tandis que Grand Walder servait les autres au haut bout de la table. On avait enchaîné Schlingue à proximité des portes, afin que son fumet ne coupât point l'appétit des convives. Il mangerait ensuite, des reliefs que lord Ramsay pourrait songer à lui envoyer. Les chiennes rôdaient en toute liberté dans la grande salle, cependant, et offrirent les meilleures distractions de la soirée, lorsque Maude et Jeyne la Grise se jetèrent sur l'un des dogues de lord Stout pour lui disputer un os particulièrement garni de viande que leur avait jeté Will Courtaud. Schlingue était le seul homme dans la salle à ne pas suivre la lutte entre les trois chiens. Il gardait les yeux sur Ramsay Bolton.

Le combat ne se termina qu'à la mort du chien de leur hôte. Le vieux dogue de Stout n'avait pas la moindre chance. Il se battait à un contre deux, et les chiennes de Ramsay étaient jeunes, vigoureuses et féroces. Ben-les-Os qui avait pour les chiennes plus d'amour que leur maître avait raconté à Schlingue qu'on les avait toutes nommées d'après des paysannes que Ramsay avait traquées, violées et tuées, au temps où il était encore un bâtard et qu'il courait en compagnie du premier Schlingue. « Au moins celles qui z'y ont donné du plaisir. Celles qui chialent, qui supplient, qui courent pas, elles reviendront pas sous forme de chiennes. » La prochaine portée issue des chenils de Fort-Terreur, Schlingue n'en doutait pas, comporterait une Kyra. « Il les a également dressées à tuer les loups », avait confié Ben-les-Os. Schlingue ne commenta pas. Il savait quel genre de loups les filles avaient pour tâche de tuer, mais n'éprouvait aucune envie de regarder les chiennes se disputer son orteil tranché.

Deux serviteurs emportaient la dépouille du dogue mort et une vieille était allée chercher un balai, un fauchet et un seau pour s'occuper de la jonchée trempée de sang, quand les portes de la salle s'ouvrirent à la volée sur une bourrasque et qu'une douzaine d'hommes vêtus de maille grise et coiffés de demi-heaumes en fer s'avancèrent d'un pas résolu, bousculant de l'épaule les jeunes gardes de Stout, blêmes dans leur brigandine de cuir et leurs manteaux or et rouille. Un silence soudain saisit les convives... tous sauf lord Ramsay, qui rejeta l'os qu'il rongeait, s'essuya la lippe contre sa manche, afficha un sourire gras avec ses lèvres humides et dit : « Père. »

Le sire de Fort-Terreur parcourut d'un œil indifférent les reliefs du banquet, le chien mort, les tapisseries aux murs,

Schlingue dans ses chaînes et ses fers. « Dehors », dit-il aux banqueteurs, d'une voix aussi douce qu'un murmure. « Sur-le-champ. Vous tous. »

Les hommes de lord Ramsay se reculèrent des tables, abandonnant gobelets et tranchoirs. Ben-les-Os cria pour appeler les filles, et elles trottèrent sur ses talons, certaines serrant encore des os dans leurs mâchoires. Harbois Stout s'inclina avec raideur et céda sa grande salle sans mot dire. « Libère Schlingue de ses chaînes et emmène-le avec toi », gronda Ramsay à l'adresse d'Alyn le Rogue, mais son père agita une main pâle et déclara : « Non, laisse-le. »

Même les gardes personnels de lord Roose battirent en retraite, refermant les portes derrière eux. Lorsque les échos moururent, Schlingue se retrouva seul dans la grande salle avec les deux Bolton, père et fils.

« Tu n'as pas retrouvé nos Frey manquants. » À la façon dont Roose Bolton disait cela, c'était une déclaration plutôt qu'une question.

« Nous sommes revenus à l'endroit où lord Lamproie prétend qu'ils se sont séparés, mais les chiennes n'ont pas pu relever de piste.

— Vous avez interrogé villages et redoutes ?

— Une perte de salive. Les paysans pourraient aussi bien être aveugles pour tout ce qu'ils peuvent avoir vu. » Ramsay haussa les épaules. « Est-ce important ? Quelques Frey ne feront guère défaut, en ce monde. Il n'en manque pas aux Jumeaux, si jamais nous en avions besoin d'un. »

Lord Roose rompit un petit morceau sur un quignon de pain et le mangea. « Hosteen et Aenys sont inquiets.

— Qu'ils aillent chercher eux-mêmes, si ça leur chante.

— Lord Wyman se sent coupable. À l'écouter conter les choses, il s'était particulièrement entiché de Rhaegar. »

L'ire de lord Ramsay montait. Schlingue le lisait à sa bouche, à l'inflexion de ces lippes épaisses ; à la façon dont les tendons saillaient sur son cou. « Ces imbéciles auraient dû rester avec Manderly. »

Roose Bolton haussa les épaules. « La litière de lord Wyman se déplace à l'allure d'un escargot... et, bien entendu, la santé et le tour de taille de Sa Seigneurie ne lui permettent pas de cheminer plus de quelques heures par jour, avec de fréquents arrêts pour se restaurer. Les Frey avaient hâte d'atteindre Tertrebourg et de retrouver les leurs. Peux-tu leur reprocher d'être partis en avant ?

— Si c'est bien ce qu'ils ont fait. Croyez-vous Manderly ? »

Les yeux pâles de son père pétillèrent. « T'en ai-je donné l'impression ? Toutefois Sa Seigneurie est extrêmement perturbée.

— Point tant qu'elle en cesse de s'alimenter. Lord Verrat a dû emporter avec lui la moitié des provisions de Blancport.

— Quarante chariots de provendes. Des barils de vin et d'hypocras, des futailles de lamproies frais pêchées, un troupeau de chèvres, des caissettes de crabes et d'huîtres, une morue monstrueuse... Lord Wyman aime manger. Tu l'auras sans doute remarqué.

— J'ai surtout remarqué qu'il n'amenait aucun otage.

— Je l'ai remarqué aussi.

— Qu'avez-vous l'intention d'y faire ?

— C'est un dilemme. » Lord Roose trouva un gobelet vide, l'essuya avec la nappe et le remplit à une carafe. « Manderly n'est pas le seul à donner des banquets, apparemment.

— C'est vous qui auriez dû le donner, afin de célébrer mon retour, se plaignit Ramsay, et il aurait dû se tenir à la Tertrée, pas dans ce castel pisseux.

— Il ne me revient pas de disposer de la Tertrée et de ses cuisines, fit observer son père avec douceur. Je n'y suis qu'un invité. Le castel et la ville appartiennent à lady Dustin et elle ne peut te souffrir. »

Le visage de Ramsay s'assombrit. « Si je lui sectionne les mamelles pour en nourrir mes filles, m'en supportera-t-elle davantage ? Me souffrira-t-elle quand je l'écorcherai pour me confectionner une paire de bottes ?

— Probablement pas. Et nous paierions cher ces bottes. Elles nous coûteraient Tertre-bourg, la maison Dustin et les Ryswell. » Roose Bolton s'assit à table en face de son fils. « Barbrey Dustin est la sœur cadette de ma seconde femme, fille de Rodrik Ryswell, sœur de Roger, Rickard et de mon homonyme, Roose, cousin des autres Ryswell. Elle était amourachée de mon défunt fils et te soupçonne d'avoir joué un rôle dans sa disparition. Lady Barbrey est une femme qui sait entretenir les griefs. Félicite-t'en. Si Tertre-bourg soutient Bolton avec vigueur, c'est largement parce qu'elle tient toujours Ned Stark pour responsable de la mort de son époux.

— *Avec vigueur ?* » Ramsay bouillait. « Elle ne cesse de me cracher dessus. Viendra le jour où j'incendierai son précieux village de bois. Qu'elle aille cracher dessus, pour voir si cela éteindra les flammes. »

Roose grimaça, comme si la bière qu'il sirotait avait soudain tourné à l'aigre. « Il y a des moments où tu me forces à me demander si tu es réellement issu de ma semence. On a traité mes ancêtres de bien des noms, mais jamais de sots. Non, tais-toi à présent, j'en ai assez entendu. Certes, à l'heure actuelle, nous paraissons forts. Nous avons des amis puissants, les Lannister et les Frey, et le soutien circonspect de la plus grande part du Nord... mais qu'imagines-tu qu'il se passera lorsque viendra à se présenter un des fils de Ned Stark ? »

Tous les fils de Ned Stark sont morts, songea Schlingue. *Robb a été assassiné aux Jumeaux, et Bran et Rickon... Nous avons enduit les têtes de goudron...* Sa propre tête battait. Il ne voulait songer à rien qui s'était passé avant qu'il connût son nom. Certaines choses étaient trop pénibles pour s'en souvenir, des pensées presque aussi douloureuses que le couteau d'écorcheur de Ramsay...

« Les petits louveteaux de Stark sont morts, déclara Ramsay en faisant clapoter la bière dans sa coupe, et le resteront. Qu'ils montrent leurs sales trognes, et mes filles tailleront leurs loups en pièces. Plus tôt ils apparaîtront, et plus tôt je les tuerai une deuxième fois. »

Le plus âgé des Bolton poussa un soupir. « *Une deuxième fois ?* Assurément, ta langue se fourvoie. Tu n'as jamais tué les fils de lord Eddard, ces deux charmants garçons que nous aimions tant. Ce fut l'œuvre de Theon Tourne-Casaque, souviens-toi. Combien de tes réticents amis conserverions-nous, à ton idée, si la vérité venait à s'ébruiter ? Rien que lady Barbrey, que tu voudrais transformer en paire de bottes... de bottes *médiocres*. Le cuir humain n'est pas aussi solide que le cuir de vache et ne résiste pas aussi bien. Par décret du roi, tu es désormais un Bolton. Essaie de te comporter comme tel. Des histoires courent sur ton compte, Ramsay. Je les entends partout. Les gens ont peur de toi.

— Parfait.

— Tu te trompes. Ce n'est pas parfait. Aucune histoire n'a jamais couru sur mon compte. Crois-tu que je serais assis ici, s'il en allait autrement ? Tes amusements ne regardent que toi, je ne te gourmanderai pas sur ce point, mais tu dois être plus discret. À pays paisible, peuple paisible. Telle a toujours été ma devise. Fais-la tienne.

— Est-ce pour cela que vous avez quitté lady Dustin et votre grosse truie d'épouse ? Pour accourir ici et me commander de *me taire* ?

— Point du tout. Il y a des nouvelles que tu dois apprendre. Lord Stannis a enfin quitté le Mur. »

Cela fit se relever à moitié Ramsay, un sourire luisant sur ses larges lèvres humides. « Est-ce qu'il fait mouvement contre Fort-Terreur ?

— Hélas, non. Arnolf ne comprend pas. Il jure qu'il a tout fait pour amorcer le piège.

— Je me demande. Griffez le Karstark et vous trouverez un Stark.

— Après le coup de griffe que le Jeune Loup a infligé à lord Rickard, cela pourrait être beaucoup moins vrai que naguère. Peu importe. Lord Stannis a pris Motte-la-Forêt aux Fer-nés pour le restituer à la maison Glover. Pire, les clans des montagnes se sont joints à lui, Wull, Norroit, Lideuil et le reste. Ses forces croissent.

— Les nôtres sont supérieures.

— À l'heure actuelle, oui.

— L'heure actuelle est le bon moment pour l'écraser. Laissez-moi marcher sur Motte.

— Après que tu seras marié. »

Ramsay abattit sa coupe et le fond de bière jaillit sur la nappe. « J'en ai assez d'attendre. Nous avons une fille, nous avons un arbre et assez de lords pour témoins. Je l'épouserai demain, je lui planterai un fils entre les cuisses et je serai en route avant que le sang de sa virginité ait séché. »

Elle priera pour ton départ, se dit Schlingue, *et elle priera pour que tu ne reviennes jamais dans son lit.*

« Tu lui planteras bien un fils, déclara Roose Bolton, mais pas ici. J'ai décidé que tu épouserais la drôlesse à Winterfell. »

La perspective ne sembla guère réjouir lord Ramsay. « J'ai dévasté Winterfell, l'auriez-vous oublié ?

— Non, mais il semble que c'est toi qui oublies... les *Fer-nés* ont dévasté Winterfell, et massacré tous ses habitants. Theon Tourne-Casaque. »

Ramsay jeta à Schlingue un regard soupçonneux. « En effet, c'est bien lui, néanmoins... un mariage dans ces ruines ?

— Même dévasté et brisé, Winterfell demeure le domaine de lady Arya. Quel meilleur endroit pour l'épouser, la prendre et établir tes prétentions ? Mais ce n'est en fait que la moitié de l'affaire. Nous serions sots d'avancer contre Stannis. Qu'il avance donc contre nous. Il est trop prudent pour venir à Tertre-bourg... mais à Winterfell, il le *devra*. Ses hommes des clans n'abandonneront pas la fille de leur précieux Ned à un homme tel que toi. Stannis devra faire mouvement ou les perdre... et, en commandant prudent qu'il est, il fera appel à tous ses amis et alliés, quand il se mettra en route. Il fera appel à Arnolf Karstark. »

Ramsay lécha ses lèvres gercées. « Et il sera à nous.

— Si les dieux le veulent. » Roose se remit debout. « Vous vous marierez à Winterfell. Je vais informer les lords que nous prendrons la route dans trois jours, et les inviter à nous accompagner.

— Vous êtes gouverneur du Nord. Donnez-leur-en l'ordre.

— Une invitation aboutira au même résultat. Le pouvoir a meilleure saveur quand la courtoisie lui sert de sucre. Tu devrais retenir la leçon si tu comptes régner un jour. » Le sire de Fort-Terreur jeta un coup d'œil vers Schlingue. « Oh, et détache ton animal de compagnie. Je le prends avec moi.

— Le prendre ? Pour l'amener où ? Il est à moi. Vous n'avez aucun droit sur lui. »

Cela parut amuser Roose. « Tu n'as que ce que je t'ai donné. Tu ferais bien de t'en souvenir, bâtard. Quant à ce... Schlingue... si tu ne l'as pas abîmé au-delà de toute rédemption, il peut encore nous servir. Va chercher les clés et retire-lui ces chaînes, avant que je ne regrette le jour où j'ai violé ta mère. »

Schlingue vit comment la bouche de Ramsay se tordait, la salive qui luisait entre ses lèvres. Il craignit de le voir sauter par-dessus la table, poignard en main. Mais Ramsay rougit violemment, détourna ses yeux pâles de ceux, plus pâles encore, de son père et partit chercher les clés. Mais quand il s'agenouilla pour déverrouiller les fers autour des poignets et des chevilles de Schlingue, il se pencha plus près et chuchota : « Ne lui dis rien, et retiens chaque mot qu'il prononcera. Je te récupérerai, quoi que cette garce de Dustin puisse te raconter. Qui es-tu ?

— Schlingue, messire. Votre homme. Je suis Schlingue, ça commence comme chuchoter.

— Si fait. Lorsque mon père te ramènera, je vais te trancher un autre doigt. Je te laisserai choisir lequel. »

Involontaires, des larmes commencèrent à lui couler sur les joues. « *Pourquoi ?* s'écria-t-il, sa voix se fêlant. Je n'ai jamais demandé à ce qu'il m'emporte loin de vous. Je ferai tout ce que vous voudrez, je servirai, j'obéirai, je... Pitié, non... »

Ramsay le gifla. « Prenez-le, lança-t-il à son père. Ce n'est même pas un homme. Son odeur m'écœure. »

La lune se levait sur les remparts en bois de Tertre-bourg quand ils sortirent. Schlingue entendait le vent balayer les plaines moutonnantes en dehors de la ville. Il y avait moins d'un mille entre la Tertrée et le modeste castel d'Harbois Stout, proche des portes de l'est. Lord Bolton lui proposa un cheval. « Tu sais monter ?

— Je... messire, je... je crois.

— Walton, aide-le à monter en selle. »

Même avec la disparition de ses fers, Schlingue se mouvait comme un vieillard. Sa chair pendait, flasque, sur ses os, et Alyn le Rogue et Ben-les-Os parlaient de ses tics. Et son odeur... Même la jument qu'on lui avait apportée fit un pas de côté quand il essaya de la monter.

Mais c'était une bête docile, et elle connaissait le chemin de la Tertrée. Lord Bolton se plaça à la hauteur de Schlingue quand ils passèrent la porte. Les gardes observèrent une distance de discrétion. « Comment veux-tu que je t'appelle ? » s'enquit le seigneur tandis qu'ils descendaient au trot les larges rues rectilignes de Tertre-bourg.

Schlingue, je suis Schlingue, ça commence comme châtiment. « Schlingue, dit-il. Ne vous déplaise, messire.

— *M'sire.* » Les lèvres de Bolton s'écartèrent juste assez pour démasquer un quart de pouce de dentition. Cela aurait pu être un sourire.

Schlingue ne comprit pas. « Messire ? J'ai dit...

— ... *messire*, alors que tu aurais dû prononcer *m'sire*. Ta langue trahit tes origines à chaque mot que tu prononces. Si tu veux ressembler à un paysan convenable, dis ça comme si tu avais de la terre dans la bouche, ou que tu étais trop idiot pour comprendre qu'il y a deux syllabes et non pas une.

— S'il plaît à mes... m'sire.

— C'est mieux. Tu pues *vraiment* d'horrible façon.

— Oui, m'sire. Je vous en demande pardon, m'sire.

— Pourquoi ? Ta puanteur est du fait de mon fils, et non du tien. J'en ai bien conscience. » Ils longèrent une écurie et une auberge claquemurée, avec une gerbe de blé peinte sur l'enseigne. Schlingue entendit de la musique filtrer par les fenêtres. « J'ai connu le premier Schlingue. Il puait, mais ce n'était pas faute de se laver. Jamais je n'ai connu créature plus soignée, à dire vrai. Il se baignait trois fois par jour et portait des fleurs dans ses cheveux comme une donzelle. Un jour, alors que ma seconde femme vivait encore, on l'a surpris à chaparder du parfum dans la chambre de celle-ci. Je lui ai fait donner le fouet pour cela, douze coups. Même son sang empestait étrangement. L'année suivante, il s'y risqua encore. Cette fois-ci, il but le parfum et faillit en crever. Rien n'y fit. L'odeur était une chose avec laquelle il était né. Une malédiction, disait le petit peuple. Les dieux l'avaient fait puer afin que les hommes sachent qu'il avait une âme en putréfaction. Mon vieux mestre insistait pour y voir un signe de maladie mais, en tout autre point, le garçon était fort comme un taurillon. Personne ne pouvait soutenir sa présence, aussi dormait-il avec les gorets... jusqu'au jour où la mère de Ramsay a paru à mes portes, en exigeant que je fournisse un serviteur à mon bâtard, qui grandissait sans règle ni retenue. Je lui ai donné Schlingue. Le geste se voulait bouffon, mais Ramsay et lui sont devenus inséparables. Toutefois, je m'interroge... Est-ce Ramsay qui a corrompu Schlingue, ou le contraire ? » Sa Seigneurie jeta un regard vers le nouveau Schlingue, de ses yeux aussi pâles et étranges que deux lunes blanches. « Que t'a-t-il chuchoté en te détachant ?

— Il... il a dit... » *Il m'a ordonné de ne rien vous dire.* Les mots lui restèrent en travers de la gorge, et il se mit à tousser et à s'étouffer.

« Respire à fond. Je sais ce qu'il t'a dit. Tu dois m'espionner et préserver ses secrets. » Bolton eut un petit rire. « Comme s'il avait des secrets. Alyn le Rogue, Luton, l'Écorcheur et le reste, d'où pense-t-il qu'ils sortent ? Croit-il réellement que ce sont *ses* hommes ?

— Ses hommes », reprit Schlingue en écho. Un commentaire semblait requis de sa part, mais il ne savait quoi dire.

« Mon bâtard t'a-t-il jamais raconté comment je l'avais eu ? »

Cela, oui, il le savait, à son soulagement. « Oui, mes... *m'sire.* Vous avez rencontré sa mère lors d'une chevauchée, et sa beauté vous a ébloui.

— Ébloui ? » Bolton s'esclaffa. « A-t-il employé ce mot-là ? Mais ce garçon a une âme de barde... Toutefois, si tu crois à cette chanson-là, tu es sans doute plus abruti que le premier Schlingue. Même cette histoire de chevauchée est fausse. Je chassais le renard sur les bords de la Larmoyante quand je suis arrivé à un moulin, et j'ai vu une jeune femme qui lavait son linge dans le courant. Le vieux meunier s'était déniché une nouvelle épouse, une fille qui n'avait pas la moitié de son âge. C'était une créature grande, souple comme un saule, très *saine* d'apparence. De longues jambes et de petits seins fermes, comme deux prunes mûres. Jolie, dans un genre assez commun. Au moment où j'ai posé les yeux sur elle, je l'ai voulue. Comme c'était mon dû. Les mestres te raconteront que le roi Jaehaerys a aboli le droit du seigneur sur la première nuit, afin d'apaiser sa mégère d'épouse, mais où règnent les anciens dieux, persistent les anciennes coutumes. Les Omble ont préservé la première nuit, eux aussi, même s'ils le nient. Certains clans des montagnes, également, et sur Skagos... ma foi, seuls les arbres-cœur voient jamais la moitié de tout ce qui se pratique sur Skagos.

» Ce meunier avait célébré son mariage sans ma permission ni ma connaissance. L'homme m'avait floué. Alors, je l'ai fait pendre et j'ai exercé mes droits sous l'arbre même où il se balançait. À dire le vrai, la garce valait à peine le prix de la corde. Le renard s'est échappé, qui plus est, et durant le retour à Fort-Terreur ma cavale favorite s'est mise à boiter, si bien que, l'un dans l'autre, la journée a été une déception.

» Un an plus tard, la même drôlesse a eu le front de se présenter à Fort-Terreur avec un monstre rouge et braillard dont elle a prétendu qu'il était mon engeance. J'aurais dû faire fouetter la mère et jeter le marmot dans un puits... Mais c'est vrai, le petit avait mes yeux. Elle m'a dit qu'en voyant ces prunelles, le frère de son défunt époux l'avait battue au sang et chassée du moulin. La chose m'a contrarié. Je lui ai donc octroyé le moulin et j'ai fait trancher la langue du beau-frère, afin de m'assurer qu'il n'irait pas galoper jusqu'à Winterfell avec des ragots susceptibles de troubler lord Rickard. Tous les ans, j'envoyais à la femme des nourrains, des poulets et une bourse d'étoiles, à la condition qu'elle ne révélerait jamais au gamin qui lui avait donné le jour. À pays paisible, peuple paisible, telle a toujours été ma règle.

— Une belle règle, m'sire.

— La femme m'a désobéi, pourtant. Tu vois comment est Ramsay. C'est elle qui l'a fait, elle et Schlingue, toujours à lui chuchoter à l'oreille des histoires de droits. Il aurait dû se contenter de moudre le blé. S'imagine-t-il vraiment capable de régner un jour sur le Nord ?

— Il se bat pour vous, bredouilla Schlingue. Il est fort.

— Les taureaux sont forts. Les ours. J'ai vu se battre mon bâtard. La faute ne lui incombe pas totalement. Il a eu pour tuteur Schlingue, le premier Schlingue, et Schlingue n'avait jamais été formé au maniement des armes. Ramsay est féroce, je te l'accorde, mais il manie son épée comme un boucher qui débite la viande.

— Il n'a peur de personne, m'sire.

— Il devrait. C'est la peur qui garde l'homme en vie dans ce monde de traîtrise et de cautèle. Même ici, à Tertre-bourg, les corbeaux tournoient, en attendant de se repaître de notre chair. On ne peut se fier ni aux Cerwyn ni aux Tallhart, mon gras ami lord Wyman ourdit une fourberie, et Pestagaupes... les Omble peuvent paraître simplets, mais ils ne sont pas dépourvus d'un genre de grossière rouerie. Ramsay devrait tous les craindre, comme je le fais. La prochaine fois que tu le verras, dis-lui ça.

— Lui dire... lui dire d'avoir peur ? » Schlingue se sentit pris de nausée à cette seule idée. « M'sire... je... si je faisais cela, il me...

— Je sais. » Lord Bolton soupira. « Il a le mal dans le sang. Il faudrait le saigner. Les sangsues aspirent les humeurs mauvaises, toutes les rages et les douleurs. Aucun homme ne pourrait réfléchir, avec un tel plein de colère. Et pourtant, Ramsay... Son sang vicié empoisonnerait même des sangsues, je le crains.

— Il est votre unique fils.

— À cette heure. J'en ai eu un autre, jadis. Domeric. Un garçon calme, mais fort accompli. Il a servi quatre ans comme page de lady Dustin et trois dans le Val comme écuyer de lord Rougefort. Il jouait de la haute harpe, lisait les chroniques et galopait comme le vent. Les chevaux... Cet enfant était fou de chevaux, lady Dustin vous le confirmera. Même la fille de lord Rickard n'aurait pu le distancer, et elle était à demi cavale elle-même. Selon Rougefort, il faisait montre de belle promesse, sur les lices. Un grand jouteur doit commencer par être un grand cavalier.

— Oui, m'sire. Domeric. J'ai... j'ai entendu son nom...

— Ramsay l'a tué. Une maladie de ventre, selon mestre Uthor, mais je dis poison. Dans le Val, Domeric avait apprécié la compagnie des fils Rougefort. Il voulait un frère auprès de lui, aussi a-t-il remonté la Larmoyante à la recherche de mon bâtard. Je l'avais interdit, mais Domeric était un homme fait et il croyait en savoir plus que son père. À présent, ses os gisent sous Fort-Terreur avec ceux de ses frères, morts alors qu'encore au berceau, et je reste avec Ramsay. Dites-moi, messire… si le tueur des siens est maudit, que peut faire un père quand un de ses fils tue l'autre ? »

La question l'épouvanta. Il avait un jour entendu l'Écorcheur dire que le Bâtard avait tué son frère de naissance légitime, mais il n'avait jamais osé le croire. *Il pouvait se tromper. Les frères meurent parfois, ça ne signifie pas qu'on les a tués. Mes frères ont péri, sans que je les tue jamais.* « Vous avez une nouvelle épouse, messire, pour vous engendrer des fils.

— Et mon bâtard, ne sera-t-il pas ravi ? Certes, lady Walda est une Frey, et paraît fertile. Je me suis étrangement attaché à ma petite épouse grassouillette. Les deux précédentes n'ont jamais émis un son au lit, mais celle-ci piaule et frémit. Je trouve ça très touchant. Si elle fait les enfants à la cadence où elle gobe les tartes, Fort-Terreur sera bientôt envahi de Bolton. Ramsay les tuera tous, bien entendu. Cela vaut mieux. Je ne vivrai pas assez longtemps pour voir de nouveaux fils atteindre l'âge d'homme, et les seigneurs enfants signent la perte d'une maison. Walda aura bien du chagrin à les voir trépasser, cependant. »

Schlingue avait la gorge sèche. Il entendait le vent secouer les ramures dénudées des ormes qui bordaient la rue. « Messire, je…

— *M'sire*, tu te souviens ?

— M'sire. Si je puis poser une question… Pourquoi me voulez-vous ? Je ne suis d'utilité à personne, je ne suis pas même un homme, je suis brisé, et… l'odeur…

— Un bain et des vêtements frais amélioreront ton odeur.

— Un bain ? » Schlingue sentit ses tripes se nouer. « Je… je préférerais l'éviter, m'sire. Je vous en prie. J'ai des… blessures, je… et ces vêtements, lord Ramsay me les a donnés, il… il m'a dit de ne jamais les quitter, sinon sur son ordre…

— Tu portes des loques, expliqua lord Bolton avec beaucoup de patience. Des choses infâmes, déchirées, tachées, qui puent le sang et l'urine. Et légères. Tu dois avoir froid. Nous te vêtirons de laine d'agneau, douce et chaude. Peut-être d'une cape doublée de fourrure. Est-ce que ça te plairait ?

— Non. » Il ne pouvait pas les laisser lui retirer les hardes que lui avait fournies lord Ramsay. Il ne pouvait pas les laisser le *voir*.

« Préfères-tu t'habiller de soie et de velours ? Il fut un temps où tu en avais le goût, me souvient-il.

— *Non*, insista-t-il d'une voix aiguë. Non, je ne veux pas d'autres vêtements que ceux-ci. Ceux de Schlingue. Je suis Schlingue, ça commence comme chemise. » Son cœur battait comme un tambour, et sa voix monta jusqu'à un piaillement craintif. « Je ne veux pas prendre de bain. De grâce, m'sire, ne me retirez pas mes vêtements.

— Nous les laisseras-tu laver, au moins ?

— Non. Non, m'sire. *De grâce.* » Il serra des deux mains sa tunique contre son torse, et se voûta sur la selle, craignant à demi que Roose Bolton ordonnât à ses gardes de lui arracher ses hardes sur-le-champ, en pleine rue.

« Comme tu voudras. » Les yeux pâles de Bolton paraissaient vides au clair de lune, comme s'il n'y avait absolument personne derrière eux. « Je ne te veux aucun mal, tu sais. Je te dois tant et plus.

— Vraiment ? » Une partie de lui hurlait : *C'est un piège, il se joue de toi, le fils n'est que l'ombre du père.* Lord Ramsay jouait tout le temps avec ses attentes. « Que... que me devez-vous, m'sire ?

— Le Nord. Les Stark ont été perdus et condamnés la nuit où tu as pris Winterfell. » Il agita une main pâle, un geste négligent. « Tout ceci n'est que chamailleries autour du butin. »

Leur bref trajet toucha à sa fin aux remparts de bois de la Tertrée. Des bannières volaient à ses tours carrées, claquant au vent : l'écorché de Fort-Terreur, la hache de bataille de Cerwyn, les pins de Tallhart, le triton de Manderly, les clés entrecroisées du vieux lord Locke, le géant des Omble et la main de pierre des Flint, l'orignac des Corbois. Pour les Stout, l'or et la rouille en chevron, pour Ardoise un champ gris dans un double-trescheur blanc. Quatre têtes de cheval proclamaient les quatre Ryswell des Rus – une grise, une noire, une or, une brune. La plaisanterie voulait que les Ryswell ne fussent pas même capables de s'accorder sur la couleur de leurs armes. Au-dessus d'elles se déployaient le cerf et le lion de l'enfant assis sur le Trône de Fer, à mille lieues de là.

Schlingue écouta tourner les ailes du vieux moulin tandis qu'ils passaient sous la porte de guet pour déboucher dans une baile herbue où les garçons d'écurie accoururent pour se charger de leurs chevaux. « Par ici, s'il te plaît. » Lord Bolton le conduisit vers le donjon, où les bannières étaient celles de feu lord Dustin et de sa veuve. Celle du lord montrait une couronne à pointes au-dessus de longues haches croisées ; celle de son épouse quartait ces mêmes armes avec la tête de cheval dorée de Rodrik Ryswell.

Alors qu'il grimpait une large volée de degrés en bois jusqu'à la grande salle, Schlingue sentit ses jambes se mettre à trembler. Il dut s'arrêter pour les maîtriser, levant les yeux vers les pentes herbues du Grand Tertre. Selon certains, c'était la tombe du Premier Roi, qui avait mené les Premiers Hommes à Westeros. D'autres soutenaient que ce devait être un roi des Géants qu'on avait enseveli ici, afin d'en expliquer la taille. On avait même entendu d'aucuns prétendre qu'il ne s'agissait pas d'un tertre, mais d'une simple colline ; en ce cas, toutefois, c'était une colline bien isolée, car, dans son ensemble, le territoire des Tertres était plat et balayé par les vents.

Dans les appartements privés, une femme se tenait devant l'âtre, réchauffant des mains fines au-dessus des braises d'un feu mourant. Elle était tout de noir vêtue, de pied en cap, et n'arborait ni or ni joyaux, mais sa haute naissance apparaissait clairement. Bien qu'il y eût des rides aux coins de sa bouche et plus encore autour de ses yeux, elle se tenait toujours droite, inflexible, séduisante. Elle avait des cheveux bruns et gris à parts égales, qu'elle portait noués derrière la tête en un chignon de veuve.

« Qui m'amenez-vous ? demanda-t-elle. Où est le jeune homme ? Votre bâtard aurait-il refusé de le céder ? Ce vieillard est-il son… Oh, miséricorde des dieux, d'où vient donc cette *odeur* ? Cette créature se serait-elle oubliée ?

— Il a vécu auprès de Ramsay. Lady Barbrey, permettez-moi de vous présenter le suzerain légitime des îles de Fer, Theon de la maison Greyjoy. »

Non, pensa-t-il, *non, n'employez pas ce nom, Ramsay va vous entendre, il le saura, il le saura, il me fera du mal.*

Elle plissa la bouche en cul de poule. « Il n'est pas ce que j'espérais.

— Il est ce que nous avons.

— Que lui a fait votre bâtard ?

— Retiré de la peau, j'imagine. Quelques petits morceaux. Rien de trop essentiel.

— Est-ce qu'il est fou ?

— Cela se peut. Est-ce important ? »

Schlingue ne put en écouter davantage. « De grâce, m'sire, m'dame, il y a eu malentendu. » Il tomba à genoux, tremblant comme une feuille prise dans un orage d'hiver, les larmes ruisselant sur ses joues ravagées. « Je ne suis pas lui, je ne suis pas le tourne-casaque, il a péri à Winterfell. Mon nom est Schlingue. » Il fallait qu'il garde son *nom* en mémoire. « Ça commence comme chien. »

TYRION

Le *Selaesori Qhoran* avait quitté Volantis depuis sept jours quand Sol émergea enfin de sa cabine, se glissant sur le pont comme une timide créature des bois sortant d'une longue hibernation.

Le crépuscule tombait et le prêtre rouge avait allumé son feu nocturne dans le grand brasero de fer à mi-longueur du navire tandis que l'équipage se rassemblait tout autour pour prier. La voix de Moqorro, comme un tambour grave, semblait résonner dans les profondeurs de son torse massif. « *Nous te remercions pour ton soleil qui nous tient chaud*, pria-t-il. *Nous te remercions pour tes étoiles qui veillent sur nous tandis que nous traversons cette mer froide et noire.* » Un vrai colosse, plus grand que ser Jorah et assez large pour en faire deux comme lui, le prêtre portait des robes écarlates brodées de flammes en satin orange aux manches, aux revers et au col. Sa peau était noire comme poix, ses cheveux blancs comme neige, les flammes tatouées sur ses joues et son front brunes et orange. Son bourdon de fer, aussi haut que lui, se couronnait d'une tête de dragon ; quand il en frappait la férule contre le pont, la gueule du dragon crachait un feu vert crépitant.

Ses gardes, cinq esclaves guerriers de la Main Ardente, donnaient le signal des répons. Ils psalmodiaient dans la langue de l'Antique Volantis, mais Tyrion avait assez entendu de prières pour en saisir la substance. *Allume notre feu et protège-nous*

du noir, bla-bla-bla, éclaire notre route et garde-nous douillet-
tement au chaud, la nuit est noire et pleine de terreurs, sauve-
nous de tout ce qui fait peur, et bla-bla-bla derechef.

Il ne se serait pas risqué à exprimer de telles pensées à haute voix. Tyrion Lannister n'avait cure d'aucun dieu, mais sur ce navire la prudence exigeait qu'on manifestât un certain respect vis-à-vis de R'hllor le Rouge. Jorah Mormont avait libéré Tyrion de ses chaînes et de ses fers une fois le voyage vérita-blement entamé, et le nain ne souhaitait pas lui offrir de raison de l'en charger de nouveau.

Le *Selaesori Qhoran* était un lourd baquet de cinq cents ton-neaux, avec une cale profonde, de hauts gaillards, d'avant comme d'arrière, et un unique mât entre les deux. Sur le gaillard d'avant se campait une figure de proue grotesque, une éminence de bois rongée par les vers avec une expression constipée et un rouleau coincé sous le bras. Son capitaine, un homme à la bouche mauvaise, aux yeux rapprochés et cupides, dur comme le silex et bedonnant, était piètre joueur de *cyvosse* et encore plus mauvais perdant. Sous lui servaient quatre matelots, tous affranchis, et cinquante esclaves attachés au navire, chacun por-tant une version grossière de la figure de proue de la cogue tatouée sur une joue. *Sans-Nez*, les marins aimaient à appeler Tyrion, sans souci du nombre de fois où il leur répéta qu'il s'appelait Hugor Colline.

Trois des marins et plus des trois quarts de l'équipage étaient de fervents adorateurs du Maître de la Lumière. Quant au capi-taine, qui émergeait toujours pour les prières du soir sans y prendre autrement part, Tyrion en était moins certain. Mais le véritable maître du *Selaesori Qhoran*, du moins pour ce voyage, était Moqorro.

« *Maître de la Lumière, bénissez votre esclave Moqorro, et éclairez son chemin dans les lieux obscurs de ce monde*, tonna le prêtre rouge. *Et défendez votre vertueux esclave Benerro. Accordez-lui le courage. Accordez-lui la sagesse. Emplissez son cœur de feu.* »

Ce fut là que Tyrion aperçut Sol, en train d'observer ces sin-geries depuis l'abrupte échelle de coupée qui descendait du gaillard d'arrière. Elle se tenait sur un des premiers échelons, si bien que seul le sommet de son crâne paraissait. Sous sa cagoule, ses yeux brillaient, grands et blancs à la clarté du feu nocturne. Elle avait avec elle son chien, le gros dogue gris qu'elle chevauchait au cours des joutes parodiques.

« Madame », appela doucement Tyrion. À proprement parler, ce n'était pas une dame, mais il ne pouvait se résoudre à utiliser son nom ridicule, et il n'avait aucune intention de l'appeler *la fille* ni *petite*.

Elle recula, surprise. « Je... je ne vous avais pas vu.

— Ma foi, je suis petit.

— Je... je ne me sentais pas bien... » Son chien aboya.

Tu étais malade de chagrin, tu veux dire. « Si je puis aider...

— Non. » Et aussi vite que ça, elle avait disparu à nouveau, se retranchant à la cale, dans la cabine qu'elle partageait avec son chien et sa truie. Tyrion ne pouvait l'en blâmer. L'équipage du *Selaesori Qhoran* avait initialement paru ravi de l'arrivée de Tyrion à bord ; après tout, un nain portait bonheur. On lui avait si souvent frictionné l'occiput, et avec tant de vigueur, que c'était miracle qu'il ne fût pas chauve. Mais Sol avait affronté des réactions plus mitigées. Certes, elle était naine, mais elle était également femme, et à bord d'un navire les femmes portaient malheur. Pour chaque homme qui essayait de lui frotter le chef, trois grommelaient sous cape des imprécations sur son passage.

Et ma présence ne peut que verser du sel sur ses plaies. On a tranché la tête de son frère dans l'espoir que c'était la mienne, et pourtant me voilà, assis comme une gargouille de merde, à offrir de creuses consolations. Si j'étais à sa place, je n'aurais rien de plus à cœur que de me balancer à la mer.

Il n'éprouvait que pitié pour cette fille. Elle ne méritait pas l'horreur que Volantis lui avait infligée, non plus que son frère. La dernière fois qu'il l'avait vue, juste avant qu'ils quittent le port, les yeux de la malheureuse étaient rouges de pleurs, deux horribles cavités rougies dans un visage blême et tiré. Le temps qu'on lève la voile, elle s'était enfermée dans sa cabine avec son chien et son cochon, mais la nuit, ses pleurs étaient audibles. Hier encore, il avait entendu un des matelots dire qu'on devrait la flanquer par-dessus bord avant que ses larmes n'inondent le navire. Tyrion n'était pas entièrement convaincu qu'il plaisantait.

Lorsque les prières du soir furent achevées et que l'équipage du navire se fut de nouveau dispersé, certains retournant à leur quart, d'autres à de la nourriture, du tafia et leurs hamacs, Moqorro demeura comme chaque nuit auprès de son feu nocturne. Le prêtre rouge se reposait le jour, mais veillait durant les heures d'obscurité, pour s'occuper de ses flammes sacrées, afin que le soleil pût leur revenir à l'aube.

Tyrion s'accroupit face à lui et se réchauffa les mains contre le froid de la nuit. Quelques instants durant, Moqorro ne lui accorda aucune attention. Il fixait la danse des flammes, perdu dans une vision. *Voit-il des jours à venir, comme il le prétend ?* Si tel était le cas, il avait un don terrible. Au bout d'un moment, le prêtre leva les yeux pour croiser le regard du nain. « Hugor Colline, le salua-t-il, en hochant la tête. Es-tu venu prier avec moi ?

— Je me suis laissé dire que la nuit était sombre et pleine de terreurs. Que voyez-vous dans ces flammes ?

— Des dragons », répondit Moqorro dans la Langue Commune de Westeros. Il la parlait très bien, presque sans accent. Sans doute était-ce une des raisons pour lesquelles le Grand Prêtre Benerro l'avait choisi afin d'apporter à Daenerys Targaryen la foi de R'hllor. « Des dragons, anciens et nouveaux, vrais et faux, lumineux et ténébreux. Et toi. Un petit homme avec une grande ombre, montrant les dents au milieu de tout cela.

— Montrant les dents ? Un joyeux compagnon comme moi ? » Tyrion s'en sentait presque flatté. *Et sans doute est-ce là son intention. Le premier idiot venu adore s'entendre dire qu'il est important.* « Peut-être avez-vous vu Sol. Nous avons presque la même taille.

— Non, mon ami. »

Mon ami ? Depuis quand, je me le demande bien ? « Avez-vous vu combien cela nous prendrait pour atteindre Meereen ?

— Tu es impatient de contempler la Délivrance du Monde ? »

Oui et non. La Délivrance du Monde pourrait me trancher le col ou m'offrir en friandise à ses dragons. « Pas moi, répondit Tyrion. Pour moi, cela se borne aux olives. Bien que, je commence à le craindre, je risque de mourir de vieillesse avant d'en goûter une. Je pourrais barboter plus vite que nous ne voguons. Dites-moi, *Selaesori Qhoran*, c'était un triarque ou une tortue ? »

Le prêtre rouge eut un petit rire. « Ni l'un ni l'autre. *Qhoran*, c'est... non pas un dirigeant, mais un homme qui en sert un, et le conseille, et l'aide à conduire ses affaires. Vous autres Ouestriens, vous diriez *intendant* ou *maître*. »

La Main du Roi ? L'idée l'amusa. « Et *selaesori* ? »

Moqorro se tapota le nez. « Empreint d'un arôme agréable. Embaumé, vous diriez ? Fleuri ?

— Donc, *Selaesori Qhoran* signifie plus ou moins *l'intendant qui pue* ?

— L'intendant qui embaume, plutôt. »

Tyrion eut un sourire torve. « Je crois que je vais en rester à *qui pue*. Mais je vous remercie bien de la leçon.

— Je suis heureux de t'avoir éclairé. Peut-être un jour me laisseras-tu également t'enseigner la vérité de R'hllor.

— Un jour. » *Quand je ne serai plus qu'une tête au bout d'une pique.*

Les quartiers qu'il partageait avec ser Jorah ne méritaient le nom de cabine que par politesse ; ce placard humide, noir et fétide offrait à peine assez d'espace pour accrocher deux hamacs où dormir, l'un au-dessus de l'autre. Tyrion trouva Mormont étendu dans celui du bas, mollement balancé au roulis du navire. « La fille a fini par pointer le nez sur le pont, lui apprit Tyrion. Un coup d'œil dans ma direction et elle a détalé pour rentrer aussitôt en cale.

— Tu n'es pas beau à voir.

— Tout le monde ne peut avoir votre prestance. Cette fille est désemparée. Je ne serais pas surpris d'apprendre que la malheureuse cherchait à aller en douce sauter par-dessus bord et se noyer.

— La malheureuse a pour nom Sol.

— Je connais son nom. » Il le détestait. Le frère de la naine se faisait appeler Liard, alors que son nom véritable était Oppo. *Liard et Sol. Les plus petites pièces, celles qui ont le moins de*

valeur et, pire encore, ces noms, ils les ont choisis eux-mêmes.
« Peu importe son nom, elle a besoin d'un ami. »

Ser Jorah s'assit dans son hamac. « Eh bien, charge-t'en. Ou épouse-la, peu me chaut. »

Cela mit un vilain goût dans la bouche de Tyrion. « Qui se ressemble s'assemble, est-ce là votre suggestion ? Auriez-vous en tête, pour votre part, de vous trouver une ourse, ser ?

— C'est toi qui as insisté pour que nous l'amenions.

— J'ai dit qu'on ne pouvait l'abandonner à Volantis. Ça ne signifie pas que je veuille la baiser. Elle souhaite me voir mort, l'auriez-vous oublié ? Je suis la dernière personne dont elle voudrait pour ami.

— Vous êtes des nains, tous les deux.

— Oui, et son frère l'était aussi, celui qui est mort parce que des ivrognes l'ont pris pour moi.

— Tu te sens coupable, c'est ça ?

— Non. » Tyrion se hérissa. « J'ai à répondre de suffisamment de péchés ; je ne veux nulle part de celui-ci. J'aurais pu nourrir quelque rancœur envers son frère et elle pour le rôle qu'ils ont joué la nuit des noces de Joffrey, mais jamais je ne leur ai voulu de mal.

— Certes, tu es une créature inoffensive. Innocent comme l'agneau. » Ser Jorah se remit debout. « La naine est ton problème. Baise-la, bute-la ou évite-la, comme il te chante. Ce n'est rien, pour moi. » Il passa en bousculant Tyrion et sortit de la cabine.

Deux fois banni, et qui s'en étonnerait ? songea Tyrion. *Moi aussi, je le bannirais si j'en avais le pouvoir. Cet homme est froid, renfrogné, rogue et sourd à tout humour. Et je ne parle que de ses qualités.* Ser Jorah passait l'essentiel de ses heures de veille à arpenter le gaillard d'avant ou à s'accouder au bastingage en contemplant la mer. *À la recherche de sa reine d'argent. À la recherche de Daenerys, en tentant de faire avancer le navire plus vite par la force de sa volonté. Ma foi, je pourrais me comporter de même, si Tysha m'attendait à Meereen.*

La baie des Serfs pouvait-elle être l'endroit où vont les putes ? Peu probable. D'après ce qu'il en avait lu, les cités esclavagistes étaient la région où on les formait. *Mormont aurait dû s'en acheter une pour lui.* Une jolie petite esclave aurait pu opérer des miracles sur son humeur... En particulier si elle avait des cheveux argentés, comme la musequine qui lui trônait sur la queue, à Selhorys.

Sur le fleuve, Tyrion avait dû supporter Griff, mais au moins il y avait le mystère de l'identité réelle du capitaine pour le distraire, et la compagnie plus agréable du reste de la petite assemblée de la barge. Sur la cogue, hélas, les marins n'étaient que ce qu'ils semblaient, personne n'était particulièrement sympathique, et seul le prêtre rouge avait de l'intérêt. *Lui, et peut-être Sol. Mais cette fille me déteste, et à juste titre.*

La vie à bord du *Selaesori Qhoran* était avant tout ennuyeuse. Le moment le plus exaltant de sa journée consistait à se piquer les orteils et les doigts avec un couteau. Sur le fleuve il y avait eu des merveilles à admirer : les tortues géantes, les cités en ruine, les hommes de pierre, les septas nues. On ne savait jamais ce qui pouvait guetter au détour du prochain méandre. En mer, les jours et les nuits se ressemblaient tous. En quittant Volantis, la cogue avait commencé par naviguer en vue des côtes, si bien que Tyrion pouvait contempler le défilé des caps, regarder les nuées d'oiseaux marins prendre leur essor des falaises de pierre et de tours de guet croulantes, compter les brunes îles nues tandis qu'elles glissaient au passage. Il aperçut maintes autres embarcations, également : des esquifs de pêcheurs, de lourds navires marchands, de fières galères dont les rames fouettaient les vagues en une écume blanche. Mais dès qu'ils s'éloignèrent plus au large, il n'y eut plus que la mer et le ciel, de l'air et de l'eau. L'eau ressemblait à de l'eau. Le ciel, à du ciel. Parfois, il y avait un nuage. *Trop de bleu.*

Et les nuits étaient pires. Même dans des conditions optimales, Tyrion dormait mal, et ici, il en était loin. Le sommeil entraînait généralement des rêves, et dans ses rêves l'attendaient les Chagrins, et un roi de pierre portant le visage de son père. Ce qui lui laissait le piètre choix de grimper dans son hamac pour écouter Jorah Mormont ronfler au-dessous de lui, ou de rester sur le pont à contempler la mer. Par les nuits sans lune, l'eau était noire comme l'encre de mestre, d'un horizon à l'autre. Obscure, profonde et austère, belle à sa froide manière, mais quand il la scrutait trop longuement Tyrion se surprenait à songer combien il serait aisé d'enjamber le plat-bord pour se laisser choir dans ces ténèbres. Une toute petite gerbe d'eau, et la courte et lamentable histoire de sa vie serait promptement close. *Mais s'il existe un enfer, et que mon père m'y attend ?*

Le meilleur moment de chaque soirée était le souper. Non que la nourriture fût particulièrement goûteuse, mais elle était abondante. Ce fut donc là que le nain se rendit ensuite. La coquerie où il prenait ses repas était un espace exigu et malcommode, au plafond si bas que les plus grands passagers couraient toujours le risque de se fendre le crâne, un danger auquel les solides esclaves soldats de la Main Ardente semblaient particulièrement prédisposés. Malgré tout le plaisir que Tyrion avait à en ricaner, il en était venu à préférer dîner seul. S'asseoir à une table encombrée d'hommes qui ne partageaient pas votre langue, les écouter bavarder et plaisanter sans comprendre un traître mot, l'avait rapidement lassé. Surtout parce qu'il finissait toujours par se demander si les plaisanteries et les rires ne le visaient pas directement.

C'est aussi dans la coquerie que l'on conservait les livres du bord. Son capitaine étant un homme particulièrement féru de lecture, le navire en comptait trois – une collection de poésie nautique qui commençait mal pour ensuite empirer, un volume très feuilleté contant les aventures érotiques d'une jeune esclave dans une maison de plaisirs lysienne, et le quatrième et dernier tome de *La Vie du triarque Belicho*, un célèbre patriote volantain dont la succession ininterrompue de conquêtes et de triomphes s'était achevée d'assez abrupte manière quand des géants l'avaient dévoré. Tyrion les avait tous finis au troisième jour de mer. Ensuite, faute d'autres livres, il commença à les relire. L'histoire de l'esclave était la plus mal écrite, mais la plus captivante, et ce fut celle qu'il emporta ce soir-là pour le soutenir au long d'un repas de betteraves beurrées, de ragoût de poisson froid et de biscuits qu'on aurait pu utiliser pour planter des clous.

Il lisait la relation du jour où la fille et sa sœur avaient été capturées par des esclavagistes, quand Sol entra dans la coquerie. « Oh, dit-elle. Je croyais... Je ne voulais pas vous déranger, m'sire, je...

— Tu ne me déranges nullement. Tu ne vas pas tenter à nouveau de me tuer, j'espère.

— Non. » Elle détourna les yeux en rougissant.

« En ce cas, je serais ravi d'avoir de la compagnie. Il n'y en a guère à bord de ce navire. » Tyrion referma son livre. « Allons. Assieds-toi. Mange. » La jeune femme n'avait pas touché à la plupart des repas déposés devant la porte de sa cabine. Elle devait être affamée. « Le ragoût est presque comestible. Au moins, le poisson est frais.

— Non, je... Je me suis étranglée avec une arête de poisson, un jour. Je ne peux plus en manger.

— Alors, bois du vin. » Il remplit une coupe et la fit glisser vers Sol. « Avec les compliments de notre capitaine. Plus proche de la pisse que d'un La Treille auré, pour être franc, mais même la pisse a meilleur goût que le tafia noir goudron que boivent les matelots. Ça pourrait t'aider à dormir. »

La fille ne fit pas un geste pour toucher la coupe. « Merci, m'sire, mais sans façons. » Elle recula. « Je ne devrais pas vous ennuyer.

— As-tu l'intention de passer toute ta vie à fuir ? » lui lança Tyrion avant qu'elle ait pu s'éclipser par la porte.

L'apostrophe la figea. Ses joues virèrent au rose vif et il craignit qu'elle ne fondît de nouveau en larmes. Mais elle avança la lèvre avec un air de défi et riposta : « Vous aussi, vous fuyez.

— C'est vrai, confessa-t-il, mais je fuis *vers* un lieu, et toi, tu fuis tout court, et ça représente un monde de différence.

— Jamais nous n'aurions eu besoin fuir, sans vous. »

Il lui a fallu un certain courage pour me le dire en face. « Tu parles de Port-Réal ou de Volantis ?

— Des deux. » Des larmes brillèrent dans ses yeux. « De tout. Pourquoi ne pouviez-vous pas venir jouter avec nous, comme le roi le demandait ? Vous n'auriez pas été blessé. Qu'est-ce que cela aurait coûté à Votre Seigneurie de grimper sur notre chien et de rompre une lance pour satisfaire l'enfant ? Il s'agissait juste de s'amuser un peu. Ils auraient ri de vous, voilà tout.

— Ils auraient ri de moi », dit Tyrion. *Et je les ai fait rire de Joff, à la place. Fort habile manœuvre, n'est-ce pas ?*

« Mon frère dit que faire rire les gens est une bonne chose. Une noble tâche, et honorable. Mon frère dit... Il... » Les larmes churent alors, roulant le long de sa figure.

« Je suis navré pour ton frère. » Tyrion avait déjà prononcé ces mêmes mots, à Volantis, mais, plongé dans le chagrin comme elle l'était à l'époque, il doutait qu'elle l'eût entendu. Elle entendit, cette fois-ci. « Navré. Vous êtes navré. » Sa lèvre frémissait, elle avait les joues humides, ses yeux étaient des trous bordés de rouge. « Nous avons quitté Port-Réal le soir même. Mon frère disait qu'il valait mieux, avant que quelqu'un se demande si nous avions eu un rôle dans la mort du roi et décide de nous torturer pour en avoir la confirmation. Nous sommes d'abord allés à Tyrosh. Mon frère pensait que ce serait assez loin, mais non. Nous connaissions un jongleur, là-bas. Depuis des années et des années, il jonglait chaque jour près de la fontaine du Dieu ivre. Il était vieux, si bien qu'il n'avait plus les mains aussi adroites qu'avant, et parfois il laissait tomber des balles et les poursuivait à travers la place, mais les Tyroshis riaient et lui jetaient quand même des pièces. Et puis, un matin, nous avons appris qu'on avait retrouvé son corps au temple de Trios. Trios a trois têtes, et il y a une grande statue de lui à côté des portes du temple. Le vieil homme avait été découpé en trois morceaux et enfoncé dans la triple bouche de Trios. Sauf que lorsqu'on a recousu les trois morceaux, sa tête avait disparu.

— Un présent pour ma tendre sœur. C'était encore un nain.

— Un petit homme, oui. Comme vous et Oppo. Liard. Est-ce que vous êtes navré pour le jongleur, aussi ?

— J'ignorais l'existence de ton jongleur jusqu'à cet instant... Mais oui, je regrette sa mort.

— Il est mort pour toi. Tu as son sang sur les mains. »

L'accusation porta douloureusement, si tôt après les paroles de Jorah Mormont. « *Ma sœur* a son sang sur les mains, ainsi que les brutes qui l'ont tué. Mes mains... » Tyrion les retourna, les inspecta, les serra en poings. « Mes mains sont gantées de sang séché, certainement. Dis que j'ai tué les miens, et tu n'auras pas tort. Régicide, j'en répondrai également. J'ai tué mères, pères, neveux, maîtresses, hommes, femmes, rois et putains. Une fois, un chanteur m'a agacé, et j'ai fait cuire cette ordure. Mais jamais je n'ai tué ni jongleur ni nain, et je ne suis pas responsable de ce qui est arrivé à ton foutu frère. »

Sol saisit la coupe qu'il lui avait remplie et la lui jeta au visage. *Exactement comme ma tendre sœur.* Il entendit claquer la porte de la coquerie, mais ne vit pas Sol partir. Il avait les yeux qui piquaient, et le monde était flou. *Voilà qui règle la question de s'en faire une amie.*

Tyrion Lannister avait peu d'expérience des autres nains. Le seigneur son père n'avait pas encouragé les rappels de la difformité de son fils, et les bateleurs dont la troupe comprenait des petites personnes avaient vite appris à rester à distance de Port-Lannis et de Castral Roc, sous peine d'encourir son déplaisir. En grandissant, Tyrion avait entendu parler d'un bouffon nain à la cour du lord dornien Poulet, d'un mestre nain exerçant sur les Doigts, et d'une naine parmi les sœurs du silence, mais jamais il n'avait ressenti le besoin de leur rendre visite. Lui vinrent aussi aux oreilles des racontars moins fiables, sur une sorcière naine qui hantait une colline sur le Conflans, et une catin naine de Port-Réal, réputée pour s'accoupler avec des chiens. C'était sa tendre sœur qui lui avait parlé de cette dernière, allant jusqu'à lui suggérer une chienne en chaleur s'il voulait tenter l'expérience. Quand il lui avait poliment demandé si elle proposait ses propres services, Cersei lui avait jeté une coupe de vin au visage. *C'était du rouge, si ma mémoire est bonne, et celui-ci est doré.* Tyrion s'épongea le visage à sa manche. Les yeux lui piquaient encore.

Il ne revit plus Sol jusqu'au jour de la tempête.

Ce matin-là, l'air salin était pesant, immobile, mais le ciel à l'ouest brûlait d'un rouge ardent, zébré de nuages menaçants qui flamboyaient autant que l'écarlate des Lannister. Les matelots se hâtaient de fermer les écoutilles, de tirer des drisses, de dégager le pont, d'arrimer tout ce qui ne l'était pas déjà. « Y a vent mauvais qui monte, l'avertit l'un d'eux. Sans-Nez devrait descendre sous le pont. »

Tyrion se remémora la tempête qu'il avait essuyée en traversant le détroit, cette façon qu'avait le pont de se cabrer sous ses pieds, les horribles craquements qu'avait produits le navire, le goût du vin et du vomi. « Sans-Nez va rester ici en haut. » Si les dieux le voulaient, plutôt mourir noyé qu'étouffé par ses vomissures. Et au-dessus, la toile de voile de leur cogue ondula lentement, comme la fourrure d'un grand fauve s'éveillant d'un long sommeil, puis se gonfla avec un claquement soudain qui fit tourner toutes les têtes à bord.

Les vents poussèrent la cogue devant eux, loin de son cap d'élection. Derrière eux, des nuages noirs s'empilaient les uns sur les autres contre un ciel rouge sang. Au mitan de la matinée, ils virent clignoter la foudre à l'ouest, suivie par le fracas lointain du tonnerre. La mer se fit plus mauvaise, et des vagues sombres s'élevèrent pour battre contre la coque de l'*Intendant qui pue*. C'est à peu près à ce moment-là que l'équipage commença à amener la voile. Tyrion traînait dans les jambes de tout le monde, à mi-longueur du navire, aussi grimpa-t-il sur le gaillard d'avant pour s'y recroqueviller, savourant la pluie froide qui lui fouettait les joues. La cogue montait et descendait, se cabrant plus follement que n'importe quelle cavale qu'il ait enfourchée, se soulevant avec chaque vague avant de dévaler les auges intermédiaires, l'ébranlant jusqu'aux os. Quand bien même, mieux valait être ici, où il pouvait voir, qu'en bas, claquemuré dans une cabine privée d'air.

Lorsque la tempête éclata, le soir était sur eux, et Tyrion Lannister était trempé jusqu'au petit linge, et cependant il se sentait enthousiaste... Et plus encore par la suite, quand il trouva Jorah Mormont soûl dans leur cabine au milieu d'une flaque de vomi.

Le nain s'attarda à la cambuse après manger, fêtant sa survie en partageant quelques lampées de tafia noir avec le coq du bord, une grande et grasse fripouille volantaine qui ne savait de la Langue Commune qu'un unique mot (*putain*), mais jouait au *cyvosse* avec férocité, en particulier quand il était ivre. Ils livrèrent trois parties ce soir-là, Tyrion remporta la première, puis perdit les deux autres. Il décida ensuite qu'il en avait assez et regagna le pont en titubant pour se nettoyer la tête du tafia et des éléphants.

Il aperçut Sol sur le gaillard d'avant, à l'endroit où il avait si souvent trouvé ser Jorah, debout près du bastingage auprès de la hideuse figure de proue à demi décomposée de la cogue, les yeux perdus sur la mer d'encre. Vue de dos, elle semblait aussi menue et vulnérable qu'un enfant.

Tyrion jugea préférable de ne pas la déranger, mais il était trop tard. Elle l'avait entendu. « Hugor Colline.

— Si tu veux. » *Nous connaissons tous les deux la vérité.* « Je suis désolé de t'importuner. Je vais me retirer.

— Non. » Elle avait le visage pâle et triste, mais ne paraissait pas avoir pleuré. « Moi aussi je suis navrée. Pour le vin. Ce n'est pas vous qui avez tué mon frère, ni ce pauvre vieux, à Tyrosh.

— J'ai joué un rôle, mais pas par choix.

— Il me manque tant. Mon frère. Je...

— Je comprends. » Il se surprit à penser à Jaime. *Estime-toi heureuse. Ton frère est mort avant d'avoir pu te trahir.*

« J'ai cru que je voulais mourir, dit-elle, mais aujourd'hui, quand la tempête a éclaté et que j'ai cru que le navire allait couler, je... je...

— Tu t'es aperçue que tu voulais vivre, finalement. » *J'ai connu ça aussi. Encore un trait commun entre nous.*

Elle avait les dents de travers, ce qui l'intimidait quand elle devait sourire, mais elle sourit, à présent. « Vous avez vraiment fait cuire un chanteur en ragoût ?

— Qui ça, moi ? Non. Je ne sais pas cuisiner. »

Quand Sol riait, elle ressemblait davantage à la douce jeune fille qu'elle était... dix-sept ou dix-huit ans, pas plus de dix-neuf. « Qu'a-t-il fait, ce chanteur ?

— Il a écrit une chanson sur mon compte. » *Car elle était son trésor secret, sa honte et sa béatitude. Et rien ne valent donjon ni chaîne auprès d'un baiser de belle.* La rapidité avec laquelle les paroles lui revinrent était étrange. Peut-être ne l'avaient-elles jamais quitté. *C'est toujours si froid, des mains d'or,/Et si chaud, celles d'une femme.*

« Ce devait être une très mauvaise chanson.

— Pas vraiment. Ça ne valait pas *Les Pluies de Castamere*, assurément, mais certaines parties étaient... comment dire ?
— Que racontait-elle ? »
Il rit. « Non. Il vaut vraiment mieux que vous ne m'entendiez pas chanter.
— Ma mère chantait pour nous, quand nous étions enfants. Pour mon frère et moi. Elle répétait toujours que la voix n'avait pas d'importance quand on aimait la chanson.
— Elle était... ?
— ... une petite personne ? Non, mais notre père, si. Son propre père l'a vendu à un marchand d'esclaves quand il avait trois ans, mais il a grandi pour devenir un comédien d'un tel renom qu'il a racheté sa liberté. Il a voyagé dans toutes les Cités libres, et à Westeros aussi. À Villevieille, on l'appelait Pois-sauteur.
Évidemment. Tyrion essaya de ne pas faire de grimace.
« Il est mort, à présent, enchaîna Sol. Ma mère aussi. Oppo... Il était toute la famille qui me restait, et le voilà parti à son tour. » Elle détourna la tête et regarda la mer. « Que vais-je devenir ? Où vais-je aller ? Je ne connais aucun métier, sinon le spectacle de joute, et il faut être deux pour cela. »
Non, pensa Tyrion. *Ne t'aventure pas sur cette voie, ma fille. Ne me demande pas ça. N'y pense même pas.* « Trouve-toi un petit orphelin doué », suggéra-t-il.
Sol ne parut pas l'entendre. « Les tournois étaient une idée de mon père. Il a même dressé la première truie, mais il était déjà trop malade pour la monter, aussi Oppo l'a-t-il remplacé. Je montais toujours le chien. À Braavos, une fois, nous avons joué devant le Seigneur de la Mer, et il a tant ri qu'ensuite, il nous a donné à chacun un... un magnifique présent.
— C'est là que ma sœur vous a trouvés ? À Braavos ?
— Votre sœur ? » La fille parut désorientée.
« La reine Cersei. »
Sol secoua la tête. « Elle n'a jamais... C'est un homme qui est venu nous chercher, à Pentos. Osmund. Non, Oswald. Quelque chose comme ça. C'est Oppo qui l'a rencontré, pas moi. Oppo s'occupait de tous nos contrats. Mon frère savait toujours quoi faire, où nous produire ensuite.

— Nous allons à Meereen, maintenant. »

Elle lui jeta un coup d'œil perplexe. « À Qarth, vous voulez dire. Nous nous rendons à Qarth, via la Nouvelle-Ghis.

— À Meereen. Tu chevaucheras ton chien pour la reine dragon et tu repartiras avec ton poids en or. Tu ferais mieux de commencer à te gaver, de façon à être toute grassouillette lorsque tu jouteras devant Sa Grâce. »

Sol ne lui rendit pas son sourire. « Toute seule, l'unique chose que je puisse faire, c'est de chevaucher en rond. Et même si la reine devait rire, où irais-je ensuite ? Nous ne nous attardons jamais longtemps au même endroit. La première fois qu'ils nous voient, ils rient, ils rient, mais dès la quatrième ou cinquième, ils savent ce que nous allons faire avant que nous le fassions. Alors, ils cessent de rire, et nous devons aller ailleurs. Nous gagnons le plus d'argent dans les grandes villes, mais j'ai toujours préféré les petites. Dans des endroits comme ça, les gens n'ont pas d'argent, mais ils nous nourrissent à leur propre table, et les enfants nous suivent partout. »

C'est parce que, dans leurs malheureux trous perdus, ils n'ont jamais vu de nain, songea Tyrion. *Ces foutus morpions suivraient une chèvre à deux têtes s'il s'en présentait une. Jusqu'à ce qu'ils se lassent de ses bêlements et l'abattent pour leur dîner.* Mais il n'avait aucune envie de la faire pleurer de nouveau, et assura : « Daenerys a le cœur bon et une nature généreuse. » C'était ce que Sol avait besoin d'entendre. « Elle te trouvera une place à la cour, je n'en doute pas. Un endroit sûr, hors d'atteinte de ma sœur. »

Sol se retourna vers lui. « Et vous serez là, aussi. »

À moins que Daenerys ne décide qu'elle a besoin de sang Lannister en paiement du sang Targaryen qu'a répandu mon frère. « En effet. »

Après cela, on vit la jeune naine plus fréquemment sur le pont. Le lendemain, Tyrion la rencontra, elle et sa truie tachetée, au milieu du navire, durant l'après-midi, alors que l'air était doux et la mer calme. « Elle s'appelle Jolie », lui confia la jeune femme, timidement.

Jolie la cochonne et Sol la naine, songea-t-il. *Il y a vraiment quelqu'un qui devrait répondre de beaucoup.* Sol donna des glands à Tyrion, et il laissa Jolie les manger dans sa main. *Ne t'imagine pas que je ne vois pas ce que tu es en train de faire, ma fille*, se dit-il tandis que la grosse truie soufflait et couinait. Bientôt, ils commencèrent à prendre leurs repas ensemble. Certains soirs, il n'y avait qu'eux deux ; à d'autres repas, ils se serraient avec les gardes de Moqorro. *Les doigts*, les appelait Tyrion ; après tout, n'étaient-ils pas des hommes de la Main Ardente, au nombre de cinq ? Cela fit rire Sol, un son agréable, mais un son que Tyrion n'entendait guère. La blessure de la jeune femme était trop récente, son chagrin trop profond.

Bientôt, il la fit appeler le navire l'*Intendant qui pue*, bien qu'elle se fâchât quelque peu contre lui chaque fois qu'il surnommait Jolie *Bacon*. Pour se faire pardonner, Tyrion essaya de lui enseigner le *cyvosse*, mais comprit rapidement que c'était une cause perdue. « Non, lui répéta-t-il une douzaine de fois, c'est le dragon qui vole, pas les éléphants. »

Ce même soir, elle prit le taureau par les cornes et lui demanda s'il voulait jouter avec elle. « Non », répondit-il. Ce n'est qu'ensuite qu'il se dit que *jouter* n'avait peut-être pas eu le sens de jouter. Il aurait quand même répondu *non*, mais avec moins de brusquerie, sans doute.

Revenu dans la cabine qu'il partageait avec Jorah Mormont, Tyrion se tourna et se retourna des heures dans son hamac, sombrant et émergeant du sommeil. Ses rêves étaient envahis de grises mains de pierre qui se tendaient vers lui hors de la brume, et d'un escalier qui s'élevait jusqu'à son père.

Finalement, il renonça et monta sur le pont respirer l'air nocturne. Le *Selaesori Qhoran* avait ferlé sa voile rayée pour la nuit, et ses ponts étaient pratiquement déserts. Un des matelots occupait le gaillard d'arrière et, au milieu du navire, Moqorro était assis près de son brasero, où quelques flammèches dansaient encore entre les braises.

Seules paraissaient les étoiles les plus brillantes, toutes à l'ouest. Un reflet rouge terne éclairait le ciel au nord-est, la couleur d'un hématome. Tyrion n'avait jamais vu lune plus grosse. Monstrueuse, bouffie, elle donnait l'impression d'avoir avalé le soleil et de s'éveiller prise de fièvre. Sa jumelle, flottant sur la mer devant le bateau, rougeoyait en ondoyant à chaque vague. « Quelle heure est-il ? demanda-t-il à Moqorro. Ça ne peut pas être le lever de soleil, à moins que l'est n'ait changé de place. Pourquoi le ciel est-il rouge ?

— Le ciel est toujours rouge au-dessus de Valyria, Hugor Colline. »

Un frisson glacé lui courut l'échine. « Nous en sommes près ?

— Davantage qu'il ne plaît à l'équipage, déclara Moqorro de sa voix de basse. Connaissez-vous les légendes, dans tes Royaumes du Couchant ?

— Je sais que, d'après les marins, quiconque pose les yeux sur cette côte est condamné. » Il ne croyait pas lui-même à ces histoires, pas plus que n'y avait cru son oncle. Gerion Lannister avait fait voile vers Valyria lorsque Tyrion avait dix-huit ans, déterminé à retrouver la lame ancestrale perdue de la maison Lannister et tous les autres trésors qui avaient pu survivre au Fléau. Tyrion souhaitait plus que tout les accompagner, mais le seigneur son père avait qualifié le voyage de « quête d'imbéciles » et lui avait interdit d'y prendre part.

Et peut-être n'avait-il pas tout à fait tort. Presque dix ans avaient passé depuis que le *Lion éjoui* avait quitté Port-Lannis, et Gerion n'était jamais revenu. Les hommes que lord Tywin avait envoyés après lui avaient suivi ses traces jusqu'à Volantis, où la moitié de son équipage avait déserté et il avait acheté des esclaves pour les remplacer. Aucun homme libre n'aurait signé de son plein gré sur un navire dont le capitaine annonçait ouvertement son intention d'aller en mer Fumeuse. « Ce sont donc les feux des Quatorze Flammes que nous voyons, réfléchis sur les nuages ?

— Quatorze, quatorze mille. Quel homme oserait aller les dénombrer ? Il n'est pas sage pour des mortels de contempler trop avant les profondeurs de ces feux, mon ami. Ce sont les feux du courroux de Dieu, et aucune flamme humaine ne peut les égaler. Nous autres, hommes, sommes de petites créatures.

— Certains plus que d'autres. » *Valyria.* Il était écrit que, le jour du Fléau, toutes les collines à cinq cents milles à la ronde avaient éclaté pour remplir les airs de cendres, de fumées et de feux, des embrasements si torrides que même les dragons dans les cieux avaient été engloutis et consumés. De grandes déchirures s'étaient ouvertes dans le sol, avalant les palais, les temples, des villes entières. Les lacs étaient entrés en ébullition ou s'étaient mués en acide, les montagnes avaient explosé, des fontaines ardentes avaient vomi de la roche en fusion mille pieds dans les airs, des nuées rouges avaient fait pleuvoir le verredragon et le sang noir des démons, et au nord le sol s'était crevassé, effondré sur lui-même, et une mer en fureur s'y était ruée. La plus orgueilleuse ville du monde s'était volatilisée en un instant, son fabuleux empire avait disparu en un jour, les Terres de l'Éternel Été avaient été calcinées, noyées et stérilisées.

Un empire bâti sur le sang et sur le feu. Les Valyriens ont récolté le grain qu'ils avaient semé. « Notre capitaine aurait-il l'intention de mettre la malédiction à l'épreuve ?

— Notre capitaine préférerait se trouver à cinquante lieues plus au large de cette côte maudite, mais je lui ai demandé de prendre la route la plus courte. D'autres aussi cherchent Daenerys. »

Griff, avec son jeune prince. Se pourrait-il que toutes ces histoires de Compagnie Dorée en route vers l'ouest aient été une feinte ? Tyrion envisagea de dire quelque chose, puis se ravisa. Il lui semblait que la prophétie qui guidait les prêtres rouges n'avait de place que pour un seul héros. Un second Targaryen ne servirait qu'à les perturber. « Avez-vous vu ces autres dans vos feux ? demanda-t-il avec prudence.

— Leurs ombres seulement, répondit Moqorro. Une, par-dessus tout. Une créature haute et tordue, avec un œil noir et dix longs bras, voguant sur une mer de sang. »

BRAN

La lune formait un croissant, fin et tranchant comme une lame de couteau. Un soleil blafard se leva, se coucha pour se lever encore. Des feuillages rouges chuchotèrent au vent. Des nuages sombres emplirent les cieux pour se changer en orages. L'éclair fulgura et le tonnerre gronda, et des morts aux mains noires et aux yeux d'un bleu lumineux rôdaient autour d'une faille au flanc de la colline, sans pouvoir entrer. Sous la colline, le garçon rompu, assis sur un trône de barral, écoutait des chuchotis dans la nuit tandis que des corbeaux arpentaient ses bras.

« Plus jamais tu ne marcheras, lui avait promis la corneille à trois yeux, mais tu voleras. » Parfois, de quelque part en bas, très loin, montaient les échos d'un chant. Les chanteurs, sa vieille nourrice les aurait appelés *les enfants de la forêt* ; eux-mêmes se nommaient *ceux qui chantent le chant de la terre*, dans la Vraie Langue qu'aucun humain ne savait parler. Mais les corbeaux savaient, eux. Leurs petits yeux noirs étaient remplis de secrets, et ils lui croassaient des choses et lui picoraient la peau quand ils entendaient les chants.

La lune était grasse et pleine. Les étoiles tournoyaient dans un ciel noir. La pluie tombait, gelait, et les branches des arbres se brisaient sous le poids de la glace. Bran et Meera inventaient des noms pour ceux qui chantaient le chant de la terre : Frêne, Feuille et Écailles, Dague noire, Boucle-neige et Charbons. Leurs vrais noms étaient trop longs pour des langues humaines, selon Feuille. Elle seule parlait la Langue Commune, aussi Bran ne sut-il jamais ce que les autres pensaient de leurs nouveaux noms.

Après le froid des terres au-delà du Mur, qui vous broyait les os, il régnait dans les cavernes une bienheureuse douceur et, quand le froid sourdait du rocher, les chanteurs allumaient des feux pour le repousser. Ici en bas il n'y avait ni vent, ni neige, ni glace, ni créatures mortes qui tendaient le bras pour vous saisir, rien que des rêves, la lumière des torches de roseaux et les baisers des corbeaux. Et celui qui chuchotait dans les ténèbres.

Le dernier vervoyant, l'appelaient les chanteurs. Mais, dans les rêves de Bran, il demeurait une corneille à trois yeux. Quand Meera Reed lui avait demandé son nom véritable, il avait produit un son affreux qui aurait pu être un petit rire. « J'ai porté bien des noms du temps que j'étais vif, mais, même moi, j'ai eu un jour une mère, et le nom qu'elle m'a donné à la mamelle était Brynden.

— J'ai un oncle Brynden, commenta Bran. C'est l'oncle de ma mère, en fait. Brynden le Silure, on l'appelle.

— Il se peut que ton oncle ait été nommé d'après moi. Certains le sont encore. Point autant que jadis. Les hommes oublient. Seuls les arbres se souviennent. » Il parlait à voix si basse que Bran devait tendre l'oreille pour entendre.

« La plus grande part de lui est passée dans l'arbre, expliqua la chanteuse que Meera appelait Feuille. Il a vécu au-delà de son temps mortel, et cependant il s'attarde. Pour nous, pour vous, pour les royaumes des hommes. Il ne reste qu'un peu de vigueur dans sa chair. Il possède mille yeux et un, mais il y a bien des choses à surveiller. Un jour, tu sauras.

— Qu'est-ce que je saurai ? » demanda Bran aux Reed, par la suite, quand ils arrivèrent en tenant des torches d'un éclat vif, pour le porter jusqu'à une petite niche sur le côté de la grande caverne où les chanteurs leur avaient installé des couches où dormir. « De quoi se souviennent les arbres ?

— Des secrets des anciens dieux », répondit Jojen Reed. La nourriture, le feu et le repos avaient aidé à le rétablir après les épreuves de leur périple, mais il semblait plus triste, désormais, morose, avec une expression lasse, hantée dans les yeux. « Des vérités que connaissaient les Premiers Hommes, désormais oubliées à Winterfell... mais pas dans les territoires humides. Nous vivons plus proches du vert, dans nos marais et nos forts lacustres, et nous nous souvenons. La terre et l'eau, l'humus et la pierre, les chênes, les ormes et les saules, ils étaient là avant nous et resteront quand nous serons partis.

— Tu feras de même », déclara Meera. Cela attristait Bran. *Et si je ne voulais pas rester, une fois que vous serez partis ?* faillit-il demander, mais il ravala les mots sans les prononcer. Il était presque un homme fait, et il ne voulait pas que Meera le prît pour un marmot chialeur. « Peut-être pourriez-vous aussi être des vervoyants ? dit-il à la place.

— Non, Bran. » À présent, c'était Meera qui semblait triste.

« Il est accordé à peu de gens de boire à cette verte fontaine tant qu'ils portent encore leur chair humaine, d'entendre le chuchotement des feuilles et de voir ce que voient les arbres, ce que voient les dieux, expliqua Jojen. La plupart ne reçoivent pas cette bénédiction. Les dieux ne m'ont donné que des rêves verts. J'avais pour tâche de te conduire ici. Mon rôle est achevé. »

La lune ouvrait un trou noir dans le ciel. Des loups hurlèrent dans la forêt, reniflant les congères en quête de créatures mortes. Une volée de corbeaux jaillit comme une éruption du flanc de la colline, poussant des cris aigus, battant de leurs ailes noires au-dessus d'un monde blanc. Un soleil rouge se leva, se coucha pour se lever de nouveau et peindre la neige de nuances roses et saumon. Sous la colline, Jojen se morfondait, Meera s'impatientait et Hodor errait à travers d'obscurs tunnels, une épée dans la main droite, une torche dans la gauche. Ou était-ce Bran qui errait ainsi ?

Nul ne doit jamais savoir.

La grande caverne qui débouchait sur le gouffre était noire comme la poix, noire comme du goudron, plus noire que des plumes de corneille. La lumière entrait en intruse, ni désirée ni bienvenue, et disparaissait vite ; feux de cuisine, chandelles et roseaux brûlaient un court laps de temps, puis expiraient de nouveau, leurs brèves existences parvenues à leur terme.

Les chanteurs fabriquèrent à Bran son propre trône, à l'instar de celui où siégeait lord Brynden, de barral blanc tigré de rouge, de branches mortes entrelacées de racines vivantes. Ils le placèrent dans la grande caverne auprès du gouffre, où l'air noir résonnait des bruits de l'eau qui courait dans le lointain contrebas. De douce mousse grise ils établirent son siège. Une fois que Bran fut déposé en place, ils le couvrirent de fourrures chaudes.

Il resta là assis, à écouter les chuchotements rauques de son précepteur. « Ne crains jamais les ténèbres, Bran. » Les paroles du lord s'accompagnaient d'un faible froissement de bois et de feuilles, d'une légère torsion de la tête. « Les arbres les plus solides s'enracinent dans les lieux obscurs de la terre. Les ténèbres seront ton manteau, ton bouclier, ton lait maternel. Les ténèbres te rendront fort. »

La lune formait un croissant, fin et tranchant comme une lame de couteau. Des flocons de neige flottèrent sans bruit pour revêtir de blanc les pins plantons et les vigiers. Les congères épaissirent tant qu'elles recouvrirent l'entrée vers les cavernes, laissant un mur blanc qu'Été devait trouer chaque fois qu'il sortait rejoindre sa meute et allait chasser. Bran ne courait pas souvent avec eux, désormais, mais certaines nuits il les observait d'en haut.

Voler, c'était encore mieux que grimper.

Se glisser dans la peau d'Été lui était devenu aussi facile qu'enfiler un haut-de-chausses naguère, avant qu'il ait le dos brisé. Échanger sa propre peau contre le plumage noir de nuit d'un corbeau avait été plus difficile, mais pas autant qu'il l'avait redouté, pas avec ces corbeaux-ci. « Un étalon sauvage se cabre et rue quand un homme cherche à le monter, et il essaie de mordre la main qui assure le mors entre ses dents, expliqua lord Brynden. Mais le cheval qui a connu un cavalier en acceptera un autre. Jeunes ou vieux, ces oiseaux ont tous été montés. Choisis-en un, à présent, et vole. »

Il choisit un oiseau, puis un autre, sans succès, mais le troisième le considéra avec de rusés yeux noirs, inclina la tête et poussa un *couac* et, aussi vite que ça, il n'était plus un jeune garçon regardant un corbeau, mais un corbeau qui fixait un jeune garçon. Le chant de la rivière enfla subitement, les torches brûlèrent avec un peu plus d'éclat qu'avant et l'air s'emplit d'étranges odeurs. Quand il essaya de parler, les mots sortirent en un cri, et son premier essor s'acheva lorsqu'il se heurta à une paroi et se retrouva dans son propre corps brisé. Le corbeau était sauf. Il vola à lui et se posa sur son bras ; Bran lui caressa le plumage et se glissa de nouveau en lui. En peu de temps, il volait autour de la caverne, se faufilant parmi les longs crocs de pierre qui pendaient du plafond, battant même des ailes au-dessus du gouffre et descendant en vol plané dans le froid de ses profondeurs obscures.

Puis il prit conscience qu'il n'était pas seul.

« Il y avait quelqu'un d'autre à l'intérieur du corbeau », déclara-t-il à lord Brynden, une fois de retour dans sa propre peau. « Une fille. Je l'ai sentie.

— Une femme, de ceux qui chantent le chant de la terre, lui expliqua son précepteur. Depuis longtemps morte, néanmoins une partie d'elle demeure, tout comme une partie de toi resterait dans Été si ta chair de jeune garçon venait à périr demain. Une ombre sur l'âme. Elle ne te fera aucun mal.

— Est-ce que tous les oiseaux ont des chanteurs en eux ?

— Tous. Ce furent les chanteurs qui apprirent aux Premiers Hommes à transmettre des messages par corbeau... Mais en ce temps-là, les oiseaux prononçaient les mots. Les arbres se souviennent, mais les hommes oublient, aussi rédigent-ils désormais les messages sur du parchemin pour les attacher à la patte d'oiseaux qui n'ont jamais partagé leur peau. »

Sa vieille nourrice lui avait raconté la même histoire, un jour, Bran s'en souvenait, mais quand il avait demandé à Robb si elle était vraie, son frère s'était esclaffé en lui demandant s'il croyait aussi aux grumequins. Il aurait voulu que Robb fût à leurs côtés en ce moment. *Je lui dirais que je sais voler, mais il ne me croirait pas, alors je devrais lui montrer. Je parie qu'il pourrait apprendre à voler, lui aussi, lui, Arya, Sansa, même le petit Rickon et Jon Snow. Nous pourrions tous être des corbeaux et vivre dans la roukerie de mestre Luwin.*

Mais ce n'était encore qu'un rêve absurde. Certains jours, Bran se demandait si tout cela n'était pas un simple songe.

Peut-être s'était-il endormi dans la neige et se rêvait-il au chaud, en sécurité. *Il faut te réveiller*, se répétait-il, *tu dois te réveiller tout de suite, ou tu continueras à rêver jusqu'à la mort.* Une ou deux fois, il se pinça le bras, très fort, mais sans autre résultat que de se le meurtrir. Au début, il avait essayé de compter les jours, en prenant note de ses moments de veille et de sommeil, mais ici en bas, le sommeil et la veille avaient coutume de se fondre l'un en l'autre. Les rêves devenaient leçons, les leçons rêves, tout se passait en même temps ou pas du tout. Avait-il agi ou l'avait-il simplement rêvé ?

« Seul un homme sur mille est un change-peau, lui dit lord Brynden, un jour, après que Bran eut appris à voler. Et seul un change-peau sur mille peut être un vervoyant.

— Je croyais que les vervoyants étaient les sorciers des enfants, s'étonna Bran. Des chanteurs, je veux dire.

— En un sens. Ceux que tu appelles les enfants de la forêt ont des yeux aussi dorés que le soleil, mais parfois – très rarement – il en naît parmi eux un qui a les yeux rouges comme le sang, ou verts comme la mousse des arbres au cœur de la forêt. Par ces signes, les dieux marquent ceux qu'ils ont choisis pour recevoir le don. Les élus ne sont pas robustes, et leurs années vives sur terre sont peu nombreuses, car chaque chanson doit posséder son équilibre. Mais une fois à l'intérieur du bois, ils s'attardent très longtemps. Mille yeux, cent peaux, une sagesse aussi profonde que les racines des arbres anciens. *Des vervoyants.* »

Bran ne comprenait pas, aussi interrogea-t-il les Reed. « Est-ce que tu aimes lire des livres, Bran ? lui demanda Jojen.

— Certains. J'aime les histoires de bataille. Ma sœur Sansa préfère celles où on s'embrasse, mais elles sont bêtes.

— Un lecteur vit mille vies avant de mourir, expliqua Jojen. L'homme qui ne lit pas n'en vit qu'une. Les chanteurs de la forêt n'avaient pas de livres. Ni encre, ni parchemin, ni langage écrit. À la place, ils avaient les arbres et, par-dessus tout, les barrals. Quand ils mouraient, ils entraient dans le bois, dans la feuille, la branche et la racine, et les arbres se souvenaient. Tous leurs chants et leurs sortilèges, leurs histoires et leurs prières, tout ce qu'ils savaient de ce monde. Les mestres te diront que les barrals sont sacrés pour les anciens dieux. Les chanteurs croient que ce *sont* les anciens dieux. Quand les chanteurs meurent, ils rejoignent cette divinité. »

Les yeux de Bran s'écarquillèrent. « Ils vont me *tuer* ?

— Non, assura Meera. Jojen, tu lui fais peur.

— Ce n'est pas lui qui doit avoir peur. »

La lune était grasse et pleine. Été rôdait à travers les bois silencieux, une longue ombre grise qui devenait plus étique à chaque chasse, car on ne trouvait plus de gibier vivant. La protection à l'embouchure de la caverne tenait bon ; les morts ne pouvaient entrer. Les neiges en avaient de nouveau enseveli la plupart, mais ils étaient toujours là, cachés, gelés, en attente. D'autres créatures mortes vinrent les rejoindre, des choses qui avaient été des hommes et des femmes jadis, et même des enfants. Des corbeaux morts étaient perchés sur des branches brunes et nues, les ailes couvertes d'une carapace de glace. Un ours des neiges sortit bruyamment des taillis, énorme et squelettique, la moitié de sa tête emportée pour révéler le crâne au-dessous. Été et sa meute se jetèrent sur lui et le taillèrent en pièces. Ensuite, ils se repurent, bien que la viande fût décomposée et à demi gelée, et remuât alors qu'ils la dévoraient.

Sous la colline, ils avaient encore de quoi manger. Là en bas poussaient cent variétés de champignons. Des poissons blancs aveugles nageaient dans les flots noirs de la rivière, mais une fois cuisinés, ils étaient aussi savoureux que ceux qui ont des yeux. Ils avaient du fromage et du lait, grâce aux chèvres qui partageaient les cavernes avec les chanteurs, et même de l'avoine, de l'orge et des fruits séchés, entreposés durant le long été. Et presque chaque jour ils mangeaient du ragoût au sang, épaissi d'orge, d'oignons et de morceaux de viande. Jojen jugeait qu'il devait s'agir de viande d'écureuil ; pour Meera, c'était du rat. Bran n'en avait cure. C'était de la viande et elle était bonne. La cuisson l'attendrissait.

Les cavernes étaient intemporelles, vastes, silencieuses. Elles accueillaient plus que les trois fois vingt chanteurs vivants et les ossements de milliers de morts, et se prolongeaient très profondément sous la colline creuse. « Des hommes ne devraient pas s'aventurer en un tel lieu, les mit en garde Feuille. La rivière que vous entendez est rapide et noire, et coule de plus en plus bas vers une mer sans soleil. Et il existe des passages qui plongent plus bas encore, des puits sans fond et des fosses soudaines, des chemins oubliés qui conduisent au centre de la Terre. Même mon peuple ne les a pas tous explorés, et nous vivons ici depuis mille fois mille années, ainsi que les définissent les hommes. »

Bien que les hommes des Sept Couronnes les appellent *enfants de la forêt*, Feuille et son peuple étaient loin d'être des enfants. L'expression *petits sages de la forêt* aurait mieux convenu. Ils étaient petits en comparaison avec les hommes, comme un loup est plus réduit qu'un loup-garou. Cela n'en fait pas un chiot pour autant. Ils avaient la peau brun noisette, mouchetée de taches plus pâles, comme celle d'un cerf, avec d'énormes oreilles capables de discerner des sons échappant à l'ouïe de tout humain. Ils avaient aussi de grands yeux, d'immenses prunelles de chat dorées qui voyaient dans des boyaux où les pupilles d'un jeune garçon ne percevaient que des ténèbres. Leurs mains comptaient juste quatre doigts, avec des griffes noires acérées en lieu d'ongles.

Et ils *chantaient*, oui. Ils chantaient en Vraie Langue, et Bran ne comprenait donc pas les paroles, mais leurs voix avaient la pureté de l'air en hiver. « Où est le reste de votre peuple ? demanda Bran à Feuille, un jour.

— Entré dans la terre, répondit-elle. Dans les pierres et dans les arbres. Avant que n'arrivent les Premiers Hommes, tout ce territoire que vous appelez Westeros était notre demeure et pourtant, même en ce temps-là, nous étions peu. Les dieux nous ont accordé de longues vies, mais pas de grands nombres, de crainte que nous ne couvrions le monde, comme les cerfs envahissent un bois lorsqu'il n'y a pas de loups pour les chasser. C'était à l'aube des jours, lorsque notre soleil se levait. À présent, il sombre, et nous sommes dans notre longue érosion. Les géants aussi ont presque disparu, eux qui étaient notre perte et nos frères. Les grands lions des collines de l'ouest ont été exterminés, les licornes sont pratiquement éteintes, il ne reste plus que quelques centaines de mammouths. Les loups géants nous survivront tous, mais leur heure viendra aussi. Dans le monde qu'ont fait les hommes, il n'y a plus de place pour eux, ni pour nous. »

Elle paraissait triste en disant cela, et Bran s'en attrista pareillement. C'est seulement plus tard qu'il réfléchit : *Ce n'est pas de la tristesse que ressentiraient des hommes, mais de la fureur. Ils seraient saisis par la haine et jureraient de se venger dans le sang. Les chanteurs chantent de mélancoliques mélodies, alors que des hommes se battraient et tueraient.*

Un jour, Meera et Jojen décidèrent d'aller voir la rivière, malgré les mises en garde de Feuille. « Moi aussi, je veux venir », déclara Bran.

Meera lui jeta un regard chagriné. La rivière se trouvait à six cents pieds en contrebas, au bout de pentes abruptes et de passages tortueux, expliqua-t-elle, et la dernière partie exigeait de descendre le long d'une corde. « Jamais Hodor ne pourrait y parvenir avec toi sur son dos. Désolée, Bran. »

Bran se souvint d'un temps où personne ne savait aussi bien grimper que lui, pas même Robb ou Jon. Une partie de lui voulait crier après eux pour l'abandonner de la sorte, et une autre avait envie de pleurer. Il était presque arrivé à l'âge d'homme, cependant, aussi ne dit-il rien. Mais une fois qu'ils furent partis, il se coula dans la peau d'Hodor et les suivit.

Le grand garçon d'écurie ne lui résistait plus comme il l'avait fait la première fois, dans la tour du lac, pendant l'orage. Comme un chien dont on a maté toute l'agressivité à coups de fouet, Hodor se roulait en boule et se cachait chaque fois que Bran se joignait à lui. Sa tanière se situait dans les profondeurs de son être, un puits où même Bran ne pouvait l'atteindre. *Personne ne te veut de mal, Hodor*, dit-il en silence, à l'homme enfant dont il avait endossé la chair. *Je veux juste être de nouveau fort un moment. Je te la rendrai, comme je le fais toujours.*

Personne ne s'apercevait jamais qu'il avait revêtu la peau d'Hodor. Il suffisait à Bran de sourire, d'obéir aux ordres et de marmonner « Hodor » de temps en temps, et il pouvait accompagner Meera et Jojen, avec un joyeux sourire, sans que nul soupçonnât qui il était en réalité. Il suivait souvent, qu'on voulût de lui ou pas. En fin de compte, les Reed durent se féliciter qu'il fût venu. Jojen parvint assez aisément au bas de la corde, mais une fois que Meera eut attrapé avec sa foëne un poisson blanc aveugle et que vint le moment de remonter, les bras du jeune garçon furent agités de tremblements ; il ne pouvait plus regagner le sommet. Si bien qu'on dut attacher la corde autour de lui et le faire hisser par Hodor. « Hodor, grogna-t-il à chaque traction. Hodor, Hodor, Hodor. »

La lune formait un croissant, fin et tranchant comme une lame de couteau. Été déterra un bras tranché, noir et couvert de givre, dont les doigts s'ouvraient et se refermaient en se halant sur la neige gelée. Il portait encore assez de viande pour remplir son estomac creux et, lorsque ce fut fait, il broya les os du bras pour y débusquer la moelle. Ce n'est qu'alors que le bras se souvint qu'il était mort.

Bran mangea avec Été et sa meute, comme loup. Comme corbeau, il vola avec le groupe, tournant autour de la colline au couchant, guettant les ennemis, conscient du contact glacé de l'air. Comme Hodor, il explora les cavernes. Il rencontra des loges remplies d'ossements, des puits qui plongeaient profondément sous terre, un endroit où les squelettes de chauves-souris gigantesques pendaient la tête en bas d'un plafond. Il traversa même le mince pont de pierre qui se cambrait au-dessus du gouffre, et découvrit d'autres passages, d'autres loges sur l'autre côté. L'une d'elles était remplie de chanteurs, trônant comme Brynden dans des nids de racines de barrals qui se nouaient par-dessus, par-dessous et autour de leurs corps. La plupart lui paraissaient morts mais, quand il passait devant eux, leurs paupières se soulevaient et leurs yeux suivaient la clarté de sa torche, et l'un d'eux ouvrit et ferma une bouche ridée comme s'il cherchait à parler. « Hodor », lui dit Bran, et il sentit le véritable Hodor remuer au fond de sa tanière.

Assis sur son trône de racines dans la grande caverne, moitié cadavre et moitié arbre, lord Brynden ressemblait moins à un homme qu'à une affreuse statue composée de bois tors, de vieil os et de laine pourrie. Dans la ruine blafarde de son visage, la seule chose qui parût vraiment vivante était l'escarboucle de son œil unique, ardant comme l'ultime braise d'un foyer expiré, entourée de torsades de racines et de lambeaux de peau blême dont le cuir pendait d'un crâne jauni.

Le spectacle qu'il présentait continuait à effrayer Bran – ce serpentement de racines de barral perçant et quittant sa chair flétrie, le bourgeonnement de champignons sur ses joues, le ver de bois blanc qui émergeait de l'orbite où un œil avait logé. Il préférait quand les torches étaient éteintes. Dans le noir, il pouvait se raconter que c'était la corneille à trois yeux qui chuchotait pour lui, et non un affreux cadavre parlant.

Un jour, je serai comme lui. Cette idée emplissait Bran de crainte. Être cassé, avec des jambes inutiles, était déjà assez triste. Était-il condamné à perdre aussi le reste, à passer l'entièreté de ses ans avec un barral qui pousserait en lui, à travers lui ? Lord Brynden tirait son existence de l'arbre, leur apprit Feuille. Il ne mangeait pas, ne buvait pas. Il dormait, rêvait, observait. *Je serais devenu chevalier,* se souvint Bran. *Je courais, j'escaladais, je me battais.* Cela semblait remonter à mille ans.

Qu'était-il, à présent ? Rien que Bran le garçon brisé, Brandon de la maison Stark, prince d'un royaume perdu, seigneur d'un château incendié, héritier de ruines. Il s'était imaginé que la corneille à trois yeux serait un sorcier, un sage vieil enchanteur qui saurait réparer ses jambes, mais c'était un rêve d'enfant, une sottise, il en prenait désormais conscience. *Je suis trop vieux pour de telles rêveries,* se répéta-t-il. *Mille yeux, cent peaux, une sagesse aussi profonde que les racines des arbres anciens.* C'était aussi bien que d'être un chevalier. *Enfin, presque.*

La lune ouvrait un trou noir dans le ciel. À l'extérieur de la caverne, le monde continuait. À l'extérieur de la caverne le soleil se levait et se couchait, la lune changeait, les vents froids mugissaient. Sous la colline, Jojen Reed se renfermait et s'isolait de plus en plus, à la grande détresse de sa sœur. Elle s'asseyait souvent auprès de Bran devant leur petit feu, parlant de tout et de rien, caressant Été qui dormait entre eux, tandis que son frère errait tout seul dans les cavernes. Jojen avait même pris l'habitude de grimper jusqu'à la gueule de la caverne lorsque la journée était claire. Il se tenait là des heures durant, le regard perdu par-dessus la forêt, enveloppé de fourrures, mais grelottant pourtant.

« Il veut rentrer chez nous, expliqua Meera à Bran. Il ne veut même pas essayer de lutter contre son destin. Il dit que les rêves verts ne mentent pas.

— Il fait preuve de courage », déclara Bran. *Le moment où l'on a peur est la seule occasion où l'on puisse se montrer brave*, lui avait enseigné son père une fois, il y avait longtemps de cela, le jour où ils avaient découvert les petits de loups-garous dans les neiges d'été. Il s'en souvenait encore.

« Il fait preuve d'idiotie, répliqua Meera. J'avais espéré que, lorsque nous trouverions ta corneille à trois yeux… Et maintenant, je me demande pourquoi nous sommes venus ici. »

Pour moi, pensa Bran. « Ses rêves verts, répondit-il.

— Ses rêves verts. » La voix de Meera avait un ton amer.

« Hodor », dit Hodor.

Meera fondit en larmes.

Bran détesta alors son infirmité. « Ne pleure pas », lui souffla-t-il. Il voulait l'entourer de ses bras, la serrer contre lui, comme sa mère le serrait contre elle à Winterfell quand il s'était fait mal. Elle était là, à peine à quelques pas de lui, mais tellement hors d'atteinte que cela aurait pu être cent lieues. Pour la toucher, il devrait se traîner par terre avec les mains, en halant ses jambes à sa suite. Le sol était rugueux, inégal, et sa progression serait lente, toute en raclements et en cahots. *Hodor pourrait la serrer et lui tapoter le dos.* Cette idée suscita en Bran une étrange sensation, mais il y pensait encore quand Meera quitta le feu d'un bond, pour repartir dans les ténèbres des tunnels. Il entendit ses pas s'éloigner jusqu'à ce que ne subsistent plus rien que les voix des chanteurs.

La lune formait un croissant, fin et tranchant comme une lame de couteau. Les jours passaient en cohorte, l'un après l'autre, chacun plus court que le précédent. Les nuits s'allongeaient. Aucune lumière solaire n'atteignait jamais les cavernes sous la colline. Aucun clair de lune ne touchait jamais ces salles de pierre. Même les étoiles étaient des étrangères ici. Ces choses appartenaient au monde d'en haut, où le temps exerçait ses cycles de fer, du jour à la nuit au jour à la nuit au jour.

« Il est temps », annonça lord Brynden.

Quelque chose dans sa voix fit courir des doigts de glace sur l'échine de Bran. « Temps de quoi ?

— De passer à l'étape suivante. Pour que tu ailles au-delà du changement de peau et que tu apprennes ce que cela signifie d'être vervoyant.

— Les arbres l'instruiront », déclara Feuille. Elle fit signe et une autre s'avança d'entre les chanteurs, celle dont les cheveux blancs l'avaient fait nommer Boucle-neige par Meera. Elle avait dans les mains une écuelle en barral, gravée d'une douzaine de visages, comme ceux que portaient les arbres-cœur. À l'intérieur se trouvait une pâte blanche, épaisse et lourde, où couraient des veines rouge sombre. « Tu dois manger ceci », expliqua Feuille. Elle tendit à Bran une cuillère en bois.

Le jeune garçon considéra l'écuelle d'un œil dubitatif. « Qu'est-ce que c'est ?

— Une pâte de germes de barral. »

Quelque chose dans l'aspect de la substance donna la nausée à Bran. Les veines rouges n'étaient que de la sève de barral, supposait-il, mais à la lueur de la torche elles avaient une remarquable ressemblance avec le sang. Il plongea la cuillère dans la pâte, puis hésita. « Est-ce que ça va me transformer en vervoyant ?

— C'est ton sang qui fait de toi un vervoyant, répondit lord Brynden. Ceci t'aidera à éveiller tes dons et te mariera aux arbres. »

Bran ne voulait pas se marier à un arbre… mais qui d'autre épouserait un gamin brisé comme lui ? *Mille yeux, cent peaux, une sagesse aussi profonde que les racines des arbres anciens. Un vervoyant.*

Il mangea.

Ça avait un goût amer, quoique point autant que la pâte de glands. La première cuillerée fut la plus difficile à avaler. Il faillit la rendre aussitôt. La seconde eut meilleur goût. La troisième était presque sucrée. Il enfourna le reste avec avidité. Pourquoi l'avait-il trouvée amère ? La pâte avait un goût de miel, de neige fraîchement tombée, de poivre et de cannelle et du dernier baiser que lui ait jamais donné sa mère. L'écuelle vide lui glissa des doigts et sonna sur le sol de la caverne. « Je ne me sens pas différent. Qu'est-ce qui va se passer, ensuite ? » Feuille lui toucha la main. « Les arbres t'enseigneront. Les arbres se souviennent. » Il leva une main et les autres chanteurs commencèrent à se déplacer dans la caverne, éteignant les torches une à une. L'obscurité s'épaissit et rampa vers eux.

« Ferme les yeux, dit la corneille à trois yeux. Glisse de ta peau, comme tu le fais quand tu te joins à Été. Mais cette fois-ci, entre plutôt dans les racines. Suis-les à travers la terre, jusqu'aux arbres sur la colline, et dis-moi ce que tu vois. »

Bran ferma les yeux et se dégagea de sa peau. *Dans les racines*, se répéta-t-il. *Dans le barral. Deviens l'arbre.* Un instant il vit la caverne dans son manteau noir, il entendit la rivière se précipiter en contrebas.

Puis, d'un seul coup, il se retrouva chez lui.

Lord Eddard Stark était assis sur un rocher à côté du vaste bassin noir dans le bois sacré, les pâles racines de l'arbre-cœur se tordant autour de lui comme les bras noueux d'un vieillard. Glace, sa grande épée, reposait dans le giron de lord Eddard, et il nettoyait la lame avec un chiffon huilé.

« *Winterfell* », souffla Bran.

Son père leva les yeux. « Qui est là ? » demanda-t-il en se retournant…

… et Bran, effrayé, se retira. Son père, l'étang noir et le bois sacré s'effacèrent et disparurent, et il se retrouva dans la caverne, les épaisses racines pâles de son trône de barral berçant ses membres comme une mère le fait avec son enfant. Une torche s'embrasa devant lui.

« Raconte-nous ce que tu as vu. » De très loin, Feuille passait presque pour une fillette, pas plus âgée que Bran ou qu'une de ses sœurs, mais de près elle semblait bien plus âgée. Elle prétendait avoir vu passer deux cents ans.

Bran avait la gorge très sèche. Il déglutit. « Winterfell. J'étais de retour à Winterfell. J'ai vu mon père. Il n'est pas mort, *non, non*, je l'ai vu, il est revenu à Winterfell, il est encore en vie.

— Non, assura Feuille. Il n'est plus, mon petit. Ne cherche pas à le rappeler de la mort.

— Mais je l'ai *vu*. » Bran sentit du bois rugueux se presser contre sa joue. « Il nettoyait Glace.

— Tu as vu ce que tu souhaitais voir. Ton cœur a faim de ton père et de ton foyer, aussi est-ce ce que tu as vu.

— Un homme doit apprendre à regarder avant qu'il puisse espérer voir, déclara lord Brynden. Tu as vu les ombres de jours enfuis, Bran. Tu regardais par les yeux de l'arbre-cœur dans ton bois sacré. Le temps passe de façon différente pour un arbre et pour un homme. Le soleil, la terre, l'eau, voilà ce que comprend un barral, pas les jours, les années ni les siècles. Pour les hommes, le temps est un fleuve. Nous sommes prisonniers de son cours, précipités du passé vers le présent, toujours dans la même direction. La vie des arbres va différemment. Ils s'enracinent, poussent et meurent en un seul endroit, et ce fleuve ne les déplace pas. Le chêne est le gland, le gland est le chêne. Et le barral... Mille années humaines ne sont qu'un moment pour un barral, et par de telles portes, nous pouvons, toi et moi, apercevoir le passé.

— Mais, protesta Bran, il m'a *entendu*.

— Il a entendu un chuchotement dans le vent, un froissement parmi les feuilles. Tu ne peux lui parler, en dépit de tous tes efforts. Je le sais. J'ai mes propres fantômes, Bran. Un frère que j'adorais, un frère que je haïssais, une femme que je désirais. À travers les arbres, je les vois encore, mais aucune de mes paroles ne les a jamais atteints. Le passé demeure le passé. Nous pouvons en tirer des leçons, mais point le changer.

— Est-ce que je reverrai mon père ?

— Une fois que tu maîtriseras tes dons, tu pourras regarder où tu voudras, et voir ce qu'ont vu les arbres, que ce soit hier, l'an dernier ou il y a mille millénaires. Les hommes vivent leur existence pris au piège d'un éternel présent, entre les brumes du souvenir et la mer d'ombre qui est tout ce que nous connaissons des jours à venir. Certains papillons vivent toute leur existence en un seul jour, et pourtant, ce bref laps de temps doit leur paraître aussi long qu'à nous les années et les décennies. Un chêne peut vivre trois cents ans, un séquoia trois mille. Un barral vivra à jamais, si on le laisse en paix. Pour eux, les saisons s'écoulent en un battement d'aile de papillon, et passé, présent et futur ne font qu'un. Et ta vision ne se limitera pas à ton bois sacré. Les chanteurs ont sculpté des yeux dans leurs arbres-cœur pour les éveiller, et ce sont les premiers yeux dont un nouveau vervoyant apprend à se servir... Mais avec le temps, tu verras bien au-delà des arbres eux-mêmes.

— Quand ? » voulut savoir Bran.

« Dans un an, trois, ou dix. Cela, je ne l'ai pas vu. Ça viendra avec le temps, je te le promets. Mais à présent je suis fatigué et les arbres m'appellent. Nous reprendrons demain. »

Hodor ramena Bran dans sa chambre, marmonnant « Hodor » à voix basse tandis que Feuille leur ouvrait le chemin avec une torche. Bran avait espéré que Meera et Jojen seraient là, afin qu'il puisse leur raconter ce qu'il avait vu, mais leur douillette alcôve dans le roc était froide et vide. Hodor déposa doucement Bran sur son lit, le couvrit de fourrures et alluma un feu pour eux. *Mille yeux, cent peaux, une sagesse aussi profonde que les racines des arbres anciens.*

Couvant les flammes du regard, Bran décida de rester éveillé jusqu'au retour de Meera. Cela ne plairait pas à Jojen, il le savait, mais Meera serait heureuse pour lui. Il ne se souvint pas d'avoir clos les paupières.

... Mais soudain, sans comprendre comment, il fut de retour à Winterfell, dans le bois sacré, à contempler de haut son père. Lord Eddard paraissait bien plus jeune cette fois-ci. Il avait les cheveux bruns, sans aucun soupçon de gris, la tête inclinée.

« ... qu'ils grandissent aussi proches que des frères, avec l'amour pour tout partage, priait-il, et que la dame mon épouse trouve en son cœur de pardonner...

— Père. » La voix de Bran était un chuchotement dans le vent, un froissement parmi les feuilles. « Père, c'est moi. C'est Bran. Brandon. »

Eddard Stark leva la tête et considéra le barral longuement, sourcils froncés, mais il ne dit mot. *Il ne me voit pas*, comprit Bran, saisi par le désespoir. Il voulait tendre la main, le toucher, mais il ne pouvait que contempler et écouter. *Je suis dans l'arbre. À l'intérieur de l'arbre-cœur, en train de regarder par ses yeux rouges. Mais le barral ne peut pas parler, et donc, moi non plus.*

Eddard Stark reprit sa prière. Bran sentit ses yeux s'emplir de larmes. Mais étaient-ce les siennes, ou celles du barral ? *Si je pleure, l'arbre se mettra-t-il à verser des larmes ?*

Le reste des paroles de son père se noya dans l'entrechoc soudain du bois contre le bois. Eddard Stark se dissipa, comme une brume au soleil du matin. À présent, deux enfants dansaient à travers le bois sacré, échangeant des hurlements tout en se battant en duel avec des branches cassées. La fille était l'aînée, et la plus grande des deux. *Arya !* pensa Bran avec un sursaut empressé, en la regardant bondir sur un rocher et frapper de taille le garçon. Mais ce n'était pas cohérent. Si cette fille était Arya, le garçon aurait dû être Bran lui-même, et jamais il n'avait porté les cheveux si longs. *Et Arya ne m'a jamais vaincu quand nous jouions à l'épée, pas comme cette fille est en train de le battre.* Elle frappa le gamin à la cuisse, si fort que sa jambe se déroba sous lui et qu'il tomba dans l'étang et se mit à soulever des gerbes d'eau en braillant. « Mais tais-toi donc, idiot, lui dit la fille en se débarrassant de sa propre branche. Ce n'est que *de l'eau.* Tu veux que la vieille Nounou t'entende et coure prévenir Père ? » Elle s'agenouilla et hissa son frère hors de l'étang, mais avant qu'elle l'en ait tiré, ils avaient tous les deux disparu.

Ensuite, les visions se succédèrent de plus en plus vite, jusqu'à ce que Bran, désorienté, ait le tournis. Il ne vit plus rien de son père, ni de la fille qui ressemblait à Arya, mais une femme enceinte émergea de l'étang noir, nue et ruisselante, pour s'agenouiller devant l'arbre et implorer les dieux de lui donner un fils qui la vengerait. Ensuite parut une fille aux cheveux bruns, mince comme une pique, qui se dressa sur la pointe des pieds et baisa les lèvres d'un jeune chevalier aussi grand qu'Hodor. Un jeune homme aux yeux sombres, pâle et farouche, coupa trois branches sur le barral et les tailla en flèches. L'arbre lui-même diminuait, rétrécissant à chaque vision, tandis que les arbres secondaires rapetissaient pour devenir des arbrisseaux, disparaître, et être aussitôt remplacés par d'autres arbres qui, à leur tour, rapetisseraient et disparaîtraient. Et maintenant, les seigneurs qu'apercevait Bran étaient des hommes de haute taille et de rude aspect, des hommes graves vêtus de fourrures et de cottes de mailles. Certains portaient des visages qu'il se rappelait des statues dans les cryptes, mais ils disparaissaient avant qu'il pût les nommer.

Soudain, sous ses yeux, un homme barbu força un captif à s'agenouiller devant l'arbre-cœur. Une femme aux cheveux blancs s'avança vers eux à travers une jonchée de feuilles rouge sombre, une serpe en bronze à la main.

« Non, s'écria Bran, *non, ne faites pas ça !* » Mais ils ne pouvaient pas l'entendre, pas plus que son père ne l'avait pu. La femme empoigna le captif par les cheveux, lui crocha la gorge avec la serpe et trancha. Et à travers le brouillard des siècles, l'enfant brisé ne put qu'observer tandis que les pieds de l'homme tambourinaient contre le sol... Mais alors que sa vie s'écoulait hors de lui en un flot rouge, Brandon Stark perçut le goût du sang.

JON

Le soleil avait percé aux alentours de midi, après sept jours de cieux couverts et d'averses de neige. Certaines congères dépassaient la taille d'un homme, mais les intendants avaient manié la pelle toute la journée et les passages étaient aussi dégagés qu'ils pourraient jamais l'être. Des reflets miroitaient sur le Mur, chaque fente et chaque crevasse scintillant d'un pâle éclat bleu.

À sept cents pieds de hauteur, Jon Snow toisait la forêt hantée. Un vent de nord tourbillonnait en bas à travers les arbres, chassant de fins panaches de cristaux de neige des plus hautes ramures, comme des bannières glacées. Rien d'autre ne bougeait. *Pas un signe de vie.* Il n'était pas entièrement rassuré. Ce n'étaient pas les vivants qu'il redoutait. Toutefois...

Il fait soleil. La neige a cessé. Une lune pourrait s'écouler avant que ne se représente une aussi belle occasion. Une saison, peut-être. « Demande à Emmett de rassembler ses recrues, ordonna-t-il à Edd-la-Douleur. Nous aurons besoin d'une escorte. Dix patrouilleurs, armés de verredragon. Je les veux prêts à partir sous une heure.

— Certes, m'sire. Et pour les commander ?

— Eh bien, moi. »

La bouche d'Edd se tordit encore plus que de coutume. « Y en a qui pourraient juger mieux qu' le lord Commandant reste bien au chaud, en sécurité au sud du Mur. Dire des choses comme ça, c'est pas mon genre, mais y en a qui pourraient. »

Jon sourit. « Y en a qui feraient mieux de ne pas dire ça en ma présence. »

Une brusque rafale fit bruyamment claquer la cape d'Edd. « Vaudrait mieux descendre, m'sire. Ce vent pourrait bien nous balancer du Mur, et j'ai jamais réussi à choper le truc, pour voler. »

Ils redescendirent jusqu'au sol par la cage treuillée. Le vent lançait des bourrasques, aussi froid que le souffle du dragon de glace dans les contes que lui racontait sa vieille nourrice, quand Jon était enfant. La lourde cage tanguait. De temps en temps, elle raclait le Mur, provoquant de menues cascades de cristaux de glace qui scintillaient au soleil dans leur chute, comme des éclats de verre brisé.

Le verre, songea Jon, *pourrait trouver une utilité, ici. Châteaunoir a besoin d'avoir ses propres jardins sous verre, comme ceux de Winterfell. Nous pourrions faire pousser des légumes, même au plus fort de l'hiver.* Le meilleur verre venait de Myr, mais un bon panneau transparent valait son poids en épices, et du verre vert ou jaune ne serait pas aussi efficace. *Ce dont nous avons besoin, c'est d'or. Avec assez de fonds, nous pourrions acheter à Myr des apprentis souffleurs de verre et vitriers, les faire venir au nord, et leur offrir la liberté, si en contrepartie ils enseignaient leur art à certaines de nos recrues.* Ce serait la bonne manière de procéder. *Si nous avions de l'or pour ça. Ce que nous n'avons pas.*

Au pied du Mur, il trouva Fantôme en train de se rouler dans un tas de neige. Le loup géant blanc semblait raffoler de la neige fraîche. En voyant Jon, il se remit debout d'un bond et s'ébroua. « Il vient avec vous ? commenta Edd-la-Douleur.

— En effet.

— Il est malin, ce loup. Et moi ?

— Pas toi.

— Il est malin, not' lord. Fantôme est un meilleur choix. J'ai plus les dents qu'y faut pour mordre du sauvageon.

— Si les dieux sont propices, nous ne rencontrerons pas de sauvageons. Je vais prendre le hongre gris. »

La nouvelle se répandit rapidement dans Châteaunoir. Edd sellait encore le gris quand Bowen Marsh traversa la cour d'un pas martial pour confronter Jon dans l'écurie. « Messire, je souhaiterais que vous vous ravisiez. Les nouvelles recrues peuvent tout aussi bien prononcer leurs vœux dans le septuaire.

— Le septuaire est le séjour des nouveaux dieux. Les anciens vivent dans la forêt, et ceux qui leur rendent hommage prononcent leurs vœux parmi les barrals. Vous le savez aussi bien que moi.

— Satin vient de Villevieille, Arron et Emrick des terres de l'Ouest. Les anciens dieux ne sont pas les leurs.

— Je ne dicte pas aux hommes quels dieux ils doivent adorer. Ils étaient libres de choisir les Sept, ou le Maître de la Lumière de la femme rouge. Ils ont préféré choisir les arbres, avec tous les dangers que cela comporte.

— Le Chassieux est peut-être toujours là-bas, à guetter.

— Le bosquet n'est pas à plus de deux heures à cheval, même avec la neige. Nous devrions être de retour vers minuit.

— Trop long. Ce n'est pas prudent.

— Imprudent, riposta Jon, mais nécessaire. Ces hommes vont jurer leur vie à la Garde de Nuit, rejoignant une fraternité qui remonte en une suite ininterrompue sur des millénaires. Les mots importent, et ces traditions aussi. Elles nous lient tous ensemble, gens de haute comme de basse naissance, jeunes et vieux, petit peuple et nobles. Elles nous font frères. » Il assena à Marsh une claque sur l'épaule. « Je vous le promets, nous reviendrons.

— Si fait, messire, répondit le lord Intendant, mais serez-vous des vivants ou des têtes au bout de piques, aux yeux excavés ? Vous rentrerez à la nuit noire. Les congères montent jusqu'à la taille, par endroits. Je vois que vous prenez avec vous des hommes aguerris, c'est bien, mais Jack Bulwer le Noir connaissait ces bois, lui aussi. Même Benjen Stark, votre propre oncle, il…

— J'ai quelque chose qu'ils n'avaient pas. » Jon tourna la tête et siffla. « *Fantôme. À moi.* » Le loup géant s'ébroua de la neige de son dos et vint en trottant près de Jon. Les patrouilleurs s'écartèrent pour lui laisser le passage, mais une jument hennit et fit un écart jusqu'à ce que Rory tirât d'un coup sec sur ses rênes. « Le Mur est à vous, lord Bowen. » Il prit son cheval par la bride et le mena à la porte et au couloir gelé qui serpentait sous le Mur.

Au-delà de la glace, se dressaient haut les arbres silencieux, blottis sous d'épaisses capes blanches. Fantôme avançait auprès du cheval de Jon, tandis que les patrouilleurs et les recrues se rangeaient en formation, puis il s'immobilisa et flaira, son souffle givrant dans l'air. « Qu'y a-t-il ? demanda Jon. Quelqu'un ? » Les bois étaient vides où que portât son regard, mais ce n'était pas très loin.

Fantôme bondit vers les arbres, se glissa entre deux pins cagoulés de blanc et disparut dans un nuage de neige. *Il veut chasser, mais quoi ?* Jon craignait moins pour le loup géant que pour les éventuels sauvageons qu'il pourrait rencontrer. *Un loup blanc dans une forêt blanche, aussi silencieux qu'une ombre. Jamais ils ne le verront arriver.* Partir à sa recherche était inutile, il le savait. Fantôme rentrerait quand il en aurait envie, et pas avant. Jon pressa du talon son cheval. Ses hommes s'assemblèrent autour d'eux, les sabots de leurs poneys crevant la carapace de glace jusqu'à la neige plus friable au-dessous. Ils entrèrent dans les bois, à un pas régulier, tandis que derrière eux le Mur rapetissait.

Les pins plantons et les vigiers portaient d'épaisses mantes blanches, et des glaçons paraient les ramures nues et brunes des arbres jadis feuillus. Jon dépêcha Tom Graindorge en avant comme éclaireur, bien que le chemin du bosquet blanc, souvent parcouru, leur fût familier. Grand Lideuil et Luke de Longueville se glissèrent dans les taillis à l'est et à l'ouest. Ils allaient flanquer la colonne pour l'avertir de la moindre approche. Tous étaient des patrouilleurs aguerris, armés d'obsidienne autant que d'acier, des trompes de guerre accrochées à leur selle au cas où ils devraient appeler de l'aide.

Les autres aussi étaient de bons éléments. *De bons éléments dans un combat, au moins, et loyaux envers leurs frères.* Jon ne pouvait pas jurer de ce qu'ils avaient été avant de venir au Mur, mais il ne doutait pas que la plupart eussent des passés aussi noirs que leurs capes. Par ici, c'était le genre d'hommes qu'il voulait voir assurer ses arrières. Leurs cagoules étaient levées pour déjouer la dent du vent et certains s'étaient enveloppé le visage d'une écharpe, masquant leurs traits. Jon les connaissait, néanmoins. Chacun de leurs noms était gravé sur son cœur. Ils étaient ses hommes, ses frères.

Six autres les accompagnaient – un mélange de jeunes et de vieux, de grands et de petits, d'aguerris et de novices. *Six pour prononcer les vœux.* Tocard avait vu le jour et grandi à La Mole, Arron et Emrick venaient de Belle Île, Satin des bordels de Villevieille, à l'autre extrémité de Westeros. Tous étaient de jeunes gens. Cuirs et Jax étaient plus mûrs, ayant largement dépassé quarante ans, des fils de la forêt hantée, avec leurs propres fils et petits-fils. Ils étaient deux des soixante-trois sauvageons qui avaient suivi Jon Snow jusqu'au Mur, le jour où il avait lancé son appel ; pour l'heure, les deux seuls à décider qu'ils voulaient un manteau noir. Emmett-en-Fer les déclarait tous prêts, du moins autant qu'ils le seraient jamais. Jon, Bowen et lui avaient jaugé chaque homme à son tour pour l'assigner à un ordre particulier : Cuirs, Jax et Emrick, dans les patrouilles ; Tocard dans le génie ; Arron et Satin à l'intendance. L'heure était venue pour eux de prononcer leurs vœux.

Emmett-en-Fer chevauchait en tête de colonne, monté sur un des plus laids canassons qu'ait jamais vus Jon, un animal hirsute qui ne semblait composé que de poil et de sabots. « I' se raconte qu'y a eu des histoires dans la tour des Ribaudes la nuit dernière, annonça le maître d'armes.

— La tour d'Hardin. » Sur les soixante-trois qui étaient revenus de La Mole avec lui, dix-neuf avaient été des femmes et des filles. Jon les avait logées dans cette tour abandonnée où il avait lui-même dormi naguère, lorsqu'il était nouveau au Mur. Douze étaient des piqueuses, plus que capables de défendre à la fois leur personne et les filles plus jeunes des attentions indésirables des frères noirs. Certains des hommes qu'elles avaient renvoyés avaient attribué à la tour d'Hardin ce nouveau nom insultant. Pas question pour Jon d'officialiser la moquerie. « Trois soûlards abrutis ont confondu Hardin avec un bordel, voilà tout. Ils sont en cellules de glace, à présent, à méditer sur leur erreur. »

Emmett-en-Fer eut une grimace. « Les hommes sont des hommes, les vœux, c'est des mots, et les mots, c'est du vent. Devriez placer des gardes autour des femmes.

— Et qui gardera les gardes ? » *T'y connais rien, Jon Snow.* Mais il avait appris, et Ygrid avait été son professeur. S'il ne pouvait pas respecter lui-même ses vœux, comment pouvait-il attendre davantage de ses frères ? Mais il y avait du péril à batifoler avec des sauvageonnes. *Un homme peut avoir une femme, un homme peut avoir un poignard*, lui avait dit un jour Ygrid, *mais y a pas d'homme qui peut avoir les deux à la fois.* Bowen Marsh n'avait pas eu complètement tort. La tour d'Hardin était du bois sec en mal d'étincelle. « J'ai l'intention d'ouvrir trois autres châteaux, annonça Jon. Noirlac, Sablé et Longtertre. Tous avec une garnison du peuple libre, sous le commandement de nos propres officiers. Longtertre ne sera peuplé que de femmes, hormis le commandant et le surintendant. » Il y aurait de la fraternisation, il n'en doutait pas, mais les distances seraient suffisantes pour compliquer l'affaire, à tout le moins.

« Et quel est le pauvre idiot qui va récolter ce poste de choix ?

— Je chevauche à ses côtés. »

Le regard mêlé d'horreur et de joie qui traversa le visage d'Emmett-en-Fer valait plus qu'une bourse d'or. « Mais j'ai fait quoi, pour que vous me haïssiez tant, messire ? »

Jon rit. « Ne t'inquiète pas, tu ne seras pas seul. J'ai l'intention de t'adjoindre Edd-la-Douleur pour second et intendant.

— Quelle joie chez les piqueuses. Vous feriez p'têt' bien d'attribuer un château au Magnar. »

Le sourire de Jon mourut. « Je le ferais si je pouvais avoir confiance en lui. Sigorn me blâme de la mort de son père, j'en ai peur. Pire, il a été élevé et formé pour donner des ordres, pas pour en recevoir. Ne confonds pas les Thenns avec le peuple libre. *Magnar* signifie *seigneur* dans la Vieille Langue, m'a-t-on dit, mais Styr était plus proche d'un dieu pour son peuple, et son fils est taillé dans la même peau. Je ne demande pas aux hommes de s'agenouiller, mais ils doivent obéir.

— Certes, m'sire, mais feriez mieux de prendre des mesures au sujet du Magnar. Vous aurez des problèmes avec les Thenns si vous les ignorez. »

Les problèmes sont le lot du lord Commandant, aurait pu répondre Jon. Sa visite à La Mole lui en créait beaucoup, en fin de compte, et les femmes étaient le moindre. Halleck se révélait exactement aussi turbulent que Jon l'avait craint, et il y avait des frères noirs dont la haine du peuple libre était chevillée à l'os. Un des fidèles de Halleck avait déjà tranché l'oreille d'un charpentier dans la cour et, très probablement, ce n'était qu'un avant-goût des flots de sang à venir. Il devait ouvrir les anciennes forteresses sans tarder, afin de pouvoir envoyer le frère d'Harma à Noirlac ou Sablé. Pour l'heure, cependant, ni l'une ni l'autre n'était propre à l'habitation humaine, et Othell Yarwyck et ses maçons tentaient encore de restaurer Fort Nox. Certaines nuits, Jon Snow se demandait s'il n'avait pas commis une sérieuse erreur en empêchant Stannis de mener tous les sauvageons au massacre. *J'y connais rien, Ygrid,* se disait-il, *et peut-être que j'y connaîtrai jamais rien.*

À un demi-mille du bosquet, de longs rais rouges d'un soleil automnal passaient à l'oblique entre les branches des arbres nus, maculant de rose les amas de neige. Les cavaliers franchirent un ruisseau gelé, entre deux rochers déchiquetés blindés de glace, puis suivirent vers le nord-est un sinueux sentier d'animaux. Chaque fois que le vent lançait une ruade, des gerbes de neige pulvérulente saturaient l'air et leur lardaient les yeux. Jon tira son écharpe sur sa bouche et son nez et remonta la coule de sa cape. « On n'est plus très loin », annonça-t-il aux hommes. Personne ne répondit.

Jon sentit Tom Graindorge avant que de le voir. Ou était-ce Fantôme qui le flairait ? Ces derniers temps, Jon Snow avait souvent la sensation de ne former qu'un avec le loup géant, même à l'état de veille. La grande bête blanche apparut la première, s'ébrouant de la neige qu'elle portait. Quelques instants encore, et Tom la suivit. « Des sauvageons », annonça-t-il à Jon, à voix basse. « Dans le bosquet. »

Jon fit arrêter les cavaliers. « Combien ?

— J'en ai compté neuf. Pas de gardes. Quelques morts, peut-être, ou en train de dormir. Des femmes pour la plupart, à c' qu'i' semble. Un enfant, mais y a un géant, aussi. Ils ont allumé un feu, la fumée passe à travers les arbres. Les idiots. »

Neuf, et j'en ai dix et sept. Quatre des siens étaient des novices, toutefois, et aucun n'était un géant.

Néanmoins, Jon n'était pas disposé à rebrousser chemin pour regagner le Mur. *Si les sauvageons sont encore en vie, il se peut que nous puissions les recueillir. Et s'ils sont morts, ma foi... un cadavre ou deux pourraient avoir une utilité.* « Nous allons poursuivre à pied », dit-il en descendant de selle avec légèreté sur le sol gelé. La neige lui montait à la cheville. « Rory, Pate, restez auprès des chevaux. » Il aurait pu confier cette tâche aux novices, mais ils avaient besoin de tâter du combat tôt ou tard. L'occasion en valait bien une autre. « Déployez-vous en arc de cercle. Je veux cerner le bosquet sur trois côtés. Gardez en vue les hommes à votre droite et votre gauche, afin de maintenir les écarts. La neige devrait étouffer nos pas. Moins de chance de verser le sang si nous les prenons par surprise. »

La nuit tombait avec rapidité. Les rayons de soleil s'étaient évanouis quand les bois à l'ouest avaient avalé la dernière tranche de l'astre. Les congères rosées viraient de nouveau au blanc, leur couleur se délavant au fur et à mesure que le monde s'obscurcissait. Le ciel du soir avait viré au gris fané d'un vieux manteau trop souvent nettoyé, et les premières étoiles sortaient timidement.

En avant, il aperçut la pâleur d'un tronc blanc qui ne pouvait être qu'un barral, couronné d'un panache de feuilles rouge sombre. Jon Snow tendit le bras derrière lui et tira Grand-Griffe de son fourreau. Il vérifia à droite et à gauche, lança à Satin et Tocard un hochement de tête, les regarda le transmettre aux hommes suivants. Ils se ruèrent ensemble sur le bosquet, piétinant des tas de vieille neige sans autre bruit que leur souffle. Fantôme courait avec eux, ombre blanche auprès de Jon.

Les barrals se dressaient en un cercle aux lisières de la clairière. Ils étaient au nombre de neuf, tous peu ou prou de même âge et de même taille. Chacun portait un visage sculpté, et il n'y en avait pas deux identiques. Certains souriaient, d'autres hurlaient, certains le hélaient. Dans la pénombre croissante, les yeux paraissaient noirs, mais à la lumière du jour ils seraient rouge sang, Jon le savait. *Les mêmes yeux que Fantôme.*

Le feu au centre du bosquet était une pauvre chose pitoyable, cendres et braises et quelques rameaux cassés se consumant dans la lenteur et la fumée. Même ainsi, il renfermait plus de vie que les sauvageons recroquevillés autour de lui. Un seul d'entre eux réagit quand Jon émergea des taillis. C'était l'enfant, qui se mit à brailler, en empoignant la cape en loques de sa mère. La femme leva les yeux et poussa un cri étranglé. Le bosquet était déjà cerné par des patrouilleurs, qui se coulaient entre les arbres blancs comme l'os, leur acier miroitant dans des mains gantées de noir, prêts au massacre.

Le géant fut le dernier à les remarquer. Il dormait, roulé en boule devant le feu, mais quelque chose le réveilla – le vagissement du marmot, un bruit de neige craquant sous des bottes noires, un souffle subitement retenu. Quand il remua, on aurait dit qu'un quartier de roc avait pris vie. Il se hissa en position assise avec un renâclement, tapotant ses yeux avec des pattes aussi grosses que des jambons, pour les frotter et en chasser le sommeil… jusqu'à ce qu'il vît Emmett-en-Fer, son épée brillant dans sa main. Avec un rugissement, il se remit debout d'un bond, et une de ses mains énormes se referma sur une massue et la brandit avec une saccade.

En réponse, Fantôme montra les crocs. Jon crocha le loup par la peau du cou. « Nous ne voulons pas nous battre, ici. » Ses hommes pourraient abattre le géant, il le savait, mais pas sans pertes. Une fois que le sang aurait coulé, les sauvageons se joindraient à la lutte. La plupart, tous peut-être, périraient ici, et certains de ses frères aussi. « C'est un lieu sacré. Rendez-vous, et nous… »

De nouveau, le géant mugit, un vacarme qui fit frémir les feuilles sur les arbres, et il abattit sa massue contre le sol. La hampe consistait en six pieds de chêne noueux, la tête en une pierre aussi grosse qu'une miche de pain. L'impact fit trembler le sol. Certains des autres sauvageons se précipitèrent vers leurs propres armes.

Jon Snow allait lever Grand-Griffe quand Cuirs, de l'autre côté du bosquet, prit la parole. Ses mots sonnaient rudes et gutturaux, mais Jon en perçut la musique et reconnut la Vieille Langue. Cuirs discourut un long moment. Quand il eut fini, le géant répondit. On aurait dit qu'il grognait, avec des borborygmes en ponctuation, et Jon ne comprit pas un traître mot. Mais Cuirs montra les arbres du doigt et ajouta autre chose, et le géant désigna les arbres, grinça des dents et lâcha sa massue.

« C'est réglé, annonça Cuirs. Ils veulent pas se battre.

— Beau travail. Que lui as-tu dit ?

— Que c'étaient nos dieux, également. Que nous étions venus prier.

— Et nous allons le faire. Rengainez vos lames, tous. Nous ne ferons pas couler le sang ici ce soir. »

Neuf, avait dit Tom Graindorge, et neuf ils étaient, mais deux étaient morts et un autre si faible qu'il aurait pu mourir avant l'aube. Les six restants comprenaient une mère et son enfant, deux vieillards, un Thenn blessé vêtu de bronze cabossé, et un membre du peuple Pied Corné, ses pieds nus si cruellement gelés que Jon sut d'un coup d'œil qu'il ne marcherait plus jamais. La plupart avaient été étrangers les uns aux autres en arrivant dans le bosquet, apprit-il par la suite ; lorsque Stannis avait écrasé l'ost de Mance Rayder, ils avaient fui dans les bois pour échapper au carnage, erré un temps, perdu amis et parents au froid et à la famine, pour échouer enfin ici, trop faibles et trop las pour continuer. « Les dieux sont ici, déclara un des vieillards. L'endroit en valait bien un autre, pour mourir.

— Le Mur ne se trouve qu'à quelques heures au sud, objecta Jon. Pourquoi ne pas demander asile ? D'autres se sont rendus. Même Mance. »

Les sauvageons échangèrent des coups d'œil. Finalement, l'un d'eux répondit : « On a entendu des histoires. Les corbacs, zont fait brûler tous ceux qui se sont rendus.

— Et même Mance en personne », ajouta la femme.

Mélisandre, se dit Jon, *toi et ton dieu avez à répondre de tant et plus de choses*. « Tous ceux qui souhaitent rentrer avec nous sont les bienvenus. Il y a de la nourriture et un abri à Châteaunoir, et le Mur, pour vous protéger des créatures qui hantent ces bois. Vous avez ma parole, nul ne sera brûlé.

— Parole de corbac, commenta la femme en serrant contre elle son enfant, mais qui nous assure que vous la respecterez ? Zêtes qui ?

— Le lord Commandant de la Garde de Nuit, un fils d'Eddard Stark de Winterfell. » Jon se tourna vers Tom Graindorge. « Demande à Rory et à Pate d'amener les chevaux. Je n'ai pas l'intention de m'attarder ici un instant de plus que nécessaire.

— À vos ordres, m'sire. »

Il ne restait plus qu'une chose avant de pouvoir repartir : ce qui les avait amenés ici. Emmett-en-Fer fit avancer ses protégés et, devant le reste de la compagnie qui observait à distance respectueuse, ils s'agenouillèrent face aux barrals. Les derniers feux du jour s'étaient éteints, désormais ; la seule lumière venait des étoiles au-dessus et de la faible lueur rouge du feu mourant au centre du bosquet.

Avec leurs capuchons noirs et leurs épais manteaux noirs, les six auraient pu être sculptés dans l'ombre. Leurs voix montèrent ensemble, petites dans la vastitude de la nuit. « *La Nuit se regroupe, et voici que débute ma garde* », récitèrent-ils, comme des milliers d'autres avant eux. La voix de Satin était douce comme un chant, celle de Tocard rauque et hésitante, Arron pépiait nerveusement. « *Jusqu'à ma mort, je la monterai.* »

Puissent ces morts tarder longtemps. Jon Snow tomba un genou dans la neige. *Dieux de mes pères, protégez ces hommes. Et Arya aussi, ma petite sœur, où qu'elle soit. Je vous implore, faites que Mance la retrouve et me la ramène sauve.*

« *Je ne prendrai femme, ne tiendrai terre, n'engendrerai* », jurèrent les recrues, avec des voix qui résonnaient au long des ans et des siècles révolus. « *Je ne porterai de couronne, n'acquerrai de gloire. Je vivrai et mourrai à mon poste.* »

Dieux du bois, accordez-moi la force d'en accomplir autant, pria en silence Jon Snow. *Donnez-moi la force de savoir ce qui doit être accompli et le courage de le réaliser.*

« *Je suis l'épée dans les ténèbres* », récitèrent les six, et il parut à Jon que leurs voix changeaient, acquéraient plus de force, de conviction. « *Je suis le veilleur au rempart. Je suis le feu qui flambe contre le froid, la lumière qui rallume l'aube, le cor qui secoue les dormeurs, le bouclier protecteur des royaumes humains.* »

Le bouclier protecteur des royaumes humains. Fantôme frotta la truffe contre l'épaule de Jon, et celui-ci passa un bras autour de l'animal. Il sentait le haut-de-chausses pas lavé de Tocard, le baume dont Satin peignait sa barbe, une odeur de peur, rance et âcre, l'écrasant relent musqué du géant. Il entendait le battement de son propre cœur. Quand il regarda de l'autre côté du bosquet la femme et son enfant, les deux vieillards, le Pied Corné avec ses pieds estropiés, il ne vit que des hommes.

« *Je voue mon existence et mon honneur à la Garde de Nuit, je les lui voue pour cette nuit-ci comme pour toutes les nuits à venir.* »

Jon Snow fut le premier debout. « À présent, relevez-vous hommes de la Garde de Nuit. » Il tendit la main à Tocard pour l'aider à se redresser.

Le vent se levait. Il était temps de partir.

Le voyage de retour du bosquet dura bien plus longtemps que l'aller. Malgré la longueur et l'épaisseur de ses jambes, le géant se déplaçait d'un pas lourd, et s'arrêtait perpétuellement pour dégager la neige des ramures basses avec sa massue. La femme chevauchait en double avec Rory, son fils avec Tom Graindorge, les vieux avec Tocard et Satin. Le Thenn avait peur des chevaux, cependant, et préférait suivre en boitant, malgré ses blessures. Le Pied Corné ne savait tenir en selle, aussi dut-on le lier sur le dos d'un poney, comme un sac de grain ; de même pour la vieillarde blafarde aux membres grêles comme des bâtons, qu'ils n'avaient pas réussi à réveiller.

Ils procédèrent de même avec les deux cadavres, à la grande perplexité d'Emmett-en-Fer. « I' feront que nous ralentir, messire, dit-il à Jon. On d'vrait les débiter en morceaux et les brûler.

— Non, dit Jon. Emporte-les. J'ai un emploi pour eux. »

Ils n'avaient pas de lune pour les guider jusqu'à chez eux, et seulement un sporadique lambeau de ciel étoilé. Le monde était noir et blanc, et immobile ; le périple long, lent, interminable. La neige s'accrochait aux bottes et aux chausses et le vent secouait les pins et envoyait claquer et voler leurs capes. Jon aperçut au-dessus d'eux le Marcheur rouge, qui les observait à travers les branches dénudées des grands arbres tandis qu'ils progressaient sous leur couvert. *Le Voleur*, comme l'appelait le peuple libre. Pour voler une femme, le moment le plus propice était celui où le Voleur se trouvait dans la Vierge de Lune, avait toujours affirmé Ygrid. Elle n'avait jamais mentionné le meilleur moment pour dérober un géant. *Ou deux morts.*

L'aube n'était plus loin quand ils virent de nouveau le Mur.

La trompe d'une sentinelle les accueillit tandis qu'ils approchaient, résonnant d'en haut comme le cri grave d'un énorme volatile, un seul appel long qui signifiait : *retour de patrouilleurs.* Grand Lideuil libéra sa propre trompe et répondit. À la porte, ils durent attendre quelques instants avant qu'apparaisse Edd-la-Douleur Tallett pour repousser les verrous et faire basculer les barres de fer. Lorsque Edd vit la bande de sauvageons dépenaillés, il tordit la lippe et lança au géant un regard appuyé. « Faudra peut-être un peu de beurre pour faire glisser çui-ci par le tunnel, m'sire. Faut-il que j'envoie quelqu'un au cellier ?

— Oh, je pense qu'il passera. Sans beurre. »

Et il passa bel et bien… à quatre pattes, en rampant. *Grand garçon, pour le coup. Quatorze pieds, au moins. Encore plus grand que Mag le Puissant.* Mag avait péri sous cette même glace, enferré avec Donal Noye dans une lutte mortelle. *Un homme de valeur. La Garde a perdu trop d'hommes de valeur.* Jon prit Cuirs à part. « Occupe-toi de lui. Tu parles sa langue. Charge-toi de le nourrir, trouve-lui un coin au chaud près du feu. Reste avec lui. Veille à ce que personne ne le provoque.

— Bien. » Cuirs hésita. « M'sire. »

Jon expédia les sauvageons survivants faire soigner leurs blessures et leurs engelures. De la nourriture brûlante et des vêtements chauds ragaillardiraient la plupart, du moins l'espérait-il, encore qu'il parût probable que le Pied Corné perdrait ses deux pieds. Quant aux cadavres, il les consigna dans les cellules de glace.

Clydas était venu et reparti, nota Jon en accrochant sa cape à la patère près de la porte. On avait laissé une lettre sur la table de sa pièce principale. *Fort-Levant ou Tour Ombreuse*, crut-il au premier coup d'œil. Mais la cire était dorée et non noire. Le sceau affichait une tête de cerf dans un cœur ardent.

Stannis. Jon brisa la cire durcie, aplatit le rouleau de parchemin, lut. *La main d'un mestre, mais les paroles du roi.*

Stannis avait pris Motte-la-Forêt, et les clans des montagnes l'avaient rejoint. Flint, Norroit, Wull, Lideuil, tous.

Et nous avons reçu un autre soutien, inattendu, mais fort bien venu, d'une fille de l'Île-aux-Ours. Alysane Mormont, que ses hommes surnomment l'Ourse, a dissimulé des guerriers à l'intérieur d'une flottille de lougres de pêche et pris les Fer-nés par surprise, alors qu'ils étaient couchés sur la plage. Ils ont incendié ou pris les navires des Greyjoy, tué ou acculé leurs équipages à la reddition. Des capitaines, chevaliers, guerriers bien famés et autres individus de haute naissance, nous tirerons rançon ou les emploierons autrement, je compte pendre les autres...

La Garde de Nuit avait fait serment de ne point prendre parti dans les querelles et conflits du royaume. Néanmoins, Jon Snow ne put s'empêcher de ressentir quelque satisfaction. Il poursuivit sa lecture.

... d'autres Nordiens arrivent au fur et à mesure que se répand le bruit de notre victoire. Des pêcheurs, des francs-coureurs, des hommes des collines, des paysans des profon-deurs du Bois-aux-Loups et des villageois qui ont fui leur foyer en suivant la côte rocheuse pour échapper aux Fer-nés, des survivants de la bataille devant les portes de Winterfell, des hommes jadis liges des Corbois, des Cerwyn et des Tall-hart. Nous sommes forts de cinq mille âmes tandis que j'écris ces lignes, nos effectifs grossissant chaque jour. Et la nouvelle nous est parvenue que Roose Bolton se déplace vers Winterfell avec tout son pouvoir, afin de marier céans son bâtard à votre demi-sœur. On ne doit pas le laisser rétablir la puissance d'antan du château. Nous marchons contre lui. Arnolf Kar-stark et Mors Omble nous rejoindront. Je sauverai votre sœur si je le puis, et lui trouverai meilleur parti que Ramsay Snow. Vous et vos frères devez tenir le Mur jusqu'à ce que je puisse revenir.

C'était signé, d'une écriture différente :

Rédigé à la Lumière du Maître, sous les armes et le sceau de Stannis de la maison Baratheon, premier de son Nom, roi des Andals, des Rhoynars et des Premiers Hommes, Seigneur des Sept Couronnes et Protecteur du Royaume.

À l'instant où Jon déposa la lettre, le parchemin s'enroula de nouveau, comme empressé de protéger ses secrets. Jon ne savait pas vraiment quels sentiments lui inspiraient ce qu'il venait de lire. On avait livré bataille à Winterfell par le passé, mais jamais hors de la présence d'un Stark, dans un camp ou dans l'autre. *Le château est une coquille vide, non pas Winterfell, mais son fantôme.* Cette seule idée était douloureuse, sans même prononcer ces mots à voix haute. Et pourtant…

Il se demanda combien d'hommes le vieux Freuxchère mènerait au combat, et combien d'épées Arnolf Karstark pourrait faire apparaître. La moitié des Omble se trouveraient de l'autre côté du champ de bataille avec Pestagaupes, à combattre sous l'écorché de Fort-Terreur, et la plus grande part des forces des deux maisons était partie vers le sud avec Robb, pour ne jamais revenir. Malgré sa ruine, Winterfell même fournirait un avantage considérable à qui la tiendrait. Robert Baratheon s'en serait immédiatement aperçu et aurait promptement fait mouvement pour occuper le château, grâce à ces marches forcées et ces chevauchées nocturnes qui avaient construit sa réputation. Son frère aurait-il la même hardiesse ?

Peu probable. Stannis était un commandant méticuleux, et son ost était un brouet à moitié digéré d'hommes des clans, de chevaliers sudiers, de gens du roi et de gens de la reine, assaisonné de quelques lords nordiens. *Il devrait filer sans délai vers Winterfell, ou s'abstenir*, jugea Jon. Il ne lui appartenait pas d'aviser le roi, mais…

Il jeta un nouveau coup d'œil à la lettre. *Je sauverai votre sœur si je le puis.* Un sentiment d'une délicatesse surprenante, de la part de Stannis, même compromise par ce *si je le puis*, définitif et brutal, et par le rajout d'un *et lui trouverai meilleur parti que Ramsay Snow.* Mais si Arya n'était pas là pour qu'on la sauvât ? Et si les flammes de lady Mélisandre avaient parlé vrai ? Sa sœur avait-elle pu échapper à de tels geôliers ? *Comment y parviendrait-elle ? Arya a toujours été vive et habile, mais au fond, ce n'est qu'une fillette, et Roose Bolton n'est point d'un genre à se montrer négligent avec un trophée d'un tel prix.*

Et si Bolton n'avait jamais détenu sa sœur ? Ce mariage pourrait bien n'être qu'un leurre pour attirer Stannis dans un traquenard. Eddard Stark n'avait jamais eu de motif de se plaindre du sire de Fort-Terreur, pour autant que Jon le sache, mais il ne lui avait pourtant jamais fait confiance, avec son souffle de voix et ses yeux pâles, si pâles.

Une fille en gris, sur un cheval agonisant, fuyant ses noces. Sur la foi de ces mots, il avait lancé Mance Rayder et six piqueuses sur le Nord. « Jeunes, et jolies », avait demandé Mance. Le roi imbrûlé avait fourni des noms ; Edd-la-Douleur avait fait le reste, les exfiltrant de La Mole. Cela ressemblait à une folie, désormais. Il aurait mieux fait de frapper Mance à l'instant où il s'était dévoilé. Jon éprouvait certes une admiration réticente vis-à-vis de l'ancien Roi d'au-delà du Mur, mais l'homme était un parjure et un tourne-casaque. Il se fiait encore moins à Mélisandre. Et cependant, voilà où il en était rendu : à placer ses espoirs en eux. *Tout cela pour sauver ma sœur. Mais les hommes de la Garde de Nuit n'ont pas de sœurs.*

Quand Jon était enfant à Winterfell, il avait pour héros le Jeune Dragon, l'enfant roi qui avait conquis Dorne à l'âge de quatorze ans. Malgré sa naissance bâtarde, ou peut-être à cause d'elle, justement, Jon Snow avait rêvé de conduire des hommes à la gloire, tout comme le roi Daeron l'avait fait, de grandir pour devenir un conquérant. Maintenant, il était un homme fait, et le Mur était à lui ; pourtant, il n'avait que des doutes. Et même ceux-là, il semblait incapable de les conquérir.

DAENERYS

La puanteur du camp était si effroyable que Daenerys eut du mal à retenir un haut-le-cœur.

Ser Barristan fronça le nez et dit : « Votre Grâce ne devrait pas se trouver ici, à respirer ces humeurs noires.

— Je suis le sang du Dragon, lui rappela Daenerys. Avez-vous jamais vu dragon atteint de dysenterie ? » Viserys affirmait fréquemment que les Targaryen étaient immunisés contre les pestilences qui s'attaquaient aux hommes ordinaires et, pour autant qu'elle pût en juger, c'était vrai. Elle se souvenait d'avoir eu froid, faim ou peur, mais jamais d'avoir été malade.

« Quand bien même, insista le vieux chevalier, je serais plus tranquille si Votre Grâce retournait en ville. » Les remparts de briques multicolores de Meereen se trouvaient à un demi-mille en arrière. « La caquesangue est le cauchemar de toutes les armées depuis l'Âge de l'Aube. Distribuons la nourriture, Votre Grâce.

— Demain. Je suis ici, maintenant. Je veux voir. » Elle donna du talon dans les flancs de son cheval argent. Les autres la suivirent au trot. Jhogo lui ouvrait la voie, Aggo et Rakharo juste derrière, de longs fouets dothrakis en main pour écarter malades et mourants. Ser Barristan se tenait à main droite, monté sur un gris pommelé. À main gauche, elle avait Symon Dos-zébré des Frères Libres et Marselen des Hommes de la Mère. Trois fois vingt soldats suivaient à petite distance derrière les capitaines, pour protéger les chariots de vivres. Tous des cavaliers, Dothrakis, Bêtes d'airain et affranchis ; seule leur répugnance pour cette tâche les unissait.

Les Astaporis trébuchaient à leur suite en une épouvantable cohorte qui s'allongeait à chaque coudée qu'ils parcouraient. Certains parlaient des langues qu'elle ne comprenait pas. D'autres avaient dépassé le stade où ils pouvaient encore parler. Un grand nombre d'entre eux tendaient les mains vers Daenerys, ou s'agenouillaient au passage de sa monture argent. « Mère », l'interpellaient-ils, dans les dialectes d'Astapor, de Lys et de l'Antique Volantis, dans un dothraki guttural et dans les syllabes liquides de Qarth, et même dans la Langue Commune de Westeros. « Mère, par pitié... Mère, aidez ma sœur, elle est malade... Donnez-moi à manger pour mes petits... Pitié, mon vieux père... Secourez-le... Secourez-la... Secourez-moi... »

Je n'ai plus de secours à apporter, se répétait Daenerys, au désespoir. Les Astaporis ne pouvaient aller nulle part. Ils restaient par milliers sous les épaisses murailles de Meereen – des hommes, des femmes, des enfants, des vieillards, des petites filles et des marmots. Beaucoup étaient atteints, la plupart étaient affamés et tous étaient condamnés à périr. Daenerys ne pouvait leur ouvrir les portes pour les laisser entrer. Elle avait fait tout son possible pour eux. Elle leur avait dépêché des guérisseurs, des Grâces Bleues, des chanteurs de sorts et barbiers-chirurgiens, mais certains d'entre eux avaient été contaminés à leur tour et aucun de leurs arts n'avait endigué la progression galopante de la pestilence qui était arrivée sur la jument pâle. Séparer les valides des malades s'était également révélé laborieux. Ses Boucliers fidèles l'avaient tenté, arrachant les époux à leurs femmes et les enfants à leur mère, au milieu des lamentations des Astaporis, qui leur flanquaient des coups de pied et les assaillaient de cailloux. Quelques jours plus tard, les malades étaient morts et les valides étaient malades. Écarter les uns des autres n'avait rien accompli.

Même la distribution de vivres était devenue difficile. Chaque jour, elle leur faisait parvenir ce qu'elle pouvait, mais chaque jour il y avait plus de monde et moins de nourriture à leur donner. Trouver des conducteurs volontaires pour livrer les vivres devenait de plus en plus problématique, également. Trop de ceux qu'elle avait envoyés dans les camps avaient été à leur tour frappés par la dysenterie. D'autres avaient été attaqués en rentrant vers la cité. La veille, on avait renversé un chariot et tué deux de ses soldats, aussi la reine avait-elle décidé ce jour-là d'apporter la nourriture elle-même. Chacun de ses conseillers avait plaidé avec vigueur pour l'en dissuader, de Reznak au Crâne-ras et à ser Barristan, mais Daenerys demeura inébranlable. « Je ne me détournerai pas d'eux, s'entêta-t-elle. Une reine doit connaître les souffrances de son peuple. »

La souffrance était la seule denrée qui ne leur fît point défaut. « C'est à peine s'il reste un cheval ou une mule, alors que beaucoup avaient quitté Astapor sur une monture, lui rapporta Marselen. Ils les ont tous mangés, Votre Grâce, en même temps que tous les rats et chiens errants qu'ils pouvaient attraper. À présent, certains ont commencé à dévorer leurs propres morts.

— L'homme ne doit pas manger la chair de l'homme, déclara Aggo.

— C'est connu, renchérit Rakharo. Ils seront maudits.

— Ils ont dépassé le stade de la malédiction », répliqua Symon Dos-zébré.

De petits enfants au ventre gonflé traînaient à leur suite, trop faibles ou trop effrayés pour mendier. Des hommes décharnés aux yeux caves, accroupis dans le sable et la pierraille, se vidaient de leur vie dans des flots brun et rouge puants. Nombreux aussi ceux qui chiaient durant leur sommeil, trop affaiblis pour ramper jusqu'aux fossés qu'elle leur avait ordonné de creuser. Deux femmes se disputaient un os carbonisé. Tout près, un gamin de dix ans debout mangeait un rat. Il le dévorait avec une seule main, l'autre empoignant un bâton pointu au cas où l'on tenterait de lui arracher son trésor. Partout gisaient des morts sans sépulture. Daenerys vit un homme étendu à terre sous une cape noire, mais quand elle passa près de lui, la cape se vaporisa en un millier de mouches. Des femmes squelettiques, assises sur le sol, étreignaient des enfants à l'agonie. Elles la suivaient des yeux. Celles qui en avaient la force appelaient. « Mère... par pitié, Mère... soyez bénie, Mère... »

Me bénir, remâchait Daenerys avec amertume. *Votre cité a disparu en cendres et en os, votre peuple est en train de crever tout autour de vous. Je n'ai à vous offrir ni refuge, ni remèdes, ni espoir. Rien que du pain rassis, de la viande gâtée, du fromage dur et un peu de lait. Bénissez-moi, bénissez-moi.* Quelle mère fallait-il être pour ne pas avoir de lait à donner à ses enfants ?

« Trop de morts, jugea Aggo. Il faudrait les brûler.

— Qui les brûlera ? demanda ser Barristan. La caquesangue est partout. Il y a cent morts chaque nuit.

— Toucher les morts n'est pas bon, énonça Jhogo.

— C'est connu, confirmèrent en chœur Aggo et Rakharo.

— C'est bien possible, trancha Daenerys, mais on doit le faire quand même. » Elle réfléchit un instant. « Les Immaculés n'ont aucune crainte des cadavres. Je vais parler à Ver Gris.

— Votre Grâce, intervint ser Barristan. Les Immaculés sont vos meilleurs guerriers. Nous ne pouvons pas propager la maladie parmi eux. Qu'Astapor brûle elle-même ses morts.

— Ils sont trop faibles, fit valoir Symon Dos-zébré.

— Un surcroît de nourriture pourrait les rendre plus forts », suggéra Daenerys.

Symon secoua la tête. « On ne doit pas gâcher la nourriture pour des mourants, Votre Excellence. Nous n'en avons pas assez pour nourrir les vivants. »

Il n'avait pas tort, elle le savait, mais cela ne rendait pas ses mots plus faciles à entendre. « Nous sommes assez loin, décida la reine. Nous allons les nourrir ici. » Elle leva une main. Derrière elle, les chariots s'arrêtèrent en cahotant, et ses cavaliers se déployèrent sur le périmètre, pour empêcher les Astaporis de se ruer sur les vivres. À peine avaient-ils fait halte que la presse commença à s'agglutiner autour d'eux, au fur et à mesure que les infectés, clopinant et trébuchant, affluaient, toujours plus nombreux, vers les chariots. Les cavaliers leur coupèrent la route. « Attendez votre tour, crièrent-ils. On ne pousse pas. Reculez. Restez en arrière. Il y aura du pain pour tout le monde. Attendez votre tour. »

Daenerys ne pouvait que rester assise et regarder. « Ser, dit-elle à Barristan Selmy, n'est-il rien que nous puissions faire ? Vous avez des provisions.

— Des provisions pour les soldats de Votre Grâce. Nous aurons peut-être besoin de soutenir un long siège. Les Corbeaux Tornade et les Puînés peuvent harceler les Yunkaïis, mais pas espérer les détourner. Si Votre Grâce m'autorisait à mettre sur pied une armée...

— S'il doit y avoir une bataille, je préférerais la livrer à l'abri des remparts de Meereen. Que les Yunkaïis tentent de prendre mes murailles d'assaut. » La reine observa la scène qui l'entourait. « Si nous partagions nos vivres de façon équitable...

— ... les Astaporis engloutiraient leur portion en quelques jours, et ce serait cela de moins pour le siège. »

Le regard de Daenerys parcourut le camp, pour aller vers les murs de brique multicolores de Meereen. L'air était lourd de mouches et de cris. « Les dieux ont envoyé cette épidémie pour m'enseigner l'humilité. Tant de morts... Il n'est pas question que je les laisse dévorer des cadavres. » Elle fit signe à Aggo d'approcher. « Chevauche jusqu'aux portes et ramène-moi Ver Gris et cinquante de ses Immaculés.

— *Khaleesi*. Le sang de votre sang obéit. » Aggo stimula son cheval de ses talons et s'en fut au galop.

Ser Barristan observait avec une appréhension mal dissimulée. « Vous ne devriez pas vous attarder ici trop longtemps, Votre Grâce. On nourrit les Astaporis, comme vous l'avez ordonné. Nous ne pouvons rien faire de plus pour ces malheureux. Nous devrions regagner la cité.

— Allez-y si vous le souhaitez, ser. Je ne vous retiens pas. Je ne retiens aucun de vous. » Daenerys sauta à terre. « Je ne puis les guérir, mais je peux leur montrer que leur Mère se soucie d'eux. »

Jhogo retint son souffle. « *Khaleesi*, non. » La clochette à sa tresse tinta doucement tandis qu'il descendait de selle. « Vous ne devez pas vous approcher. Ne les laissez pas vous toucher ! Ne faites pas ça ! »

Daenerys le dépassa sans s'arrêter. Il y avait un vieillard par terre à quelques pas de là, qui gémissait et levait les yeux vers le ventre gris des nuages. Elle s'agenouilla près de lui, fronçant le nez à son odeur, et repoussa ses cheveux gris sales pour palper son front. « Il a le corps en feu. J'ai besoin d'eau pour le baigner. L'eau de mer conviendra. Marselen, veux-tu aller en chercher pour moi ? J'ai également besoin d'huile, pour le bûcher. Qui va m'aider à brûler les morts ? »

Le temps qu'Aggo revienne avec Ver Gris et cinquante Immaculés avançant à longues foulées derrière son cheval, Daenerys, jouant sur leur honte, les avait tous poussés à contribuer. Symon Dos-zébré et ses hommes séparaient les vivants des morts et empilaient les cadavres, tandis que Jhogo, Rakharo et leurs Dothrakis aidaient ceux qui pouvaient encore marcher à gagner la plage, pour se baigner et laver leurs vêtements. Aggo les fixa comme s'ils étaient tous devenus fous, mais Ver Gris s'agenouilla auprès de la reine et annonça : « Ma personne souhaite aider. »

Avant midi, douze bûchers flambaient. Des colonnes de fumée noire et grasse montaient pour encrasser le ciel d'un bleu impitoyable. La tenue de monte de Daenerys était maculée de saleté et de suie lorsqu'elle s'écarta des bûchers. « Votre Splendeur, glissa Ver Gris, ma personne et ses frères implorent votre permission de nous baigner dans l'eau salée quand notre tâche ici sera achevée, afin que nous soyons purifiés, en accord avec les lois de notre grande déesse. »

La reine ignorait que les eunuques eussent leur propre déesse. « Qui est cette déesse ? Un des dieux de Ghis ? »

Ver Gris parut troublé. « La déesse porte bien des noms. Elle est la Dame des Piques, l'Épouse des Batailles, la Mère des Osts, mais son nom véritable n'appartient qu'aux malheureux qui ont incinéré leur virilité sur ses autels. Nous n'avons pas licence de parler d'elle à d'autres. Ma personne implore votre pardon.

— Comme vous le désirez. Oui, vous pouvez vous baigner si tel est votre souhait. Merci de votre aide.

— Nos personnes ne vivent que pour vous servir. »

Quand Daenerys regagna sa pyramide, les membres douloureux et le cœur lourd, elle trouva Missandei qui lisait un rouleau ancien tandis qu'Irri et Jhiqui se disputaient à propos de Rakharo. « Tu es trop maigre pour lui, déclarait Jhiqui. Tu es presque un garçon. Rakharo ne couche pas avec des garçons. C'est connu. »

Irri riposta, ulcérée. « Tu es presque une vache, c'est connu aussi. Rakharo ne couche pas avec les vaches.

— Rakharo est du sang de mon sang. Sa vie m'appartient, et non à vous », leur lança Daenerys à toutes deux. Rakharo avait grandi de presque un pied durant son absence de Meereen et il était revenu avec des bras et des jambes épaissis de muscles et quatre clochettes dans ses cheveux. Désormais, il dominait Aggo et Jhogo, comme ses caméristes l'avaient toutes deux remarqué. « Maintenant, taisez-vous, j'ai besoin de prendre un bain. » Jamais elle ne s'était sentie plus souillée. « Jhiqui, aide-moi à quitter ces vêtements, et ensuite emporte-les et brûle-les. Irri, dis à Qezza de me trouver quelque chose de léger et de frais à porter. La journée a été très chaude. »

Une brise fraîche soufflait sur sa terrasse. Daenerys poussa un soupir de plaisir en se glissant dans les eaux de son bassin. Sur son ordre, Missandei se dépouilla de ses vêtements et entra à sa suite. « Ma personne a entendu les Astaporis gratter aux murs, la nuit dernière », raconta la petite scribe en lavant le dos de Daenerys.

Irri et Jhiqui échangèrent un coup d'œil. « Personne ne grattait, dit Jhiqui. Gratter... comment pourraient-ils gratter ?

— Avec leurs mains, répondit Missandei. Les briques sont anciennes et friables. Ils essaient de se creuser un passage vers la cité.

— Cela pourrait leur prendre des années, objecta Irri. Les murs sont très épais. C'est connu.

— C'est connu, approuva Jhiqui.

— Moi aussi, je rêve d'eux. » Daenerys prit Missandei par la main. « Le camp se trouve à un demi-mille de la cité, ma douceur. Personne ne grattait contre les murs.

— Votre Grâce sait mieux que moi, concéda Missandei. Dois-je vous laver les cheveux ? L'heure est presque arrivée. Reznak mo Reznak et la Grâce Verte viennent discuter...

— ... des préparatifs du mariage. » Daenerys se releva dans une gerbe d'eau. « J'avais presque oublié. » *Peut-être que je voulais l'oublier.* « Et après cela, j'ai un dîner avec Hizdahr. » Elle poussa un soupir. « Irri, apporte-moi le *tokar* vert, celui en soie frangée de dentelle de Myr.

— Il a été donné à repriser, *Khaleesi*. La dentelle était déchirée. Le *tokar* bleu a été nettoyé.

— Bleu, soit. Il les satisfera tout autant. »

Elle ne se trompait qu'à moitié. Le prêtre et le sénéchal se réjouirent de la voir drapée dans un *tokar*, pour une fois vêtue en dame meereenienne convenable, mais ce qu'ils voulaient vraiment, c'était la dénuder totalement. Daenerys les laissa s'expliquer, incrédule. Quand ils eurent fini, elle répondit : « Je tiens à n'offenser personne, mais il est hors de question que je me présente nue devant la mère et les sœurs d'Hizdahr.

— Mais, protesta Reznak mo Reznak en battant des paupières, mais il le faut, Votre Splendeur. Avant un mariage, la tradition exige que les femmes de la maison de l'époux examinent le ventre de la promise et, euh… sa féminité. Afin d'avoir la certitude qu'ils sont bien conformés et, euh…

— … fertiles, acheva Galazza Galare. Un ancien rituel, Votre Splendeur. Trois Grâces seront présentes comme témoins durant l'examen, afin de prononcer les prières convenables.

— Oui, poursuivit Reznak, et ensuite, il y a un gâteau spécial. Un gâteau de femmes, qu'on ne prépare que pour les noces. Les hommes n'ont pas le droit d'y goûter. On m'a raconté qu'il est délicieux. Magique. »

Et si mon ventre est flétri et mes organes féminins maudits, y a-t-il là aussi un gâteau spécial ? « Hizdahr aura tout loisir d'inspecter ma féminité une fois que nous serons mariés. » *Le khal Drogo ne leur a trouvé aucun défaut, pourquoi Hizdahr en trouverait-il ?* « Que sa mère et ses sœurs s'examinent entre elles et partagent le gâteau spécial. Je n'en mangerai pas. Pas plus que je ne laverai les nobles pieds du noble Hizdahr.

— Votre Magnificence, vous ne comprenez pas, protesta Reznak. Le lavage des pieds est consacré par la tradition. Il signifie que vous serez la servante de votre mari. La tenue de mariage elle aussi est chargée de sens. L'épouse est vêtue de voiles rouge sombre, au-dessus d'un *tokar* de soie blanche, frangé de perles naines. »

Il ne faudrait pas marier la reine des lapins sans ses longues oreilles. « Toutes ces perles vont s'entrechoquer quand je marcherai.

— Les perles symbolisent la fertilité. Plus Votre Splendeur portera de perles, et plus elle aura d'enfants sains et vigoureux.

— Pourquoi aurais-je envie d'avoir une centaine d'enfants ? » Daenerys se tourna vers la Grâce Verte. « Si nous nous mariions selon le rituel ouestrien...

— Les dieux de Ghis ne considéreraient pas cela comme une véritable union. » Le visage de Galazza Galare était dissimulé derrière un voile de soie verte. Seules paraissaient ses prunelles, vertes, sages et tristes. « Aux yeux de la cité, vous seriez la concubine du noble Hizdahr, et non sa légitime épouse. Vos enfants seraient des bâtards. Votre Splendeur doit épouser Hizdahr dans le Temple des Grâces, en présence de toute la noblesse de Meereen, afin de témoigner de votre union. »

Extirpez les chefs de toutes les nobles familles de leurs pyramides, sous un vague prétexte, avait conseillé Daario. *Le dragon s'exprime par le feu et le sang.* Daenerys chassa cette pensée. Ce n'était pas digne d'elle. « Comme vous voudrez, soupira-t-elle. J'épouserai Hizdahr dans le Temple des Grâces, emballée dans un *tokar* blanc frangé de perles naines. Y a-t-il encore autre chose ?

— Juste un simple détail, Votre Splendeur, précisa Reznak. Pour célébrer vos noces, il serait judicieux d'autoriser la réouverture des arènes de combat. Ce serait votre présent de noces à Hizdahr et à votre peuple aimant, un signe que vous avez embrassé les anciens us et coutumes de Meereen.

— Et il satisferait fort les dieux, également », ajouta la Grâce Verte de sa douce voix aimable.

Une dot versée au prix du sang. Daenerys était lasse de livrer ce combat. Même ser Barristan ne pensait pas qu'elle pouvait gagner. « Aucun dirigeant ne peut rendre un peuple bon, lui avait dit Selmy. Baelor le Bienheureux a prié, jeûné et élevé aux Sept un temple de toute la splendeur que pouvaient souhaiter les dieux, et pourtant, il n'a pas pu mettre fin à la guerre et au besoin. » *Une reine doit écouter son peuple*, se répéta Daenerys. « Après le mariage, Hizdahr sera roi. Qu'il rouvre les arènes, s'il le désire. Je n'en veux aucune part. » *Que le sang retombe sur ses mains, et non sur les miennes.* Elle se leva. « Si mon mari souhaite que je lui lave les pieds, il devra d'abord laver les miens. Je le lui dirai ce soir.» Elle se demanda comment son promis allait prendre la chose.

Elle n'avait pas besoin de s'inquiéter. Hizdahr zo Loraq arriva une heure après que le soleil se fut couché. Il portait un *tokar* bordeaux, avec une rayure dorée et une frange de perles dorées. Daenerys lui raconta son entrevue avec Reznak et la Grâce Verte en lui versant du vin. «Ces rituels sont creux, déclara Hizdahr, voilà exactement le genre de choses que nous devons balayer. Meereen croupit depuis trop longtemps dans ces vieilles traditions ridicules.» Il l'embrassa et dit : «Daenerys, ma reine, c'est bien volontiers que je vous laverais de la tête aux pieds si telle était la condition pour devenir votre roi consort.

— Pour être mon roi consort, il vous suffit de m'apporter la paix. Skahaz m'apprend que vous avez reçu des messages, récemment.

— En effet.» Hizdahr croisa ses longues jambes. Il semblait content de lui. «Yunkaï nous accordera la paix, mais à un certain prix. L'interruption du commerce des esclaves a causé de grands torts à travers tout le monde civilisé. Yunkaï et ses alliés exigeront de nous une indemnité, à verser en or et en joyaux.»

L'or et les joyaux étaient choses faciles. «Quoi d'autre ?

— Les Yunkaïis reprendront l'esclavage, comme avant. Astapor sera rebâtie en une cité esclavagiste. Vous n'interviendrez pas.

— Je n'étais pas à deux lieues de leur cité que les Yunkaïis avaient déjà rétabli l'esclavage. Ai-je rebroussé chemin ? Le roi Cleon m'a implorée de me joindre à lui contre eux, et j'ai fait la sourde oreille à ses suppliques. *Je ne désire pas la guerre avec Yunkaï.* Combien de fois devrai-je le répéter ? Quelles promesses leur faut-il ?

— Ah, voilà l'épine cachée dans la tonnelle, ma reine, répondit Hizdahr zo Loraq. La chose est malheureuse à dire, mais Yunkaï n'a aucune foi en vos promesses. Ils continuent de pincer la même corde de la harpe, une histoire d'émissaire que vos dragons ont fait brûler.

— Seul son *tokar* a brûlé, riposta Daenerys avec dédain.

— Peu importe, ils n'ont pas confiance en vous. Les hommes de la Nouvelle-Ghis partagent leur avis. Les mots sont du vent, comme vous l'avez si souvent dit vous-même. Aucune de vos paroles n'assurera cette paix, pour Meereen. Vos ennemis exigent des actes. Ils veulent nous voir mariés et me voir couronné roi, pour régner à vos côtés. »

Daenerys remplit à nouveau sa coupe de vin, ne désirant rien tant que lui renverser la carafe sur la tête pour noyer ce sourire fat. « Le mariage ou le carnage. Des noces ou la guerre. Sont-ce là mes choix ?

— Je ne vois qu'un seul choix, Votre Splendeur. Prononçons nos vœux devant les dieux de Ghis et créons ensemble une nouvelle Meereen. »

La reine composait sa réponse quand elle entendit un pas derrière elle. *Le repas*, supposa-t-elle. Ses cuisiniers lui avaient promis de servir au noble Hizdahr son plat préféré, du chien au miel, farci aux prunes et aux poivrons. Mais quand elle se tourna pour vérifier, ce fut pour voir là ser Barristan, baigné de frais et vêtu de blanc, son épée au côté. « Votre Grâce, dit-il en s'inclinant. Je vous demande pardon de vous déranger, mais j'ai pensé que vous voudriez savoir immédiatement. Les Corbeaux Tornade sont revenus dans la cité, avec des nouvelles de l'ennemi. Les Yunkaïis sont en marche, exactement comme nous le craignions. »

Un bref agacement traversa le noble visage d'Hizdahr zo Loraq. « La reine dîne. Ces épées-louées peuvent attendre. »

Ser Barristan l'ignora. « J'ai demandé à messire Daario de me faire son rapport, comme Votre Grâce l'avait ordonné. Il a ri et déclaré qu'il le rédigerait avec son propre sang si Votre Grâce voulait bien envoyer votre petite scribe lui montrer comment on trace les lettres.

— Du sang ? se récria Daenerys, horrifiée. Est-ce qu'il plaisante ? Non, ne répondez pas, je dois le voir en personne. » C'était une jeune femme, et elle était solitaire ; les jeunes femmes peuvent changer d'avis. « Convoquez mes capitaines et mes commandants. Hizdahr, vous me pardonnerez, je le sais.

— Meereen doit passer avant tout. » Hizdahr sourit avec chaleur. « Nous aurons d'autres nuits. Nous en aurons mille.

— Ser Barristan va vous escorter jusqu'à la sortie. » Daenerys s'en fut en toute hâte, appelant ses cáméristes. Pas question d'accueillir en *tokar* son capitaine à son retour. Finalement, elle essaya une douzaine de robes avant d'en trouver une qui lui plût, mais refusa la couronne que lui présentait Jhiqui.

Lorsque Daario Naharis mit un genou en terre devant elle, Daenerys sentit son cœur tressauter. Il avait les cheveux incrustés de sang séché, et sur sa tempe luisait une profonde coupure, rouge et crue. Sa manche droite était trempée de sang presque jusqu'au coude. « Vous êtes blessé », dit-elle avec un hoquet.

— Ceci ? » Daario se toucha la tempe. « Un arbalétrier a voulu me loger un vireton dans l'œil, mais j'ai galopé plus vite. Je me pressais de rentrer auprès de ma reine, afin de m'exposer à la chaleur de son sourire. » Il secoua sa manche, projetant des gouttelettes rouges. « Ce n'est pas mon sang. Un de mes sergents a estimé que nous devrions passer dans le camp yunkaïï, aussi ai-je plongé la main dans sa gorge pour lui arracher le cœur. J'avais l'intention de l'apporter en présent à ma reine d'argent, mais quatre des Chats m'ont coupé la route et se sont lancés à ma poursuite, en feulant et en crachant. L'un d'eux a failli me rejoindre, alors je lui ai jeté le cœur à la figure.

— Belle vaillance », déclara ser Barristan sur un ton qui suggérait qu'il n'en pensait pas un mot. « Mais avez-vous des nouvelles pour Sa Grâce ?

— De rudes nouvelles, ser Grand-Père. Astapor n'est plus, et les esclavagistes remontent vers le nord en force.

— Ce sont de vieilles nouvelles, et rassises, gronda le Crâne-ras.

— Votre mère en disait autant des baisers de votre père, répliqua Daario. Douce reine, je serais arrivé plus tôt, mais les collines grouillent d'épées-louées yunkaïies. Quatre compagnies libres. Vos Corbeaux Tornade ont dû se tailler un chemin à travers toutes. Il y a plus, et plus grave. Les Yunkaïis font avancer leur ost par la route de la côte, rejoint par quatre légions venues de la Nouvelle-Ghis. Ils ont des éléphants, une centaine, en caparaçon de guerre et tourelles. Des frondeurs tolosiens également, et un détachement de cavalerie qarthienne. Deux légions ghiscaries supplémentaires ont pris la mer à Astapor. Si nos prisonniers ont dit vrai, elles accosteront sur l'autre berge du Skahazadhan, afin de nous couper l'accès de la mer Dothrak. »

Tandis qu'il narrait son rapport, de temps en temps, une goutte de sang rouge vif s'écrasait sur le sol de marbre, et Daenerys faisait une grimace. « Combien d'hommes ont été tués ? demanda-t-elle quand il eut fini.

— Des nôtres ? Je ne me suis pas arrêté pour compter. Nous en avons plus gagné que perdu, cependant.

— De nouveaux tourne-casaque ?

— De nouveaux braves attirés par votre noble cause. Ils plairont à ma reine. L'un d'eux est un manieur de hache des îles du Basilic, une brute, plus énorme que Belwas. Vous devriez le voir. Quelques Ouestriens également, une vingtaine ou davantage. Des déserteurs des Erre-au-Vent, mécontents des Yunkaïis. Ils feront de bons Corbeaux Tornade.

— Si vous le dites. » Daenerys ne vétillerait pas. Sous peu, Meereen aurait sans doute besoin de chaque épée.

Ser Barristan jeta sur Daario un œil noir. « Capitaine, vous avez évoqué *quatre* compagnies libres. Nous n'en connaissons que trois. Les Erre-au-Vent, les Longues Lances et la Compagnie du Chat.

— Ser Grand-Père sait compter. Les Puînés ont rejoint les Yunkaïis. » Daario détourna la tête et cracha. « Ça, c'est pour Brun Ben Prünh. La prochaine fois que je vois sa sale trogne, j'ouvre le drôle de la gorge à la fourche et je lui arrache son cœur noir. »

Daenerys voulut parler, et ne trouva pas de mots. Elle se souvenait du visage de Ben la dernière fois qu'elle l'avait vu. *Un visage chaleureux, un visage auquel je me fiais.* Peau sombre et cheveux blancs, le nez cassé, les pattes-d'oie au coin des yeux. Même les dragons appréciaient le vieux Brun Ben, qui aimait se vanter de posséder lui-même une goutte de sang de dragon. *Trois trahisons te faut vivre... L'une pour l'or, l'une pour le sang, l'une pour l'amour.* Prünh représentait-il la troisième ou la deuxième ? Et dans l'affaire que devenait ser Jorah, son vieil ours bougon ? N'aurait-elle jamais d'ami sur qui compter ? *À quoi bon des prophéties, si on ne peut en deviner le sens ? Si j'épouse Hizdahr avant que le soleil se lève, toutes ces armées vont-elles se dissiper comme la rosée du matin et me laissera-t-on régner en paix ?*

L'annonce de Daario avait déclenché tout un hourvari. Reznak se lamentait, le Crâne-ras grommelait sur un ton noir, ses Sang-coureurs juraient vengeance. Belwas le Fort martelait du poing son ventre couvert de cicatrices et se promettait de dévorer le cœur de Brun Ben avec des prunes et des oignons. « Je vous en prie », dit Daenerys, mais seule Missandei parut s'en apercevoir. La reine se mit debout. « *Silence !* J'en ai assez entendu.

— Votre Grâce. » Ser Barristan posa un genou en terre. « Nous sommes à vos ordres. Que voulez-vous que nous fassions ?

— Continuez comme prévu. Amassez des vivres, autant que vous pourrez. » *Si je regarde en arrière, je suis perdue.* « Nous devons fermer les portes et placer tous les guerriers sur les remparts. Personne n'entre, personne ne sort. »

Le silence régna un instant dans la salle. Les hommes s'entre-regardèrent. Puis Reznak demanda : « Et les Astaporis ? »

Elle avait envie de hurler, de grincer des dents, de déchirer ses vêtements et de marteler le sol. Mais elle dit : « *Fermez les portes.* Faudra-t-il que je le répète une troisième fois ? » Ils étaient ses enfants, mais elle ne pouvait pas les aider, à présent. « Laissez-moi. Daario, restez. Il faut laver cette entaille, et j'ai d'autres questions à vous poser. »

Les autres s'inclinèrent et sortirent. Daenerys guida Daario Naharis pour monter les marches menant à sa chambre à coucher, où Irri nettoya sa coupure avec du vinaigre et Jhiqui la banda avec du lin blanc. Lorsque ce fut fait, Daenerys congédia également ses c4méristes. « Vos vêtements sont souillés de sang, dit-elle à Daario. Retirez-les.

— Seulement si tu fais de même. » Il l'embrassa.

Les cheveux de Daario sentaient le sang, la fumée et le cheval, et sa bouche était dure et brûlante contre celle de Daenerys. Dans ses bras, elle trembla. Lorsqu'ils s'écartèrent, elle lui avoua : « J'ai cru que ce serait toi qui me trahirais. Une fois pour le sang, une pour l'or et une pour l'amour, avaient prédit les conjurateurs. J'ai cru… Je n'ai jamais pensé à Brun Ben.

Même mes dragons semblaient lui faire confiance. » Elle attrapa son capitaine par les épaules. « Promets-moi que tu ne te retourneras jamais contre moi. Je ne pourrais le supporter. Promets-moi.

— Jamais, mon amour. »

Elle le crut. « J'ai juré d'épouser Hizdahr zo Loraq s'il me donnait quatre-vingt-dix jours de paix, mais à présent... Je t'ai voulu dès la première fois que je t'ai vu, mais tu étais une épée-louée, changeant, *fourbe*. Tu te vantais d'avoir eu cent femmes.

— Cent ? » Daario rit doucement dans sa barbe mauve. « J'ai menti, douce reine. J'en ai eu mille. Mais jamais aucun dragon. »

Elle leva les lèvres vers les siennes. « Qu'attends-tu ? »

LE PRINCE DE WINTERFELL

Une croûte de cendre noire et froide tapissait l'âtre, la salle n'avait d'autre chauffage que des chandelles. Chaque fois que s'ouvrait une porte, les flammes s'inclinaient et frissonnaient. La promise aussi frissonnait. On l'avait habillée de blanche laine d'agneau bordée de dentelle. Ses manches et son corset étaient brodés de perles d'eau douce, et, à ses pieds, elle portait des sandales en daim blanc – jolies, mais point chaudes. Elle avait la face blême, exsangue.

Un visage taillé dans la glace, songea Theon Greyjoy en lui drapant les épaules d'une cape bordée de fourrure. *Un cadavre enseveli sous la neige.* « Madame, il est l'heure. » Par la porte, la musique les appelait, le luth, la cornemuse et le tambour.

La promise leva les yeux. Des yeux marron, brillant à la lueur des chandelles. « Je serai pour lui une bonne épouse, et f... fidèle. Je... je le satisferai et je lui donnerai des fils. Je serai meilleure épouse que la véritable Arya aurait pu l'être, il verra. »

Ce genre de discours va te faire tuer, ou pire. Une leçon qu'il avait apprise en étant Schlingue. « Vous êtes la véritable Arya, madame. Arya de la maison Stark, fille de lord Eddard et héritière de Winterfell. » Son nom, il fallait qu'elle sache son *nom*. « Arya sous-mes-pieds. Votre sœur vous appelait Arya Ganache.

— C'est moi qui ai inventé ce surnom-là. Elle avait la mine allongée, comme un cheval. Pas moi. J'étais jolie. » Des larmes lui coulèrent enfin des yeux. « Jamais je n'ai été belle comme Sansa, mais tout le monde me disait jolie. Est-ce que lord Ramsay me trouve jolie ?

— Oui, mentit-il. Il me l'a dit.

— Mais il sait qui je suis. Qui je suis pour de bon. Je le vois quand il pose les yeux sur moi. Il a l'air tellement en colère, même quand il sourit, mais ce n'est pas ma faute. On raconte qu'il aime faire du mal aux gens.

— Vous ne devriez pas écouter de tels... mensonges, madame.

— On raconte qu'il vous a fait du mal. Vos mains, et... »

Il avait la bouche sèche. « Je... je l'ai mérité. Je l'ai mis en colère. Il ne faut pas que vous le mettiez en colère. Lord Ramsay est un... un homme doux, et aimable. Donnez-lui satisfaction et il sera bon pour vous. Soyez bonne épouse.

— Aidez-moi. » Elle se raccrocha à lui. « De grâce. J'avais coutume de vous regarder dans la cour jouer avec vos épées. Vous étiez tellement beau. » Elle lui pressa le bras. « Si nous nous enfuyions, je pourrais être votre épouse, ou votre... votre catin... tout ce que vous voulez. Vous pourriez être mon homme. »

Theon arracha son bras à son étreinte. « Je ne suis pas un... Je ne suis l'homme de personne. » *Un homme lui viendrait en aide.* « Soyez... soyez Arya, c'est tout, soyez son épouse. Contentez-le, ou... contentez-le, simplement, et cessez de répéter que vous êtes quelqu'un d'autre. » *Jeyne, son nom est Jeyne, ça commence comme gémir.* La musique se faisait plus insistante. « Il est temps. Essuyez ces larmes de vos yeux. » *Des yeux marron. Ils devraient être gris. Quelqu'un va le voir. Quelqu'un va se souvenir.* « Bien. À présent, souriez. »

La jeune fille s'y efforça. En tremblant, ses lèvres se tordirent vers le haut, se crispèrent, et il vit ses dents. *De jolies dents blanches*, songea-t-il, *mais si elle le met en colère, elles ne resteront pas jolies longtemps.* Lorsqu'il poussa la porte et l'ouvrit, trois des quatre chandelles en furent soufflées. Il mena la promise dans la brume, où attendaient les invités de la noce.

« Pourquoi moi ? avait-il demandé quand lady Dustin lui avait annoncé qu'il devait accorder la main de la mariée.

— Son père est mort, ainsi que tous ses frères. Sa mère a péri aux Jumeaux. Ses oncles sont perdus, morts ou captifs.

— Elle a encore un frère. » *Elle a encore trois frères*, aurait-il pu dire. « Jon Snow fait partie de la Garde de Nuit.

— Un demi-frère, né bâtard et juré au Mur. Vous étiez pupille de son père, ce qu'elle a de plus proche d'un parent survivant. Rien de plus approprié que vous accordiez sa main en mariage. »

Ce qu'elle a de plus proche d'un parent survivant. Theon Greyjoy avait grandi avec Arya Stark. Theon saurait reconnaître une imposture. Si on le voyait accepter la feinte fille de Bolton comme étant Arya, les seigneurs nordiens qui s'étaient réunis pour porter témoignage de l'alliance n'auraient aucun motif de douter de sa légitimité. Stout et Ardoise, Pestagaupes Omble, ces querelleurs de Ryswell, les hommes de Corbois et les cousins Cerwyn, le gras lord Wyman Manderly... pas un d'entre eux n'avait connu les filles de Ned Stark à moitié si bien que lui. Et si quelques-uns entretenaient un doute par-devers eux, ils seraient assurément assez avisés pour garder ces soupçons pour eux.

Ils se servent de moi pour voiler leur tromperie, ils parent leur mensonge de mon propre visage. Voilà donc pourquoi Roose Bolton l'avait de nouveau habillé en seigneur, pour jouer son rôle dans cette farce de baladins. Une fois que ce serait accompli, une fois que leur fausse Arya serait épousée et dépucelée, Bolton n'aurait plus besoin de Theon Tourne-Casaque. « Sers-nous en cette affaire et, une fois Stannis vaincu, nous débattrons de la meilleure manière de te rétablir sur le trône de ton père », lui avait assuré Sa Seigneurie de sa douce voix, une voix faite pour les mensonges et les susurrements. Theon n'en avait jamais cru un mot. Il allait danser cette fois sur leur musique parce qu'il n'avait pas le choix, mais ensuite... *Il me rendra alors à Ramsay*, se disait-il, *et Ramsay prélèvera quelques doigts supplémentaires et me changera une fois de plus en Schlingue.* À moins que les dieux ne soient cléments, et que Stannis Baratheon ne s'abatte sur Winterfell pour tous les passer au fil de l'épée, lui compris. C'était ce qu'il avait à espérer de mieux.

La température était plus douce dans le bois sacré, si curieux que cela parût. Au-delà de ses confins, une sévère gelée blanche enserrait Winterfell. Le verglas rendait les chemins traîtres, et le givre scintillait au clair de lune sur les carreaux brisés des jardins d'hiver. Des volées de neige sale s'étaient accumulées contre les murs, comblant chaque creux et chaque recoin. Certaines atteignaient une telle hauteur qu'elles masquaient les portes derrière elles. Sous la neige reposaient des cendres grises et des charbons et, ici ou là, une poutre noircie ou un monticule d'os ornés de lambeaux de peau et de cheveux. Des glaçons longs comme des pertuisanes pendaient des remparts et frangeaient les tours comme les poils de barbe blancs et raides d'un vieil homme. Mais à l'intérieur du bois sacré, le sol restait préservé du gel, et de la vapeur montait des étangs chauds, tiède comme un souffle de bébé.

La promise était vêtue de blanc et gris, les couleurs qu'aurait portées la véritable Arya si elle avait vécu assez pour se marier. Theon arborait le noir et l'or, sa cape attachée au niveau de l'épaule par une grossière seiche de fer que lui avait assemblée à coups de mail un forgeron de Tertre-bourg. Mais sous la cagoule, Theon avait le cheveu blanc et rare, et sa chair présentait la teinte grisâtre qu'ont les vieillards. *Enfin Stark*, se dit-il. Se donnant le bras, la promise et lui franchirent une arche de pierre, tandis que des mèches de brouillard vaguaient autour de leurs jambes. Le tambour battait avec la trépidation d'un cœur de pucelle, l'invite de la cornemuse sonnait haut et doux. Au-dessus des ramures, flottait dans le ciel obscur un croissant de lune, à demi masqué par le brouillard, comme un œil qui observait au travers d'un voile de soie.

Theon Greyjoy n'était pas étranger à ce bois sacré. Enfant, il avait joué ici à faire ricocher des pierres plates sur l'étang froid et noir sous le barral, cachant ses trésors dans une souche de chêne ancien, traquant les écureuils avec un arc qu'il avait lui-même fabriqué. Plus tard, plus vieux, il avait baigné ses ecchymoses dans les sources chaudes après maintes sessions dans la cour avec Robb, Jory et Jon Snow. Parmi ces marronniers, ormes et pins plantons, il avait trouvé des lieux secrets où se cacher quand il voulait être seul. La toute première fois qu'il avait embrassé une fille, c'était ici. Plus tard, une autre fille l'avait fait homme sur une couverture déchirée à l'ombre de ce haut vigier gris-vert.

Pourtant, il n'avait jamais vu le bois sacré ainsi – gris et fantomatique, gorgé de brumes tièdes, de lueurs flottantes et de murmures qui semblaient sourdre de partout et nulle part. Sous les arbres fumaient les sources chaudes. De tièdes vaperolles montaient du sol, emmaillotant les arbres dans leur exhalaison moite, rampant à flanc de murailles pour tirer de grises tentures sur les meurtrières.

Il y avait un chemin approximatif, un vague sentier sinueux de pierres fendues couvertes de mousse, à demi enfouies sous les feuilles mortes et la terre apportées par les vents, et que rendaient plus périlleuses d'épaisses racines brunes qui les déchaussaient par en dessous. Il guida la promise sur le parcours. *Jeyne, son nom est Jeyne, ça commence comme geindre.* Mais il ne devait pas avoir de telles pensées. Si ce nom venait à franchir ses lèvres, cela pourrait lui coûter un doigt ou une oreille. Il marchait lentement, en assurant chaque pas. La perte de ses orteils le faisait clopiner, quand il pressait le pas ; il ne devait surtout pas trébucher. Qu'un pas de travers s'en vienne gâcher le mariage de lord Ramsay, et lord Ramsay pourrait bien rectifier ce genre de bévue en écorchant le pied coupable.

Les brouillards étaient si épais que seuls apparaissaient les plus proches arbres ; au-delà se dressaient de hautes ombres et de pâles lueurs. Des chandelles vacillaient au fil du sentier tortueux et parmi les arbres, blêmes lucioles qui flottaient dans la tiédeur d'un potage gris. On croyait voir un étrange au-delà, un lieu intemporel entre les mondes, où les damnés, inconsolables, errent un temps avant de trouver leur chemin vers les profondeurs de l'enfer que leur avaient valu leurs péchés. *Sommes-nous donc tous morts ? Stannis est-il venu tous nous occire pendant notre sommeil ? La bataille est-elle encore à venir, ou a-t-elle déjà été livrée et perdue ?*

Çà et là une torche flambait avec voracité, jetant ses reflets rougeoyants sur le visage des invités de la noce. La façon qu'avaient les brumes de réfléchir les balancements de la lumière donnait à leurs traits une contenance bestiale, semi-humaine, distordue. Lord Stout devint un molosse, le vieux lord

Locke un vautour, Pestagaupes Omble une gargouille, Grand Walder un goupil, Petit Walder un taureau rouge auquel ne manquait que l'anneau dans les naseaux. Le visage de Roose Bolton lui-même formait un masque pâle et gris, avec deux éclats de glace sale à l'endroit où auraient dû se trouver ses yeux.

Au-dessus de leurs têtes, les arbres étaient garnis de corbeaux, ébouriffant leur plumage tout en se tassant le long des ramures nues et brunes, pour contempler d'en haut toute la cérémonie. *Les oiseaux de mestre Luwin.* Luwin était mort, et sa tour de mestre dévastée par le feu ; pourtant, les corbeaux s'attardaient. *Ils sont ici chez eux.* Theon se demanda à quoi ça pouvait ressembler, d'être chez soi.

Puis les brouillards s'écartèrent, comme un rideau s'ouvrant sur un spectacle de baladins afin de révéler un nouveau tableau. L'arbre-cœur apparut devant eux, étalant largement ses branches osseuses. Des feuilles mortes couvraient les parages du large tronc blanc en jonchées de rouge et de brun. C'était là que les corbeaux se serraient le plus densément, marmonnant entre eux dans la langue secrète des voleurs. Ramsay Bolton se tenait au-dessous d'eux, portant de hautes bottes de cuir souple gris, et un pourpoint en velours noir avec des crevés de soie rose, rutilant de larmes en grenat. Un sourire dansait sur son visage. « Qui va là ? » Il avait les lippes humides, la gorge rouge au-dessus de son col. « Qui s'avance devant le dieu ? »

Theon lui répondit. « Arya de la maison Stark vient ici se marier. Une femme accomplie et fleurie, de naissance légitime et noble, elle vient implorer la bénédiction des dieux. Qui vient la revendiquer ?

— Moi. Ramsay de la maison Bolton, sire de Corbois, héritier de Fort-Terreur. Je la revendique. Qui l'accorde ?

— Theon de la maison Greyjoy, qui fut pupille de son père. » Il se tourna vers la promise. « Lady Arya, voulez-vous prendre cet homme pour époux ? »

Elle leva les yeux vers les siens. *Des yeux marron, et non gris. Sont-ils donc tous si aveugles ?* Un long moment, elle ne dit rien, mais ces yeux l'imploraient. *Voilà ta chance,* songea-t-il. *Dis-leur. Dis-leur maintenant. Crie ton nom devant eux tous, dis-leur que tu n'es pas Arya Stark, que le Nord en entier sache comment on t'a forcée à jouer ce rôle.* Bien entendu, cela signifierait sa mort et celle de Theon, mais Ramsay, dans son courroux, pourrait les tuer tous deux rapidement. Les anciens dieux du Nord leur accorderaient peut-être cette petite faveur.

« Je le prends », répondit la promise dans un souffle.

Tout autour d'eux des lueurs piquetaient le brouillard, cent chandelles pâles comme des étoiles voilées. Theon recula d'un pas, et Ramsay et sa promise joignirent les mains et vinrent s'agenouiller devant l'arbre-cœur, inclinant leurs chefs en signe de soumission. Les yeux rouges sculptés du barral les considéraient, sa grande bouche rouge ouverte comme dans un rire. En haut dans les ramures, un corbeau croassa.

Après un moment de prière silencieuse, l'homme et la femme se relevèrent. Ramsay défit la cape que Theon avait passée quelques instants plus tôt sur les épaules de la promise, sa cape lourde de laine blanche bordée de fourrure grise, blasonnée du loup-garou de la maison Stark. Il assujettit en place une cape rose, éclaboussée de grenats rouges semblables à ceux de son pourpoint. Sur le dos figurait l'Écorché de Fort-Terreur travaillé en un cuir écarlate et raide, sévère et atroce.

Aussi vite que cela, tout fut terminé. Dans le Nord, on concluait les mariages plus promptement. Une conséquence du manque de prêtres, supposait Theon, mais quelle que fût la raison, cela lui apparut comme une miséricorde. Ramsay Bolton souleva son épouse dans ses bras et s'avança avec elle à travers les brouillards. Lord Bolton et sa lady Walda les suivirent, puis les autres. Les musiciens recommencèrent à jouer, et Abel le barde entonna *Deux cœurs qui battent comme un seul.* Deux de ses femmes unirent leurs voix pour composer une plaisante harmonie.

Theon se surprit à se demander s'il ne devrait pas prononcer une prière. *Les dieux anciens m'entendraient-ils, si je m'y essayais ?* Ils n'étaient pas ses dieux, ne l'avaient jamais été. Il était fer-né, un fils de Pyk, son dieu était le dieu Noyé des îles... Mais Winterfell se trouvait à bien des lieues de la mer. Voilà toute une vie qu'un dieu ne l'avait pas entendu. Il ne savait ni qui il était, ni ce qu'il était, pourquoi il vivait encore, ni même pourquoi il était né.

« Theon », sembla chuchoter une voix.

Sa tête se redressa d'un coup. « Qui a dit ça ? » Il ne voyait que les arbres et le brouillard qui les nappait. La voix était ténue comme un froissement de feuilles, froide comme la haine. *La voix d'un dieu, ou celle d'un spectre.* Combien avaient trouvé la mort le jour où il s'était emparé de Winterfell ? Combien encore le jour où il l'avait perdue ? *Le jour où Theon Greyjoy était mort, pour renaître Schlingue. Schlingue, Schlingue, ça commence comme châtiment.*

Subitement, il ne voulait plus rester ici.

Une fois sorti du bois sacré, le froid fondit sur lui comme un loup affamé et le saisit dans ses mâchoires. Il baissa la tête face au vent et se dirigea vers la grande salle, se hâtant en suivant la longue enfilade de chandelles et de flambeaux. La glace crissait sous ses bottes, et une soudaine rafale rejeta sa cagoule en arrière, comme si un fantôme s'en était saisi avec des doigts de givre, avide de contempler son visage.

Winterfell était pleine de spectres, pour Theon Greyjoy.

Ce n'était pas le château dont il avait gardé le souvenir à l'été de sa jeunesse. Les lieux étaient balafrés et brisés, plus ruine que redoute, un antre de corbeaux et de cadavres. Le grand rempart double se dressait encore, car le granit ne cède pas aisément au feu, mais la plupart des tours et des donjons intérieurs avaient perdu leur toit. Quelques-uns s'étaient effondrés. Le chaume et le bois avaient été la proie des flammes, entièrement ou en partie, et sous les carreaux brisés des jardins de verre, les fruits et les légumes qui auraient nourri le château au cours de l'hiver étaient morts, noirs, gelés. Des tentes emplissaient la cour, à demi enfouies sous la neige. Roose Bolton avait introduit son ost dans les murs, accompagné de ses amis les Frey ; des milliers se pelotonnaient au sein des ruines, comblant chaque cour, dormant dans les caves, sous des tours décoiffées ou dans des bâtiments abandonnés depuis des siècles.

Des panaches de fumée grise montaient en serpentant des cuisines reconstruites et du donjon des baraquements, couvert de nouveau. Chemins de ronde et créneaux se couronnaient de neige et s'enguirlandaient de glaçons. Winterfell avait été vidée de toute couleur, pour ne plus laisser que du gris et du blanc. *Les couleurs des Stark.* Theon ne savait pas s'il devait y voir une menace ou un réconfort. Le ciel lui-même était gris. *Gris, gris, toujours plus gris. Le monde entier est gris, partout où l'on regarde, tout est gris, hormis les yeux de la mariée.* Elle avait les yeux marron. *De grandes prunelles marron remplies de peur.* Il n'était pas juste qu'elle quêtât un secours auprès de lui. Que s'imaginait-elle ? Qu'il allait siffler un cheval ailé et qu'il s'envolerait avec elle hors d'ici, comme un héros de ces histoires qu'elle et Sansa aimaient tant ? Il ne pouvait même pas se secourir lui-même. *Schlingue, Schlingue, ça commence comme chétif.*

Tout autour de la cour, des morts pendaient à demi gelés au bout de cordes de chanvre, leur visage gonflé blanc de givre. Winterfell grouillait de réfugiés, lorsque l'avant-garde de Bolton avait atteint le château. Plus de deux douzaines qu'on avait chassés à la pointe des piques des nids qu'ils s'étaient aménagés au creux des donjons et des tours à demi en ruine. Les plus hardis et les plus agressifs avaient été pendus, les autres mis au travail. Servez bien, leur avait annoncé lord Bolton, et je me montrerai clément. La pierre et les madriers abondaient, avec le Bois-aux-Loups si proche. De solides portes neuves avaient été les premières dressées en place, pour remplacer celles qui avaient brûlé. Ensuite, le toit effondré de la grande salle avait été déblayé, et un nouveau installé en hâte à la place. Une fois le travail achevé, lord Bolton avait pendu les ouvriers. Fidèle à sa parole, il s'était montré clément et n'en avait pas écorché un seul.

À ce moment-là était arrivé le reste de l'armée de Bolton. Ils avaient hissé le cerf et le lion du roi Tommen au-dessus des murailles de Winterfell, tandis que le vent soufflait du nord en hurlant et, au-dessous, l'écorché de Fort-Terreur. Theon était venu dans l'équipage de Barbrey Dustin, avec Sa Seigneurie elle-même, ses recrues levées à Tertre-bourg et la future épouse. Lady Dustin avait insisté pour avoir la garde de lady Arya jusqu'au moment où elle serait mariée, mais le moment en question était désormais du passé. *Elle appartient dorénavant à*

Ramsay. Elle a prononcé le serment. Grâce à ce mariage, Ramsay serait sire de Winterfell. Tant que Jeyne prenait garde à ne point l'irriter, il ne devrait avoir aucune raison de lui porter atteinte. *Arya. Son nom est Arya.*

Même dans leurs gants doublés de fourrure, les mains de Theon avaient commencé à palpiter de douleur. C'étaient souvent des mains qu'il souffrait le plus, en particulier de ses doigts absents. Y avait-il vraiment eu un temps où les femmes désiraient ses caresses ? *Je me suis fait prince de Winterfell,* songeat-il, *et tout le reste a découlé de là.* Il avait cru que les hommes chanteraient ses exploits un siècle durant et conteraient ses hauts faits. Mais si l'on parlait désormais de lui, c'était pour le nommer Theon Tourne-Casaque, et les contes qu'on colportait parlaient de sa traîtrise. *Jamais je n'ai été ici chez moi. J'y étais otage.* Lord Stark ne l'avait pas traité cruellement, mais la longue ombre d'acier de sa grande épée avait toujours reposé entre eux. *Il était aimable avec moi, mais jamais chaleureux. Il savait qu'un jour il devrait peut-être m'exécuter.*

Theon garda les yeux baissés en traversant la cour, zigzaguant entre les tentes. *Dans cette cour j'ai appris à me battre,* se disait-il en se remémorant les chaudes journées d'été qu'il avait passées à affronter Robb et Jon Snow sous les yeux vigilants du vieux ser Rodrik. C'était à l'époque où il était entier, où il pouvait saisir la poignée d'une épée aussi bien que n'importe qui. Mais la cour gardait aussi de plus noirs souvenirs. C'était ici qu'il avait rassemblé les gens de Stark, la nuit où Bran et Rickon avaient fui le château. Ramsay était alors Schlingue, debout près de lui, à lui souffler d'écorcher quelques-uns de ses captifs pour leur faire dire où avaient fui les garçons. *On n'écorchera personne dans le Nord tant que je gouvernerai Winterfell,* avait riposté Theon, sans imaginer que son règne serait si bref. *Aucun d'eux ne m'a aidé. Je les connaissais depuis la moitié de ma vie et aucun d'eux ne m'a aidé.* Et cependant, il avait agi de son mieux pour les protéger, mais une fois que Ramsay avait déposé le visage de Schlingue, il avait tué tous les hommes, ainsi que les Fer-nés de Theon. *Il a mis le feu à mon cheval.* C'était la dernière vision qu'il avait eue, le jour où le château était tombé : Blagueur embrasé, les flammes bondissant sur sa crinière tandis qu'il se cabrait en hurlant, ses yeux blancs de terreur. *Ici, dans cette même cour.*

Les portes de la grande salle se dressaient devant lui ; nouvellement construites pour remplacer celles qui avaient brûlé, elles lui paraissaient grossières et laides, des planches nues jointoyées à la hâte. Deux lanciers les gardaient, voûtés et grelottant sous leurs épaisses capes en fourrure, leurs barbes caparaçonnées de glace. Ils jetèrent à Theon un regard plein de ressentiment quand celui-ci gravit les marches en boitillant, poussa la porte de droite et se coula à l'intérieur.

Une bienheureuse chaleur régnait dans la salle éclairée à la lumière des flambeaux, encombrée comme il ne l'avait jamais vue. Theon laissa la douceur l'envelopper, puis il se dirigea vers l'avant de la salle. Des hommes étaient assis, genou à genou, tassés si serré sur les bancs que les serveurs devaient se frayer un passage entre eux. Même au haut bout de la table les chevaliers et les lords disposaient de moins d'espace que d'ordinaire.

En haut, près de l'estrade, Abel touchait les cordes de son luth et chantait *Belles pucelles d'été. Il se prétend barde. Au vrai, il est plutôt maquereau.* Lord Manderly avait amené de Blancport des musiciens, mais aucun qui chantât. Aussi, quand Abel s'était présenté aux portes avec un luth et six femmes, avait-il été accueilli chaleureusement. « Deux sœurs, deux filles, une épouse et ma vieille mère », assurait le chanteur, bien qu'aucune d'elles ne lui ressemblât. « Les unes dansent, les autres chantent, une joue de la cornemuse et l'autre du tambour. Elles sont fines lavandières, au surplus. »

Barde ou maquereau, Abel avait une voix tolérable et un jeu plaisant. Ici, parmi les ruines, personne ne pouvait espérer mieux.

Au long des murs s'exposaient les bannières : les têtes de cheval des Ryswell en or, brun, gris et noir ; le rugissant géant de la maison Omble ; la main de pierre de la maison Flint, de Pouce-Flint ; l'orignac de Corbois et le triton de Manderly ; la hache de combat noire de Cerwyn et les pins de Tallhart. Toutefois, leurs vifs coloris ne pouvaient couvrir entièrement les murs noircis derrière elles, ni les planches qui colmataient les béances où s'ouvraient autrefois des fenêtres. Même le toit sonnait faux, avec ses solives neuves en bois brut, légères et claires à la place des anciennes poutres, pratiquement badigeonnées de noir par des siècles de fumée.

Les plus amples bannières se trouvaient derrière l'estrade, où le loup-garou de Winterfell et l'écorché de Fort-Terreur étaient accrochés derrière l'épouse et son mari. La vision de la bannière des Stark affecta Theon plus qu'il ne s'y attendait. *Non, ça ne va pas, comme ses yeux.* La maison Poole avait pour armes un besant bleu sur champ blanc, avec un trescheur gris. Voilà les armes qu'ils auraient dû exposer.

« Theon Tourne-Casaque », commenta quelqu'un sur son passage. D'autres se détournèrent à sa vue. L'un cracha. *Et pourquoi non ?* Il était le traître qui avait pris Winterfell par rouerie, tué ses frères adoptifs, envoyé son propre peuple se faire écorcher à Moat Cailin, et livré sa sœur adoptive à la couche de lord Ramsay. Roose Bolton pouvait se servir de lui, mais de vrais Nordiens se devaient de le mépriser.

Les orteils manquants de son pied gauche lui avaient laissé la démarche tordue, malhabile, bouffonne à regarder. Dans son dos, il entendit rire une femme. Même ici, dans le cimetière à demi gelé qu'était la forteresse cernée par la neige, la glace et la mort, il y avait des femmes. *Des lavandières.* C'était façon courtoise de désigner les *femmes de camp*, ce qui était façon courtoise de dire *putains*.

D'où elles venaient, Theon n'en avait aucune idée. Elles semblaient apparaître spontanément, comme les vers sur une charogne, ou les corbeaux après la bataille. Chaque armée les attirait. Certaines étaient des putains endurcies capables de baiser vingt hommes en une nuit et de les faire rouler sous la table à force de boisson. D'autres paraissaient innocentes autant que sont pucelles, mais ce n'était qu'artifice de leur commerce. D'aucunes étaient des épouses de camp, liées aux soldats qu'elles suivaient par des mots chuchotés devant l'un ou l'autre dieu, mais condamnées à être oubliées dès que la guerre s'achèverait. Elles réchauffaient la couche de l'homme la nuit, ravaudaient les trous de ses bottes le matin, cuisinaient son repas le crépuscule venu, et pilleraient son corps la bataille finie.

Certaines accomplissaient même un brin de lessive. Avec elles, une fois sur deux, venaient des enfants bâtards, de misérables créatures, crasseuses, nées dans l'un ou l'autre camp. Et même ceux-là se gaussaient de Theon Tourne-Casaque. *Eh bien, qu'ils rient.* Son orgueil avait péri ici, à Winterfell ; il n'y avait pas la place pour de telles considérations dans les cachots de Fort-Terreur. Quand on a connu le baiser d'un couteau d'écorcheur, le rire perd toute capacité à blesser.

La naissance et le sang lui ouvraient droit à un siège sur l'estrade, à l'extrémité du haut bout de la table, près d'un mur. À sa gauche était assise lady Dustin, comme toujours vêtue de laine noire, à la coupe sévère et sans ornements. À sa droite ne siégeait personne. *Ils craignent tous que le déshonneur ne déteigne sur eux.* S'il avait osé, il en aurait ri.

La mariée occupait la place la plus honorifique, entre Ramsay et son père. Elle resta assise, les yeux baissés, tandis que Roose Bolton les invitait à boire à lady Arya : « Par ses enfants, nos deux anciennes maisons ne feront plus qu'une, dit-il, et la longue inimitié entre Stark et Bolton prendra fin. » Il parlait d'une voix si douce que la salle se tut tandis que les hommes tendaient l'oreille. « Je regrette que notre bon ami Stannis n'ait pas encore jugé utile de se joindre à nous, poursuivit-il, suscitant une vaguelette de rires, car je sais que Ramsay espérait présenter sa tête à lady Arya en cadeau de noces. » Les rires redoublèrent. « Nous lui offrirons un accueil splendide quand il arrivera, bien digne de véritables Nordiens. En attendant ce jour, mangeons, buvons et éjouissons-nous… Car l'hiver est presque là, mes amis, et nombre d'entre nous ne vivront pas pour voir le printemps. »

Le sire de Blancport avait fourni la chère et la boisson, l'ale brune et la bière jaune, les vins rouges, aurés et mauves, apportés du Sud chaud sur des navires au cul lourd et vieillis dans la profondeur de ses caves. Les invités de la noce se gavèrent de beignets de morue et de potiron d'hiver, de collines de panais et de grandes meules rondes de fromage, de pavés fumants de mouton et de côtes de bœuf, presque charbonnées et, enfin, de trois grandes tourtes de mariage, d'un diamètre de roues de chariot, aux croûtes feuilletées farcies jusqu'à en éclater de carottes, d'oignons, de navets, de panais, de champignons et de pièces de porc épicé baignant dans une succulente sauce brune. Ramsay en tailla des parts avec son fauchon et Wyman Manderly les servit en personne, présentant les premières portions fumantes à Roose Bolton et à sa grosse Frey d'épouse, les suivantes à ser Hosteen et ser Aenys, les fils de Walder Frey. « La meilleure tourte que vous ayez jamais goûtée, messeigneurs, promit le lord obèse. Arrosez-la d'auré de La Treille et savourez-en chaque bouchée. Je sais que ce sera mon cas. »

Fidèle à sa parole, Manderly en dévora six portions, deux de chacune des trois tourtes, claquant des lèvres, se tapant la panse et s'empiffrant jusqu'à ce que le plastron de sa tunique fût à moitié bruni de taches de sauce et sa barbe semée de miettes de croûte. Même la grosse Walda Frey ne put rivaliser avec sa gourmandise, bien qu'elle réussît à en dévorer elle-même trois parts. Ramsay mangea lui aussi de bon cœur, mais sa pâle épouse se borna à contempler la portion déposée devant elle. Lorsqu'elle leva la tête et regarda vers Theon, il vit la peur derrière ses grands yeux marron.

On n'autorisait aucune longue épée dans la salle, mais chacun ici portait un poignard, même Theon Greyjoy. Comment découper la viande, sinon ? Chaque fois qu'il regardait celle qui avait été Jeyne Poole, il sentait la présence de cet acier à son côté. *Je n'ai aucun moyen de la sauver*, se disait-il, *mais je pourrais assez aisément la tuer. Nul ne s'attendrait à cela. Je pourrais lui demander l'honneur d'une danse et lui trancher la gorge. Ce serait une miséricorde, non ? Et si les anciens dieux entendent ma prière, Ramsay dans son courroux pourrait également me tuer de coups.* Theon n'avait pas peur de mourir. Dans les tréfonds de Fort-Terreur, il avait appris qu'existait bien pire que la mort. Ramsay lui avait enseigné cette leçon, un doigt après l'autre, un orteil après l'autre, et ce savoir-là, il avait peu de chances de l'oublier.

« Vous ne mangez pas, fit observer lady Dustin.

— Non. » Manger lui était difficile. Ramsay lui avait laissé tant de dents brisées que mâcher était une souffrance. Boire était plus aisé, bien qu'il dût saisir la coupe à deux mains pour ne pas la laisser choir.

« La tourte au cochon ne vous allèche pas, messire ? La meilleure que nous ayons jamais goûtée, comme notre gras ami voudrait nous en convaincre. » D'un mouvement avec sa coupe de vin, elle indiqua lord Manderly. « Avez-vous jamais vu gros homme si heureux ? Il en danserait. Et il nous a servis de ses propres mains. »

C'était la vérité. Le sire de Blancport était le vivant portrait de l'obèse jovial, tout en ris et sourires, plaisantant avec les autres seigneurs et leur administrant des claques dans le dos, hélant les musiciens pour réclamer tel ou tel air. « Joue-nous *La Nuit suprême*, chanteur, beugla-t-il. Elle va plaire à la mariée, celle-là, je le sais. Ou chante-nous l'histoire du brave et jeune Danny Flint et fais-nous pleurer. » À le voir, on l'aurait pris pour le jeune marié lui-même.

« Il est ivre, supposa Theon.

— Il noie ses peurs. Il est couard jusqu'à la moelle, celui-là. »

Vraiment ? Theon n'en était pas convaincu. Ses fils avaient été gras, eux aussi, mais ils ne s'étaient pas déshonorés au combat. « Les Fer-nés banquettent eux aussi avant la bataille. Une dernière façon de savourer la vie, au cas où la mort guetterait. Si Stannis arrive...

— Il arrivera. Il le faut. » Lady Dustin gloussa. « Et quand il sera là, le gros homme va se pisser aux chausses. Son fils est mort aux Noces Pourpres, et il a quand même partagé le pain et le sel avec les Frey, les a accueillis sous son toit et en a promis un à sa petite-fille. Le voilà qui leur sert de la tourte, à présent. Les Manderly ont autrefois fui le Sud, chassés de leurs terres et de leurs castels par des ennemis. Le sang ne ment pas. Le gros homme aimerait tous nous tuer, je n'en doute point, mais il n'en a pas les tripes, en dépit de son embonpoint. Sous cette chair en sueur bat un cœur aussi lâche et piteux que... ma foi, que le vôtre. »

Son dernier mot était un coup de fouet, mais Theon n'osa pas répondre sur le même ton. Il paierait toute insolence de sa peau. « Si vous croyez, madame, que lord Manderly cherche à nous trahir, c'est à lord Bolton qu'il faut le dire.

— Croyez-vous que Roose ne le sait pas ? Petit naïf. Observez-le. Voyez comme il surveille Manderly. Aucun mets ne touche les lèvres de Roose que celui-ci n'ait d'abord vu lord Wyman en manger. Aucune coupe de vin qu'il boive tant qu'il n'a pas vu lord Wyman boire du même fût. Je crois qu'il serait ravi de voir le gros homme tenter quelque traîtrise. La chose l'amuserait. Roose n'a aucun sentiment, voyez-vous. Ces sangsues dont il est tellement entiché ont pompé ses passions hors de son corps depuis des années. Il n'aime point, ne hait point, ne pleure point. C'est pour lui un jeu, vaguement divertissant. Certains hommes chassent, d'autres ont des faucons, d'autres encore jouent aux dés. Roose joue avec les hommes. Vous et moi, ces Frey, lord Manderly, sa nouvelle femme grassouillette, même son bâtard, nous ne sommes que des jouets. » Un serveur passait. Lady Dustin brandit sa coupe et la lui laissa remplir, puis indiqua qu'il fît de même pour Theon. « À parler franchement, poursuivit-elle, lord Bolton aspire à plus qu'une simple seigneurie. Pourquoi pas roi du Nord ? Tywin Lannister est mort, le Régicide est estropié, le Lutin s'est enfui. Les Lannister sont une force épuisée, et vous avez eu la bonté de le débarrasser des Stark. Le vieux Walder Frey n'objectera pas à voir sa grassouillette Walda devenir reine. Blancport pourrait poser problème si lord Wyman devait survivre à la bataille qui arrive... Mais je suis bien sûre qu'il n'y survivra pas. Pas plus que Stannis. Roose les éliminera tous deux, comme il a éliminé le Jeune Loup. Qui y a-t-il d'autre ?

— Vous, répondit Theon. Il y a vous. La dame de Tertrebourg, Dustin par le mariage, Ryswell par la naissance. »

Cela plut à la dame. Elle but une gorgée de vin, ses yeux sombres pétillant, et dit : « La *veuve* de Tertre-bourg... et oui, si je choisis de l'être, je pourrais devenir une gêne. Bien entendu, Roose le voit, aussi prend-il également soin de me garder de bonne humeur. »

Elle aurait pu en dire plus long, mais elle aperçut soudain les mestres. Trois d'entre eux étaient entrés ensemble, par la porte du seigneur, derrière l'estrade – un grand, un dodu et un très jeune, mais avec leurs robes et leurs chaînes, ils étaient trois jumeaux de la même noire portée. Avant la guerre, Medrick avait servi le sire de Corbois, Rhodry lord Cerwyn et le jeune Henly lord Ardoise. Roose Bolton les avait tous amenés à Winterfell pour se charger des corbeaux de Luwin, afin qu'on pût de nouveau envoyer et recevoir des messages d'ici.

Quand mestre Medrick posa un genou en terre pour chuchoter à l'oreille de Bolton, la bouche de lady Dustin se tordit avec répugnance. « Si j'étais reine, la première chose que je ferais serait de tuer tous ces rats gris. Ils galopent en tous sens, vivant des miettes des lords, piaillant entre eux, chuchotant à l'oreille de leurs maîtres. Mais qui est le maître et qui le serviteur, à la vérité ? Chaque grand lord a son mestre, chaque petit lord aspire à en avoir. Si vous n'avez pas de mestre, on en tire la conclusion que vous avez peu d'importance. Les rats gris lisent et rédigent nos lettres, même pour les lords qui ne savent pas lire eux-mêmes, et qui saurait dire avec certitude qu'ils ne déforment pas la vérité à leurs propres fins ? À quoi servent-ils, je vous le demande ?

— Ils guérissent », répondit Theon. Cela semblait être ce qu'on attendait de lui.

« Ils guérissent, certes. Je n'ai jamais dit qu'ils n'étaient pas subtils. Ils s'occupent de nous quand nous sommes malades, blessés, ou désemparés par la maladie d'un parent ou d'un enfant. Chaque fois que nous sommes les plus faibles, les plus vulnérables, ils sont là. Parfois, ils nous guérissent et nous en sommes reconnaissants, comme il se doit. Lorsqu'ils échouent, ils nous consolent dans notre chagrin, et de cela aussi, nous leur sommes reconnaissants. Par gratitude, nous leur attribuons une place sous notre toit et nous les mettons dans la confidence de toutes nos hontes et tous nos secrets, nous leur donnons une place à chaque conseil. Et avant qu'il soit tard, le gouvernant est devenu gouverné.

» C'est ainsi qu'il en allait avec lord Rickard Stark. Mestre Walys, s'appelait son rat gris. Et n'est-ce point ingénieux, cette façon qu'ont les mestres de n'aller que sous un seul nom, même ceux qui en possédaient deux en arrivant à la Citadelle ? De la sorte, nous ne savons ni qui ils sont vraiment, ni d'où ils viennent... Mais avec assez d'entêtement, on peut quand même le découvrir. Avant de forger sa chaîne, mestre Walys était connu sous le nom de Walys Flowers. Flowers, Hill, Rivers, Snow... nous donnons ces noms aux enfants de vile naissance afin de marquer leur nature, mais ils sont prompts à s'en dépouiller. Walys Flowers avait une fille Hightower pour mère... et un archimestre de la Citadelle comme père, selon la rumeur. Les rats gris ne sont point si chastes qu'ils voudraient nous en faire accroire. Les mestres de Villevieille sont les pires de tous. Une fois qu'il a eu forgé sa chaîne, son père secret et ses amis n'ont pas perdu de temps à l'expédier à Winterfell pour verser des mots empoisonnés à la douceur de miel dans l'oreille de lord Rickard. L'idée d'un mariage avec les Tully venait de lui, n'en doutez point, il... »

Elle s'interrompit, car Roose Bolton se levait de nouveau, ses yeux pâles brillant à la clarté des flambeaux. « Mes amis », commença-t-il tandis qu'un silence enveloppait la salle, si profond que Theon entendit le vent tâtonner aux planches qui obturaient les fenêtres. « Stannis et ses chevaliers ont quitté Motte-la-Forêt, sous la bannière de son nouveau dieu rouge. Les clans des collines du Nord l'accompagnent sur leurs avortons de chevaux hirsutes. Si le temps se maintient, ils pourraient être sur nous dans une quinzaine. Et Freuxchère Omble remonte la route Royale, tandis que les Karstark approchent par l'est. Ils ont l'intention d'opérer ici leur jonction avec lord Stannis et de nous enlever ce château. »

Ser Hosteen Frey se remit debout. « Nous devrions chevaucher à leur rencontre. Pourquoi leur permettre de combiner leurs forces ? »

Parce qu'Arnolf Karstark n'attend qu'un signal de lord Bolton avant de tourner casaque, se dit Theon, pendant que d'autres lords commençaient à crier des conseils. Lord Bolton leva les mains pour intimer silence. « La salle n'est pas le lieu pour de tels débats, messeigneurs. Retirons-nous dans les appartements privés, tandis que mon fils consomme son mariage. Les autres, restez ici et savourez la chère et le vin. »

Tandis que le sire de Fort-Terreur s'éclipsait, escorté par les trois mestres, d'autres seigneurs et capitaines se levèrent pour les suivre. Hother Omble, le vieillard émacié qu'on appelait Pestagaupes, s'en fut, la mine sévère et une moue à la bouche. Lord Manderly était tellement ivre qu'il fallut quatre solides gaillards pour l'aider à quitter la grande salle. « Nous aurions dû avoir une chanson sur le Rat Coq », bredouilla-t-il, croisant Theon en titubant, soutenu par ses chevaliers. « Chanteur, joue-nous une chanson sur le Rat Coq. »

Lady Dustin figura parmi les derniers à se lever de sa place. Quand elle fut partie, la grande salle sembla suffocante, tout d'un coup. Ce ne fut que lorsque Theon se remit debout qu'il s'aperçut combien il avait bu. En quittant la table d'un pas chancelant, il renversa une carafe des mains d'une serveuse. Le vin lui éclaboussa les bottes et les chausses, une marée rouge sombre.

Une main lui empoigna l'épaule, cinq doigts durs comme fer se plantant profondément dans sa chair. « On te demande, Schlingue », prononça Alyn le Rogue, son haleine immonde par la puanteur de ses chicots pourris. Dick le Jaune et Damon Danse-pour-moi se trouvaient avec lui. « Ramsay dit que tu vas lui amener sa belle au lit. »

Un frisson de peur le traversa. *J'ai tenu mon rôle*, se dit-il. *Pourquoi moi ?* Mais il savait bien qu'il ne devait pas élever d'objections.

Lord Ramsay avait déjà quitté la salle. Sa jeune épouse, triste et apparemment oubliée, était assise, courbée et silencieuse, sous la bannière de la maison Stark, serrant à deux mains une coupe d'argent. À en juger par le regard qu'elle lui lança quand il approcha, elle avait vidé la coupe plus d'une fois. Peut-être avait-elle espéré qu'en buvant suffisamment, l'épreuve lui serait épargnée. Theon savait qu'elle s'illusionnait. « Lady Arya, lui dit-il. Venez. Il est temps pour vous d'accomplir votre devoir. »

Six des hommes du Bâtard les accompagnèrent tandis que Theon guidait la jeune femme par l'arrière de la salle et à travers la cour glaciale jusqu'au Grand Donjon. Il fallait gravir trois volées de degrés de pierre jusqu'à la chambre à coucher de lord Ramsay, une des pièces que les incendies n'avaient touchées qu'à peine. Durant la montée, Damon Danse-pour-moi sifflota, tandis que l'Écorcheur se vantait que lord Ramsay lui avait promis un lambeau du drap taché de sang, en marque de sa faveur spéciale.

La chambre à coucher avait été fort bien préparée en vue de la consommation. Tout le mobilier était neuf, transporté de

Tertre-bourg dans le train des bagages. Le lit à baldaquin avait un matelas de plume et des tentures de velours rouge sang. Le sol de pierre était couvert de peaux de loup. Un feu brûlait dans l'âtre, une chandelle sur la table de nuit. Sur la desserte, on voyait une carafe de vin, deux coupes et une demi-meule de fromage blanc veiné.

Il y avait également un fauteuil, en chêne noir sculpté avec un siège de cuir rouge. Lord Ramsay l'occupait quand ils entrèrent. Des postillons luisaient sur ses lippes. « Voilà ma douce pucelle. Braves garçons. Vous pouvez nous laisser, à présent. Pas toi, Schlingue. Tu restes ici. »

Schlingue, Schlingue, ça commence comme chandelle. Il sentait des crampes dans ses doigts manquants : deux à sa main gauche, un à la droite. Et sur sa hanche reposait son poignard, dormant dans le fourreau en cuir, mais lourd, oh, tellement lourd. *À ma main droite ne manque que le petit doigt,* se remémora Theon. *Je peux encore tenir un poignard.* « Messire. En quoi puis-je vous servir ?

— Tu m'as accordé la drôlesse. Qui est mieux placé pour déballer le présent ? Jetons un coup d'œil à la petite fille de Ned Stark. »

Elle n'a aucune parenté avec lord Eddard, faillit répliquer Theon. *Ramsay le sait, il doit bien le savoir. À quel nouveau jeu cruel joue-t-il ?* La fille se tenait debout près d'un montant du lit, tremblant comme une biche. « Lady Arya, si vous voulez bien me tourner le dos, je me dois de délacer votre robe.

— Non. » Lord Ramsay se versa une coupe de vin. « Les lacets prennent trop de temps. Découpe-lui la robe. »

Theon tira son poignard. *Il me suffit de me retourner et de le poignarder. J'ai le couteau en main.* Il connaissait le jeu, désormais. *Un autre piège,* se dit-il, se rappelant Kyra et ses clés. *Il veut que j'essaie de le tuer. Et quand j'échouerai, il écorchera la main que j'ai employée pour tenir la lame.* Il saisit à pleine main un pan de la robe de mariée. « Ne bougez pas, madame. » Le vêtement s'évasait en dessous de la taille, aussi est-ce là qu'il introduisit la lame, tranchant lentement vers le haut, afin de ne pas la blesser. L'acier chuchotait à travers la laine et la soie, avec un son doux et léger. La fille tremblait.

Theon dut la retenir par le bras pour l'immobiliser. *Jeyne, Jeyne, ça commence comme joug.* Il serra sa poigne, autant que sa main gauche estropiée le lui permettait. « Ne bougez pas. »

Finalement la robe tomba, un fatras pâle autour des pieds de la fille. « Son petit linge aussi », ordonna Ramsay. Schlingue obéit.

Quand ce fut fait, la mariée se tint nue, ses atours de noces réduits à une pile de haillons blancs et gris à ses pieds. Elle avait de petits seins pointus, d'étroites hanches de fillette, des jambes aussi maigres que des pattes d'oiseau. *Une enfant.* Theon avait oublié combien elle était jeune. *L'âge de Sansa. Arya serait encore plus jeune.* Malgré le feu dans la cheminée, il faisait froid dans la chambre à coucher. La peau pâle de Jeyne se hérissait de chair de poule. Vint un moment où ses mains se levèrent, comme pour couvrir ses seins, mais Theon articula en silence un *non* et elle le vit, et s'arrêta immédiatement.

« Que penses-tu d'elle, Schlingue ? demanda lord Ramsay.

— Elle... » *Quelle réponse attend-il ?* Que lui avait dit la fille, avant le bois sacré ? *Tout le monde disait que j'étais jolie.* Elle ne l'était pas, en ce moment. Il voyait une toile d'araignée de fines lignes en travers de son dos, où on l'avait fouettée. « Elle est belle, si... si belle. »

Ramsay eut son sourire humide. « Est-ce qu'elle te durcit le vit, Schlingue ? Est-ce qu'il est bandé contre tes lacets ? Voudrais-tu être le premier à la baiser ? » Il rit. « Le prince de Winterfell devrait avoir ce droit, comme tous les seigneurs d'antan. La première nuit. Mais tu n'es pas un seigneur, n'est-ce pas ? Juste Schlingue. Pas même un homme, à vrai dire. » Il but une nouvelle gorgée de vin, puis jeta la coupe à travers la chambre pour qu'elle se brisât contre un mur. Des rivières rouges coulèrent sur la pierre. « Lady Arya. Étendez-vous sur le lit. Oui, contre les oreillers, en bonne épouse. À présent, écartez les jambes. Exposez-nous votre connil. »

La fille obéit, sans un mot. Theon recula d'un pas vers la porte. Lord Ramsay s'assit auprès de son épouse, glissa la main à l'intérieur de la cuisse, puis enfonça deux doigts en elle. La fille laissa échapper un petit hoquet de douleur. « Tu es sèche comme un vieil os. » Ramsay retira la main et la gifla en plein visage. « On m'avait dit que tu savais contenter un homme. Était-ce un mensonge ?

— N-non, messire. On m'a f-formée. »

Ramsay se leva, les lueurs du feu brillant sur son visage. « Schlingue, viens par ici. Prépare-la-moi. »

Un instant, il ne comprit pas. « Je... vous voulez dire... M'sire, je n'ai pas de... Je...

— Avec ta bouche, précisa lord Ramsay. Et ne traîne pas. Si elle n'est pas trempée du temps que j'ai fini de me dévêtir, je te coupe ta langue et je la cloue au mur. »

Quelque part, dans le bois sacré, un corbeau hurla. Il avait toujours le poignard à la main.

Il le rengaina.

Schlingue, mon nom est Schlingue, ça commence comme chimères.

Schlingue s'inclina sur sa tâche.

L'OBSERVATEUR

« Voyons donc cette tête », ordonna son prince.

Areo Hotah laissa courir sa main sur la hampe lisse de sa hache de guerre, son épouse de frêne et de fer, observant tout du long. Il observait le chevalier blanc, ser Balon Swann, et les autres, arrivés avec lui. Il observait les Aspics des Sables, chacun à une table différente. Il observait les seigneurs et les dames, les serviteurs, le vieux sénéchal aveugle et le jeune mestre Myles, avec sa barbe soyeuse et son sourire servile. Debout à moitié dans la lumière et à moitié dans l'ombre, il les voyait tous. *Servir. Protéger. Obéir.* Ainsi se définissait sa tâche.

Tous les autres n'avaient d'yeux que pour le coffret. Il était sculpté dans l'ébène, avec des fermoirs et charnières d'argent. Une belle et bonne boîte, assurément, mais nombre de ceux qui étaient assemblés ici dans le Palais Vieux de Lancehélion seraient peut-être morts sous peu, en fonction du contenu de ce coffret.

Dans un chuchotis de sandales sur le sol, mestre Caleotte traversa la salle jusqu'à ser Balon Swann. Le petit homme rond avait splendide allure dans ses robes neuves, avec leurs larges bandeaux de couleurs aubère et doubeurre et leurs fines rayures rouges. En s'inclinant, il prit le coffret des mains du chevalier blanc et le porta à l'estrade, où Doran Martell était assis dans son fauteuil roulant entre sa fille Arianne et Ellaria, l'amante de cœur de son défunt frère. Cent chandelles parfumées embaumaient l'atmosphère. Des gemmes scintillaient aux doigts des lords, aux bandiers et aux résilles des dames. Areo Hotah avait lustré sa cotte d'écailles de cuivre afin de les rendre éclatantes comme un miroir et de resplendir lui aussi aux feux des chandelles.

Un silence était tombé sur la salle. *Dorne retient son souffle.* Mestre Caleotte déposa le coffret à côté du fauteuil du prince Doran. Les doigts du mestre, d'habitude si assurés et déliés, se firent maladroits en actionnant le fermoir et en ouvrant le couvercle, pour révéler le crâne à l'intérieur. Hotah entendit quelqu'un se racler la gorge. Une des jumelles Poulet murmura quelque chose à l'autre. Ellaria Sand avait clos les paupières et murmurait une prière.

Ser Balon Swann était tendu comme un arc bandé, observa le capitaine de la garde. Ce nouveau chevalier blanc n'était point si grand et séduisant que l'ancien, mais il était plus large de torse, plus massif, avec des bras lourds de muscles. Sa cape de neige était retenue à sa gorge par deux cygnes sur une broche d'argent. L'un était d'ivoire, l'autre d'onyx, et il paraissait à Areo Hotah qu'ils luttaient entre eux. L'homme qui les portait semblait un guerrier, aussi. *Celui-ci ne mourra pas aussi facilement que l'autre. Il ne chargera pas sous ma hache comme l'a fait ser Arys. Il se tiendra derrière son bouclier et me forcera à venir à lui.* Si les choses en arrivaient là, Hotah serait prêt. Sa hache de bataille était assez affûtée pour se raser avec.

Il se permit un bref coup d'œil vers le coffret. Le crâne, ricanant, reposait sur un fond de feutre noir. Tous les crânes ricanent, mais celui-ci semblait plus réjoui que bien d'autres. *Et plus gros.* Le capitaine des gardes n'avait jamais vu crâne plus volumineux. Il avait l'arcade sourcilière lourde, épaisse, la mâchoire massive. L'os luisait à la lueur des chandelles, aussi blanc que la cape de ser Balon. « Placez-le sur le piédestal », ordonna le prince. Des larmes brillaient dans ses yeux.

Le piédestal était une colonne en marbre noir, plus haute de trois pieds que mestre Caleotte. Le petit mestre replet sautilla sur la pointe des pieds, sans pouvoir y atteindre tout à fait. Areo Hotah se préparait à aller l'aider, mais Obara Sand agit la première. Même sans son fouet et son bouclier, elle avait une allure furieuse et hommasse. En lieu de robe, elle portait un haut-de-chausses d'homme et une tunique de linon qui lui descendait au mollet, serrée à la taille par une ceinture de soleils de cuivre. Ses cheveux bruns étaient retenus en arrière en chignon. Arrachant le crâne aux douces menottes roses du mestre, elle le plaça au sommet de la colonne de marbre.

« La Montagne n'ira plus à cheval, prononça le prince avec gravité.

— Sa mort a-t-elle été longue et douloureuse, ser Balon ? » s'enquit Tyerne Sand, du ton dont pourrait user une donzelle pour demander si sa robe était jolie.

« Il a hurlé pendant des jours, madame », répondit le chevalier blanc, bien qu'à l'évidence il prît peu de plaisir à le dire. « Nous l'entendions à travers tout le Donjon Rouge.

— Cela vous trouble-t-il, ser ? » demanda lady Nym. Elle portait une robe en soie jaune si fine et transparente que la lumière des chandelles la traversait pour révéler le tissu d'or et les joyaux en dessous. Sa tenue était d'une indécence telle que le chevalier blanc paraissait mal à l'aise en la regardant, mais Hotah approuvait. C'était quand Nymeria était pratiquement nue qu'elle présentait le moins de danger. Sinon, elle dissimulait assurément une douzaine de lames sur sa personne. « Ser Gregor était une brute sanguinaire, chacun s'accorde sur ce point. Si jamais homme a mérité de souffrir, ce fut lui.

— Cela se peut, madame, répondit Balon Swann, mais ser Gregor était un chevalier, et un chevalier devrait périr l'épée à la main. Le poison est une manière ignoble et répugnante de mourir. »

Lady Tyerne en sourit. Sa robe était crème et vert, avec de longues manches en dentelle, si pudique et si innocente que tout homme qui l'aurait vue aurait pu la croire la plus chaste des pucelles. Areo Hotah ne s'y trompait pas. Ses mains douces et pâles étaient aussi mortelles que les mains calleuses d'Obara, voire pires. Il l'observait avec attention, alerte au moindre frémissement de ses doigts.

Le prince Doran fronça les sourcils. « Cela est vrai, ser Balon, mais lady Nym a raison. Si jamais homme mérita de périr en hurlant, ce fut Gregor Clegane. Il a massacré ma bonne sœur, fracassé le crâne de son nourrisson contre un mur. Je prie seulement pour qu'il brûle à présent dans je ne sais quel enfer, et qu'Elia et ses enfants soient en paix. Voilà la justice dont Dorne avait soif. Je suis heureux d'avoir vécu assez longtemps pour la savourer. Enfin, les Lannister ont prouvé que leur hâblerie était fondée, et payé cette vieille dette de sang. »

Le prince laissa le soin à Ricasso, son sénéchal aveugle, de se lever pour porter un toast. « Messeigneurs et mesdames, buvons tous à Tommen, Premier de son Nom, roi des Andals, des Rhoynars et des Premiers Hommes, et Seigneur des Sept Couronnes. »

Les serviteurs avaient commencé à circuler parmi les invités pendant que le sénéchal parlait, remplissant les coupes avec les carafes qu'ils tenaient. Le vin était un brandevin de Dorne, noir comme le sang et doux comme la vengeance. Le capitaine n'en but pas. Jamais il ne buvait aux banquets. Le prince lui-même s'abstint. Il avait son propre vin, préparé par mestre Myles et fortement chargé de jus de pavot afin d'atténuer la souffrance de ses articulations gonflées.

Le chevalier blanc but, par pure courtoisie. Ses compagnons l'imitèrent. Ainsi que la princesse Arianne, lady Jordayne, le sire de la Gracedieu, le chevalier de Boycitre, la dame de Spectremont... même Ellaria Sand, dame de cœur du prince Oberyn, qui se trouvait auprès de lui à Port-Réal quand il était mort. Hotah prêtait davantage attention à ceux qui ne buvaient pas : ser Daemon Sand, lord Tremond Gargalen, les jumelles Poulet, Dagos Forrest, les Uller de Denfert, les Wyl des Osseux. *S'il y a des problèmes, cela pourrait commencer avec l'un d'entre eux.* Dorne était un pays mécontent et divisé, et l'emprise qu'exerçait le prince Doran sur lui n'était pas aussi ferme qu'elle l'aurait pu. Nombre de ses propres seigneurs le jugeaient faible et auraient accueilli avec satisfaction une guerre ouverte contre les Lannister et l'enfant roi sur le Trône de Fer.

En particulier les Aspics des Sables, les bâtardes de feu le frère du prince, Oberyn, la Vipère Rouge, dont trois participaient au banquet. Doran Martell était le plus sage des princes et il n'appartenait pas au capitaine des gardes de discuter ses décisions, mais Areo Hotah se demandait bien pourquoi il avait choisi de libérer les dames Obara, Nymeria et Tyerne de leurs cellules solitaires dans la tour Lance.

Tyerne déclina le toast de Ricasso avec un murmure, et lady Nym avec un bref geste de la main. Obara laissa remplir sa coupe à ras bord, puis la retourna, pour verser le vin rouge sur le sol. Quand une servante s'agenouilla pour essuyer le vin répandu, Obara quitta la salle. Au bout d'un instant, la princesse Arianne s'excusa et partit à sa suite. *Jamais Obara ne retournerait sa fureur contre la petite princesse*, Hotah le savait. *Elles sont cousines et elle lui est chère.*

Le banquet se poursuivit tard dans la nuit, présidé par le crâne ricanant sur sa colonne de marbre noir. On servit sept plats, en l'honneur des sept dieux et des sept frères de la Garde Royale. La soupe se composait d'œufs et de citrons, les grands poivrons verts étaient farcis de fromage et d'oignons. Il y avait des tourtes de lamproie, des chapons glacés au miel, un poisson-chat des fonds de la Sang-vert, si gros qu'il fallut quatre serviteurs pour le porter à table. Puis arriva un délicieux ragoût de serpent, des morceaux de sept espèces différentes mijotés avec du poivre-dragon, des oranges sanguines, et une giclée de venin pour lui donner du mordant. Le ragoût était très épicé, Hotah le savait, bien qu'il ne mangeât rien de tout cela. Suivit un sorbet afin d'apaiser la langue. Pour dessert, chaque convive se vit servir un crâne en sucre filé. Lorsque la croûte en fut brisée, ils découvrirent à l'intérieur une crème épaisse et des morceaux de prunes et de cerises.

La princesse Arianne revint à temps pour les poivrons farcis. *Ma petite princesse*, songea Hotah, mais Arianne était femme, désormais. Les soieries écarlates qu'elle portait ne laissaient aucun doute sur ce point. Dernièrement, elle avait également changé sur d'autres chapitres. Sa conspiration pour couronner Myrcella avait été trahie et écrasée, son chevalier blanc avait péri de sanglante façon aux mains d'Hotah, et elle avait elle-même été confinée dans la tour Lance, condamnée à la solitude et au silence. Tout cela l'avait assagie. Il y avait autre chose, aussi, un secret que lui avait confié son père avant de la libérer de sa réclusion. Lequel, le capitaine ne le savait pas.

Le prince avait installé sa fille entre lui et le chevalier blanc, une place de grand prestige. Arianne sourit en se glissant de nouveau sur son siège, et murmura quelques mots à l'oreille de ser Balon. Le chevalier ne jugea pas nécessaire de répondre. Il mangeait peu, observa Hotah : une cuillère de soupe, une bouchée de poivron, une cuisse de chapon, un peu de poisson. Il évita la tourte de lamproie et ne goûta qu'une petite cuillerée de ragoût. Même cela suffit à faire perler la sueur à son front. Hotah pouvait compatir. À son arrivée à Dorne, la nourriture ardente lui nouait le ventre et brûlait sa langue. Mais des années s'étaient écoulées ; désormais, il avait des cheveux blancs et pouvait manger tout ce que mangeait un Dornien.

Quand on servit les crânes en sucre filé, ser Balon pinça les lèvres et il attacha sur le prince un long regard pour voir si l'on se moquait de lui. Doran Martell n'y prêta aucune attention, mais sa fille le nota. « C'est une petite plaisanterie du cuisinier, ser Balon, expliqua Arianne. Même la mort n'est pas sacrée pour un Dornien. Vous ne serez pas fâché contre nous, j'espère ? » Elle effleura de ses doigts le dos de la main du chevalier blanc. « J'espère que vous avez apprécié votre séjour à Dorne.

— Tout le monde a fait montre d'une grande hospitalité, madame. »

Arianne toucha le bijou qui retenait sa cape, avec ses cygnes en querelle. « J'ai toujours beaucoup aimé les cygnes. Nul autre oiseau n'est moitié aussi beau, entre ici et les îles d'Été.

— Vos paons pourraient disputer le fait, fit observer ser Balon.

— Ils le pourraient, mais les paons sont des êtres vaniteux et orgueilleux, qui s'exhibent dans toutes ces couleurs criardes. Je préfère un cygne, d'un blanc serein ou d'un noir magnifique. »

Ser Balon hocha la tête et but une gorgée de vin. *On ne séduit pas celui-ci aussi aisément que son Frère Juré*, songea Hotah. *Ser Arys était un enfant, malgré son âge. Celui-ci est un homme, et il est sur ses gardes.* Il suffisait au capitaine de le regarder pour constater que le chevalier blanc était mal à l'aise. *Ces lieux lui sont inconnus, et ne lui plaisent guère.* Hotah pouvait le comprendre. Dorne lui avait paru un endroit bien étrange quand il était arrivé ici avec sa propre princesse, bien des années plus tôt. Les prêtres barbus lui avaient enseigné la Langue Commune de Westeros avant de l'envoyer, mais le débit des Dorniens les rendait tous trop difficiles à comprendre. Les Dorniennes étaient lascives, le vin dornien était aigre et la nourriture dornienne abondait en épices étranges et fortes. Et le soleil de Dorne était plus chaud que le pâle et morne soleil de Norvos, éclatant dans un ciel bleu, jour après jour.

Le voyage de ser Balon avait été plus court, mais déconcertant à sa façon, le capitaine le savait. Trois chevaliers, huit écuyers, vingt hommes d'armes et divers garçons d'écurie et serviteurs l'avaient accompagné depuis Port-Réal, mais une fois les montagnes franchies pour entrer à Dorne, leur progression avait été ralentie par une kyrielle de banquets, de chasses et de fêtes à chaque château qu'il leur arrivait de croiser. Et maintenant qu'ils avaient atteint Lancehélion, ni la princesse Myrcella ni ser Arys du Rouvre n'étaient là pour les accueillir. *Le chevalier blanc se doute que quelque chose ne va pas*, Hotah le voyait bien, *mais son problème va au-delà*. Peut-être la présence des Aspics des Sables le désarçonnait-elle. En ce cas, le retour d'Obara dans la salle avait dû verser du vinaigre sur la plaie. Elle se coula de nouveau à sa place sans un mot, et resta assise, morose et amère, sans sourire ni rien dire.

La minuit approchait lorsque le prince Doran se tourna vers le chevalier blanc pour lui déclarer : « Ser Balon, j'ai lu la missive de notre gracieuse reine que vous m'avez apportée. Puis-je présumer que vous en connaissez le contenu, ser ? »

Hotah vit le chevalier se crisper. « En effet, messire. Sa Grâce m'a informé qu'on pourrait me demander d'escorter sa fille pour son retour à Port-Réal. Le roi Tommen se languit de sa sœur, et aimerait que la princesse Myrcella rentrât à la cour pour une brève visite. »

La princesse Arianne prit une expression désolée. « Oh, mais nous nous sommes tous tellement attachés à Myrcella, ser. Mon frère Trystan et elle sont devenus inséparables.

— Le prince Trystan serait lui aussi bienvenu à Port-Réal, assura Balon Swann. Le roi Tommen aimerait le rencontrer, j'en

LES DRAGONS DE MEEREEN

suis certain. Sa Grâce a si peu de compagnons d'un âge proche du sien.

— Les liens forgés dans l'enfance peuvent durer toute une vie d'homme, commenta le prince Doran. Lorsque Trystan épousera Myrcella, Tommen et lui seront comme des frères. La reine Cersei a raison. Ces garçons devraient se rencontrer, devenir amis. Il manquera à Dorne, assurément, mais il est grand temps que Trystan voie un peu le monde au-delà du Rempart de Lancehélion.

— Je sais que Port-Réal lui réservera un chaleureux accueil. » *Mais pourquoi se met-il à transpirer ?* se demanda le capitaine qui observait. *Il fait assez frais dans la salle, et il n'a pas goûté au ragoût.*

« Quant à l'autre affaire soulevée par la reine Cersei, poursuivait le prince Doran, c'est la vérité : le siège de Dorne au conseil restreint est demeuré vacant depuis la mort de mon frère, et il est grand temps qu'il soit de nouveau occupé. Je suis flatté que Sa Grâce estime que mes conseils puissent lui être utiles, mais je ne sais si j'ai l'énergie pour accomplir un tel voyage. Peut-être que si nous l'accomplissions par voie de mer ?

— En bateau ? » Ser Balon parut pris de court. « Ce... Serait-ce bien prudent, mon prince ? L'automne est une mauvaise saison pour les tempêtes, du moins l'ai-je entendu dire, et... les pirates des Degrés de Pierre, ils...

— Les pirates. Bien entendu. Vous avez peut-être raison, ser. Mieux vaudra revenir par le trajet que vous avez suivi à l'aller, il est plus sûr. » Le prince Doran sourit avec amabilité. « Reparlons-en demain. Quand nous arriverons aux Jardins Aquatiques, nous le dirons à Myrcella. Je sais qu'elle sera enthousiaste. Son frère lui manque aussi, je n'en doute pas.

— Il me tarde de la revoir, déclara ser Balon. Et de visiter vos Jardins Aquatiques. J'ai entendu dire qu'ils étaient splendides.

— Splendides et paisibles. Des brises fraîches, une eau qui scintille et le rire des enfants. Les Jardins Aquatiques sont le lieu que je préfère au monde, ser. Un de mes ancêtres les a fait construire pour plaire à son épouse Targaryen et la libérer de la poussière et de la chaleur de Lancehélion. *Daenerys* était son nom. Elle était la sœur du roi Daeron le Bon, et ce fut son mariage qui rattacha Dorne aux Sept Couronnes. Tout le royaume savait que cette fille aimait le frère bâtard de Daeron, Daemon Feunoyr, et que celui-ci l'aimait en retour, mais le roi était assez sage pour voir que le bien de milliers de personnes devait primer sur les désirs de deux, même si ces deux-là lui étaient chers. C'est Daenerys qui a rempli les jardins d'enfants rieurs. Les siens propres, pour commencer, mais plus tard on amena des fils et filles de seigneurs et de chevaliers fieffés pour tenir compagnie aux garçons et filles de sang princier. Et par un jour d'été brûlant comme braise, elle prit pitié des enfants de ses valets et cuisiniers et serviteurs et les invita eux aussi à utiliser les bassins et les fontaines, une tradition qui s'est maintenue jusqu'à ce jour. » Le prince empoigna les roues de son fauteuil et s'écarta de la table. « Mais vous allez devoir m'excuser, à présent, ser. Toute cette conversation m'a épuisé, et nous devrions prendre la route au point du jour. Obara, serais-tu assez aimable pour m'aider à regagner mon lit ? Nymeria, Tyerne, venez vous aussi souhaiter la bonne nuit à votre vieil oncle. »

Il échut donc à Obara Sand de pousser le fauteuil roulant du prince hors de la salle des banquets de Lancehélion, le long d'une grande galerie, jusqu'à ses appartements. Areo Hotah suivit, avec les autres sœurs Sand, ainsi que la princesse Arianne et Ellaria Sand. Mestre Caleotte se hâtait en sandales sur leurs traces, serrant contre lui le crâne de la Montagne comme s'il s'agissait d'un enfant.

« Vous n'avez pas sérieusement l'intention d'envoyer Trystan et Myrcella à Port-Réal », jeta Obara tout en poussant. Elle avançait à longues enjambées furibondes, beaucoup trop rapides, et les grandes roues de bois du fauteuil claquaient bruyamment sur les dalles grossièrement taillées du sol. « Faites cela et nous ne reverrons jamais la petite, et votre fils passera sa vie comme otage du Trône de Fer.

— Me prends-tu pour un imbécile, Obara ? » Le prince laissa échapper un soupir. « Il y a beaucoup de choses que tu ignores. Des choses qu'il vaut mieux ne pas discuter ici, où tout le monde peut entendre. Si tu tiens ta langue, je pourrai t'éclairer. » Il fit une grimace. « *Moins vite*, pour l'amour que tu me portes ! Cette dernière secousse m'a planté un couteau dans le genou. »

Obara ralentit de moitié son allure. « Qu'allez-vous faire, alors ? »

Sa sœur Tyerne répondit : « Ce qu'il fait toujours, ronronnat-elle. Remettre, brouiller, leurrer. Oh, personne ne s'y entend moitié si bien que notre bon oncle.

— Vous le jugez mal, protesta la princesse Arianne.

— Silence, vous toutes », ordonna le prince.

Ce n'est que lorsque les portes de ses appartements furent closes avec soin derrière eux qu'il fit pivoter son fauteuil pour faire face aux femmes. Ce seul effort suffit à le laisser hors d'haleine, et la couverture myrienne qui lui couvrait les jambes se prit entre deux rayons tandis qu'il roulait, si bien qu'il dut l'empoigner pour empêcher qu'elle lui fût arrachée. Sous le tissu léger, il avait des jambes pâles, molles, affreuses. Ses deux genoux étaient rougis et gonflés, et ses orteils presque mauves, du double de la taille qu'ils auraient dû avoir. Area Hotah les avait vus mille fois et avait encore du mal à les regarder.

La princesse Arianne s'avança. « Permettez-moi de vous aider, père. »

Le prince dégagea la couverture. « Je puis encore maîtriser ma propre couverture. Au moins cela. » C'était bien peu de chose. Il n'avait plus l'usage de ses jambes depuis trois ans, mais ses mains et ses épaules avaient gardé leur vigueur.

« Dois-je aller chercher pour mon prince un dé à coudre de lait de pavot ? demanda mestre Caleotte.

— J'aurais besoin d'un plein seau, avec cette douleur. Merci, mais non. Je veux garder la tête claire. Je n'aurai plus besoin de vous, ce soir.

— Fort bien, mon prince. » Mestre Caleotte s'inclina, le chef de ser Gregor encore serré entre ses douces menottes roses.

« Je vais me charger de ceci. » Obara Sand lui prit le crâne et le brandit à bout de bras. « À quoi ressemblait la Montagne ? Comment savons-nous qu'il s'agit bien de lui ? Ils auraient pu tremper la tête dans du goudron. Pourquoi la curer jusqu'à l'os ?

— Le goudron aurait abîmé le coffret », suggéra lady Nym, tandis que mestre Caleotte se hâtait de quitter les lieux. « Nul n'a *vu* mourir la Montagne, ni vu son chef tranché. La chose me trouble, je le confesse, mais que pourrait espérer accomplir la royale drôlesse en nous trompant ? Si Gregor Clegane est vivant, tôt ou tard la vérité éclatera. L'homme mesurait huit pieds, il n'a pas son pareil dans tout Westeros. Si un tel homme réapparaissait, Cersei Lannister serait exposée comme une menteuse devant la totalité des Sept Couronnes. Elle serait une parfaite sotte de courir un tel risque. Que pourrait-elle espérer y gagner ?

— Le crâne est d'assez forte taille, certes, commenta le prince. Et nous savons qu'Oberyn a gravement blessé Gregor. Tous les rapports que nous avons reçus depuis lors affirment que Clegane a péri lentement, dans de grandes souffrances.

— Précisément comme Père le souhaitait, confirma Tyerne. Mes sœurs, en vérité, je connais le poison dont a usé Père. Si sa lance a seulement égratigné la Montagne, Clegane est mort, et peu importe sa taille. Doutez de votre petite sœur s'il vous sied, mais ne doutez jamais de notre géniteur. »

Obara s'offusqua. « Jamais je ne l'ai fait, ni jamais ne le ferai. » Elle accorda au crâne un baiser moqueur. « C'est un début, je vous l'accorde.

— Un *début* ? s'exclama Ellaria Sand, incrédule. Les dieux nous en préservent. Il me plairait que ce fût une fin. Tywin Lannister est mort. De même, Robert Baratheon, Amory Lorch et à présent Gregor Clegane, tous ceux qui avaient prêté la main au meurtre d'Elia et de ses enfants. Et même Joffrey, qui n'était pas né lorsqu'Elia a péri. J'ai vu de mes propres yeux l'enfant mourir, en se griffant la gorge pour tenter d'aspirer de l'air. Qui doit-on encore tuer ? Faudra-t-il que meurent Myrcella et Tommen, pour que les ombres de Rhaenys et d'Aegon dorment en paix ? Où tout cela finira-t-il ?

— Dans le sang, comme cela a commencé, répliqua lady Nym. Cela s'achèvera quand Castral Roc sera brisé et éventré, afin que le soleil joue sur les vers et les asticots qu'il abrite. Cela s'achèvera par la ruine absolue de Tywin Lannister et de toutes ses œuvres.

— L'homme est mort des mains de son propre fils, riposta vertement Ellaria. Que pourriez-vous souhaiter de plus ?

— Qu'il fût mort des miennes. » Lady Nym s'assit dans un fauteuil, sa longue tresse noire tombant d'une épaule jusqu'à son giron. Elle portait sur le front la même implantation des cheveux en pointe que son père. Au-dessous, elle avait de grands yeux lumineux. Ses lèvres rouges comme le vin s'arquèrent en un sourire soyeux. « Si cela était arrivé, sa mort n'aurait point été si douce.

— Ser Gregor paraît bien seul, c'est vrai, renchérit Tyerne de sa suave voix de septa. Il apprécierait de la compagnie, je le gagerais. »

Les joues d'Ellaria étaient trempées de larmes, ses yeux sombres brillaient. *Même quand elle pleure, elle conserve de la force*, observa le capitaine.

« Oberyn réclamait vengeance pour Elia. À présent, vous trois demandez vengeance pour lui. J'ai quatre filles, je vous le rappelle. Vos sœurs. Mon Elia a quatorze ans, c'est presque une femme. Obella en a douze, au bord de la puberté. Elles vous adorent, comme Dorea et Loreza les adorent. Si vous deviez mourir, Elia et Obella devront-elles exiger vengeance pour vous, puis Dorea et Loreza pour elles ? Est-ce ainsi qu'il en va, en rond, toujours en rond, à perpétuité ? Je vous le demande encore : *où tout cela finira-t-il ?* » Ellaria posa la main sur le crâne de la Montagne. « J'ai vu mourir votre père. Voici son assassin. Puis-je emporter un crâne au lit avec moi, pour réconforter mes nuits ? Saura-t-il me faire rire, m'écrira-t-il des chansons, s'occupera-t-il de moi quand je serai vieille et dolente ?

— Et que voulez-vous nous voir faire, madame ? repartit lady Nym. Devons-nous déposer nos armes et sourire, en oubliant tout le mal qui nous a été fait ?

— La guerre viendra, que nous le voulions ou pas, ajouta Obara. Un enfant roi est assis sur le Trône de Fer. Lord Stannis tient le Mur et rallie des Nordiens à sa cause. Les deux reines se disputent Tommen comme des chiennes autour d'un os à moelle. Les Fer-nés se sont emparés des Boucliers et mènent des raids le long de la Mander, jusqu'au cœur du Bief, ce qui signifie que Hautjardin va s'en soucier, également. Nos ennemis sont désorganisés. L'heure est propice.

— Propice à quoi ? À fabriquer de nouveaux crânes ? » Ellaria Sand se tourna vers le prince. « Elles ne voient pas. Je ne peux pas écouter plus longtemps.

— Retourne auprès de tes filles, Ellaria, lui demanda le prince. Je te jure qu'il ne leur arrivera aucun mal.

— Mon prince. » Ellaria lui baisa le front et prit congé. Areo Hotah regretta de la voir partir. *C'est une brave femme.*

Après son départ, lady Nym déclara : « Je sais qu'elle aimait beaucoup notre père, mais il est clair qu'elle ne l'a jamais compris. »

Le prince lui jeta un curieux regard. « Elle a compris plus de choses que tu n'en comprendras jamais, Nymeria. Et elle rendait votre père heureux. Au final, un cœur aimable vaut sans doute plus qu'orgueil et valeur. Quoi qu'il en soit, il est des choses qu'Ellaria ne sait pas et qu'elle ne doit pas savoir. Cette guerre a déjà commencé. »

Obara rit. « Certes, notre douce Arianne y a veillé. »

La princesse rougit, et Hotah vit un spasme de colère traverser le visage de son père. « Ce qu'elle a fait, elle l'a fait pour vous, autant que pour elle. Je ne serais point si prompt à me gausser.

— C'étaient des louanges, insista Obara. Remettez, brouillez, leurrez, feignez et repoussez tout votre soûl, mon oncle, ser Balon devra quand même se retrouver face à face avec Myrcella dans les Jardins Aquatiques, et lorsque cela arrivera, il risque fort de constater qu'il lui manque une oreille. Et lorsque la donzelle racontera comment votre capitaine a usé de son épouse d'acier pour ouvrir Arys du Rouvre du col au bas-ventre, ma foi...

— Non. » La princesse Arianne se déplia du coussin sur lequel elle était assise et elle posa une main sur le bras de Hotah. « Ce n'est pas ainsi que les choses sont arrivées, ma cousine. Ser Arys a été occis par Gerold Dayne. »

Les Aspics des Sables s'entre-regardèrent. « Sombre Astre ?

— C'est Sombre Astre qui a agi, déclara sa petite princesse. Il a aussi tenté de tuer la princesse Myrcella. Ainsi qu'elle le racontera à ser Balon. »

Nym sourit. « Cette part-là est véridique, au moins.

— Tout est véridique », annonça le prince avec une grimace de douleur. *Est-ce sa goutte qui le fait souffrir, ou son mensonge ?* « Et maintenant, ser Gerold a fui pour regagner Haut Ermitage, hors de notre atteinte.

— Sombre Astre, murmura Tyerne avec un gloussement de rire. Pourquoi pas ? Tout est de son fait. Mais ser Balon y croira-t-il ?

— Il y croira s'il le tient de la bouche de Myrcella », insista Arianne.

Obara poussa un renâclement sceptique. « Elle peut mentir ce jour et mentir demain, mais, tôt ou tard, elle dira la vérité. Si on laisse ser Balon colporter des racontars à Port-Réal, les tambours vont sonner et le sang couler. On ne doit pas lui permettre de partir.

— Certes, nous pourrions le tuer, admit Tyerne, mais il nous faudrait alors exécuter le reste de son groupe, jusqu'à ces fort accorts jeunes écuyers. Cela serait... oh, terriblement *malpropre.* »

Le prince Doran ferma les paupières, puis les rouvrit. Hotah voyait sa jambe trembler sous la couverture. « Si vous n'étiez point les filles de mon frère, je vous renverrais tout droit dans vos cellules et vous y laisserais jusqu'à ce que vos os soient gris. Mais j'ai l'intention de vous emmener aux Jardins Aquatiques. Il y aura là-bas des leçons à retenir, si vous avez assez d'esprit pour les discerner.

— Des leçons ? fit Obara. Tout ce que j'y ai vu, ce sont des enfants tout nus.

— Certes, dit le prince. J'ai conté l'histoire à ser Balon, mais pas tout entière. Tandis que les enfants s'ébattaient dans les bassins, Daenerys les observait d'entre les orangers, et lui vint une inspiration. Elle ne pouvait point distinguer les hautes naissances des basses. Nus, ce n'étaient que des enfants. Tous innocents, tous vulnérables, tous méritant longue vie, amour et protection. *"Voilà ton royaume,* dit-elle à son fils et héritier, *souviens-toi d'eux, en chacun de tes actes."* Ma propre mère a prononcé ces mêmes mots quand j'ai eu l'âge de quitter les bassins. C'est chose fort aisée pour un prince d'en appeler aux piques, mais au final, ce sont les enfants qui en paient le prix.

Pour eux, un prince sage ne livrera aucune guerre sans bonne raison, ni aucune guerre qu'il ne peut espérer gagner.

» Je ne suis ni aveugle ni sourd. Je sais que toutes, vous m'estimez faible, apeuré, débile. Votre père me connaissait mieux. Oberyn a toujours été la vipère. Mortel, dangereux, imprévisible. Nul homme n'osait le fouler aux pieds. J'étais l'herbe. Agréable, complaisante, odorante, ondulant à chaque brise. Qui craint de marcher sur l'herbe ? Mais c'est l'herbe qui dissimule la vipère à ses ennemis, et l'abrite jusqu'à ce qu'elle frappe. Votre père et moi travaillions de façon plus étroite que vous ne le savez... Mais le voilà disparu. La question est : puis-je m'en remettre à ses filles pour me servir à sa place ? »

Hotah étudia chacune d'elle à son tour. Obara, clous rouillés et cuir bouilli, avec ses yeux furieux et rapprochés et ses cheveux brun rat. Nymeria, langoureuse, élégante, olivâtre, sa longue tresse noire retenue par un fil d'or rouge. Tyerne, blonde aux yeux bleus, une femme enfant aux mains douces et aux petits rires.

Tyerne répondit pour elles trois. « Le plus ardu est de ne point agir, mon oncle. Assignez-nous une tâche, n'importe laquelle, et vous nous trouverez aussi féales et obéissantes que tout prince le pourrait souhaiter.

— Voilà qui est bon à entendre, assura le prince, mais les mots sont du vent. Vous êtes les filles de mon frère et vous êtes chères à mon cœur, mais j'ai appris que je ne peux point me fier à vous. Je veux de vous un jurement. Prêterez-vous serment de me servir, d'agir selon mes ordres ?

— S'il le faut, répondit lady Nym.

— Alors, jurez-le tout de suite, sur la tombe de votre père. »

Le visage d'Obara s'assombrit. « Si vous n'étiez pas mon oncle...

— Mais je le suis. Et votre prince, aussi. Jurez, ou quittez ces lieux.

— Je jure, dit Tyerne. Sur la tombe de mon père.

— Je jure, affirma lady Nym. Par Oberyn Martell, la Vipère Rouge de Dorne, et un homme meilleur que vous.

— Oui, déclara Obara. Moi de même. Par Père, je le jure. »

Un peu de tension quitta le prince. Hotah le vit s'enfoncer plus mollement dans son fauteuil. Il tendit la main et la princesse Arianne vint près de lui pour la prendre. « Dites-leur, père. »

Le prince Doran prit une inspiration hachée. « Dorne a encore des amis à la cour. Des amis qui nous apprennent des choses que nous n'étions pas censés savoir. Cette invitation que nous envoie Cersei est une ruse. Trystan ne devrait jamais atteindre Port-Réal. Sur la route du retour, quelque part dans le Bois-du-Roi, le groupe de ser Balon sera attaqué par des hors-la-loi, et mon fils périra. On ne me mande à la cour qu'afin que j'assiste à cette attaque de mes propres yeux et qu'ainsi j'absolve la reine de tout blâme. Oh, et ces hors-la-loi ? Ils crieront *Mi-homme, Mi-homme !* en attaquant. Ser Balon pourrait bien entrevoir brièvement le Lutin, même si personne d'autre ne voit mie. »

Areo Hotah n'aurait pas cru possible de choquer les Aspics des Sables. Il aurait eu tort.

« Que les Sept nous préservent, souffla Tyerne. *Trystan ?* Pourquoi ?

— Cette femme doit être folle, observa Obara. Ce n'est qu'un enfant.

— C'est monstrueux, s'indigna lady Nym. Je n'y aurais pas cru, pas de la part d'un chevalier de la Garde Royale.

— Ils ont juré d'obéir, tout comme mon capitaine, assura le prince. J'avais également mes doutes, mais vous avez toutes vu comment ser Balon a regimbé quand j'ai suggéré que nous voyagions par mer. Un navire aurait bousculé tous les arrangements de la reine. »

Le visage d'Obara s'était empourpré. « Rendez-moi ma pique, mon oncle. Cersei nous a envoyé une tête. Nous devrions lui en dépêcher un plein sac en retour. »

Le prince Doran leva la main. Ses jointures étaient sombres comme des cerises et presque du même volume. « Ser Balon est un invité sous mon toit. Il a mangé mon pain et mon sel. Je ne lui porterai nulle atteinte. Non. Nous voyagerons jusqu'aux Jardins Aquatiques, où il entendra le conte de Myrcella et enverra à sa reine un corbeau. La fille lui demandera de traquer celui qui lui a fait du mal. S'il est l'homme que je le juge être, Swann ne sera point capable de refuser. Obara, tu le mèneras à Haut Ermitage défier Sombre Astre dans sa tanière. L'heure n'est pas encore venue pour Dorne de défier ouvertement le Trône de Fer, aussi devons-nous restituer Myrcella à sa mère, mais je ne l'accompagnerai pas. Cette tâche t'échoira, Nymeria. Cela ne plaira pas aux Lannister, pas plus qu'ils n'ont aimé que je leur envoie Oberyn, mais ils n'oseront point refuser. Nous avons besoin d'une voix au Conseil, d'une oreille en cour. Sois prudente, toutefois. Port-Réal est une fosse à serpents. »

Lady Nym sourit. « Allons, mon oncle, je raffole des serpents.

— Et pour ma part ? demanda Tyerne.

— Ta mère était septa. Oberyn m'a dit un jour qu'elle te lisait *L'Étoile à sept branches* au berceau. Je te veux à Port-Réal aussi, mais sur l'autre colline. Les Épées et les Étoiles se sont reformées, et ce nouveau Grand Septon n'est point le fantoche qu'étaient les autres. Essaie de devenir proche de lui.

— Pourquoi non ? Le blanc convient à mon teint. J'ai l'air si... pure.

— Bien, commenta le prince. Bien. » Il hésita. « Si... s'il devait se produire certaines choses, je vous en ferais part à chacune par message. La situation peut évoluer rapidement dans le jeu des trônes.

— Je sais que vous ne faillirez pas, cousines. » Arianne alla à chacune à son tour, leur prit la main et leur posa un baiser léger sur les lèvres. « Obara, si féroce. Nymeria, ma sœur. Tyerne, ma douce. Vous m'êtes toutes chères. Le soleil de Dorne vous accompagne.

— *Insoumis, invaincus, intacts* », prononcèrent les Aspics des Sables, de concert.

La princesse Arianne s'attarda, une fois que ses cousines furent parties. Areo Hotah demeura aussi, comme de juste.

« Ce sont les filles de leur père », observa le prince.

La petite princesse sourit. « Trois Oberyn avec des tétons. »

Le prince Doran en rit. Cela faisait si longtemps qu'Hotah ne l'avait pas entendu rire qu'il avait presque oublié le bruit que cela produisait.

« Je maintiens que ce devrait être à moi d'aller à Port-Réal, et non à lady Nym, rajouta Arianne.

— C'est trop dangereux. Tu es mon héritière, l'avenir de Dorne. Ta place est à mes côtés. Sous peu, tu auras une autre tâche.

— Quant à cette dernière partie, à propos du message. Avez-vous reçu des nouvelles ? »

Le prince Doran partagea avec elle son sourire secret. « De Lys. Une grande flotte y a fait escale pour s'approvisionner en eau. Des vaisseaux volantains pour l'essentiel, qui transportent une armée. Pas un mot sur leur identité, ni sur leur destination. On a parlé d'éléphants.

— Pas de dragons ?

— D'éléphants. Assez facile de dissimuler un jeune dragon dans la cale d'une grosse cogue, toutefois. Daenerys est particulièrement vulnérable en mer. À sa place, je maintiendrais le plus longtemps possible le secret sur moi et mes intentions, afin de prendre Port-Réal par surprise.

— Crois-tu que Quentyn sera avec eux ?

— C'est possible. Ou pas. Nous le saurons par le lieu où ils accosteront, si Westeros est bien leur destination. Quentyn l'amènera à remonter la Sang-vert s'il le peut. Mais rien ne sert de parler de tout cela. Embrasse-moi. Nous nous mettrons en route au point du jour pour les Jardins Aquatiques. »

Nous devrions partir vers midi, en ce cas, jugea Hotah.

Plus tard, quand Arianne eut pris congé, il déposa sa hache de bataille et porta le prince Doran jusqu'à son lit. « Jusqu'à ce que la Montagne brise le crâne de mon frère, aucun Dornien n'avait péri dans cette guerre des Cinq Rois », murmura avec douceur le prince, tandis que Hotah tirait sur lui une couverture. « Dites-moi, capitaine, faut-il mettre cela au compte de ma gloire ou de ma honte ?

— Ce n'est pas à moi de le dire, mon prince. » *Servir. Protéger. Obéir. Des serments simples pour des hommes simples.* C'était tout ce qu'il savait.

JON

Val attendait à la porte dans le froid du prélude à l'aube, enveloppée dans une cape en peau d'ours si vaste qu'elle aurait pu convenir à Sam. À côté d'elle se tenait un poney, sellé et bridé, un animal gris hirsute avec un œil blanc. Mully et Edd-la-Douleur se tenaient auprès de Val, improbable couple de gardes. Leur souffle se givrait dans l'air froid et noir.

« Vous lui avez donné un cheval aveugle ? demanda Jon, incrédule.

— Il l'est qu'à demi, m'sire, fit valoir Mully. Sinon, il est bien gaillard. » Il flatta l'encolure du poney.

« Le cheval est peut-être borgne, mais pas moi, déclara Val. Je sais où je dois aller.

— Madame, vous n'êtes pas obligée de faire cela. Les risques...

— ... m'appartiennent, lord Snow. Et je suis pas une dame sudière, mais une fille du peuple libre. Je connais la forêt mieux que tous vos patrouilleurs en défroque noire. Elle a pas de fantômes, pour moi. »

J'espère que non. Jon comptait là-dessus, s'en remettant à Val pour réussir où Jack Bulwer le Noir et ses compagnons avaient échoué. Elle n'avait aucun mal à craindre du peuple libre, il l'espérait... mais tous deux ne savaient que trop bien que les sauvageons n'étaient pas seuls aux aguets dans les bois.

« Vous avez assez de provisions ?

—Du pain dur, du fromage dur, des gâteaux d'orge, de la morue salée, du bœuf salé, du mouton salé et une outre de vin doux pour me laver la bouche de tout ce sel. Je mourrai pas de faim.

— En ce cas, il est temps de partir.

— Vous avez ma parole, lord Snow. Je reviendrai, avec Tormund ou sans lui. » Val jeta un coup d'œil au ciel. La lune n'était qu'à la moitié de son plein. « Attendez-moi au premier jour de la pleine lune.

— Je le ferai. » *Ne me faillis pas*, songea-t-il, *ou Stannis aura ma tête.* « Ai-je votre parole que vous surveillerez de près notre princesse ? » avait demandé le roi, et Jon avait promis qu'il n'y manquerait pas. *Mais Val n'est pas princesse. Je le lui ai répété une demi-centaine de fois.* C'était une piètre esquive, un triste chiffon pour panser sa parole meurtrie. Jamais son père n'aurait approuvé. *Je suis l'épée qui protège les royaumes humains*, se remémora Jon, *et au bout du compte, cela doit compter davantage que l'honneur d'un seul homme.*

La route sous le Mur était aussi ténébreuse et froide que le ventre d'un dragon de glace et aussi sinueuse qu'un serpent. Edd-la-Douleur leur ouvrit la voie pour la traversée, une torche en main. Mully avait les clés des trois portes, où des barreaux en fer noir aussi épais qu'un bras d'homme barraient le passage. Des piquiers à chaque porte portèrent le poing au front face à Jon Snow, mais lorgnèrent sans se cacher Val et son poney.

Lorsqu'ils émergèrent au nord du Mur, par une porte épaisse fraîchement taillée dans du bois vert, la princesse sauvageonne s'arrêta un instant pour contempler le champ couvert de neige où le roi Stannis avait remporté sa bataille. Au-delà attendait la forêt hantée, sombre et silencieuse. La lumière de la demi-lune changeait les cheveux blond miel de Val en argent pâle, et laissait ses pommettes blanches comme neige. Elle prit une profonde inspiration. « L'air a bon goût.

— J'ai la langue trop engourdie pour le savoir. Je ne sens que le froid.

— Le froid ? » Val eut un rire léger. « Non. Quand il fera froid, on aura mal en respirant. Quand viendront les Autres... »

C'était une pensée inquiétante. Six des patrouilleurs qu'avait dépêchés Jon manquaient toujours. *Il est trop tôt. Ils peuvent encore revenir.* Mais une autre partie de lui insistait : *Ils sont morts, jusqu'au dernier. Tu les as envoyés à la mort, et tu recommences avec Val.* « Dites à Tormund ce que je vous ai dit.

— Il écoutera peut-être pas vos paroles, mais il les entendra. » Val l'embrassa avec légèreté sur la joue. « Vous avez mes remerciements, lord Snow. Pour le cheval borgne, la morue salée, l'air libre. Pour l'espoir. »

Leurs souffles se mêlèrent, une brume blanche dans l'air. Jon Snow se recula et déclara : « Les seuls remerciements que j'attends sont...

— ... Tormund Fléau-d'Ogres. Oui-da. » Val remonta la cagoule de sa peau d'ours. La fourrure brune était considérablement salée de gris. « Avant que je parte, une question. Avez-vous tué Jarl, messire ?

— C'est le Mur qui a tué Jarl.

— Je l'ai entendu dire. Mais je me devais d'être sûre.

— Vous avez ma parole. Je ne l'ai pas tué. » *Mais j'aurais pu, si les choses avaient tourné autrement.*

« Eh bien, adieu, donc », dit-elle, presque espiègle.

Jon Snow n'était pas d'humeur. *Il fait trop froid et trop noir pour jouer, et il est trop tard.* « Pour un temps, seulement. Vous reviendrez. Pour l'enfant, si pour aucune autre raison.

— Le fils de Craster ? » Val haussa les épaules. « Il n'est pas de ma famille.

— Je vous ai entendue chanter pour lui.

— Je chantais pour moi-même. Peut-on me faire reproche s'il écoute ? » Un léger sourire caressa ses lèvres. « Ça le fait rire. Oh, très bien. C'est un gentil petit monstre.

— Un monstre ?

— Son nom de lait. Fallait bien que je lui trouve un nom. Veillez à ce qu'il demeure en sécurité et au chaud. Pour sa mère et pour moi. Et tenez-le à distance de la femme rouge. Elle sait qui il est. Elle voit des choses dans ses feux. »

Arya, songea-t-il, en espérant que c'était vrai. « Des cendres et des braises.

— Des rois et des dragons. »

Des dragons, encore. Un instant, Jon les vit presque, lui aussi, lovés dans la nuit, leurs ailes sombres se dessinant contre une mer de flammes. « Si elle savait, elle nous aurait retiré l'enfant. Le fils de Della, pas votre monstre. Un mot à l'oreille du roi y aurait mis un terme. » *Et à moi aussi. Stannis aurait considéré cela comme une trahison.* « Pourquoi laisser faire si elle savait ?

— Parce que cela lui convenait. Le feu est chose capricieuse. Personne ne peut prévoir dans quel sens ira une flamme. » Val posa un pied dans un étrier, lança sa jambe par-dessus le dos du cheval et regarda Jon du haut de la selle. « Vous souvenez-vous de ce que ma sœur vous a dit ?

— Oui. » *Une épée dépourvue de poignée, sans aucun moyen de la saisir sans risque.* Mais Mélisandre disait vrai. Même une épée sans poignée vaut mieux qu'une main vide, quand les ennemis vous cernent.

« Bien. » Val fit virer le poney vers le nord. « La première nuit de la pleine lune, donc. » Jon la regarda s'éloigner sur sa monture en se demandant s'il reverrait jamais son visage. *Je suis pas une dame sudière*, l'entendait-il répéter, *mais une fille du peuple libre.*

« Elle peut bien raconter ce qu'elle veut, bougonna Edd-la-Douleur tandis que Val disparaissait derrière un bosquet de pins plantons. L'air est si froid que ça fait bel et bien mal de respirer. J'arrêterais bien, mais ça me ferait encore plus mal. » Il se frotta les mains. « Tout ça va mal finir.

— Tu le dis de tout.

— Oui-da, m'sire. Et en général, j'ai raison. »

Mully s'éclaircit la gorge. « M'sire ? La princesse sauvageonne, la laisser partir, y a des hommes qui disent…

— … que je suis à moitié sauvageon moi-même, un tourne-casaque qui a l'intention de vendre le royaume à nos assaillants, aux cannibales et aux géants. » Jon n'avait pas besoin de plonger le regard dans un feu pour savoir ce qu'on racontait sur lui. Le pire était qu'ils ne se trompaient pas, pas complètement. « Les mots sont du vent et, au Mur, le vent souffle toujours. Venez. »

Il faisait encore noir lorsque Jon regagna ses quartiers derrière l'armurerie. Fantôme n'était toujours pas revenu, nota-t-il. *Encore en train de chasser.* L'énorme loup blanc était plus souvent absent, ces derniers temps, s'éloignant de plus en plus en quête de proie. Entre les hommes de la Garde et les sauvageons de La Mole, les chasseurs avaient dépouillé les collines et les champs jouxtant Châteaunoir ; la région était de toute façon pauvre en gibier. *L'hiver vient,* songea Jon. *Et il vient vite, trop vite.* Il se demanda s'il verrait jamais un printemps.

Edd-la-Douleur effectua le voyage jusqu'aux cuisines et revint sans tarder avec une chope de bière brune et un plateau couvert. Sous la cloche, Jon trouva trois œufs de cane frits dans la graisse, une bande de bacon, deux saucisses, un boudin noir et une demi-miche de pain encore chaude du fournil. Il mangea le pain et la moitié d'un œuf. Il aurait également avalé le bacon, mais le corbeau s'en empara avant qu'il en ait eu le loisir. « Voleur », lança Jon tandis que le volatile allait se percher dans un battement d'ailes sur le linteau de la porte pour dévorer sa prise.

« *Voleur* », admit le corbeau.

Jon essaya une bouchée de saucisse. Il se lavait la bouche du goût avec une gorgée de bière quand Edd revint annoncer que Bowen Marsh attendait au-dehors. « Othell l'accompagne, et le septon Cellador. »

Ça n'a pas traîné. Il se demanda qui colportait les nouvelles et s'il y en avait plus d'un. « Fais-les entrer.

— Ouais, m'sire. Zallez devoir surveiller vos saucisses, avec c'te équipe. Zont le regard affamé, tous. »

Affamé n'était pas le mot qu'aurait employé Jon. Le septon Cellador apparaissait hagard et assommé, en grand besoin de reprendre le dessus sur le dragon qui l'avait incendié, tandis qu'Othell Yarwyck, Premier Ingénieur, donnait l'impression d'avoir gobé quelque chose qu'il n'arrivait pas tout à fait à digérer. Bowen Marsh était furibond. Jon le lisait dans ses yeux, dans la tension autour de sa bouche, dans la rougeur de ses joues rebondies. *Une rougeur qui ne vient pas du froid.* « Je vous en prie, asseyez-vous, dit-il. Puis-je vous offrir à manger ou à boire ?

— Nous avons déjeuné dans les salles communes, répondit Marsh.

— Je dis pas non à un supplément. » Yarwyck se coula sur une chaise. « C'est bien aimable à vous de proposer.

— Du vin, peut-être ? suggéra le septon Cellador.

— *Grain*, hurla le corbeau du haut de son linteau. *Grain, grain.*

— Du vin pour le septon et une assiette pour notre Premier Ingénieur, commanda Jon à Edd-la-Douleur. Et pour l'oiseau, rien. » Il se retourna vers ses visiteurs. « Vous êtes venus me voir à propos de Val.

— Et d'autres sujets, dit Bowen Marsh. Les hommes s'inquiètent, messire. »

Et qui t'a désigné pour parler en leur nom ? « Moi aussi. Othell, comment avance la tâche, sur Fort Nox ? J'ai reçu une lettre de ser Axell Florent, qui se fait appeler la Main de la Reine. Il m'informe que la reine Selyse ne se satisfait pas de ses quartiers à Fort-Levant et qu'elle désire venir s'installer immédiatement dans le nouveau siège de son époux. Est-ce que ce sera possible ? »

Yarwyck haussa les épaules. « La plus grosse partie du donjon est réparée et on a retoituré les cuisines. Faudrait qu'elle ait des vivres, des meubles, et du bois de chauffage, notez bien, mais ça pourrait aller. Y a pas autant de confort qu'à Fort-Levant, c'est sûr. Et on est loin des navires, si Sa Grâce avait envie de nous quitter, mais... oui-da, elle pourrait y vivre, même s'il faudra des années avant que la place ressemble à un castel convenable. Plus tôt, si j'avais davantage d'ouvriers.

— Je pourrais te proposer un géant. »

L'offre fit sursauter Othell. « Le monstre dans la cour ?

— Il se nomme Wun Weg Wun Dar Wun, me dit Cuirs. Ce n'est pas d'une prononciation facile, je sais. Cuirs l'appelle Wun Wun, et ça paraît suffire. » Wun Wun ressemblait fort peu aux géants des contes de sa vieille nounou, ces énormes créatures sauvages qui mêlaient du sang à leur gruau d'avoine du matin et dévoraient des bœufs entiers, avec le poil, la peau et les cornes. Ce géant-ci ne mangeait pas de viande du tout, mais il ne faisait aucun quartier quand on lui servait une hotte de racines, broyant oignons et navets, et même des panais, crus et durs, entre ses grandes dents carrées. « C'est un travailleur vaillant, bien qu'on ait parfois des difficultés à lui faire comprendre ce qu'on veut. Il parle plus ou moins la Vieille Langue, mais pas un mot de la Langue Commune. Infatigable, toutefois, et d'une force prodigieuse. Il pourrait abattre l'ouvrage d'une douzaine d'hommes.

— Je… messire, jamais les hommes ne… Les géants mangent de la chair humaine, je crois… Non, messire, je vous en sais grand gré, mais j'ai pas assez d'hommes pour surveiller une telle créature, il… »

Jon n'en fut pas surpris. « Comme tu voudras. Nous garderons le géant ici. » À dire le vrai, il aurait regretté de se séparer de Wun Wun. *T'y connais rien, Jon Snow*, aurait pu commenter Ygrid, mais Jon discutait avec le géant à chaque occasion qui se présentait, par le truchement de Cuirs ou d'un des représentants du peuple libre qu'ils avaient ramenés du bosquet, et en apprenait tant et plus sur son peuple et son histoire. Il regrettait seulement que Sam ne fût pas présent pour coucher les histoires par écrit.

Non qu'il fût aveugle au danger que posait Wun Wun. Le géant réagissait avec violence quand il se sentait menacé, et ces mains énormes étaient de taille à déchirer un homme en deux. À Jon, il rappelait Hodor. *Hodor, en deux fois plus grand, deux fois plus fort et moitié moins malin. Voilà une perspective qui pourrait dégriser même le septon Cellador. Mais si Tormund a des géants avec lui, Wun Weg Wun Dar Wun pourrait nous aider à traiter avec eux.*

Le corbeau de Mormont grommela sa mauvaise humeur quand la porte s'ouvrit en dessous de lui, annonçant le retour d'Edd-la-Douleur avec une carafe de vin et une assiette d'œufs et de saucisses. Bowen Marsh attendit avec une impatience visible pendant qu'Edd versait, ne reprenant que lorsqu'il fut de nouveau sorti. « Tallett est un brave homme, et il est populaire et Emmett-en-Fer s'est révélé excellent maître d'armes, dit-il alors. Cependant, on raconte que vous voulez les envoyer au loin.

— Nous avons besoin de braves, à Longtertre.

— La Tanière aux Putes, ont commencé à l'appeler les hommes, déclara Marsh, mais peu importe. Est-il vrai que vous avez l'intention de remplacer Emmett par ce sauvage, ce Cuirs, comme maître d'armes ? On réserve le plus souvent cette charge aux chevaliers, ou au moins aux patrouilleurs.

— Cuirs est un sauvage, oui, admit Jon avec douceur. Je peux en attester. J'ai pris sa mesure dans la cour d'exercice. Il est aussi dangereux avec une hache de pierre que la plupart des chevaliers avec de l'acier forgé dans un château. Je vous l'accorde, il n'est pas aussi patient que je le souhaiterais, et certains des jeunes sont terrifiés par lui... mais tout cela n'est pas forcément une mauvaise chose. Un jour, ils se retrouveront dans un vrai combat, et une certaine accoutumance à la terreur leur sera utile.

— Mais c'est un *sauvageon* !

— Il l'était, jusqu'à ce qu'il prononce les vœux. Désormais, il est notre frère. Un frère capable d'enseigner aux jeunes plus que l'art de l'épée. Apprendre quelques mots de la Vieille Langue et un peu des coutumes du peuple libre ne leur ferait aucun mal.

— *Libre*, bougonna le corbeau. *Grain. Roi.*

— Les hommes n'ont pas confiance en lui. »

Lesquels ? aurait pu demander Jon. *Combien d'entre eux ?* Mais cela l'entraînerait sur un chemin où il ne tenait pas à s'aventurer. « Je regrette de l'apprendre. Y a-t-il autre chose ? »

Le septon Cellador prit la parole. « Le jeune, ce Satin. On dit que vous avez l'intention d'en faire votre aide de camp et écuyer, à la place de Tallett. Messire, ce jeune homme est un bardache... Un... j'ose à peine... un *bougre* fardé des bordels de Villevieille. »

Et toi, tu es un ivrogne. « Ce qu'il était à Villevieille ne nous concerne en rien. Il apprend vite et a l'esprit vif. Les autres recrues l'ont d'abord méprisé, mais il les a gagnées à lui et en a fait des amis. Il est intrépide au combat et sait même lire et écrire, plus ou moins. Il devrait être capable d'aller chercher mes repas et de seller mon cheval, vous ne croyez pas ?

— Probablement, répondit Bowen Marsh, le visage de marbre, mais cela ne plaît pas aux hommes. Traditionnellement, les écuyers du lord Commandant sont des jeunes gens de bonne naissance qu'on prépare au commandement. Pensez-vous, messire, que les hommes de la Garde de Nuit suivront jamais un bougre à la bataille ? »

La mauvaise humeur de Jon fulgura. « Ils ont suivi bien pire. Le Vieil Ours a laissé quelques notes de mise en garde sur certains hommes, à l'intention de son successeur. Nous avons à Tour Ombreuse un cuisinier qui prenait plaisir à violer les septas. Il se vantait d'imprimer au fer rouge sur sa chair une étoile à sept branches pour chacune d'elles. Il a le bras gauche couvert d'étoiles du poignet au coude, et des étoiles marquent également ses mollets. À Fort-Levant, nous avons un homme qui a incendié la maison de son père et barricadé la porte. Toute sa famille a péri brûlée vive, ils étaient neuf. Quoi que Satin ait pu faire à Villevieille, il est désormais notre frère, et sera mon écuyer. »

Le septon Cellador but un peu de vin. Othell Yarwyck embrocha une saucisse avec son poignard. Bowen Marsh était assis, le visage rubicond. Le corbeau battit des ailes en s'écriant : « *Grain, grain, tuer.* » Finalement, le lord Intendant s'éclaircit la gorge. « Votre Seigneurie sait ce qui vaut mieux, j'en suis convaincu. Puis-je m'interroger sur ces cadavres dans les cellules de glace ? Ils mettent les hommes mal à l'aise. Et les placer *sous garde* ? Assurément, c'est gaspiller deux hommes, à moins que vous ne craigniez qu'ils... »

— ... se relèvent ? Mais je prie pour cela. »

Le septon Cellador blêmit. « Que les Sept nous préservent. » Du vin dégoulina sur son menton en un filet rouge. « Lord Commandant, les spectres sont des monstres, des créatures contre nature. Des abominations aux yeux des dieux. Vous... vous n'avez quand même pas l'intention de *discuter* avec eux ?

— Mais peuvent-ils parler, seulement ? lui demanda Jon Snow. Je ne le crois pas, bien que je ne puisse prétendre le savoir. Des monstres, certes, ils le sont ; toutefois ils étaient des hommes avant que de mourir. Quelle part en subsiste-t-il ? Celui que j'ai tué avait résolu de tuer le lord Commandant Mormont. À l'évidence, la créature se rappelait qui il était et où le trouver. » Mestre Aemon aurait saisi son intention, Jon n'en doutait pas ;

Sam Tarly aurait été terrifié, mais il aurait compris, lui aussi. « Le seigneur mon père me disait toujours qu'un homme doit connaître ses ennemis. Nous comprenons peu de chose des spectres, et moins encore des Autres. Nous avons besoin d'apprendre. »

Cette réponse ne leur plut pas. Le septon Cellador tripota le cristal qui pendait à son cou et dit : « Je trouve tout cela très imprudent, lord Snow. Je prierai l'Aïeule de brandir sa brillante lanterne afin de vous guider sur le sentier de la sagesse. »

La patience de Jon Snow était à bout. « Nous pourrions tous profiter d'un surplus de sagesse, j'en ai la conviction. » *T'y connais rien, Jon Snow.* « À présent, si nous parlions de Val ?

— Alors, c'est vrai ? demanda Marsh. Vous l'avez libérée.

— Au-delà du Mur. »

Le septon Cellador eut un petit hoquet. « La prise du roi. Sa Grâce sera fort courroucée de la découvrir partie.

— Val reviendra. » *Avant Stannis, si les dieux sont bons.*

— Qu'en savez-vous ? répliqua Bowen Marsh.

— Elle me l'a dit.

— Et si elle mentait ? S'il lui arrivait quelque malheur en chemin ?

— Eh bien, en ce cas, vous aurez peut-être l'occasion de choisir un lord Commandant plus à votre goût. Jusque-là, je le crains, vous devrez me souffrir. » Jon but une gorgée de bière. « Je l'ai envoyée à la rencontre de Tormund Fléau-d'Ogres pour lui apporter ma proposition.

— Si ce n'est pas indiscret, quelle est cette offre ?

— La même que j'ai faite à La Mole. De la nourriture, un abri et la paix, s'il veut joindre ses forces aux nôtres, combattre notre ennemi commun, nous aider à tenir le Mur. »

Bowen Marsh ne parut pas surpris. « Vous avez l'intention de le laisser passer. » Sa voix suggérait qu'il le savait depuis le début. « De lui ouvrir les portes, à lui et à ses fidèles. Par centaines. Par milliers.

— S'il lui en reste autant. »

Le septon Cellador fit le signe de l'étoile. Othell Yarwyck émit un grognement. « Certains pourraient qualifier cela de trahison, reprit Bowen Marsh. Ce sont des sauvageons. Des barbares, des pillards, des violeurs, des animaux plus que des hommes.

— Tormund n'est rien de tout cela, riposta Jon, pas plus que ne l'était Mance Rayder. Mais même si chacun des mots que vous avez prononcés était vrai, ils demeurent des hommes, Bowen. Des vivants, aussi humains que vous et moi. L'hiver vient, messeigneurs, et quand il sera ici, nous les vivants aurons besoin de nous unir face aux morts.

— *Snow*, criailla le corbeau. *Snow, Snow.* »

Jon l'ignora. « Nous avons interrogé les sauvageons que nous avons ramenés du bosquet. Plusieurs d'entre eux nous ont rapporté une intéressante histoire, sur une sorcière des bois appelée la mère Taupe.

— La mère *Taupe*? répéta Bowen Marsh. Un nom assez invraisemblable.

— Apparemment, elle se serait établie dans un terrier sous un arbre creux. Vraisemblable ou non, elle a eu la vision d'une flotte de vaisseaux qui venaient pour transporter le peuple libre vers la sécurité de l'autre côté du détroit. Des milliers de ceux qui ont fui la bataille ont été assez désespérés pour la croire. La mère Taupe les a tous conduits jusqu'à Durlieu, afin d'y prier en attendant le salut venu de l'autre bord de la mer. »

Othell Yarwyck grimaça. « Je suis pas patrouilleur, mais... c'est un endroit mal famé, Durlieu, à c' qu'on dit. Maudit. Même votre oncle le disait, lord Snow. Pourquoi voudraient-ils s'en aller *là-bas*? »

Jon avait une carte étalée devant lui sur la table. Il la retourna pour qu'ils puissent la voir. « Durlieu se situe sur une anse abritée et possède une rade naturelle assez profonde pour les plus gros vaisseaux. Le bois et la pierre abondent dans les parages. Les eaux regorgent de poisson, et il y a des colonies de phoques et de morses à proximité.

— Tout ça est vrai, j'en doute pas, admit Yarwyck, mais c'est pas un endroit où j'aimerais passer la nuit. Vous connaissez l'histoire. »

Il la connaissait. Durlieu était en bonne voie de devenir une ville, la seule véritable au nord du Mur, jusqu'à la nuit, six cents ans plus tôt, où l'enfer l'avait avalée. Ses habitants avaient été réduits en esclavage ou abattus pour leur viande, selon la version de l'histoire que vous préfériez, les foyers et leurs palais consumés dans un incendie qui avait sévi avec tant d'ardeur que les guetteurs sur le Mur, loin au sud, avaient cru voir le soleil se lever au Nord. Par la suite, des cendres avaient plu sur la forêt hantée et la mer Grelotte pendant presque la moitié d'une année. Des marchands rapportèrent n'avoir trouvé qu'une dévastation de cauchemar à l'endroit où s'était dressé Durlieu, un paysage d'arbres calcinés et d'os carbonisés, d'eaux grosses de cadavres gonflés, de cris à vous glacer le sang sortant de l'embouchure des grottes qui ponctuaient la grande falaise dominant la colonie.

Six siècles avaient passé depuis cette nuit-là, mais Durlieu restait honni. La nature sauvage avait reconquis le site, avait-on dit à Jon, mais des patrouilleurs affirmaient que les ruines envahies de végétation étaient hantées par des goules, des démons et des revenants embrasés avec un goût malsain pour le sang. « Ce n'est pas non plus le genre de refuge que je choisirais, reconnut Jon, mais on a entendu la mère Taupe prêcher que le peuple libre trouverait le salut où ils avaient jadis trouvé la damnation. »

Le septon Cellador fit une moue. « Le salut ne s'atteint qu'à travers les Sept. Cette sorcière les a tous condamnés.

— Et sauvé le Mur, peut-être, fit observer Bowen Marsh. Ce sont d'ennemis que nous parlons. Qu'ils aillent prier dans les ruines, et si leurs dieux leur envoient des navires pour les emporter vers un monde meilleur, fort bien. Dans ce monde-ci, nous n'avons pas de nourriture à leur donner. »

Jon plia les doigts de sa main d'épée. « Les galères de Cotter Pyke croisent parfois au large de Durlieu. Il me dit qu'il n'y a aucun refuge, là-bas, en dehors des grottes. *Les cavernes qui hurlent*, comme les appellent ses hommes. La mère Taupe et ceux qui l'ont suivie vont périr là-bas, de froid et de faim. Par centaines. Par milliers.

— Des milliers d'ennemis. Des milliers de *sauvageons*. »

Des milliers de gens, songea Jon. *Des hommes, des femmes, des enfants*. La colère monta en lui, mais quand il parla, sa voix était tranquille et froide. « Êtes-vous si aveugles, ou est-ce que vous ne voulez pas voir ? Que croyez-vous qu'il adviendra quand tous ces ennemis seront morts ? »

Au-dessus de la porte, le corbeau marmotta : « *Morts, morts, morts.*

— Ce qu'il adviendra, laissez-moi vous le raconter, poursuivit Jon. Les morts se lèveront de nouveau, par centaines et par milliers. Ils se lèveront comme des spectres, avec des mains noires et de pâles yeux bleus, et *ils viendront nous chercher.* » Il repoussa sa chaise pour se mettre debout, les doigts de sa main d'épée s'ouvrant et se refermant. « Vous avez ma permission de vous retirer. »

Le septon Cellador se leva, le visage gris et suant, Othell Yarwyck avec raideur, Bowen Marsh, blême, les lèvres pincées. « Merci de nous avoir accordé de votre temps, lord Snow. » Ils sortirent sans ajouter un mot.

TYRION

La truie manifestait de meilleures dispositions que bien des chevaux qu'il avait montés.

Patiente, le pas assuré, elle accepta Tyrion pratiquement sans un couinement quand il se hissa sur son dos, et resta immobile tandis qu'il tendait le bras pour prendre son écu et sa lance. Et pourtant quand il saisit ses rênes et pressa des pieds contre ses flancs, elle se mut immédiatement. Elle s'appelait Jolie, diminutif de Jolie Cochonne, et on l'avait dressée pour la selle et la bride depuis qu'elle était un porcelet.

L'armure de bois peint s'entrechoquait pendant que Jolie traversait le pont en trottinant. Tyrion avait les aisselles qui le démangeaient à cause de la transpiration, et une perle de sueur roula le long de sa cicatrice sous le heaume disproportionné qui ne lui allait pas ; et pourtant, l'espace d'un instant absurde, il se prit presque pour Jaime, s'élançant sur une lice de tournoi, la lance en main, son armure dorée étincelant au soleil.

Quand les rires commencèrent, le rêve s'évanouit. Il n'était pas un champion, rien qu'un nain à califourchon sur un cochon, une perche à la main, exécutant des cabrioles pour amuser quelques marins impatients et imbibés de tafia dans l'espoir de les amadouer. Quelque part aux enfers, son père bouillait de colère et Joffrey ricanait. Tyrion sentait leurs yeux morts et froids qui observaient cette farce de baladins, avec autant d'avidité que l'équipage du *Selaesori Qhoran*.

Et voici qu'arrivait son adversaire. Sol chevauchait son gros chien gris, sa lance rayée tanguant comme prise d'ivresse, tandis que l'animal bondissait sur le pont. Son écu et son armure avaient été peints en rouge, mais la peinture s'écaillait et s'effaçait ; l'amure de Tyrion était bleue. *Pas la mienne. Celle de Liard. Jamais la mienne, formons des prières pour cela.*

Tyrion donna du talon dans les flancs de Jolie pour la pousser à charger tandis que les marins le pressaient de lazzis et de cris. Savoir s'ils criaient des encouragements ou des moqueries, Tyrion n'aurait pu le dire avec certitude, bien qu'il ait une bonne idée là-dessus. *Pourquoi me suis-je jamais laissé convaincre d'embarquer dans cette farce ?*

Mais il connaissait la réponse. Depuis maintenant douze jours le navire flottait, encalminé, sur le golfe de Douleur. Une humeur mauvaise prévalait parmi l'équipage, et susceptible de dégénérer encore quand leur ration quotidienne de tafia viendrait à s'épuiser. Le nombre d'heures qu'un homme peut consacrer à repriser les voiles, calfater les voies d'eau et pêcher a ses limites. Jorah Mormont avait entendu marmonner que les nains avaient failli à leur rôle de porte-bonheur. Si le cuisinier du bord continuait à frictionner de temps en temps l'occiput de Tyrion, dans l'espoir de faire se lever des ris, le reste avait commencé à lui lancer des regards venimeux chaque fois qu'il croisait leur chemin. Sol affrontait un sort encore pire, car le cuisinier avait fait courir la notion que presser un sein de naine pourrait bien être le geste qui leur ramènerait la chance. Il avait également commencé à appeler Jolie Cochonne *Bacon*, une plaisanterie qui avait semblé beaucoup plus drôle dans la bouche de Tyrion.

« Nous devons les faire rire, avait imploré Sol. Nous devons nous arranger pour qu'ils nous aiment. Si nous leur donnons une représentation, ça les aidera à oublier. *De grâce*, m'sire. » Et, sans savoir comment ni pourquoi ni quand, il avait consenti. *Ce devait être le tafia.* Le vin du capitaine avait été la première denrée à s'épuiser. On était ivre beaucoup plus vite avec du tafia que du vin, avait pu constater Tyrion Lannister.

Aussi se retrouva-t-il harnaché de l'armure peinte de Liard, à chevaucher la truie de Liard, tandis que la sœur de Liard l'instruisait dans l'art de la joute de baladins, qui avait été leur moyen de gagner le pain et le sel. La situation ne manquait pas d'une certaine délicieuse ironie, lorsqu'on considérait que Tyrion avait un jour failli perdre sa tête en refusant de chevaucher le chien pour l'amusement pervers de son neveu. Toutefois, à califourchon sur la truie, il éprouvait quelque difficulté à savourer tout l'humour de la chose.

La lance de Sol s'abaissa juste à temps pour que l'extrémité émoussée vienne effleurer son épaule ; celle de Tyrion tangua quand il la pointa et la tapa bruyamment contre un coin de l'écu de Sol. Elle resta en selle. Lui pas. Mais après tout, c'était le but recherché.

Aussi facile que de dégringoler d'un cochon... mais tomber de ce cochon en particulier était plus difficile qu'il n'y paraissait. Tyrion se roula en boule dans sa chute, se souvenant des instructions, mais il heurta quand même le pont avec un choc sonore et se mordit si fort la langue qu'il sentit le goût du sang. Il retrouva les sensations de ses douze ans, quand il traversait la table du dîner en faisant la roue dans la grande salle de Castral Roc. À l'époque, son oncle Gerion était là pour applaudir ses efforts, en lieu de marins renfrognés. Leurs rires semblaient épars et forcés, comparés aux tempêtes qui avaient salué les bouffonneries de Sol et Liard au cours du repas de noces de Joffrey, et plusieurs sifflèrent de colère. « Sans-Nez, toi pareil sur cochon qu'à pied : horrib' ! lui cria un homme depuis le gaillard d'arrière. Faut pas avoir couilles pour laisser fille battre toi. » *Lui, il a parié de l'argent sur moi*, jugea Tyrion. Il laissa glisser l'insulte. Il avait déjà entendu pire.

L'armure de bois compliquait son redressement. Il se retrouva à battre des membres comme une tortue sur le dos. Cela au moins déclencha les rires de quelques marins. *Quel dommage que je ne me sois pas cassé la jambe, ça les aurait fait hurler de rire. Et s'ils s'étaient trouvés dans le cabinet d'aisances au moment où je décochais un carreau dans les tripes de mon père, ils auraient pu en rire assez fort pour se chier aux chausses de concert avec lui. Mais n'importe quoi, du moment que ces ordures restent de bonne humeur.*

Jorah Mormont finit par prendre en pitié les efforts de Tyrion et il le hissa pour le remettre debout. « Tu as eu l'air d'un idiot. »

C'était le but. « On a du mal à ressembler à un héros quand on chevauche un cochon.

— Ce doit être pour cela que je les évite. »

Tyrion déboucla son casque, le tourna pour l'enlever et cracha par-dessus bord une mesure de flegme sanglant. « J'ai l'impression de m'être à moitié sectionné la langue.

— Mords plus fort, la prochaine fois. » Ser Jorah haussa les épaules. « À parler franc, j'ai vu de pires jouteurs. »

Serait-ce un compliment ? « J'ai dégringolé de ce foutu goret et je me suis mordu la langue. Comment pourrais-je faire pire ?

— En te prenant un éclat de lance dans l'œil et en mourant. »

Sol avait sauté à bas de son chien, un gros animal gris appelé Croque. « Le but n'est pas de jouter bien, Hugor. » Elle prenait toujours garde à l'appeler Hugor, quand on pouvait l'entendre. « Il s'agit de les faire rire et jeter des pièces. »

Maigre salaire pour le sang et les ecchymoses, se dit Tyrion, mais cela aussi, il le garda pour lui. « Nous avons également échoué à accomplir cela. Personne n'a jeté de pièces. » *Pas un sol, pas un liard.*

« Ça viendra, quand nous nous serons améliorés. » Sol retira son casque. Des cheveux brun souris croulèrent sur ses oreilles. Elle avait les yeux marron aussi, sous une arcade sourcilière proéminente, des joues lisses et rougies. Elle tira quelques glands d'une sacoche en cuir, à l'intention de Jolie Cochonne. La truie les mangea dans sa paume, couinant de contentement. « Lorsque nous nous produirons devant la reine Daenerys, les pièces d'argent pleuvront, tu verras. »

Certains marins criaient à leur adresse, tapant des talons sur le pont, réclamant une nouvelle joute. Le coq du bord était le plus bruyant, comme toujours. Tyrion avait appris à détester le gaillard, même si c'était le seul joueur de *cyvosse* vaguement compétent à bord de la cogue. « Tu vois, ça leur a plu, déclara Sol avec un petit sourire d'espoir. On recommence, Hugor ? »

Il allait refuser quand le cri d'un des matelots lui en épargna le besoin. On était au milieu de la matinée, et le capitaine voulait de nouveau faire sortir les chaloupes. L'énorme voile rayée de la cogue pendait mollement à son mât, comme depuis plusieurs jours, mais il espérait retrouver le vent un peu plus au nord. Ce qui impliquait qu'on ramât. Les chaloupes étaient petites, cependant, et la cogue fort grande : la remorquer était une tâche épuisante qui donnait chaud et faisait transpirer, laissant les mains couvertes d'ampoules et les reins brisés, sans aucun résultat. L'équipage en avait horreur. Tyrion ne pouvait le leur reprocher. « La veuve aurait dû nous placer à bord d'une galère, marmonna-t-il d'une voix amère. Si quelqu'un pouvait m'aider à retirer ces foutues planches, j'en serais reconnaissant. Je crois que j'ai une écharde plantée dans les couilles. »

Mormont s'exécuta, quoique de mauvaise grâce. Sol récupéra son chien et sa truie et les conduisit tous deux sous le pont.

« Tu devrais demander à ta dame de fermer sa porte à clé quand elle est à l'intérieur », conseilla ser Jorah en défaisant les boucles des sangles qui unissaient le pectoral à la dossière. « J'entends beaucoup trop causer de côtelettes, de jambons et de bacon.

— Cette truie est la moitié de son gagne-pain.

— Un équipage ghiscari mangerait aussi le chien. » Mormont sépara la dossière du pectoral. « Dis-lui, c'est tout.

— Comme vous voudrez. » Sa tunique trempée de sueur lui collait au torse. Tyrion tira dessus, priant pour un peu de brise. L'armure de bois tenait chaud et pesait lourd, autant qu'elle était inconfortable. Elle semblait à moitié composée de vieille peinture, une couche sur l'autre, le résultat de cent redécorations. Au repas de noces de Joffrey, il s'en souvenait, un cavalier arborait le loup-garou de Robb Stark, l'autre, les armes et les couleurs de Stannis Baratheon. « Nous aurons besoin de ces deux bestioles si nous devons rompre des lances devant la reine Daenerys », dit-il. Si l'envie prenait aux matelots d'équarrir Jolie Cochonne, ni lui ni Sol n'avaient aucun espoir de les arrêter… Mais au moins, la grande épée de ser Jorah pourrait les faire réfléchir.

« Est-ce ainsi que tu comptes garder ton chef, Lutin ?

— Ser Lutin, ne vous déplaise. Et oui. Une fois que Sa Grâce saura ma valeur véritable, elle me chérira. Après tout, je suis

un aimable luron, et je connais sur mes proches plus d'un renseignement utile. Mais, jusque-là, j'ai intérêt à la tenir amusée.
— Cabriole tout ton content, ça ne lavera pas tes crimes. Daenerys Targaryen n'est pas une sotte enfant que distraient plaisanteries et galipettes. Elle te traitera avec justice. »
Oh, j'espère bien que non. De ses yeux vairons, Tyrion examina Mormont. « Et vous, comment vous accueillera-t-elle, cette reine juste ? Une chaleureuse accolade, un rire de jeune fille ou la hache du bourreau ? » Il grimaça un sourire devant la visible déconfiture du chevalier. « Pensiez-vous vraiment que je vous croirais ? Exécuter les ordres de la reine, dans ce bordel ? La défendre, à une moitié de monde de distance ? Ne se pourrait-il pas plutôt que vous fussiez en fuite, que votre reine dragon vous ait chassé de sa compagnie ? Mais pourquoi irait-elle... Oh, mais attendez, vous *l'espionniez* ! » Tyrion clappa de la langue. « Vous espérez acheter votre retour en grâce en me livrant à elle. Un plan mal inspiré, dirais-je. On pourrait même parler d'un acte de désespoir suggéré par la boisson. Si j'étais Jaime, peut-être... Jaime a tué le père de Daenerys, mais je n'ai tué que le mien. Vous imaginez que Daenerys va m'exécuter et vous pardonner, mais l'inverse est tout autant probable. Peut-être auriez-vous vous-même intérêt à sauter sur le dos de cette truie, ser Jorah. D'endosser une cotte de fer bipartie, à la mode de Florian le... »

Le coup que lui flanqua le grand chevalier lui tourna la tête et envoya Tyrion valdinguer de côté, avec tant de force que son crâne rebondit contre le pont. Le sang lui emplit la bouche tandis qu'il se redressait sur un genou en titubant. Il cracha une dent cassée. *J'embellis chaque jour ; mais j'ai bien l'impression d'avoir agacé une plaie vive.* « Le nain vous aurait-il offensé en quelque manière, ser ? » demanda Tyrion sur un ton innocent, essuyant du revers de la main les bulles de sang sur sa lèvre fendue.

« Je me fatigue de ton insolence, nain. Il te reste encore quelques dents. Si tu tiens à les conserver, garde tes distances avec moi pendant la suite de cette traversée.

— Cela pourrait présenter des difficultés. Nous partageons une cabine.

— Trouve-toi un autre lieu où dormir. Dans la cale, sur le pont, peu me chaut. Reste hors de vue, c'est tout. »

Tyrion se remit debout. « Comme vous voudrez », répondit-il, la bouche pleine de sang ; mais le grand chevalier était déjà parti, martelant de ses bottes les planches du pont.

En bas, dans la coquerie, Tyrion se rinçait la bouche au tafia coupé d'eau, grimaçant sous la brûlure, lorsque Sol le retrouva. « J'ai appris ce qui s'était passé. Oh, vous êtes blessé ? »

Il haussa les épaules. « Un peu de sang et une dent cassée. » *Mais je crois que je l'ai blessé davantage.* « Dire qu'il est chevalier. Triste à dire, mais je ne compterais pas trop sur ser Jorah au cas où nous aurions besoin de protection.

— Qu'avez-vous fait ? Oh, vous saignez de la lèvre. » Elle tira de sa manche un carré de tissu et tapota la plaie. « Qu'avez-vous dit ?

— Quelques vérités que ser Bezoar n'a guère aimé entendre.

— Il ne faut pas vous moquer de lui. Vous ne savez donc rien ? Il ne faut pas parler de la sorte à une grande personne. Elles peuvent vous faire *du mal.* Ser Jorah aurait pu vous jeter à la mer. Les matelots auraient ri en vous regardant vous noyer. Il faut être prudent avec les grands. Avec eux, soyez jovial, joueur, faites-les sourire tout le temps, faites-les rire, disait toujours mon père. Votre père ne vous a-t-il jamais appris à vous comporter avec les grands ?

— Mon père les traitait de petites gens, répliqua Tyrion, et il n'était pas ce qu'on pourrait qualifier d'homme jovial. » Il but une nouvelle gorgée de tafia mêlé d'eau, la promena dans sa bouche puis la recracha. « Cependant, je conçois votre argument. J'ai beaucoup à apprendre sur la condition de nain. Peut-être aurez-vous la bonté de faire mon éducation, entre les joutes et la cavalcade sur cochon.

— Je le ferai, m'sire. Volontiers. Mais... quelles étaient ces vérités ? Pourquoi ser Jorah vous a-t-il frappé si fort ?

— Mais par amour, voyons. La même raison que moi, pour faire mijoter ce chanteur. » Il songea à Shae et à l'expression qu'elle avait dans ses yeux tandis qu'il serrait la chaîne autour de sa gorge, la tordant dans son poing. Une chaîne de mains en or. *C'est toujours si froid, des mains d'or,/Et si chaud, celles d'une femme.* « Es-tu pucelle, Sol ? »

Elle rougit. « Oui. Bien sûr. Qui aurait...

— Reste-le. L'amour est une folie, et le désir un poison. Conserve ta virginité. Tu n'en seras que plus heureuse et tu as moins de chances de te retrouver dans un bordel crasseux sur la Rhoyne, avec une putain qui ressemble vaguement à ton amour perdu. » *Ou à courir la moitié du monde, pour chercher où peuvent bien aller les putes.* « Ser Jorah rêve de sauver sa reine dragon et de se réchauffer au soleil de sa gratitude, mais je connais une chose ou deux sur la gratitude des rois, et je préférerais un palais à Valyria. » Il s'interrompit brusquement. « Tu as senti ça ? Le vaisseau a bougé.

— En effet. » La joie illumina le visage de Sol. « Nous bougeons de nouveau. Le vent... » Elle courut vers la porte. « Je veux voir ça. Venez, le premier arrivé en haut ! » Et elle disparut.

Elle est jeune, dut se remémorer Tyrion tandis que Sol jaillissait de la coquerie pour grimper l'abrupt escalier de bois aussi vite que ses courtes jambes le lui permettaient. *Presque une enfant.* Cependant, Tyrion fut ravi de la voir si enthousiaste. Il la suivit sur le pont.

La voile s'était ranimée, gonflant, se vidant avant de se regonfler, les rayures rouges de sa toile se tordant comme des serpents. Les matelots couraient sur le pont et tiraient sur les drisses pendant que les lieutenants beuglaient des ordres dans la langue de l'Antique Volantis. Les rameurs dans les chaloupes du navire avaient choqué les cordages de remorque et revenaient vers la cogue, en souquant ferme. Le vent soufflait de l'ouest, par tourbillons et rafales, accrochant les haubans et les capes comme un gamin espiègle. Le *Selaesori Qhoran* était reparti.

Peut-être parviendrons-nous à Meereen, finalement, se dit Tyrion.

Mais quand il accéda au gaillard d'arrière par l'échelle de coupée et qu'il regarda au large depuis la poupe, son sourire pâlit. *Ciel et mer bleus ici, mais à l'ouest... je n'ai jamais vu un ciel d'une telle couleur.* Un épais bandeau de nuages courait sur tout l'horizon. « Sinistre barrière, dit-il à Sol, le doigt pointé.

— Qu'est-ce que ça signifie ? demanda-t-elle.

— Ça signifie qu'une grosse brute se glisse derrière nous. »
Il fut surpris de constater que Moqorro et deux de ses doigts
ardents les avaient rejoints sur le château arrière. Il n'était que
midi et, d'ordinaire, le prêtre rouge et ses hommes n'émergeaient pas avant le crépuscule. Le prêtre lui adressa un hochement de tête solennel. « Tu vois ici, Hugor Colline. Le courroux
de Dieu. On ne raille pas le Dieu de Lumière. »

Tyrion avait un mauvais pressentiment. « La veuve a dit que
ce navire n'atteindrait jamais sa destination. Je supposais qu'elle
voulait dire qu'une fois au large, hors d'atteinte des triarques,
le capitaine changerait de cap pour aller sur Meereen. Ou peut-
être que vous vous empareriez du navire avec votre Main Ardente
afin de nous conduire chez Daenerys. Mais ce n'était pas du
tout ce que votre Grand Prêtre a vu, hein ?

— Non. » La voix profonde de Moqorro résonnait avec toute
la solennité d'un glas. « Voici ce qu'il avait vu. » Le prêtre
rouge leva son bourdon et inclina la tête en direction de l'ouest.

Sol était perplexe. « Je ne comprends pas. Qu'est-ce que ça
veut dire ?

— Ça veut dire que nous aurions intérêt à descendre sous le
pont. Ser Jorah m'a exilé de notre cabine. Puis-je me cacher
dans la tienne quand le moment viendra ?

— Oui. Vous seriez le… oh… »

Pendant pratiquement trois heures, ils coururent sous le vent,
tandis que la tempête se rapprochait. Le ciel à l'occident vira
au vert, puis au gris, et au noir. Un mur de nuages sombres
s'éleva derrière eux, se boursouflant comme le lait d'une
bouilloire trop longtemps oubliée sur le feu. Tyrion et Sol observèrent depuis le gaillard d'avant, blottis près de la figure de
proue, en se tenant les mains, veillant à ne pas traîner dans les
jambes du capitaine et de l'équipage.

La dernière tempête avait été excitante, grisante, un brusque
grain qui avait laissé Tyrion avec la sensation d'être lavé et
rafraîchi. Celle-ci s'annonçait différente. Le capitaine le sentait
aussi. Il vira de bord vers le nord-nord-est en cherchant à s'écarter
du trajet de la tempête.

L'effort resta futile. La fougue était trop grosse. Autour d'eux, les mers se firent plus rudes. Le vent commença à mugir. L'*Intendant qui pue* montait et descendait tandis que les vagues se brisaient contre sa coque. Derrière eux, la foudre plongeait dans les flots des coups de poignard depuis les cieux, des éclairs mauves aveuglants qui dansaient sur la mer en maillages de lumière. Le tonnerre les suivait. « L'heure est venue d'aller se cacher. » Tyrion prit Sol par le bras et la conduisit sous le pont.

Croque et Jolie étaient tous deux à moitié fous de peur. Le chien aboyait, encore et toujours. Il renversa Tyrion par terre à leur entrée. La truie avait chié partout. Tyrion nettoya de son mieux, tandis que Sol s'efforçait de calmer les animaux. Puis ils arrimèrent ou rangèrent tout ce qui pouvait bouger. « J'ai peur », avoua Sol. La cabine avait commencé à s'incliner et à se cabrer, allant d'un bord sur l'autre selon les vagues qui martelaient la coque du navire.

Il est de pires manières de mourir que la noyade. Ton frère l'a appris, ainsi que le seigneur mon père. Et Shae, cette fourbe ribaude. C'est toujours si froid, des mains d'or,/Et si chaud, celles d'une femme. « Nous devrions commencer un jeu, suggéra Tyrion. Cela nous aidera à penser à autre chose qu'à la tempête.

— Pas le *cyvosse*, répondit-elle aussitôt.

— Pas le *cyvosse* », acquiesça-t-il tandis que le pont montait sous ses pieds. Cela ne mènerait qu'à de violents envols de pièces à travers la cabine, qui retomberaient en pluie sur la truie et le chien. « Quand tu étais petite fille, as-tu jamais joué à viens-dans-mon-château ?

— Non. Vous pouvez m'apprendre ? »

S'il le pouvait ? Tyrion hésita. *Imbécile de nain. Évidemment qu'elle n'a jamais joué à viens-dans-mon-château. Jamais elle n'a eu de château.* Viens-dans-mon-château était un jeu pour enfants bien nés, un jeu qui visait à leur enseigner la courtoisie, l'héraldique et une chose ou deux sur les amis et les ennemis du seigneur leur père. « Ça ne pourra… » commença-t-il. Le pont subit une nouvelle violente poussée qui les jeta brutalement l'un contre l'autre. Sol poussa un couinement de peur. « Ce n'est pas un jeu approprié, lui dit Tyrion en serrant les dents. Désolé. Je ne sais pas quel jeu...

— Moi, si. » Sol l'embrassa.

Le baiser était maladroit, précipité, hésitant. Mais il prit Tyrion totalement par surprise. Ses mains se levèrent d'une saccade et saisirent Sol aux épaules pour la repousser avec rudesse. Mais il hésita, avant de l'attirer à lui, et la pressa avec légèreté. Elle avait les lèvres sèches, dures, plus étroitement closes qu'une bourse de ladre. *Une petite consolation*, se dit Tyrion. Il n'avait rien voulu de tout cela. Il aimait bien Sol, il avait pitié d'elle et même, il l'admirait, d'une certaine façon, mais il n'éprouvait aucun désir pour elle. Cependant, il ne souhaitait pas la blesser ; les dieux et sa tendre sœur lui avaient déjà infligé assez de douleurs. Aussi laissa-t-il le baiser se prolonger, la tenant avec douceur par les épaules. Ses propres lèvres restèrent fermement closes. Autour d'eux, le *Selaesori Qhoran* roulait et frémissait.

Finalement, elle se recula d'un pouce ou deux. Tyrion vit son propre reflet briller dans ses prunelles. *Jolis yeux*, songeait-il, mais il voyait d'autres choses, également. *Beaucoup de peur, un peu d'espoir... mais pas un brin de désir. Elle ne me veut pas, pas plus que je ne la veux.*

Lorsque Sol baissa la tête, il la prit sous le menton et le releva. « Nous ne pouvons jouer à ce jeu, madame. » Au-dessus le tonnerre rugit, tout proche, désormais.

« Je ne voulais pas... Je n'ai encore jamais embrassé de garçon, mais... J'ai simplement pensé, et si nous nous noyons et que je... je...

— C'était agréable, mentit Tyrion, mais je suis marié. Elle se trouvait avec moi au banquet, vous vous souvenez peut-être d'elle. Lady Sansa.

— C'était votre épouse ? Elle... elle était très belle... »

Et perfide. Sansa, Shae, toutes mes femmes... Tysha a été la seule à m'avoir jamais aimé. Où s'en vont les putes ? « Une enfant charmante, dit Tyrion, et nous nous sommes unis aux yeux des dieux et des hommes. Il se peut qu'elle soit perdue pour moi, mais, jusqu'à ce que j'en aie la certitude, je me dois de lui être fidèle.

— Je comprends.» Sol détourna la tête de lui.

La femme idéale pour moi, songea Tyrion avec amertume. *Encore assez jeune pour croire des mensonges aussi éhontés.* La coque grinçait, le pont tanguait et Jolie couinait de panique. Sol traversa la cabine, à quatre pattes sur le plancher, pour aller envelopper de ses bras la tête de la truie et lui murmurer des paroles rassurantes. En les voyant toutes deux, on avait du mal à discerner qui réconfortait qui. Le spectacle était tellement grotesque qu'il aurait dû être comique, mais n'arrivait même pas à arracher à Tyrion un sourire. *Cette fille mérite mieux qu'un cochon*, jugea-t-il. *Un baiser honnête, un peu de tendresse, tout le monde, petit ou grand, en mérite autant.* Il chercha autour de lui sa coupe de vin, mais quand il la trouva tout le tafia s'en était renversé. *Se noyer est déjà une sinistre manière de trépasser*, estima-t-il, mécontent, *mais se noyer triste et sobre serait vraiment un trop cruel destin.*

Au final, ils ne périrent pas noyés... Même si, à certains moments, la perspective d'une bonne noyade paisible ne manqua pas d'un certain attrait. La tempête fit rage tout le reste de la journée et bien avant dans la nuit. Des vents humides mugissaient autour d'eux et les vagues se levaient comme les poings de géants engloutis pour marteler leur pont. Sur le pont, apprirent-ils plus tard, un lieutenant et deux matelots avaient été emportés par les lames, le coq du bord s'était retrouvé aveuglé en recevant un pot de graisse brûlante au visage et le capitaine avait été précipité avec une telle violence du château arrière sur le pont principal qu'il avait eu les deux jambes brisées. En contrebas, Croque hurla, aboya et montra les dents à Sol, et Jolie Cochonne se remit à chier partout, changeant en bauge la cabine étroite et humide. Tyrion réussit à éviter de vomir tout au long de l'aventure, au premier chef grâce à la pénurie de vin. Sol n'eut pas tant de chance, mais il la serra quand même contre lui, tandis qu'autour d'eux la coque craquait et grinçait d'inquiétante façon, comme une futaille prête à éclater.

Vers minuit, les vents expirèrent enfin et la mer s'apaisa suffisamment pour que Tyrion remontât sur le pont. Ce qu'il y vit ne le rassura pas. La cogue dérivait sur une mer de verredragon coiffée d'une coupe d'étoiles, mais, tout autour, la tempête continuait à se déchaîner. À l'est, à l'ouest, au nord, au sud, partout où il regardait, s'élevaient des nuages pareils à des montagnes noires, leurs pentes disloquées et leurs colossales falaises palpitant de foudre bleue et mauve. La pluie avait cessé, mais les ponts humides glissaient sous le pas.

Tyrion entendait quelqu'un crier dans l'entrepont, une voix grêle et aiguë, folle de peur. Il entendait aussi Moqorro. Le prêtre rouge, debout sur le gaillard d'avant face à la tempête, bourdon brandi au-dessus de sa tête, tonnait une prière. Au milieu du navire, une douzaine de matelots et deux des doigts ardents s'échinaient sur des drisses emmêlées et de la toile détrempée, mais quant à savoir s'ils essayaient de hisser de nouveau la voile ou de l'amener, il n'eut jamais de réponse. Quoique ce fût, l'idée lui paraissait très mauvaise. Et il n'avait pas tort.

Le vent revint comme un chuchotis de menace, froid et humide, qui lui caressa la joue, fit claquer la voile mouillée, voler et se tendre les robes écarlates de Moqorro. L'instinct souffla à Tyrion d'empoigner le bastingage le plus proche, juste à temps. En l'espace de trois battements de cœur, la brise légère se mua en ouragan mugissant. Moqorro cria quelque chose, et des flammes vertes jaillirent de la gueule du dragon terminant son bourdon, pour disparaître dans la nuit. Puis vinrent les pluies, noires et aveuglantes, et gaillards d'avant et d'arrière disparurent tous deux derrière un mur liquide. Une forme énorme battit au-dessus, et Tyrion leva les yeux à temps pour voir la voile prendre son essor, deux hommes encore pendus aux haubans. Puis il entendit un craquement. *Oh, bordel*, eut-il le temps de se dire, *ce devait être le mât.*

Il trouva une drisse et tira dessus, luttant vers l'écoutille pour se réfugier en cale hors de la tempête, mais une rafale lui faucha les jambes, et une seconde le jeta contre le bastingage, où il s'agrippa. La pluie lui fouettait le visage, l'aveuglant. Il avait de nouveau la bouche pleine de sang. Le navire gémissait et grondait sous lui comme un obèse constipé se battant pour chier.

Puis le mât éclata.

Tyrion n'en vit rien, mais il l'entendit. De nouveau, ce craquement, puis un hurlement de bois torturé, et soudain l'air se remplit d'échardes et d'esquilles. L'une lui manqua l'œil d'un demi-pouce, une seconde trouva son cou, une troisième lui traversa le mollet, à travers bottes et chausses. Il poussa un cri. Mais il tint bon la drisse, s'accrocha avec une force désespérée dont il s'ignorait capable. *La veuve a dit que ce vaisseau n'atteindrait jamais sa destination*, se souvenait-il. Puis il éclata de rire, et rit, d'un rire fou, hystérique, tandis que le tonnerre roulait, que les madriers geignaient et que les vagues s'écrasaient tout autour de lui.

Le temps que la tempête s'apaisât et que passagers et matelots survivants rampassent de nouveau sur le pont, comme les pâles vers roses qui se tortillent sur le sol après une averse, le *Selaesori Qhoran* n'était plus qu'une épave disloquée, flottant bas sur l'eau et donnant de la bande sur dix degrés par bâbord, sa coque crevée de cinquante voies d'eau, sa cale baignant dans l'eau de mer, son mât une souche brisée pas plus haute qu'un nain. Même sa figure de proue n'en avait pas réchappé : un de ses bras, celui qui tenait tous les rouleaux, s'était brisé. Neuf hommes étaient perdus, dont un lieutenant, deux doigts ardents et Moqorro lui-même.

Benerro avait-il vu cela dans ses feux ? s'interrogea Tyrion quand il prit conscience de la disparition de l'énorme prêtre rouge. *Et Moqorro ?*

« Une prophétie est comme une mule à moitié dressée, se plaignit-il à Jorah Mormont. On croit qu'elle va vous aider, mais au moment où on lui fait confiance, elle vous flanque une ruade dans le crâne. Cette garce de veuve savait que le navire n'atteindrait jamais sa destination, elle nous en a avertis, elle a dit que Benerro l'avait vu dans ses feux, seulement j'en avais conclu... Bah, quelle importance ? » Sa bouche se tordit. « Ce que cela voulait réellement dire, c'est qu'une grosse saloperie de tempête allait changer notre mât en petit bois pour nous laisser dériver à travers le golfe de Douleur jusqu'à ce que nos vivres s'épuisent, et que nous commencions à nous dévorer les uns les autres. Qui pensez-vous qu'ils découperont en premier... le cochon, le chien, ou moi ?

— Le plus bruyant, à mon avis. »

Le capitaine mourut le lendemain, le coq trois jours plus tard. L'équipage survivant avait fort à faire pour maintenir l'épave à flot. Le lieutenant qui avait assumé le commandement estimait qu'ils se trouvaient quelque part au large de la pointe méridionale de l'île aux Cèdres. Quand il mit à la mer les chaloupes du navire afin de le remorquer vers la plus proche terre, l'une des deux coula, et les hommes de l'autre coupèrent le cordage et partirent à la rame vers le nord, abandonnant la cogue et tous leurs compagnons.

« Esclaves », commenta Jorah Mormont, avec mépris.

Le grand chevalier avait dormi durant la tempête, à l'entendre. Tyrion avait des doutes, mais il les garda pour lui. Un jour, il pourrait avoir envie de mordre quelqu'un à la jambe et, pour ce faire, il avait besoin de dents. Mormont paraissait disposé à ignorer leur désaccord, si bien que Tyrion décida de prétendre que rien ne s'était passé.

Dix-neuf jours durant, ils dérivèrent tandis que les vivres et l'eau diminuaient. Le soleil les martelait sans trêve. Sol était blottie dans sa cabine, avec son chien et sa truie, et Tyrion lui apportait à manger, boitant à cause de son mollet bandé et reniflant la blessure la nuit. Quand il n'avait rien d'autre à faire, il se piquait également les doigts et les orteils. Ser Jorah mettait un point d'honneur à affûter son épée chaque jour, aiguisant la pointe jusqu'à ce qu'elle brillât. Les trois derniers doigts ardents allumaient le feu nocturne dès le coucher du soleil, mais en conduisant la prière avec l'équipage, ils portaient leur armure ornementée et gardaient leurs piques à portée de main. Et pas un seul marin n'essaya de frictionner le crâne d'aucun des deux nains.

« Et si nous joutions de nouveau pour eux ? demanda Sol une nuit.

— Mieux vaudrait s'abstenir, répondit Tyrion. Ça ne servirait qu'à leur rappeler que nous avons un beau cochon dodu. » Toutefois, Jolie devenait moins replète à chaque jour qui passait et Croque n'était que fourrure et os.

Cette nuit-là, Tyrion se rêva de retour à Port-Réal, une arbalète en main. « Où vont les putes », déclara lord Tywin, mais quand le doigt de Tyrion se crispa et que la corde vrombit, c'était Sol qui avait le carreau fiché dans son ventre.

Il s'éveilla à un bruit de cris.

Le pont bougeait sous lui et, pendant un demi-battement de cœur, il fut tellement désorienté qu'il se crut de retour sur la *Farouche Pucelle*. Des relents de lisier le ramenèrent à la réalité. Les Chagrins étaient derrière lui, à une moitié de monde de là, et les joies de ce temps aussi. Il se souvint combien Lemore était plaisante à voir après son bain matinal, avec des perles d'eau qui brillaient sur sa peau nue, mais la seule pucelle ici était la pauvre Sol, la jeune naine contrefaite.

Pourtant, il se passait quelque chose. Tyrion se glissa en bâillant à bas de son hamac, et chercha ses bottes. Et aussi insensé que ce fût, il chercha également son arbalète, mais bien entendu, il n'y en avait pas à trouver. *Dommage*, songea-t-il, *elle aurait pu être utile quand les grands viendront me manger*. Il enfila ses bottes et grimpa sur le pont pour voir la raison de tous ces cris. Sol y fut avant lui, les yeux écarquillés par l'étonnement. « Une voile, s'écria-t-elle, là, là-bas, tu vois ? Une voile, et ils nous ont vus, ils nous ont vus. *Une voile !* »

Cette fois-ci, il l'embrassa... une fois sur chaque joue, une sur le front, une dernière sur la bouche. Elle était toute rosissante, et riait quand il en arriva au dernier baiser, subitement redevenue timide, mais cela n'avait aucune importance. L'autre navire se rapprochait. Une grande galère, nota-t-il. Ses rames laissaient derrière elle un long sillage blanc. « C'est quoi, comme navire ? demanda-t-il à ser Jorah Mormont. Vous pouvez lire son nom ?

— Je n'ai pas besoin de le lire. Nous sommes sous le vent. Je la sens. » Mormont tira son épée. « C'est un esclavagiste. »

LE TOURNE-CASAQUE

Les premiers flocons descendirent en flottant alors que le soleil se couchait à l'ouest. La nuit venue, la neige tombait si dru que la lune se leva derrière un rideau blanc, invisible.

« Les dieux du nord ont déchaîné leur courroux contre lord Stannis », annonça Roose Bolton au matin, tandis que les hommes se rassemblaient dans la grande salle de Winterfell pour déjeuner. « C'est un étranger ici, et les anciens dieux ne souffriront pas qu'il vive. »

Ses hommes rugirent leur approbation, cognant des poings sur les longues tables en planche. Malgré la ruine de Winterfell, ses murailles de granit tiendraient en respect les pires assauts du vent et des éléments. Ils avaient de bonnes provisions de nourriture et de boisson ; des feux pour se réchauffer quand ils n'étaient pas de garde, un endroit où sécher leurs vêtements, des coins douillets où s'étendre pour dormir. Lord Bolton avait entreposé assez de bois pour maintenir les feux pendant une moitié d'année, si bien que la grande salle était toujours chaude et confortable. Stannis n'avait rien de tout cela.

Theon Greyjoy ne se joignit pas au chahut. Pas plus que les hommes de la maison Frey, ne manqua-t-il pas de noter. *Ils sont étrangers ici, aussi*, songea-t-il en observant ser Aenys Frey et son demi-frère, ser Hosteen. Nés et élevés dans le Conflans, les Frey n'avaient jamais vu de telles neiges. *Le Nord a déjà pris trois de leur sang*, se remémora Theon en pensant aux hommes que Ramsay avait fait rechercher en vain, perdus entre Blancport et Tertre-bourg.

Sur l'estrade, lord Wyman Manderly était assis entre deux de ses chevaliers de Blancport, enfournant à la cuillère le gruau d'avoine dans son visage gras. Il ne paraissait pas le déguster moitié autant que les tourtes de porc du mariage. Ailleurs, Harbois Stout le manchot discutait à voix basse avec le cadavérique Pestagaupes Omble.

Theon se rangea dans la file avec les autres hommes pour avoir du gruau d'avoine, versé à la louche dans des écuelles de bois à partir d'une enfilade de marmites en cuivre. Les seigneurs et chevaliers avaient du lait et du miel, et même une lichée de beurre pour améliorer leurs portions, vit-il, mais on ne lui proposerait rien de tout cela. Son règne de prince de Winterfell avait été bref. Il avait tenu son rôle dans le spectacle, accordant la main de la fausse Arya en mariage et n'était plus désormais d'aucune utilité à Roose Bolton.

« Le premier hiver dont j'me souviens, j'avais de la neige jusqu'au-d'sus de la tête, commenta un Corbois dans la file devant lui.

— Oui-da, mais tu f'sais que trois pieds de haut à l'époque », riposta un cavalier des Rus.

La nuit précédente, incapable de dormir, Theon avait commencé à méditer une évasion, s'éclipser sans se faire remarquer pendant que l'attention de Ramsay et du seigneur son père se tournait ailleurs. Chaque porte était verrouillée, barrée et lourdement gardée, cependant ; personne n'avait le droit d'entrer ou de sortir du château sans l'assentiment de lord Bolton. Même s'il avait découvert une issue secrète, Theon ne s'y serait pas fié. Il n'avait pas oublié Kyra et ses clés. Et s'il réussissait à sortir, où irait-il ? Son père était mort et ses oncles n'avaient cure de lui. Pour lui, Pyk était perdue. C'était ici, parmi les décombres de Winterfell, que subsistait ce qui pour lui s'approchait le plus d'un foyer.

Un homme en ruine, un château en ruine. Je suis ici à ma juste place.

Il attendait encore son gruau quand Ramsay fit son entrée dans la salle avec ses Gars du Bâtard, réclamant à grand bruit de la musique. Abel se frotta les yeux pour chasser le sommeil, prit son luth et se lança dans *L'Épouse du Dornien*, tandis qu'une de ses lavandières marquait la cadence sur son tambour. Mais le chanteur modifia les paroles. Au lieu de savourer la femme d'un Dornien, il parla de savourer la fille d'un Nordien. *Il pourrait perdre sa langue, pour ça*, se dit Theon alors qu'on emplissait son écuelle. *Ce n'est qu'un chanteur. Lord Ramsay pourrait lui écorcher la peau des deux mains, et nul ne trouverait mot à redire.* Mais lord Bolton sourit des paroles, et Ramsay éclata de rire. Les autres surent alors qu'on pouvait rire sans risque, aussi. Dick le Jaune trouva la chanson si drôle que du vin lui passa par le nez.

Lady Arya n'était pas là pour partager cet amusement. On ne l'avait pas vue en dehors de ses appartements depuis sa nuit de noces. Alyn le Rogue racontait que Ramsay gardait son épouse enchaînée nue à un montant du lit, mais Theon savait que ce n'étaient que racontars. Il n'y avait pas de chaînes – aucune que des hommes pussent voir, en tous les cas. Rien que deux gardes devant la chambre, pour empêcher la fille de partir à l'aventure. *Et elle n'est nue qu'au bain.*

Bain qu'elle prenait à peu près tous les soirs, par contre. Lord Ramsay voulait une épouse propre. « Elle n'a pas de cámeriste, pauvre petite, avait-il dit à Theon. Ça ne lui laisse que toi, Schlingue. Dois-je te revêtir d'une robe ? » Il rit. « Peut-être, si tu m'en implores. Pour le moment, borne-toi à être sa demoiselle de bain. Je ne veux pas qu'elle empeste comme toi. » Aussi, chaque fois que l'envie de coucher avec sa femme démangeait Ramsay, échoyait-il à Theon d'emprunter des servantes à lady Walda ou à lady Dustin, et d'aller chercher de l'eau chaude aux cuisines. Bien qu'Arya ne parlât à aucune d'elles, elles ne pouvaient pas ne pas voir ses ecchymoses. *C'est sa faute. Elle ne l'a pas satisfait.* « Contente-toi d'être *Arya* », enjoignit-il une fois à la fille, en l'aidant à entrer dans l'eau. « Lord Ramsay ne veut pas te faire de mal. Il ne nous fait du mal que quand nous… quand nous oublions. Jamais il ne m'a découpé sans cause.

— Theon… chuchota-t-elle, en larmes.

— *Schlingue.* » Il l'attrapa par le bras et la secoua. « Je suis Schlingue, ici. Il faut que tu t'en *souviennes*, Arya. » Mais cette fille n'était pas une véritable Stark, rien que la progéniture d'un intendant. *Jeyne, son nom est Jeyne. Elle ne devrait pas attendre de moi que je la sauve.* Theon Greyjoy aurait pu essayer de l'aider, jadis. Mais Theon était un Fer-né, et un homme plus brave que Schlingue. *Schlingue, Schlingue, ça commence comme chien.*

Ramsay avait un nouveau jouet pour le distraire, un qui avait tétons et connin… Mais les larmes de Jeyne ne tarderaient pas à perdre de leur saveur, et Ramsay voudrait de nouveau son Schlingue. *Il m'écorchera pouce par pouce. Quand mes doigts auront disparu, il me prendra mes mains. Après mes orteils, mes pieds. Mais seulement quand je l'en supplierai, quand la douleur deviendra si cruelle que je l'implorerai de me soulager.* Il n'y aurait pas de bains chauds pour Schlingue. Il se roulerait de nouveau dans la merde, avec interdiction de se laver. Les vêtements qu'il portait deviendraient des loques, immondes et puantes, et on le forcerait à les garder jusqu'à ce qu'elles tombent en décomposition. Au mieux, il pouvait espérer un retour au chenil, avec les filles de Ramsay pour compagnie. *Kyra*, se souvenait-il. *Il appelle la nouvelle chienne Kyra.*

Il emporta son écuelle au fond de la salle et trouva une place sur un banc vide, à plusieurs pas du plus proche flambeau. Jour et nuit, les bancs du bas bout étaient toujours au moins à moitié remplis d'hommes qui buvaient, jouaient aux dés, discutaient ou dormaient tout habillés dans les coins tranquilles. Leurs sergents les réveillaient d'un coup de pied quand leur tour venait de réendosser leur cape et d'aller arpenter le chemin de ronde. Mais aucun d'eux n'aurait apprécié la compagnie de Theon Tourne-Casaque, pas plus qu'il ne tenait à la leur.

Le gruau était gris et liquide et, après sa troisième cuillerée, il le repoussa pour le laisser se figer dans l'écuelle. À la table voisine, des hommes débattaient de la tempête et se demandaient à voix haute combien de temps encore la neige tomberait. « Toute la journée, toute la nuit, peut-être bien davantage », insistait un gaillard à barbe noire, un archer, portant la hache des Cerwyn brodée sur le torse. Quelques-uns des hommes les plus âgés évoquaient d'autres tempêtes de neige et soutenaient que ce n'était qu'un vague saupoudrage, en comparaison avec ce qu'ils avaient vu durant les hivers de leur jeunesse. Les natifs du Conflans étaient effarés. *Ça n'a aucun amour de la neige et du froid, ces épées sudières.* Des hommes qui entraient dans la salle se tassaient devant les feux ou frappaient des mains au-dessus de braseros ardents, tandis que leurs capes gouttaient à des patères à l'intérieur de la porte.

L'atmosphère était lourde et enfumée et une croûte s'était formée sur son gruau quand une voix de femme derrière lui fit : « Theon Greyjoy. »

Mon nom est Schlingue, faillit-il répliquer. « Que voulez-vous ? »

Elle s'assit auprès de lui, à cheval sur le banc, et repoussa une mèche de cheveux brun-roux qui lui tombait sur les yeux. « Pourquoi mangez-vous seul, m'sire ? V'nez, l'vez-vous, joignez-vous à la danse. »

Il retourna à son gruau. « Je ne danse pas. » Le prince de Winterfell avait été un danseur plein de grâce, mais Schlingue, avec ses orteils en moins, serait grotesque. « Laissez-moi en paix. Je n'ai pas d'argent. »

La femme lui adressa un sourire en coin. « Vous me prendriez pas pour une catin ? » C'était une des lavandières du chanteur, la grande maigre, trop mince et coriace pour qu'on la jugeât jolie… bien qu'il y ait eu un temps où Theon l'aurait quand même culbutée, pour juger de ce qu'on pouvait ressentir avec ces longues jambes nouées autour de soi. « À quoi me servirait l'argent ici ? J'achèterais quoi, avec ? D' la neige ? »

Elle rit. « Pourriez me payer d'un sourire. Je vous ai jamais vu sourire, pas même au banquet de noces de vot' sœur.

— Lady Arya n'est pas ma sœur. » *Et je ne souris pas, non plus,* aurait-il pu ajouter. *Ramsay avait mes sourires en horreur, et il a ravagé mes dents au marteau. C'est à peine si je puis manger.* « Elle ne l'a jamais été.

— Jolie donzelle, quand même. »

Jamais je n'ai été aussi belle que Sansa, mais tout le monde me disait jolie. Les paroles de Jeyne semblèrent résonner sous le crâne de Theon, au rythme des tambours que battaient deux des autres filles d'Abel. Une autre avait forcé Petit Walder Frey à monter sur la table afin de lui apprendre à danser. Tous les hommes s'esclaffaient. « Laissez-moi en paix, dit Theon.

— J' suis pas du goût de Vot' Seigneurie ? J' pourrais vous envoyer Myrte si vous v'lez. Ou Houssie, peut-être, vous plairait davantage. Tous les gars aiment Houssie. C'est pas mes sœurs, non plus, mais elles sont gentilles. » La femme se pencha plus près. Son haleine sentait le vin. « Si zavez pas un sourire pour moi, racontez-nous comment que vous avez pris Winterfell. Abel mettra ça en chanson, et vous vivrez à jamais.

— Comme un traître. Theon Tourne-Casaque.

— Pourquoi pas Theon l'Astucieux ? C'était un exploit hardi, à c' qu'on a entendu conter. Zaviez combien d'hommes ? Cent ? Cinquante ? »

Bien moins. « C'était une folie.

— Une superbe folie. Stannis en a cinq mille, à c' qu'on dit, mais Abel prétend qu'à dix fois plus, on arriverait pas à percer ces murailles. Alors, m'sire, zêtes entré comment ? Vous connaissiez un passage secret ? »

J'avais des cordes, se rappela Theon. *J'avais des grappins. J'avais l'obscurité de mon côté, et la surprise. Le château n'était tenu que par une légère garnison et je les ai pris par surprise.* Mais de tout cela il ne dit rien. Si Abel composait une chanson sur lui, il y avait bien des chances pour que Ramsay lui crevât les tympans afin de s'assurer que Theon ne l'entendrait jamais.

« Pouvez me faire confiance, m'sire. Abel le fait. » La lavandière posa la main sur celle de Theon. Il était ganté de laine et de cuir. Elle avait des mains nues, calleuses, avec de longs doigts et des ongles rongés jusqu'au vif. « Zavez pas demandé mon nom. J' m'appelle Aveline. »

Theon s'écarta d'une saccade. C'était une ruse, il le savait. *Ramsay l'a envoyée. Voilà encore une de ses plaisanteries, comme Kyra avec les clés. Une aimable plaisanterie, rien de plus. Il veut que je coure, pour pouvoir me punir.*

Il aurait voulu la frapper, fracasser ce sourire moqueur sur son visage. Il voulait l'embrasser, la baiser là, directement sur la table, et l'entendre crier son nom. Mais il ne devait pas la toucher, il le savait, ni par colère ni par désir. *Schlingue, Schlingue, mon nom est Schlingue, je ne dois pas oublier mon nom.* Il se remit debout d'un bond et se dirigea sans un mot vers les portes, claudiquant sur ses pieds mutilés.

À l'extérieur, la neige tombait toujours. Mouillée, lourde, silencieuse, elle avait déjà commencé à recouvrir les traces de pas laissées par les hommes qui entraient et sortaient de la grande salle. La couche lui arrivait presque en haut des bottes. *Elle sera plus épaisse dans le Bois-aux-Loups... et sur la route Royale, où le vent souffle, il sera impossible d'y échapper.* Une bataille se livrait dans la cour ; des Ryswell criblaient des gars de Tertre-bourg de boules de neige. Au-dessus, il voyait quelques écuyers fabriquer des bonshommes de neige sur le chemin de ronde. Ils les armaient de piques et de boucliers, coiffant leurs têtes de demi-heaumes de fer, et les disposant le long du mur intérieur, un rang de sentinelles de neige. « Lord Hiver s'est joint à nous avec ses recrues », plaisanta un des gardes à l'extérieur de la grande salle... jusqu'à ce qu'il vît le visage de Theon et s'aperçût à qui il était en train de parler. Alors, il détourna la tête pour cracher par terre.

Au-delà des tentes, les grands destriers des chevaliers de Blancport et des Jumeaux grelottaient dans leurs lignes. Ramsay avait incendié les écuries lors du sac de Winterfell, si bien que son père en avait bâti de nouvelles, deux fois plus vastes que les anciennes, pour accueillir les destriers et les palefrois des bannerets et chevaliers de ses seigneurs. Le reste des chevaux étaient attachés dans les cours. Des garçons d'écurie encapuchonnés allaient et venaient parmi eux, les drapant dans des couvertures pour les tenir au chaud.

Theon entra plus avant dans les parties en ruine du château. Alors qu'il traversait la pierraille fracassée de ce qui avait jadis été la tourelle de mestre Luwin, des corbeaux le considérèrent depuis la fente dans le haut du mur, marmonnant entre eux. De temps en temps l'un d'eux poussait un cri rauque. Theon se tint sur le seuil de la chambre à coucher qui avait jadis été la sienne (enfoncé jusqu'à la cheville dans la neige que le vent avait poussée par une fenêtre cassée), visita les ruines de la forge de Mikken et du septuaire de lady Catelyn. Sous la tour foudroyée, il croisa Rickard Ryswell qui mignotait le cou d'une autre des lavandières d'Abel, la replète aux joues en pomme et au nez camus. La fille allait pieds nus dans la neige, emmitouflée dans un manteau de fourrure. Il jugea qu'elle pouvait bien être nue en dessous. Quand elle le vit, elle glissa à Ryswell quelques mots qui le firent rire tout fort.

Theon s'éloigna d'eux dans la neige. Il y avait un escalier après l'écurie, rarement utilisé ; ce fut là que ses pieds le menèrent. Les marches étaient raides et traîtresses. Il monta avec précaution et se retrouva tout seul sur le chemin de ronde du mur intérieur, à bonne distance des écuyers et de leurs bonshommes de neige. Personne ne lui avait accordé la liberté d'aller et venir dans le château, mais personne ne lui avait rien interdit non plus. Il pouvait vaquer à sa guise à l'intérieur de l'enceinte.

La chemise intérieure de Winterfell était la plus ancienne et la plus haute des deux murailles, dont les antiques mâchicoulis gris s'élevaient à une centaine de pieds, dotés à chaque coin de tours carrées. Le rempart extérieur, dressé bien des siècles plus tard, était plus bas de vingt pieds, mais plus épais et en meilleur état, s'enorgueillissant de tours octogonales en lieu de carrées. Entre les deux murs s'étendaient les douves, profondes et larges... et prises par les glaces. Des dépôts de neige avaient commencé à envahir leur surface gelée. La neige s'accumulait également sur le chemin de ronde, comblant les intervalles entre les merlons et déposant des cales pâles et molles au sommet de chaque tour.

Au-delà des remparts, aussi loin que portât le regard de Theon, le monde blanchissait. Les bois, les champs, la route Royale – les neiges recouvraient l'ensemble d'un pâle et doux manteau, enfouissant les débris de la ville d'hiver, cachant les murs noircis laissés derrière eux par les hommes de Ramsay quand ils avaient bouté le feu aux maisons. *Les blessures laissées par Snow, la neige les dissimule* ; mais ce n'était pas vrai. Ramsay était désormais un Bolton, pas un Snow, jamais un Snow.

Plus loin, la route Royale et ses ornières avaient disparu, perdues au sein des champs et des collines qui moutonnaient, tout cela formant une grande étendue blanche. Et toujours la neige tombait, descendant en silence d'un ciel sans vent. *Stannis*

Baratheon est dehors, quelque part là-bas, en train de geler.
Lord Stannis tenterait-il de prendre Winterfell par la force ? *S'il s'y risque, sa cause est perdue.* Le château était trop solide.
Même avec les douves gelées, les défenses de Winterfell demeuraient formidables. Theon avait pris la forteresse par ruse, envoyant ses meilleurs hommes escalader les murs et traverser les douves à la nage sous le couvert des ténèbres. Les défenseurs n'avaient même pas su qu'on les attaquait jusqu'à ce qu'il soit trop tard. Stannis ne pourrait pas recourir au même subterfuge.

Peut-être préférerait-il couper le château du reste du monde et affamer ses défenseurs. Les réserves et les caves de Winterfell étaient vides. Une longue caravane de vivres était arrivée par le Neck avec Bolton et ses amis Frey, lady Dustin avait apporté denrées et fourrage de Tertre-bourg et lord Manderly était bien approvisionné en venant de Blancport... mais l'ost était grand. Avec tant de bouches à nourrir, leurs réserves ne dureraient pas longtemps. *Lord Stannis et ses hommes auront faim tout autant, cependant. Et froid. Et ils auront mal aux pieds, ils ne seront pas en état de se battre... Mais la tempête leur insufflera l'envie désespérée d'entrer dans le château.*

La neige tombait aussi sur le bois sacré, fondant en touchant le sol. Sous les arbres en chape blanche, la terre s'était changée en boue. Des filaments de brouillard en suspens dans l'air semblaient des fantômes de rubans. *Pourquoi venir ici ? Ce ne sont pas mes dieux. Je ne suis pas à ma place.* L'arbre-cœur se dressait devant lui, un géant pâle au visage sculpté, avec des feuilles comme des mains ensanglantées.

Une fine pellicule de glace couvrait la surface de l'étang au pied du barral. Theon s'écroula à genoux sur sa berge. « De grâce, murmura-t-il entre ses dents cassées. Je n'ai jamais voulu... » Les mots restèrent bloqués dans sa gorge. « Sauvez-moi, finit-il par articuler. Donnez-moi... » *Quoi ? De la force ? Du courage ? De la pitié ?* La neige tombait autour de lui, pâle et silencieuse, gardant ses pensées pour elle-même. On n'entendait qu'un seul bruit, de faibles sanglots. *Jeyne,* se dit-il. *C'est elle, en train de sangloter dans son lit de noces. Qui d'autre cela pourrait-il être ?* Les dieux ne pleurent pas. *Ou peut-être que si, après tout.*

Le bruit était trop douloureux à supporter. Theon attrapa une branche et se hissa pour se remettre debout, frappa ses jambes pour en faire choir la neige et revint en boitant vers les lumières. *Il y a des fantômes à Winterfell,* se dit-il, *et je suis l'un d'eux.* D'autres bonshommes de neige s'étaient dressés dans la cour quand Theon Greyjoy y revint. Pour commander les sentinelles de neige sur les remparts, les écuyers avaient installé une douzaine de lords de neige. L'un d'eux était clairement censé représenter lord Manderly ; c'était le plus gros bonhomme de neige que Theon eût jamais vu. Le lord manchot ne pouvait être qu'Harbois Stout, la dame de neige Barbrey Dustin. Et le plus proche de la porte, avec sa barbe de glaçons, était forcément le vieux Pestagaupes Omble.

À l'intérieur, les cuisiniers distribuaient des louches de ragoût de bœuf et d'orge, augmenté de carottes et d'oignon, servi dans des tranchoirs creusés dans des miches du pain de la veille. On jetait des restes par terre, où les filles de Ramsay et les autres chiens les happaient.

Les filles lui firent la fête en le voyant. Elles le reconnaissaient à son odeur. Jeyne la Rouge se dandina pour venir lui lécher la main, et Helicent se glissa sous la table pour se rouler en boule à ses pieds, en rongeant un os. C'étaient de bons chiens. On oubliait aisément que chacun portait le nom d'une fille qu'avait traquée et tuée Ramsay.

Malgré toute sa lassitude, Theon avait assez d'appétit pour manger un peu de ragoût, arrosé de bière brune. La salle s'était remplie de tapage. Deux des éclaireurs de Roose Bolton, revenus harassés par la porte du Veneur, rapportaient que l'avance de lord Stannis avait considérablement ralenti. Ses chevaliers chevauchaient des destriers et les grands palefrois s'enfonçaient dans la neige. Les petits poneys des clans des collines, au pas sûr, se comportaient mieux, selon les éclaireurs, mais les hommes des clans n'osaient pas prendre trop d'avance, de crainte que l'ost tout entier ne se disloquât. Lord Ramsay ordonna à Abel de leur interpréter une chanson de marche en l'honneur de Stannis qui s'échinait dans les neiges, si bien que le barde reprit son luth, tandis qu'une des lavandières, obtenant par cajolerie l'épée d'Alyn le Rogue, imitait Stannis en train de pourfendre des flocons de neige.

Theon baissait les yeux vers la lie au fond de sa troisième chope quand lady Barbrey Dustin entra avec majesté dans la salle et envoya deux de ses épées liges le ramener à elle. Quand Theon se tint au bas de l'estrade, elle le toisa de pied en cap, et renifla. « Ce sont les mêmes vêtements que ceux que vous portiez pour le mariage.

— Oui, madame. Ceux qu'on m'a donnés. » C'était une des leçons qu'il avait apprises à Fort-Terreur : prendre ce qu'on lui donnait et ne jamais réclamer davantage.

Lady Dustin était vêtue de noir, comme toujours, bien que ses manches fussent doublées de vair. Sa robe avait une haute collerette raide qui lui encadrait le visage. « Vous connaissez ce château.

— Je l'ai connu.

— Quelque part au-dessous de nous se situe une crypte où les anciens rois Stark trônent dans le noir. Mes hommes n'ont pas réussi à localiser le passage qui y mène. Ils ont exploré toutes les resserres et les caves, et même les cachots, mais...

— On ne peut accéder à la crypte depuis les cachots, madame.

— Pouvez-vous m'indiquer l'entrée ?

— Il n'y a rien, là-dessous, sinon...

— ... des Stark morts ? Certes. Et il se trouve que les Stark que je préfère sont morts. Connaissez-vous le chemin, oui ou non ?

— Oui. » Il n'aimait pas la crypte, ne l'avait jamais aimée, mais elle ne lui était pas inconnue.

« Montrez-moi. Sergent, allez chercher une lanterne.

— Vous aurez besoin d'une cape chaude, madame, la mit en garde Theon. Nous allons devoir sortir. »

La neige tombait plus lourdement que jamais lorsqu'ils quittèrent la salle, lady Dustin enveloppée de vison. Pelotonnés dans leurs capes à capuchon, les gardes au-dehors ne se différenciaient presque pas des bonshommes de neige. Seul leur souffle qui embrumait l'atmosphère prouvait qu'ils vivaient encore. Des feux flambaient au long du chemin de ronde, dans le vain espoir de chasser la pénombre. Leur petit groupe s'échina à traverser une nappe blanche lisse et vierge qui leur montait à mi-mollet. Les tentes dans la cour, partiellemlent enfouies, ployaient sous le poids de la neige accumulée.

L'entrée des cryptes se situait dans la plus ancienne partie du château, pratiquement au pied du Premier Donjon, abandonné depuis des centaines d'années. Ramsay l'avait incendié lors du sac de Winterfell, et une grande partie de ce qui n'avait pas brûlé s'était écroulé. Il n'en restait qu'une coque vide, ouverte sur un côté aux éléments, que la neige emplissait. Des débris jonchaient les alentours : de grands pans de maçonnerie fracassée, des solives carbonisées, des gargouilles brisées. Les chutes de neige avaient presque tout recouvert, mais un fragment de gargouille crevait encore la couche de neige, sa trogne grotesque et aveugle lançant un rictus vers le ciel.

C'est ici qu'on a retrouvé Bran lorsqu'il est tombé. Theon était parti à la chasse, ce jour-là, chevauchant en compagnie de lord Eddard et du roi Robert, sans soupçonner le moins du monde la terrible nouvelle qui les attendait au château. Il se souvenait du visage de Robb quand on lui avait appris la nouvelle. Nul n'imaginait que l'enfant brisé survécût. *Les dieux n'ont pas réussi à tuer Bran, et moi non plus.* C'était une curieuse pensée, et il était plus curieux encore de se souvenir que Bran vivait peut-être encore.

« Là-bas. » Theon indiqua du doigt l'endroit où une congère montait contre le mur du donjon. « Là-dessous. Attention aux pierres brisées. »

Il fallut aux hommes de lady Dustin presque une demi-heure pour mettre au jour l'entrée, en creusant la neige avec des pelles et en déblayant les décombres. Lorsque ce fut fait, la porte gelée était bloquée. Le sergent de lady Dustin dut aller chercher une hache avant de pouvoir ouvrir le battant, dans un hurlement de charnières, et révéler des degrés de pierre qui descendaient en spirale dans le noir.

« La descente est longue, madame », Theon la mit-il en garde.

Lady Dustin n'en fut nullement dissuadée. « Beron, la lumière. »

Le passage était étroit et abrupt, les marches usées en leur centre par des siècles de pas. Ils avançaient à la file – le sergent à la lanterne, puis Theon et lady Dustin, suivis par son autre garde. Theon avait toujours trouvé les cryptes froides, et c'était l'impression qu'elles donnaient en été ; mais à présent, l'air devenait plus chaud au fur et à mesure de leur descente. Pas *chaud*, jamais chaud, mais plus chaud qu'en surface. Ici, sous terre, semblait-il, le froid était constant, immuable.

« La mariée pleure », déclara lady Dustin tandis qu'ils progressaient avec précaution vers le bas, une marche après l'autre. « Notre petite lady Arya. »

Attention, maintenant. Sois prudent, sois prudent. Il posa une main contre le mur. Les fluctuations de la lumière de la torche donnaient l'impression que les marches se mouvaient sous ses pieds. « Vous... Vous dites vrai, m'dame.

— Roose n'est pas content. Dites-le à votre bâtard. »

Ce n'est pas mon bâtard, voulut-il répondre, mais une autre voix en lui intervint : *Si, si. Schlingue appartient à Ramsay, et Ramsay à Schlingue. Tu ne dois pas oublier ton nom.*

« La vêtir de gris et blanc ne sert à rien, si on laisse la gamine sangloter. Les Frey n'en ont cure, mais les Nordiens... Ils redoutent Fort-Terreur, mais ils aiment les Stark.

— Pas vous, nota Theon.

— Pas moi, reconnut la dame de Tertre-bourg, mais le reste, oh que oui. Le vieux Pestagaupes n'est ici que parce que les Frey tiennent le Lard-Jon prisonnier. Et vous imaginez-vous que les hommes de Corbois ont oublié le dernier mariage du Bâtard, et comment la dame son épouse a été laissée à crever de faim, à mastiquer ses propres doigts ? Quelles pensées leur viennent en tête, croyez-vous, lorsqu'ils entendent la nouvelle épouse en pleurs ? La précieuse petite fille du vaillant Ned. »

Non, songea-t-il. *Elle n'est pas du sang de lord Eddard, son nom est Jeyne, ce n'est qu'une fille d'intendant.* Il ne doutait pas que lady Dustin soupçonnât le fait, cependant...

« Les sanglots de lady Arya nous font plus de mal que toutes les épées et les piques de lord Stannis. Si le Bâtard compte demeurer lord de Winterfell, il ferait mieux d'enseigner le rire à sa femme.

— Madame, interrompit Theon. Nous y sommes.

— Les marches conduisent plus bas, observa lady Dustin.

— Il y a des niveaux inférieurs. Plus anciens. Le niveau le plus bas est en partie effondré. Je ne suis jamais descendu jusque-là. » Il poussa la porte pour l'ouvrir et les précéda dans un long tunnel voûté où de puissantes colonnes de granit plongeaient deux par deux dans l'obscurité.

Le sergent de lady Dustin leva la lanterne. Les ombres glissèrent et se déplacèrent. *Une petite lumière dans de grandes ténèbres.* Theon ne s'était jamais senti à son aise dans les cryptes. Il sentait les rois de pierre le toiser de leurs yeux de pierre, leurs doigts de pierre serrés sur la poignée de glaives rouillés. Aucun n'avait la moindre tendresse pour les Fer-nés. Une familière sensation d'angoisse l'emplit.

« Tant que cela, observa lady Dustin. Connaissez-vous leurs noms ?

— Je les ai sus… Mais c'était il y a longtemps. » Theon tendit le doigt. « De ce côté se trouvent ceux qui furent Rois du Nord. Torrhen a été le dernier.

— Le Roi qui a ployé le genou.

— Certes, madame. Après lui, il n'y a plus eu que des lords.

— Jusqu'au Jeune Loup. Où se situe la tombe de Ned Stark ?

— Au bout. Par ici, madame. »

Leurs pas résonnèrent sous les voûtes tandis qu'ils avançaient entre les rangées de colonnes. Les yeux de pierre des morts semblaient les suivre, de même que ceux de leurs loups-garous de pierre. Les visages remuaient d'anciens souvenirs. Quelques noms lui revinrent, sans prévenir, chuchotés par la voix fantomatique de mestre Luwin. Le roi Edrick Barbeneige, qui avait régné cent ans sur le Nord. Brandon le Caréneur, qui avait navigué au-delà du couchant. Theon Stark, le Loup affamé. *Mon homonyme.* Lord Beron Stark, qui avait fait cause commune avec Castral Roc pour mener la guerre contre Dagon Greyjoy, sire de Pyk, au temps où les Sept Couronnes étaient gouvernées de façon officieuse par le sorcier bâtard qu'on appelait Freuxsanglant.

« Ce roi a perdu son épée », fit observer lady Dustin.

C'était vrai. Theon ne se souvenait pas de quel roi il s'agissait, mais la longue épée bâtarde qu'il aurait dû tenir avait disparu. Des traces de rouille demeuraient pour montrer son ancienne présence. Cette découverte le troubla. Il avait toujours entendu dire que le fer de l'épée maintenait les esprits des morts cloîtrés dans leur tombe. Si une épée manquait...

Il y a des fantômes dans Winterfell. Et je suis l'un d'eux.

Ils continuèrent leur marche. Le visage de Barbrey Dustin parut se durcir à chaque pas. *Cet endroit ne lui plaît pas plus qu'à moi.* Theon s'entendit demander : « Madame, pourquoi haïssez-vous les Stark ? »

Elle le dévisagea. « Pour la même raison que vous les aimez. »

Theon trébucha. « Les aimer ? Je n'ai jamais... Je leur ai pris ce château, madame. J'ai fait... fait exécuter Bran et Rickon, ficher leurs têtes sur des piques, j'ai...

— ... galopé vers le Sud avec Robb Stark, combattu à ses côtés au Bois-aux-Murmures et à Vivesaigues, regagné les îles de Fer en émissaire pour traiter avec votre propre père. Tertrebourg a également dépêché des hommes aux côtés du Jeune Loup. Je lui ai donné aussi peu d'hommes que je l'ai osé, mais je savais que je me devais de lui en envoyer, ou risquer l'ire de Winterfell. Aussi avais-je placé mes yeux et mes oreilles dans cet ost. Ils m'ont tenue bien informée. Je sais qui vous êtes. Je sais ce que vous êtes. À présent, répondez à ma question. Pourquoi aimez-vous les Stark ?

— Je... » Theon posa une main gantée contre un pilier. « ... Je voulais être l'un d'eux...

— Et jamais vous n'avez pu. Nous avons davantage de points communs que vous ne le savez, messire. Mais venez. »

À peine un peu plus loin, trois tombes formaient un groupe étroit. Ce fut là qu'ils s'arrêtèrent. « Lord Rickard », commenta lady Dustin en scrutant la figure centrale. La statue se dressait au-dessus d'eux – un long visage barbu et solennel. Il avait les mêmes yeux de pierre que les autres, mais les siens paraissaient tristes. « Il a perdu son épée, lui aussi. »

C'était la vérité. « Quelqu'un est descendu ici voler des épées. Celle de Brandon a disparu, également.

— Il en serait fâché.» Elle retira son gant et lui toucha le genou, la chair pâle contre la pierre sombre. « Brandon adorait son épée. Il aimait à l'aiguiser. *Je la veux assez tranchante pour raser le poil sur un con de femme*, avait-il coutume de dire. Et comme il aimait à la manier. *Une épée ensanglantée est magnifique à voir*, m'a-t-il confié un jour.

— Vous le connaissiez.»

L'éclat de la lanterne dans les yeux de lady Dustin donnait l'impression qu'ils flambaient. « Brandon a été élevé à Tertrebourg avec le vieux lord Dustin, le père de celui que j'ai plus tard épousé, mais il passait le plus clair de son temps à galoper dans les Rus. Il adorait monter. Sa petite sœur lui ressemblait en cela. Une paire de centaures, ces deux-là. Et le seigneur mon père était toujours heureux d'accueillir l'héritier de Winterfell. Mon père caressait de grandes ambitions pour la maison Ryswell. Il aurait offert mon pucelage au premier Stark qui se présentait, mais il n'en était nul besoin. Brandon n'a jamais été timide pour prendre ce qu'il voulait. Je suis vieille désormais, et desséchée, veuve depuis trop longtemps, mais je me souviens encore à quoi ressemblait le sang de mon pucelage sur sa queue, la nuit où il m'a prise. Je crois que cette vision a plu à Brandon, aussi. Assurément, une épée ensanglantée est magnifique à voir. J'ai eu mal, mais la douleur était douce.

» Mais le jour où j'ai su que Brandon devait épouser Catelyn Tully… Cette douleur-là n'a rien eu de doux. Il ne l'a jamais désirée, je vous le jure bien. Il me l'a dit, pendant notre dernière nuit ensemble… Mais Rickard Stark avait lui aussi de grandes ambitions. Des ambitions *sudières* que n'aurait pas servies le mariage de son héritier à la fille d'un de ses vassaux. Par la suite, mon père entretint l'espoir de me marier au frère de Brandon, Eddard, mais Catelyn Tully a eu celui-là aussi. J'ai eu en reste le jeune lord Dustin, jusqu'à ce que Ned Stark me le prenne.

— La rébellion de Robert…

— Lord Dustin et moi n'étions pas mariés depuis la moitié d'un an que Robert se souleva et que Ned Stark convoqua ses bannières. J'ai supplié mon époux de ne pas y aller. Il avait des parents qu'il aurait pu envoyer à sa place. Un oncle réputé pour ses prouesses avec la hache, un grand-oncle qui avait combattu dans la guerre des Rois à Neuf Sous. Mais c'était un homme, et plein d'orgueil. Rien n'y fit, il tenait à mener en personne les armées de Tertre-bourg. Je lui ai offert un cheval le jour où il a pris la route, un étalon rouge à la crinière ardente, la fierté des troupeaux de mon père. Mon seigneur a juré qu'il le reconduirait personnellement au bercail au terme de la guerre. » Ned Stark m'a restitué le cheval sur le chemin qui le ramenait à Winterfell. Il m'a dit que mon seigneur avait connu une mort honorable, que son corps gisait sous les montagnes rouges de Dorne. Il a rapporté les os de sa sœur au Nord, toutefois, et c'est là qu'elle demeure... Mais je vous le jure bien, jamais les os de lord Eddard ne reposeront auprès des siens. J'ai l'intention de les donner à manger à mes chiens. »

Theon ne comprit pas. « Ses... ses os ? »

Les lèvres de Barbrey Dustin se tordirent. C'était un affreux sourire, un sourire qui lui rappela celui de Ramsay. « Catelyn Tully a expédié les os de lord Eddard au nord avant les Noces Pourpres, mais votre oncle fer-né s'est emparé de Moat Cailin et a fermé le passage. Depuis lors, je guette. Si un jour ces os devaient émerger des marécages, ils ne dépasseront pas Tertre-bourg. » Elle jeta un dernier regard appuyé à l'effigie d'Eddard Stark. « Nous en avons terminé, ici. »

La tempête de neige faisait toujours rage lorsqu'ils émergèrent de la crypte. Lady Dustin garda le silence durant l'ascension, mais quand ils se retrouvèrent sous les ruines du Premier Donjon, elle frissonna et dit : « Vous seriez bien inspiré de ne rien répéter de ce que je pourrais avoir raconté là-dessous. Est-ce bien compris ? »

Ça l'était. « Je tiendrai ma langue ou la perdrai.

— Roose vous a bien dressé. » Elle le quitta là.

LA PRISE DU ROI

L'ost du roi quitta Motte-la-Forêt à la lumière d'une aube dorée, se dévidant hors de l'abri des palissades de rondins comme un long serpent d'acier émergeant de son nid. Les chevaliers sudiers chevauchaient en cottes de plate et de maille, bosselées et trouées par les batailles qu'elles avaient livrées, mais encore assez luisantes pour scintiller en captant le soleil levant. Fanés et tachés, déchirés et ravaudés, leurs bannières et surcots composaient pourtant une mêlée de couleurs au sein du bois d'hiver – azur et orange, rouge et vert, mauve, bleu et or – coruscant parmi des troncs nus et bruns, des pins et des vigiers gris-vert, et des amas de neige salie.

Chaque chevalier avait ses écuyers, des serviteurs et des hommes d'armes. Derrière eux venaient les armuriers, les cuisiniers, les valets de cheval ; des rangées de soldats armés de piques, de haches et d'arcs ; des vétérans de cent batailles, blanchis sous le harnois, et des gamins novices partant livrer leur premier combat. À leurs côtés marchaient les hommes des clans des collines ; des chefs et des champions sur des poneys velus, leurs combattants hirsutes trottant à leur hauteur, harnachés de fourrures, de cuir bouilli et de vieille maille. Certains se peignaient le visage en brun et vert et liaient autour d'eux des brassées de branchages, pour se fondre parmi les arbres.

À l'arrière de la colonne principale suivait le train des bagages : des mules, des chevaux, des bœufs, un mille de chariots et de carrioles chargés de vivres, de fourrage, de tentes et d'autres provisions. En dernier lieu, l'arrière-garde – là encore, des chevaliers en plate et en maille, avec un rideau d'avant-coureurs qui suivaient à demi cachés pour s'assurer qu'aucun ennemi ne venait les prendre par surprise.

Asha Greyjoy voyageait dans le train de bagages à l'intérieur d'un chariot bâché aux deux énormes roues cerclées de fer, ligotée par les poignets et les chevilles et surveillée jour et nuit par une Ourse qui ronflait plus fort que n'importe quel homme. Sa Grâce le roi Stannis ne prenait aucun risque que sa prise échappât à sa captivité. Il avait bien l'intention de la transporter jusqu'à Winterfell, pour y exposer, enchaînée à la vue des seigneurs du Nord, la fille de la Seiche capturée et brisée, preuve de son pouvoir.

Les trompettes veillèrent au départ de la colonne. Les pointes des piques fulguraient à la lumière du soleil levant et, tout au long des bas-côtés, l'herbe luisait d'un givre matinal. Entre Motte et Winterfell s'étiraient cent lieues de forêt. Trois cents milles à vol de corbeau. « Quinze jours », répétaient les chevaliers entre eux.

Asha entendit lord Fell se vanter. « Robert l'aurait accompli en dix. » Robert avait tué son aïeul à Lestival ; on ne savait comment, cela avait élevé les prouesses du vainqueur au niveau du divin, aux yeux du petit-fils. « Robert aurait été dans les murs de Winterfell depuis quinze jours, à adresser des pieds de nez à Bolton du haut des remparts.

— Mieux vaudrait n'en rien dire à Stannis, conseilla Justin Massey, ou il nous fera marcher la nuit, en plus du jour. »

Ce roi vit dans l'ombre de son frère, songea Asha.

Sa cheville lançait encore une pointe de douleur chaque fois qu'elle tentait d'y porter son poids. Quelque chose était cassé à l'intérieur, Asha n'en doutait pas. L'enflure s'était résorbée à Motte, mais la douleur persistait. Une foulure aurait déjà guéri, sûrement. Ses fers s'entrechoquaient à chaque fois qu'elle remuait. Ses liens écorchaient ses poignets et son orgueil. Mais tel était le prix de la soumission.

« Nul n'est jamais mort d'avoir ployé le genou, lui avait un jour dit son père. Celui qui s'agenouille peut se relever, la lame à la main. Celui qui refuse de mettre un genou en terre restera mort, avec ses jambes inflexibles.» Balon Greyjoy avait démontré la vérité de ses paroles lorsque sa première rébellion avait échoué : la Seiche avait ployé le genou devant le Cerf et le Loup-garou, mais seulement pour se dresser à nouveau, une fois Robert Baratheon et Eddard Stark morts.

Et donc, à Motte, la fille de la Seiche avait procédé de même lorsqu'on l'avait jetée devant le roi, ligotée et boiteuse (bien que, par bonheur, pas violée), sa cheville fulgurant de douleur. « Je me rends, Votre Grâce. Faites de moi ce que vous voudrez. Je vous demande seulement d'épargner mes hommes.» Qarl, Tris et le reste des survivants du Bois-aux-Loups représentaient la totalité de ceux qui lui étaient encore chers. Il n'en demeurait que neuf. *Nous autres, les neuf loqueteux*, les avait baptisés Cromm. Il était le plus gravement blessé.

Stannis lui avait accordé leurs vies. Cependant, elle n'avait discerné chez cet homme aucune mansuétude véritable. Il était déterminé, sans nul doute. Et il ne manquait pas non plus de courage. Les hommes le disaient juste... et s'il pratiquait une justice rude et inexorable, eh bien, la vie dans les îles de Fer y avait accoutumé Asha Greyjoy. Cependant, elle ne parvenait pas à aimer ce roi. Ses yeux bleus profondément enfoncés semblaient en permanence rétrécis par le soupçon, une fureur froide bouillonnant juste sous leur surface. La vie d'Asha signifiait pour lui tant et moins. Elle n'était que son otage, une prise pour montrer au Nord qu'il pouvait défaire les Fer-nés.

Ce en quoi il est bien sot. Défaire une femme avait peu de chance d'impressionner les Nordiens, si elle connaissait la race, et sa valeur comme otage était moins que nulle. Son oncle régnait à présent sur les îles de Fer et l'Œil-de-Choucas se moquerait bien qu'elle vécût ou pérît. Cela pourrait quelque peu importer à la lamentable épave d'époux que lui avait infligée Euron, mais Erik Forgefer n'avait point assez de ressources pour acquitter sa rançon. Toutefois, impossible de faire entendre de telles choses à Stannis Baratheon. Le seul fait qu'elle fût une femme semblait l'offenser. Les hommes des terres vertes aimaient leurs femmes douces, tendres et vêtues de soie, elle le savait, et non bardées de maille et de cuir, une hache de lancer dans chaque main. Mais sa courte fréquentation du roi à Motte-la-Forêt l'avait convaincue qu'il n'aurait pas ressenti plus d'attachement pour elle, si elle avait porté robe. Même avec l'épouse de Galbart Glover, la pieuse lady Sybelle, il avait fait montre de correction et de courtoisie, mais avec un visible embarras. Ce roi sudier semblait de ces hommes pour lesquels les femmes forment une autre race, aussi étrangère et insondable que les géants, les grumequins et les enfants de la forêt. L'Ourse aussi faisait grincer les dents de Stannis.

Il n'y avait qu'une femme que Stannis écoutait, et il l'avait laissée sur le Mur. « J'aurais pourtant préféré qu'elle fût avec nous », reconnut ser Justin Massey, le blond chevalier qui commandait le train de bagages. « La dernière fois que nous sommes allés à la bataille sans lady Mélisandre, c'était sur la Néra, où l'ombre de lord Renly s'est abattue sur nous et a poussé la moitié de notre ost dans la baie.

— La dernière fois ? demanda Asha. Cette sorcière se trouvait donc à Motte ? Je ne l'ai pas vue.

— C'était à peine une bataille, répondit ser Justin avec un sourire. Vos Fer-nés ont bravement combattu, mais nous avions bien des fois votre nombre, et nous vous avons attaqués par surprise. Winterfell saura que nous arrivons. Et Roose Bolton a autant d'hommes que nous. »

Ou plus, se dit Asha.

Même les prisonniers ont des oreilles, et elle avait entendu toutes les discussions à Motte, lorsque le roi Stannis et ses capitaines débattaient de l'opportunité de cette marche. Ser Justin s'y était opposé dès le départ, ainsi que nombre de chevaliers et de lords venus du Sud avec Stannis. Mais les Loups insistaient ; on ne pouvait souffrir que Roose Bolton tînt Winterfell, et l'on devait sauver la fille du Ned des griffes de son bâtard. Tel était l'avis de Morgan Lideuil, de Brandon Norroit, du Grand Quartaut, des Flint et même de l'Ourse. « Cent lieues, de Motte-la-Forêt à Winterfell », déclara Artos Flint, le soir où le débat en vint à son paroxysme dans la vaste salle de Galbart Glover. « Trois cents milles à vol de corbeau.

— Une longue marche, avait commenté un chevalier du nom de Corliss Penny.

— Pas tant que ça », insista ser Godry, le massif chevalier que les autres appelaient Mort-des-Géants. « Nous en avons parcouru déjà autant. Le Maître de la Lumière nous illuminera un chemin.

— Et quand nous arriverons devant Winterfell ? demanda Justin Massey. Deux remparts séparés par des douves, et une muraille intérieure haute de cent pieds. Jamais Bolton ne la quittera pour nous affronter sur le terrain, et nous n'avons pas assez de provisions pour tenir un siège.

— Arnolf Karstark viendra joindre ses forces aux nôtres, ne l'oublions pas, dit Harbois Fell. Mors Omble également. Nous aurons autant de Nordiens que lord Bolton. Et les bois sont épais au nord du château. Nous dresserons des engins de siège, construirons des béliers... »

Et mourrons par milliers, compléta Asha.

« Nous ferions probablement mieux d'hiverner ici, suggéra lord Cossepois.

— *Hiverner* ici ? rugit le Grand Quartaut. Combien de provisions et de fourrage imaginez-vous que Galbart Glover a mis de côté ? »

Puis ser Richard Horpe, le chevalier au visage ravagé et son surcot orné de sphinx à tête de mort, se tourna vers Stannis pour lui dire : « Votre Grâce, votre frère... »

Le roi lui coupa la parole. « Nous savons tous ce qu'aurait fait mon frère. Robert aurait galopé seul jusqu'aux portes de Winterfell, les aurait enfoncées avec sa masse de guerre et aurait traversé les décombres pour tuer Roose Bolton de la main gauche, et le Bâtard de la droite. » Stannis se remit debout. « Je ne suis pas Robert. Mais nous allons nous mettre en marche, et nous libérerons Winterfell... ou nous mourrons en nous y efforçant. »

Si les lords pouvaient entretenir des doutes, les simples soldats semblaient avoir foi en leur roi. Stannis avait écrasé les sauvageons de Mance Rayder au Mur et purgé Motte-la-Forêt d'Asha et de ses Fer-nés ; il était le frère de Robert, vainqueur d'une fameuse bataille navale au large de Belle Île, l'homme qui avait tenu Accalmie tout au long de la rébellion de Robert.

Et il portait une épée de héros, Illumination, la lame enchantée dont les feux éclairaient la nuit.

« Nos ennemis ne sont pas aussi formidables qu'ils le paraissent, assura ser Justin à Asha lors de leur première journée de marche. Roose Bolton est redouté, mais peu aimé. Et ses amis, les Frey... Le Nord n'a pas oublié les Noces Pourpres. Chaque lord à Winterfell y a perdu quelque famille. Stannis n'a besoin que de faire couler le sang de Bolton, et les Nordiens l'abandonneront. »

C'est ce que tu espères, se dit Asha, *mais le roi devra d'abord faire couler son sang. Seul un idiot abandonnerait le camp du vainqueur.*

Ce premier jour, ser Justin rendit une demi-douzaine de visites au chariot d'Asha, pour lui apporter à manger et à boire, et des nouvelles de la progression. Homme aux sourires aisés et aux plaisanteries sans fin, grand et bien bâti, avec des joues roses, des yeux bleus et une broussaille de cheveux blond-blanc, pâles comme filasse, qui jouaient au vent, il se montrait un geôlier plein de considération, toujours soucieux du confort de sa captive.

« I' t' veut », commenta l'Ourse après la troisième visite du chevalier.

Elle s'appelait plus correctement Alysane de la maison Mormont, mais elle portait l'autre nom avec autant d'aisance que sa maille. Courte, trapue, musclée, l'héritière de l'Île-aux-Ours avait de grosses cuisses, une grosse poitrine et de grosses mains couvertes de cals. Même pour dormir, elle gardait sa maille sous ses fourrures, le cuir bouilli encore au-dessous, et sous le cuir une vieille peau de mouton, retournée pour lui tenir plus chaud. Cette accumulation de strates la faisait paraître presque aussi large que haute. *Et féroce.* Parfois, Asha Greyjoy avait du mal à se souvenir que l'Ourse et elle avaient à peu près le même âge.

« Il veut mes terres, répliqua Asha. Il guigne les îles de Fer. » Elle reconnaissait les signes. Elle avait déjà vu les mêmes chez d'autres prétendants. Les propres terres ancestrales de Massey, loin au sud, étaient perdues pour lui, aussi se devait-il de conclure un mariage avantageux ou de se résigner à n'être qu'un chevalier de la maison du roi. Stannis avait ruiné les espoirs qu'avait ser Justin d'épouser la princesse sauvageonne dont Asha avait tant entendu parler, aussi avait-il à présent fondé ses espoirs sur elle. Sans doute rêvait-il de l'installer sur le Trône de Grès sur Pyk, et de gouverner à travers elle, en tant que son seigneur et maître. Cela exigerait de la débarrasser de son actuel seigneur et maître, certes... sans parler de l'oncle qui les avait mariés. *Peu probable*, jugea Asha. *L'Œil-de-Choucas pourrait croquer ser Justin à son petit déjeuner sans même roter ensuite.*

Peu importait. Les terres de son père ne reviendraient jamais à Asha, quel que fût son futur époux. Les Fer-nés n'étaient pas un peuple enclin au pardon, et Asha avait subi deux défaites. Une fois aux états généraux de la royauté, par son oncle Euron, et de nouveau à Motte-la-Forêt, par Stannis. Plus que suffisant pour l'éliminer, de par son inaptitude à commander. Épouser Justin Massey, ou n'importe lequel des nobliaux de Stannis Baratheon, serait plus néfaste qu'utile. *La fille de la Seiche s'est révélée n'être qu'une femme, finalement*, se diraient capitaines et rois. *Regardez-la écarter les cuisses pour ce lord avachi des terres vertes.*

Cependant, si ser Justin tenait à gagner ses faveurs avec de la nourriture, des boissons et des discours, Asha n'allait pas le décourager. Il était de meilleure compagnie que l'Ourse taciturne et, par ailleurs, elle était isolée au milieu de cinq mille ennemis. Tris Botley, Qarl Pucelle, Cromm, Roggon et le reste de sa bande meurtrie étaient restés en arrière, à Motte-la-Forêt, dans les cachots de Galbart Glover.

Le premier jour, l'armée couvrit vingt-deux milles, selon le décompte des guides fournis par lady Sybelle, des pisteurs et des chasseurs jurés à Motte, portant des noms de clans comme Forestier et Bosc, Branche et Souche. Le deuxième jour, l'ost en parcourut vingt-quatre, tandis que leur avant-garde quittait les terres des Glover pour entrer dans les profondeurs du Bois-aux-Loups. « *R'hllor, envoie ta lumière pour nous guider à travers la pénombre* », prièrent cette nuit-là les fidèles en se réunissant autour d'un brasier grondant, devant le pavillon du roi. Tous des chevaliers sudiers et des hommes d'armes. Asha les aurait qualifiés de gens du roi, mais les autres natifs des terres

de l'Orage et de la Couronne les appelaient gens de la reine…
Bien que la reine qu'ils suivissent était la rouge, celle qui se
trouvait à Châteaunoir, et non l'épouse que Stannis Baratheon
avait laissée derrière lui à Fort-Levant. «*Ô, Maître de la
Lumière, nous t'implorons, jette ton œil ardent sur nous et
garde-nous saufs et chauds*, scandaient-ils face aux flammes,
car la nuit est sombre et pleine de terreurs.»

Un solide chevalier du nom de ser Godry conduisait les
prières. *Godry Mort-des-Géants. Un grand nom pour un petit
homme.* Farring avait le torse large et de bons muscles sous
la plate et la maille. Il était également arrogant et vaniteux,
semblait-il à Asha, avide de gloire, sourd à la prudence, affamé
de louange et dédaigneux du petit peuple, des Loups et des
femmes. En ce dernier point, il ne différait guère de son roi.

« Donnez-moi une monture, demanda Asha à ser Justin quand
il arriva à cheval à hauteur du chariot avec un demi-jambon.
Entravée, je deviens folle. Je ne chercherai pas à m'évader.
Vous avez ma parole sur cela.

— Je souhaiterais le pouvoir, madame. Vous êtes la captive
du roi, et non point la mienne.

— Le roi n'acceptera pas la parole d'une femme.»

L'Ourse gronda. « Pourquoi devrions-nous croire en la parole
d'une Fer-née, après les actions de votre frère à Winterfell ?

— Je ne suis pas Theon», insista Asha… Mais les chaînes
demeurèrent.

Tandis que ser Justin descendait au galop la colonne, elle
songea à la dernière fois où elle avait vu sa mère. Cela se passait
sur Harloi, à Dix-Tours. Une chandelle tremblotait dans la
chambre à coucher de sa mère, mais son grand lit sculpté était
vide, sous le baldaquin poussiéreux. Lady Alannys, assise à une
fenêtre, contemplait la mer. « M'as-tu ramené mon petit garçon ?»
avait-elle demandé, la bouche tremblante. « Theon n'a pas pu
venir », avait répondu Asha, en regardant l'épave de la femme
qui lui avait donné le jour, une mère qui avait perdu deux de
ses fils. Et le troisième…

J'envoie à chacun de vous un morceau de prince.

Quoi qu'il se passât quand le combat s'engagerait à Winterfell, Asha Greyjoy ne pensait pas que son frère avait beaucoup

de chances de survivre. *Theon Tourne-Casaque. Même l'Ourse veut voir sa tête au bout d'une pique.*

« Est-ce que tu as des frères ? demanda Asha à sa gardienne.

— Des sœurs », répondit Alysane Mormont, rogue comme toujours. « Cinq, qu'on était. Toutes des filles. Lyanna se trouve sur l'Île-aux-Ours. Lyra et Jory sont auprès de not' mère. Dacey a été assassinée.

— Les Noces Pourpres.

— Oui. » Alysane fixa Asha un moment. « J'ai un fils. Il a que deux ans. Ma fille en a neuf.

— Tu as commencé jeune.

— Trop jeune. Mais ça vaut mieux que d'attendre trop longtemps. »

Une pique contre moi, nota Asha, *mais laissons passer.* « Tu es mariée.

— Non. Mes enfants ont eu pour père un ours. » Alysane eut un sourire. Elle avait les dents de travers, mais ce sourire avait quelque chose d'attachant. « Les femmes Mormont sont des change-peaux. On se transforme en ourse et on trouve des partenaires dans les bois. Tout le monde sait ça. »

Asha lui rendit son sourire. « Les femmes Mormont sont toutes des guerrières, aussi. »

Le sourire de l'autre femme s'effaça. « On est c' que vous avez fait de nous. Sur l'Île-aux-Ours, chaque enfant apprend à craindre les krakens qui sortent de la mer. »

L'Antique Voie. Asha se détourna, ses chaînes cliquetant avec douceur. Le troisième jour, la forêt se pressait tout contre eux, et les routes creusées d'ornières se réduisirent à des pistes d'animaux qui se révélèrent rapidement trop étroites pour les plus larges de leurs chariots. Çà et là, ils longeaient des repères familiers : une colline rocheuse qui ressemblait vaguement à une tête de loup, quand on la regardait sous un certain angle ; une cascade à demi prise par les glaces ; une arche de pierre naturelle barbue d'une mousse gris-vert. Asha les connaissait tous. Elle était déjà passée par ici, en chevauchant vers Winterfell afin de convaincre son frère d'abandonner sa conquête et de regagner avec elle la sécurité de Motte-la-Forêt. *En cela aussi, j'ai échoué.*

Ce jour-là, ils parcoururent quatorze milles, et s'estimèrent heureux.

Lorsque tomba le crépuscule, le conducteur guida le chariot à l'écart sous un arbre. Tandis qu'il détachait les chevaux de leurs guides, ser Justin arriva au petit trot et défit les fers qui retenaient les chevilles d'Asha. L'Ourse et lui l'escortèrent à travers le camp jusqu'à la tente du roi. Toute captive qu'elle fût, elle demeurait une Greyjoy de Pyk et il plaisait à Stannis Baratheon de la nourrir des miettes de sa table, où il dînait avec ses capitaines et commandants.

Le pavillon du roi était presque aussi grand que la salle longue de Motte-la-Forêt, mais cette grandeur se bornait à une question de taille. Ses parois raides en lourde toile jaune étaient sérieusement défraîchies, maculées de boue et d'eau, avec des taches de moisi qui paraissaient. Au sommet de son piquet central volait l'étendard du roi, d'or, avec une tête de cerf à l'intérieur d'un cœur ardent. Sur trois côtés, les pavillons des nobliaux sudiers montés au Nord avec Stannis l'entouraient. Sur le quatrième, rugissait le feu nocturne, fouettant l'obscurité croissante du ciel de ses tourbillons de flammes.

Une douzaine d'hommes fendaient des bûches pour alimenter le brasier quand Asha arriva en boitant avec ses gardiens. *Des gens de la reine.* Leur dieu était R'hllor le Rouge, et c'était un dieu jaloux. À leurs yeux, le dieu d'Asha, le dieu Noyé des îles de Fer, était un démon, et si elle n'embrassait pas la foi du Maître de la Lumière, elle serait perdue et damnée. *Ils me brûleraient aussi volontiers que ces bûches et ces branches brisées.* Certains avaient exigé précisément cela, après la bataille dans la forêt, alors qu'Asha se trouvait à portée d'oreille. Stannis avait refusé.

Le roi, debout devant sa tente, fixait le feu nocturne. *Qu'y voit-il ? La victoire ? L'échec ? La face de son vorace dieu rouge ?* Il avait les yeux enfouis dans des cavités profondes, sa barbe taillée ras n'était guère plus qu'une ombre sur ses joues creuses et sa mâchoire osseuse. Cependant, il y avait dans son regard figé de la puissance, une férocité de fer qui enseignait à Asha que cet homme jamais, au grand jamais, ne se détournerait de sa voie.

Elle posa un genou en terre devant lui. « Sire. » *Me suis-je assez humiliée pour vous, Votre Grâce ? Suis-je assez vaincue, courbée et brisée à votre goût ?* « Enlevez ces chaînes de mes poignets, je vous en implore. Laissez-moi monter à cheval. Je ne tenterai pas de m'évader. »

Stannis la regarda comme il aurait considéré un chien qui aurait eu l'effronterie de s'exciter contre sa jambe. « Vous avez mérité ces fers.

— Certes. À présent, je vous offre mes hommes, mes vaisseaux et mon habileté.

— Vos vaisseaux sont à moi, ou brûlés. Vos hommes... combien en reste-t-il ? Dix ? Douze ? »

Neuf. Six si vous ne comptez que ceux qui ont la force de se battre. « Dagmer Gueule-en-Deux tient Quart-Torrhen. Un combattant féroce et un serviteur féal de la maison Greyjoy. Je puis vous livrer ce château, ainsi que sa garnison. » *Peut-être,* aurait-elle pu ajouter, mais manifester un doute devant ce roi ne servirait pas sa cause.

« Quart-Torrhen ne vaut même pas la boue sous mes talons. Seule m'importe Winterfell.

— Brisez ces fers et laissez-moi vous aider à la prendre, sire. Le royal frère de Votre Grâce était réputé muer ses ennemis vaincus en amis. Faites de moi votre homme.

— Les dieux ne vous ont pas faite homme. Comment le pourrais-je ? » Stannis se retourna vers le feu nocturne et tout ce qu'il voyait danser là dans l'orangé des flammes.

Ser Justin Massey saisit Asha par le bras et l'entraîna à l'intérieur de la tente royale. « Vous avez mal jugé, madame, lui dit-il. Ne lui parlez jamais de Robert. »

J'aurais dû le savoir. Asha connaissait bien le sort des petits frères. Elle se souvenait de Theon, timide enfant qui vivait dans l'adulation et la peur de Rodrik et Maron. *Cela ne se surmonte jamais avec l'âge,* décida-t-elle. *Un petit frère peut bien vivre cent ans, il restera toujours le petit frère.* Elle fit sonner sa joaillerie de fer et imagina quel plaisir elle aurait à se glisser derrière Stannis pour l'étrangler avec la chaîne qui lui entravait les poignets.

Ils dînèrent ce soir-là d'un ragoût de venaison cuisiné à partir d'un cerf malingre qu'un éclaireur du nom de Benjicot Branche avait abattu. Mais seulement sous la tente royale. À l'extérieur de ces parois de toile, chaque homme reçut un quignon de pain et un morceau de boudin noir pas plus grand qu'un doigt, arrosé de ce qu'il restait de la bière de Galbart Glover.

Cent lieues, de Motte-la-Forêt à Winterfell. Trois cents milles à vol de corbeau. « Plût aux dieux que nous fussions corbeaux », commenta Justin Massey au quatrième jour de la marche, le jour où il commença à neiger. Seulement quelques petites averses de neige au début. Froides et humides, mais rien qu'ils ne pussent aisément traverser.

Mais il neigea de nouveau le lendemain, et le surlendemain, et le jour d'après encore. Les épaisses barbes des Loups se couvrirent bientôt de glace à l'endroit où leur souffle avait gelé, et chaque gamin sudier glabre se laissa pousser le poil pour tenir son visage au chaud. Avant qu'il fût tard, le sol à l'avant de la colonne fut nappé de blanc, ce qui masquait les pierres, les racines tordues et les amas de bois, faisant de chaque pas une aventure. Le vent se leva aussi, poussant la neige devant lui. L'ost du roi se transforma en cohorte de bonshommes de neige, traversant en titubant des congères qui leur montaient au genou.

Au troisième jour de neige, l'ost du roi commença à se disloquer. Si les chevaliers et nobliaux sudiers s'évertuaient, les hommes des collines du nord s'en tiraient mieux. Leurs poneys étaient des bêtes au pied sûr, moins gourmandes que les palefrois et beaucoup moins que les gros destriers, et les hommes qui les montaient se trouvaient dans la neige comme chez eux. Nombre des Loups chaussèrent de curieux engins. Des pattes d'ours, les appelaient-ils, de bizarres dispositifs allongés fabriqués avec du bois ployé et des lanières de cuir. Fixés sous les bottes, ces engins leur permettaient on ne savait comment de marcher sur la neige sans en crever la carapace et s'y enfoncer jusqu'aux cuisses.

Certains avaient également des pattes d'ours pour leurs chevaux, et les petits poneys hirsutes les chaussaient aussi aisément que d'autres montures portaient des fers à leurs sabots... Mais ni les palefrois ni les destriers n'en voulaient. Lorsque quelques chevaliers du roi les leur fixèrent aux sabots malgré tout, les gros animaux sudiers regimbèrent et refusèrent d'avancer, ou essayèrent de secouer leurs pattes pour s'en débarrasser. Un destrier se brisa la cheville en s'efforçant de marcher avec.

Sur leurs pattes d'ours, les Nordiens ne tardèrent pas à distancer le reste de l'ost. Ils rejoignirent les chevaliers dans le gros de la colonne, puis ser Godry Farring et son avant-garde. Et pendant ce temps-là, les chariots et carrioles du train de bagages prenaient de plus en plus de retard, tant et si bien que les hommes de l'arrière-garde les harcelaient sans cesse pour qu'ils gardassent une bonne allure.

Au cinquième jour de la tempête, le train de bagages traversa une superficie ondulée de bancs de neige qui venaient à hauteur de la taille et dissimulaient un étang gelé. Quand la glace cachée se brisa sous le poids des chariots, trois conducteurs et quatre chevaux furent avalés par l'eau glaciale, en même temps que deux des hommes qui tentaient de les sauver. Harbois Fell était l'un d'eux. Ses chevaliers le tirèrent de là avant qu'il ne se noie, mais pas avant que ses lèvres virassent au bleu et que sa peau devînt pâle comme lait. Aucun de leurs efforts par la suite ne sembla réussir à le réchauffer. Il grelotta violemment des heures durant, même quand on découpa ses vêtements trempés, qu'on l'enveloppa dans des fourrures chaudes et qu'on l'assit devant le feu. Cette nuit-là, il sombra dans un sommeil fiévreux. Il ne se réveilla jamais.

Ce fut la nuit où Asha entendit pour la première fois les gens de la reine marmonner des histoires de sacrifice – une offrande à leur dieu rouge, afin qu'il mît un terme à la tempête. « Les dieux du Nord ont déchaîné cette tempête contre nous, déclara ser Corliss Penny.

— De faux dieux, insista ser Godry Mort-des-Géants.

— R'hllor est avec nous, assura ser Clayton Suggs.

— Mais pas Mélisandre », fit observer Justin Massey.

Le roi ne dit rien. Mais il entendait. Asha en était certaine. Il siégeait au haut bout de la table tandis qu'une assiette de soupe à l'oignon refroidissait devant lui, à peine goûtée, et qu'il fixait la flamme de la plus proche chandelle de ses yeux mi-clos, ignorant les conversations autour de lui. Son second, Richard Horpe, le grand chevalier mince, parla pour lui. « La tempête va bientôt retomber », déclara-t-il.

Mais la tempête ne fit qu'empirer. Le vent devint un fouet aussi cruel que celui d'un esclavagiste. Asha croyait avoir connu le froid sur Pyk, quand le vent survenait en hurlant de la mer, mais ce n'était rien en comparaison avec ceci. *C'est un froid qui ferait perdre la raison aux hommes.*

Même quand le cri ordonnant de dresser le camp pour la nuit parcourut la colonne, se réchauffer resta problématique. Les tentes, trempées et lourdes, étaient difficiles à dresser, plus difficiles à replier, et susceptibles de s'effondrer si la neige s'accumulait par trop sur elles. L'ost du roi se traînait à travers le cœur de la plus grande forêt des Sept Couronnes, et pourtant on avait du mal à trouver du bois sec. À chaque camp, on voyait brûler de moins en moins de feux, et ceux qu'on allumait exhalaient plus de fumée que de chaleur. La plupart du temps, on mangeait froid, voire cru.

Même le feu nocturne diminua et s'affaiblit, à la consternation des gens de la reine. « *Maître de la Lumière, préserve-nous de ce mal*, priaient-ils, menés par la voix profonde de ser Godry Mort-des-Géants. *Montre-nous de nouveau ton éclatant soleil, apaise ces vents et fais fondre ces neiges, que nous puissions atteindre tes ennemis et les écraser. Sombre est la nuit, et froide, et pleine de terreurs, mais à toi appartiennent la puissance et la gloire et la lumière. R'hllor, emplis-nous de ton feu.* »

Plus tard, quand ser Corliss Penny se demanda à haute voix si une armée entière avait jamais péri gelée dans une tempête d'hiver, les Loups se tordirent de rire. « C'est pas d' la tempête, ça, déclara Grand Quartaut Wull. Dans les collines, là-haut, on a coutume de dire qu' l'automne vous fait la bise, mais qu' l'hiver, y vous baise profond. Là, c'est juste un p'tit bisou d'automne. »

Dieu fasse que je ne connaisse jamais l'hiver véritable, alors. Asha elle-même s'en voyait épargner le pire ; elle était la prise du roi, après tout. Tandis que d'autres allaient le ventre vide, on la nourrissait. Alors que d'autres grelottaient, elle avait chaud. Pendant que d'autres s'échinaient à travers la neige sur des chevaux fourbus, elle voyageait dans un chariot sur un lit de fourrures, sous un toit en toile épaisse qui tenait la neige en respect, confortable dans ses chaînes.

C'étaient les chevaux et les hommes du rang qui souffraient le plus. Deux écuyers des terres de l'Orage poignardèrent un homme d'armes en se querellant pour la place la plus proche du feu. La nuit suivante, des archers prêts à tout pour un peu de chaleur réussirent, on ne savait comment, à bouter le feu à leur tente, ce qui eut au moins la vertu de réchauffer les pavillons qui la jouxtaient. « Qu'est-ce qu'un chevalier sans cheval ? était la devinette qui circulait parmi les hommes. Un bonhomme de neige avec une épée. » Tout cheval qui tombait était débité sur place pour sa viande. Les provisions avaient elles aussi commencé à s'épuiser.

Cossepois, Delépi, Digitale et d'autres seigneurs sudiers pressèrent le roi de dresser le camp, le temps que la tempête passât. Stannis n'en avait nulle intention. Il n'écouta pas plus les gens de la reine, quand ils vinrent l'exhorter à faire une offrande à leur vorace dieu rouge.

C'est par Justin Massey, moins dévot que la plupart, qu'elle eut vent de l'affaire. « Un sacrifice prouvera que notre foi brûle toujours aussi sincère, Sire », avait déclaré Clayton Suggs au roi. Et Godry Mort-des-Géants avait repris : « Les vieux dieux du Nord ont déchaîné cette tempête contre nous. Seul R'hllor peut y mettre fin. Nous devons lui offrir un incroyant.

— La moitié de mon armée est composée d'incroyants, avait riposté Stannis. Je ne veux pas de bûcher. Priez plus fort. »

Pas de bûcher ce jour, et aucun demain... mais si les neiges continuent, combien de temps avant que la détermination du roi ne commence à faiblir ? Asha n'avait jamais partagé la foi de son oncle Aeron dans le dieu Noyé, mais cette nuit-là, elle pria avec autant de ferveur Celui Qui Réside Sous les Vagues que jamais Tifs-trempés lui-même. La tempête ne faiblit pas. La marche continua, ralentissant pour tituber, puis ramper. Cinq milles constituèrent une bonne journée. Puis trois. Puis deux.

Au neuvième jour de la tempête, tout le camp vit les capitaines et commandants entrer sous la tente du roi, trempés et las, pour poser un genou en terre et rapporter leurs pertes de la journée.

« Un homme mort, trois disparus.

— Six chevaux perdus, dont le mien.

— Deux morts, dont un chevalier. Quatre chevaux tombés. Nous en avons remis un debout. Les autres sont perdus. Des destriers et un palefroi. »

La dîme du froid, Asha l'entendit nommer. C'était le train de bagages qui souffrait le plus : chevaux morts, hommes perdus, chariots qui versaient et se brisaient. « Les chevaux pataugent dans la neige, annonça Justin Massey au roi. Les hommes s'égarent ou s'assoient pour mourir.

— Qu'ils s'assoient, trancha le roi Stannis. Nous continuons. »

Les Nordiens se comportaient mieux, avec leurs poneys et leurs pattes d'ours. Donnel Flint le Noir et son demi-frère Artos ne perdirent qu'un homme à eux deux. Les Lideuil, les Wull et les Norroit n'en perdirent aucun. Une des mules de Morgan Lideuil avait disparu, mais il semblait convaincu que les Flint l'avaient volée.

Cent lieues, de Motte-la-Forêt à Winterfell. Trois cents milles à vol de corbeau. Quinze jours. Le quinzième jour de marche arriva et s'en fut, et ils avaient franchi moins de la moitié de cette distance. Une piste de chariots brisés et de cadavres gelés s'étirait derrière eux, enfouie sous les rafales de neige. Le soleil, la lune et les étoiles avaient disparu depuis si longtemps qu'Asha en vint à se demander si elle les avait rêvés.

Ce fut au vingtième jour de la progression qu'elle fut enfin délivrée de ses chaînes aux chevilles. En fin d'après-midi, un des chevaux qui tiraient son chariot creva dans ses guides. On ne put pas lui trouver de remplacement ; on avait besoin des chevaux de trait restants pour mouvoir les chariots contenant les vivres et le fourrage. Quand ser Justin Massey vint les rejoindre, il leur dit de débiter le cheval mort et de démanteler le chariot pour en faire du bois de chauffage. Puis il ôta les fers autour des chevilles d'Asha, massant ses mollets raides. « Je n'ai pas de monture à vous donner, madame, lui dit-il, et si nous tentions de chevaucher en double, ce serait la fin pour mon cheval également. Vous devrez marcher. »

Sous son poids, la cheville d'Asha la lançait à chaque pas. *Le froid ne tardera guère à l'engourdir*, se dit-elle. *Dans une heure, je ne sentirai plus mes pieds du tout.* Elle ne se trompait qu'à moitié ; il fallut moins de temps que ça. Lorsque les ténèbres arrêtèrent la colonne, titubant, elle regrettait le confort de sa prison roulante. *Les fers m'ont affaiblie.* Le repas du soir la vit si éreintée qu'elle s'endormit à table.

Au vingt-sixième jour de la marche de quinze jours, on finit les légumes. Au trente-deuxième, le picotin et le fourrage. Asha se demanda combien de temps on pouvait vivre de viande de cheval crue et à demi gelée.

« Branche jure que nous ne sommes qu'à trois jours de Winterfell », annonça ser Richard Horpe au roi, ce soir-là, après la dîme du froid.

« *À condition* de laisser derrière nous les plus faibles, rectifia Corliss Penny.

— On ne peut plus sauver les plus faibles, insista Horpe. Ceux qui sont encore assez forts doivent atteindre Winterfell ou ils périront aussi.

— Le Maître de la Lumière nous livrera le château, assura ser Godry Farring. Si lady Mélisandre était avec nous... »

Finalement, au terme d'une journée de cauchemar où la colonne n'avança que d'un seul mille et perdit une douzaine de chevaux et quatre hommes, lord Cossepois se retourna vers les Nordiens. « Cette marche était une folie. Il en meurt chaque jour davantage, et pour quoi ? Pour une fille ?

— La fille du Ned », riposta Morgan Lideuil. Il était le cadet de trois fils, si bien que les autres Loups l'appelaient Lideuil le Deux, quoique rarement à portée d'oreille. C'était Morgan qui avait failli tuer Asha au cours du combat près de Motte. Il était venu la trouver, plus tard durant la marche, afin de lui demander pardon... de l'avoir traitée de *conne* dans l'ardeur de la bataille, mais non point d'avoir tenté de lui fendre le crâne à coups de hache.

« La fille du Ned, reprit Grand Quartaut Wull en écho. Et nous les aurions déjà pris, elle et le château, si votre bande de coquins de sudiers minaudiers ne compissaient pas leurs chausses satinées devant un peu de neige.

— *Un peu* de neige ? » La molle bouche de jouvencelle de Cossepois se tordit de fureur. « Vos mauvais conseils nous ont forcés à cette marche, Wull. Je commence à vous soupçonner d'être depuis le départ une créature de Bolton. Est-ce ainsi qu'il en va ? Vous a-t-il envoyé susurrer des paroles empoisonnées à l'oreille du roi ? »

Grand Quartaut lui rit au nez. « Lord Petit Pois. Si vous étiez un homme, je vous tuerais pour ça, mais mon épée est forgée de trop bon acier pour la souiller avec le sang d'un poltron. » Il but une gorgée de bière et s'essuya la bouche. « Oui-da, des hommes meurent. D'autres mourront avant que nous voyions Winterfell. Eh bien ? C'est la guerre. À la guerre, des hommes meurent. C'est dans l'ordre des choses. Comme il en a toujours été. »

Ser Corliss Penny jeta au chef de clan un regard incrédule. « Est-ce que vous *cherchez* à périr, Wull ? »

La question parut amuser le Nordien. « Je veux vivre éternellement dans un pays où l'été dure mille ans. Je veux un castel dans les nuages d'où je pourrai contempler le monde à mes pieds. Je veux avoir de nouveau vingt et six ans. Quand j'avais vingt et six ans, je pouvais combattre tout le jour et baiser toute la nuit. Ce que les hommes veulent n'a aucune importance.

» L'hiver est presque sur nous, petit. Et l'hiver, c'est la mort. Je préfère que mes hommes périssent en se battant pour la petite du Ned que seuls et affamés dans la neige, en pleurant des larmes qui leur gèlent sur les joues. Personne ne chante ceux qui finissent ainsi. Quant à moi, je suis vieux. Cet hiver sera mon dernier. Pourvu que je me baigne dans le sang des Bolton avant de mourir. Je veux le sentir m'éclabousser la face quand ma hache mordra profondément dans un crâne de Bolton. Je veux le lécher sur mes lèvres, et mourir avec ce goût sur ma langue.

— *Oui-da !* gueula Morgan Lideuil. *Sang et combat !* » Ensuite, tous les hommes des collines se mirent à brailler, à cogner sur la table leurs gobelets et leurs cornes à boire, remplissant de leur vacarme la tente du roi.

Asha Greyjoy aurait elle aussi accueilli un combat favorablement. *Une bataille, pour clore toutes ces misères. L'acier qui s'entrechoque, la neige qui rosit, les boucliers fracassés et les membres tranchés, et tout serait dit.* Le lendemain, les éclaireurs du roi trouvèrent par fortune un village de paysans abandonné entre deux lacs – un pauvre lieu racorni, guère plus de quelques huttes, une maison commune et une tour de guet. Richard Horpe ordonna la halte, bien que ce jour-là l'armée n'eût pas progressé de plus d'un demi-mille et qu'il y eût encore plusieurs heures avant la tombée de la nuit. Le lever de lune était passé depuis longtemps quand le train des bagages et l'arrière-garde arrivèrent à la traîne. Asha était parmi eux.

« Il y a du poisson dans ces lacs, déclara Horpe au roi. Nous creuserons des trous dans la glace. Les Nordiens savent comment s'y prendre. »

Même dans son épaisse cape en fourrure et sa lourde armure, Stannis ressemblait à un homme qui a un pied dans la tombe. Le peu de chair qu'il portait sur sa haute carrure longiligne à Motte-la-Forêt avait fondu durant la marche. On discernait sous la peau la forme de son crâne, et il crispait si fort la mâchoire qu'Asha craignit qu'il ne se brisât les dents. « Pêchez, en ce cas, dit-il, sectionnant chaque mot d'un coup de dents. Mais nous reprendrons la route au point du jour. »

Pourtant, quand l'aube parut, le camp s'éveilla à la neige et au silence. Le ciel vira du noir au blanc, sans paraître plus lumineux. Asha Greyjoy se réveilla, courbatue et glacée sous la pile de ses fourrures de nuit, en train d'écouter les ronflements de l'Ourse. Elle n'avait jamais connu de femme qui ronflât si bruyamment, mais elle s'y était accoutumée au fil de la marche, et désormais en tirait même quelque réconfort. C'était le silence qui la troublait. Nulle trompette qui sonnât pour enjoindre aux hommes de monter en selle, de former la colonne et de se préparer à partir. Nulle trompe de guerre n'appelait les Nordiens. *Quelque chose ne va pas.*

Asha s'extirpa de ses fourrures de nuit et se fraya un chemin hors de la tente, trouant le mur de neige qui les avait enfermés durant la nuit. Ses fers tintèrent quand elle se remit debout et aspira l'air glacé du matin. La neige tombait encore, plus drue que lorsqu'elle s'était faufilée sous la tente. Les lacs avaient disparu, de même que les bois. Elle distinguait les formes des autres tentes et des cabanes, et la lueur orange trouble du fanal qui brûlait au sommet de la tour de guet, mais pas la tour elle-même. La tempête avait gobé le reste.

Quelque part devant eux, Roose Bolton les attendait derrière les remparts de Winterfell, mais l'ost de Stannis Baratheon était bloqué par les neiges, immobile, ceinturé par la glace et la neige, en train de périr de faim.

DAENERYS

La chandelle était presque consumée. Il en restait moins d'un pouce, émergeant d'une flaque tiède de cire fondue pour jeter sa lumière sur le lit de la reine. La flamme commençait à mourir.

Elle s'éteindra avant très longtemps, constata Daenerys, *et lorsqu'elle s'éteindra, une nouvelle nuit aura passé.*

L'aube venait toujours trop vite.

Elle n'avait pas dormi, ne pouvait pas dormir, ne voulait pas dormir. Elle n'avait même pas osé clore ses yeux, de crainte de trouver le matin en les rouvrant. Si elle en avait eu le pouvoir, elle aurait fait durer leurs nuits une éternité. Mais elle ne pouvait, au mieux, que rester éveillée pour savourer chacun de ces instants de délice, avant que l'aurore ne les réduisît à des souvenirs qui s'effaçaient.

À côté d'elle, Daario Naharis dormait aussi paisiblement qu'un nouveau-né. Il avait un talent pour le sommeil, se vantait-il, souriant à sa manière arrogante. En campagne, il prétendait dormir le plus souvent en selle, afin d'être dispos s'il devait affronter une bataille. Soleil ou pluie battante, peu importait. « Un guerrier incapable de dormir n'a bientôt plus la force de se battre », disait-il. Jamais les cauchemars ne le troublaient, non plus. Quand Daenerys lui avait raconté comment Serwyn au Bouclier-Miroir était hanté par les fantômes de tous les chevaliers qu'il avait tués, Daario s'était borné à rire. « Si ceux

que j'ai tués revenaient m'ennuyer, je les tuerais de nouveau. »
Il a une conscience d'épée-louée, comprit-elle alors. *C'est-à-dire aucune.*

Daario dormait sur le ventre, les légères couvertures de drap emmêlées autour de ses longues jambes, son visage à demi enfoui dans les oreillers.

Daenerys laissa courir sa main sur le dos de l'homme, suivant la ligne de sa colonne vertébrale. Il avait la peau douce au toucher, presque glabre. *Une peau de soie et de satin.* Elle aimait le sentir sous ses doigts. Elle aimait glisser les doigts dans ses cheveux, masser ses mollets pour en chasser la douleur après une longue journée en selle, soupeser sa queue et la sentir durcir contre sa paume.

Si elle avait été une femme ordinaire, elle aurait volontiers passé toute sa vie à toucher Daario, à tracer le dessin de ses cicatrices et à lui faire raconter comment il avait obtenu chacune. *J'abandonnerais ma couronne s'il me le demandait,* se dit Daenerys… Mais il ne le lui avait pas demandé, et ne le lui demanderait jamais. Daario pouvait chuchoter des mots d'amour quand ils ne faisaient qu'un, mais elle savait qu'il aimait la reine dragon. *Si je renonçais à ma couronne, il ne voudrait plus de moi.* D'ailleurs, les rois qui perdaient leur couronne perdaient souvent leur tête aussi, et elle ne voyait aucune raison pour qu'il en allât autrement avec une reine.

La chandelle vacilla une dernière fois et mourut, noyée dans sa propre cire. Les ténèbres avalèrent le lit de plume et ses deux occupants, pour envahir chaque recoin de la chambre. Daenerys enveloppa de ses bras son capitaine et se pressa contre son dos. Elle buvait son odeur, savourait la chaleur de sa chair, la sensation de sa peau contre la sienne. *Souviens-toi,* s'enjoignit-elle. *Souviens-toi de son contact.* Elle l'embrassa sur l'épaule.

Daario roula vers elle, les yeux ouverts. « Daenerys. » Il eut un sourire paresseux. C'était un autre de ses talents ; il s'éveillait d'un coup, comme un chat. « C'est l'aube ?

— Pas encore. Il nous reste un moment.

— Menteuse. Je vois tes yeux. Le pourrais-je si la nuit était noire ? » D'un coup de pied Daario se dégagea des couvertures et s'assit. « La pénombre. Le jour sera bientôt ici.

— Je ne veux pas que cette nuit finisse.

— Non ? Et pourquoi ça, ma reine ?

— Tu sais bien.

— Le mariage ? » Il rit. « Épouse-moi, à la place.

— Tu sais que je ne le peux pas.

— Tu es une reine. Tu peux faire ce que tu veux. » Il glissa une main le long de la jambe de la reine. « Combien de nuits nous reste-t-il ?

Deux. Rien que deux. « Tu connais la réponse. Cette nuit et la suivante, et nous devrons arrêter tout ceci.

— Épouse-moi, et nous aurons toutes les nuits à jamais. »

Si je le pouvais, je le ferais. Le *khal* Drogo avait été son soleil et ses étoiles, mais il était mort depuis si longtemps que Daenerys avait presque oublié à quoi cela ressemblait, d'aimer et d'être aimée. Daario l'avait aidée à se souvenir. *J'étais morte, et il m'a ramenée à la vie. Je dormais, et il m'a réveillée. Mon brave capitaine.* Néanmoins, sa hardiesse prenait de trop grandes proportions, dernièrement. Au retour de sa dernière sortie, il avait jeté aux pieds de Daenerys la tête d'un seigneur yunkaïi et avait embrassé la reine dans la salle devant tout le monde, jusqu'à ce que Barristan Selmy les séparât tous les deux. Ser Grand-Père avait été tellement courroucé que Daenerys eut peur que le sang coulât. « Nous ne pouvons nous marier, mon amour. Tu sais pourquoi. »

Il descendit du lit de la reine. « Épouse donc Hizdahr. Je le gratifierai d'une belle paire de cornes en cadeau de noces. Les Ghiscaris aiment bien se pavaner avec des cornes. Ils en sculptent avec leurs propres cheveux, des peignes, de la cire et des fers. » Daario trouva ses chausses et les enfila. Il ne s'embarrassait pas de petit linge.

« Une fois que je serai mariée, me désirer sera de la haute trahison. » Daenerys remonta la couverture sur ses seins.

« En ce cas, je devrai être un traître. » Il enfila par-dessus sa tête une tunique en soie bleue et redressa avec les doigts les pointes de sa barbe. Il l'avait fraîchement teinte pour Daenerys, faisant passer cet ornement pileux du mauve au bleu, tel qu'il avait été à sa première rencontre avec elle. « Je porte ton odeur », dit-il en reniflant ses doigts et en grimaçant un sourire.

Daenerys aimait la façon dont sa dent en or brillait quand il souriait. Elle aimait les poils fins de son torse. Elle aimait la vigueur de ses bras, le son de son rire, cette façon qu'il avait de toujours la regarder dans les yeux quand il glissait sa queue en elle. « Tu es beau », laissa-t-elle échapper tandis qu'elle le regardait chausser ses bottes de monte et les lacer. Certains jours, il la laissait s'en charger pour lui, mais pas aujourd'hui, apparemment. *Cela aussi, c'est terminé.*

« Pas assez beau pour qu'on m'épouse. » Daario décrocha son baudrier du crochet où il l'avait suspendu.

« Où vas-tu ?

— Je sors dans ta ville, dit-il, boire un tonnelet ou deux et chercher une bagarre. Voilà trop longtemps que j'ai pas tué un homme. Je devrais peut-être aller trouver ton promis. »

Daenerys lui jeta un oreiller. « Tu vas laisser Hizdahr en paix !

— Comme ma reine l'ordonne. Donnes-tu audience, aujourd'hui ?

— Non. Demain, je serai une femme mariée, et Hizdahr sera roi. Qu'il donne audience, lui. C'est son peuple.

— Certains, oui ; d'autres sont le tien. Ceux que tu as libérés.

— Me ferais-tu la leçon ?

— Ceux que tu appelles tes enfants. Ils réclament leur mère.

— Mais oui. Tu me *fais la leçon.*

— À peine, mon cœur de lumière. Tu viendras donner audience ?

— Après mon mariage, peut-être. Après la paix.

— Cet *après* dont tu parles ne vient jamais. Tu devrais donner audience. Mes nouveaux hommes croient pas en ton existence. Ces Erre-au-Vent qui se sont ralliés. Nés et élevés à Westeros, pour la plupart, bourrés d'histoires sur les Targaryen. Ils veulent en voir un de leurs propres yeux. La Guernouille a un présent pour toi.

— La "Guernouille" ? demanda-t-elle en pouffant. Et qui est-ce ? »

Il haussa les épaules. « Un petit Dornien. Il est écuyer du grand chevalier qu'on appelle Vertes-tripes. Je lui ai dit qu'il pouvait me confier son présent et que je le transmettrais, mais il a refusé.

— Oh, voilà une grenouille fort sage. *"Donne-moi le cadeau."* »
Elle lui jeta l'autre oreiller. « L'aurais-je vu un jour ? »
Daario caressa sa moustache dorée. « Volerais-je ma douce reine ? Si c'était un présent digne de toi, je l'aurais moi-même déposé entre tes douces mains.

— En gage de ton amour ?

— Sur ce point, je dirai rien, mais je lui ai assuré qu'il pourrait te le remettre. Tu ferais pas passer Daario Naharis pour un menteur ? »
Daenerys était incapable de refuser. « Comme tu voudras. Amène ta grenouille à l'audience demain. Les autres aussi. Tes Ouestriens. » Il serait agréable d'entendre la Langue Commune parlée par d'autres que ser Barristan.

« Aux ordres de ma reine. » Daario s'inclina très bas avec un grand sourire et prit congé, sa cape volant derrière lui.

Daenerys s'assit dans le désordre des draps, les bras serrés autour des genoux, si mélancolique qu'elle n'entendit pas Missandei entrer discrètement avec du pain, du lait et des figues. « Votre Grâce ? Êtes-vous souffrante ? Dans le noir de la nuit, ma personne vous a entendue crier. »

Daenerys prit une figue. Elle était noire et rebondie, encore humide de rosée. *Hizdahr me fera-t-il jamais crier ?* « C'est le vent que tu as entendu. » Elle mordit dans le fruit, mais il avait perdu toute saveur, maintenant que Daario s'en était allé. Avec un soupir, elle se leva, appela Irri pour qu'elle lui apportât une robe, puis, d'un pas distrait, sortit sur sa terrasse.

Ses ennemis la cernaient. Il n'y avait jamais moins d'une douzaine de navires halés sur la côte. Certains jours, il pouvait y en avoir jusqu'à une centaine, lorsque les soldats débarquaient. Les Yunkaïis apportaient même du bois par la mer. Derrière leurs tranchées, ils construisaient des catapultes, des scorpions, de hauts trébuchets. Par les nuits calmes, elle entendait les marteaux résonner dans l'air chaud et sec. *Mais pas de tours de siège. Pas de bélier.* Ils ne tenteraient pas de prendre Meereen d'assaut. Ils attendraient derrière leurs lignes de siège, en lui jetant des pierres jusqu'à ce que la famine et la maladie aient mis son peuple à genoux.

Hizdahr m'apportera la paix. Il le doit. Ce soir-là, ses cuisiniers lui rôtirent un cabri avec des dattes et des carottes, mais Daenerys ne put en manger qu'une seule bouchée. La perspective d'affronter Meereen une fois de plus l'épuisait. Le sommeil lui vint difficilement, même lorsque Daario revint, tellement ivre qu'il tenait à peine sur ses jambes. Sous ses couvertures, elle se tourna et se retourna, rêvant qu'Hizdahr l'embrassait... mais il avait les lèvres bleues et tuméfiées et, quand il s'enfonça en elle, sa virilité avait la froideur de la glace. Elle se redressa dans un désordre de cheveux et de draps. Son capitaine dormait auprès d'elle, pourtant elle était seule. Elle voulait le secouer, le réveiller, lui demander de la tenir, de la baiser, de l'aider à oublier, mais elle savait que, si elle le faisait, il se bornerait à sourire, à bâiller et à lui dire : « Ce n'était qu'un rêve, ma reine. Rendors-toi. »

Elle choisit d'enfiler une robe à capuchon et de sortir sur sa terrasse. Elle alla jusqu'au parapet et s'y tint, contemplant d'en haut la cité, comme elle l'avait fait cent fois déjà. *Ce ne sera jamais ma cité. Je n'y serai jamais chez moi.*

La pâle lueur rosée de l'aurore la surprit toujours sur sa terrasse, endormie sur l'herbe sous une fine couverture de rosée.

« J'ai promis à Daario de tenir audience aujourd'hui, annonça Daenerys à ses caméristes quand elles la réveillèrent. Aidez-moi à trouver ma couronne. Oh, et des vêtements à me mettre, quelque chose de léger et de frais. »

Elle descendit une heure plus tard. « *Que tous s'agenouillent devant Daenerys Typhon-Née, l'Imbrûlée, Reine de Meereen, Reine des Andals, des Rhoynars et des Premiers Hommes, Khaleesi de la Grande Mer d'Herbe, Briseuse des fers et Mère des Dragons* », clama Missandei.

Reznak mo Reznak s'inclina avec un radieux sourire. « Votre Magnificence, vous embellissez chaque jour. Je crois que la perspective de ce mariage vous rend rayonnante. Ô, ma lumineuse reine ! »

Daenerys poussa un soupir. « Faites venir le premier pétitionnaire. »

Il y avait si longtemps qu'elle n'avait pas donné audience que la charge d'affaires était presque écrasante. Le fond de la salle était une dense masse de gens, et quelques altercations éclatèrent sur des questions de préséance. Inévitablement, ce fut Galazza Galare qui s'avança, la tête haute, le visage dissimulé derrière un voile vert scintillant. « Votre Splendeur, peut-être vaudrait-il mieux que nous parlions en privé.

— J'aimerais en avoir le temps, répondit Daenerys avec douceur. Je dois me marier demain. » Sa dernière rencontre avec la Grâce Verte ne s'était pas bien déroulée. « Que désirez-vous de moi ?

— Je voudrais vous parler de l'arrogance d'un certain capitaine de vos épées-louées. »

Elle ose dire cela dans une audience publique ? Daenerys sentit une bouffée de colère. *Elle a du courage, je lui accorde ça, mais si elle croit que je vais tolérer une nouvelle leçon, elle ne pourrait pas se tromper davantage.* « La trahison de Brun Ben Prünh nous a tous choqués, dit-elle, mais votre avertissement vient trop tard. Et à présent, je sais que vous voulez regagner votre temple afin d'y prier pour la paix. »

La Grâce Verte s'inclina. « Je prierai également pour vous. »

Un nouveau soufflet, nota Daenerys, la couleur lui montant au visage.

Suivit une fastidieuse procédure que la reine connaissait bien. Elle siégea sur ses coussins, en écoutant, balançant un pied avec impatience. Jhiqui lui apporta à midi un plateau de figues et de jambon. Il semblait ne pas y avoir de fin aux quémandeurs. Chaque fois qu'elle en renvoyait deux souriants, il en partait un avec des yeux rougis ou des grommellements.

Le couchant approchait quand Daario Naharis apparut avec ses nouveaux Corbeaux Tornade, les Ouestriens qui s'étaient ralliés à lui après avoir quitté les Erre-au-Vent. Daenerys se surprit à leur jeter des coups d'œil tandis qu'un requérant s'éternisait en discours. *C'est mon peuple. Je suis leur reine légitime.* Le groupe semblait peu reluisant, mais qu'attendre d'autre de mercenaires ? Le plus jeune ne devait pas avoir un an de plus qu'elle ; le plus âgé avait dû voir passer soixante fois la date de sa naissance. Quelques-uns arboraient des signes de richesse : des bandeaux en or sur le bras, des tuniques en soie, des baudriers cloutés d'argent. *Du butin.* Pour la plupart, leurs vêtements étaient de coupe banale, et témoignaient d'un usage soutenu.

Quand Daario les fit avancer, elle vit que l'un d'eux était une femme, grande, blonde, toute couverte de maille. « La belle Meris » l'appela son capitaine, bien que « belle » fût le dernier qualificatif qui serait venu à l'idée de Daenerys. Elle mesurait six pieds de haut et n'avait pas d'oreilles, son nez était fendu, ses deux joues portaient de profondes cicatrices et elle avait les yeux les plus froids que la reine ait vus. Quant au reste...

Hugues Sylvegué était mince et morose, long de jambes, long de visage, vêtu avec une élégance passée. Tyssier était court et musclé, avec des araignées tatouées sur son front, son torse et ses bras. Le rougeaud Orson Roche se prétendait chevalier, comme l'efflanqué Lucifer Long. Will des Forêts jeta à Daenerys un coup d'œil égrillard, alors même qu'il ployait le genou. Dick Chaume avait des yeux du bleu des myosotis, des cheveux d'une blancheur de filasse et un sourire troublant. Le visage de Jack le Rouquin était masqué derrière une buissonnante barbe orange, et un discours inintelligible. « Il s'est sectionné la moitié de la langue d'un coup de dents, à sa première bataille », lui expliqua Sylvegué.

Les Dorniens paraissaient différents. « N'en déplaise à Votre Grâce, annonça Daario, ces trois sont Vertes-tripes, Gerrold et Guernouille. »

Vertes-tripes était énorme, et chauve comme un caillou, avec des bras assez épais pour rivaliser même avec Belwas le Fort. Gerrold était un grand jeune homme svelte, aux mèches blondies par le soleil et aux yeux rieurs, bleu-vert. *Ce sourire lui a gagné le cœur de plus d'une donzelle, je le gagerais.* Sa cape était faite de laine douce et brune doublée de soie des sables, un vêtement de belle facture.

Guernouille, l'écuyer, était le plus jeune des trois, et le moins impressionnant, un jeune homme solennel et trapu, brun d'œil et de poil. Il avait le visage carré, un front haut, une mâchoire lourde et un nez large. Le chaume sur ses joues et son menton le faisait passer pour un gamin qui tente de laisser pousser sa première barbe. Daenerys n'avait pas la moindre idée de la raison pour laquelle on l'appelait Guernouille. *Peut-être sait-il sauter plus loin que les autres.*

« Vous pouvez vous relever, dit-elle. Daario me dit que vous nous venez de Dorne. Les Dorniens seront toujours bienvenus à ma cour. Lancehélion est demeurée loyale à mon père lorsque l'Usurpateur lui a volé son trône. Vous avez dû affronter bien des périls pour venir jusqu'à moi.

— Bien trop », répondit le séduisant Gerrold, aux cheveux blondis par le soleil. « Nous sommes partis six de Dorne, Votre Grâce.

— Mes condoléances pour vos pertes. » La reine se tourna vers son massif compagnon. « Vertes-tripes, voilà une curieuse sorte de nom.

— Une plaisanterie, Votre Grâce. Qui me vient des navires. J'ai eu le vert-mal durant tout le trajet depuis Volantis. Des haut-le-cœur et... enfin, je ne devrais pas dire. »

Daenerys pouffa. « Je pense pouvoir deviner, ser. C'est bien *ser*, n'est-ce pas ? Daario me dit que vous êtes chevalier.

— Ne vous déplaise, Votre Grâce, nous sommes tous les trois chevaliers. »

Daenerys jeta un coup d'œil vers Daario et nota un éclair de colère sur son visage. *Il ne savait pas.* « J'ai besoin de chevaliers », dit-elle.

Les soupçons de ser Barristan étaient éveillés. « On s'arroge aisément le rang de chevalier, si loin de Westeros. Êtes-vous prêts à soutenir cette vantardise à l'épée ou à la lance ?

— S'il le faut, répondit Gerrold, bien que je ne prétende pas qu'aucun de nous soit l'égal de Barristan le Hardi. Votre Grâce, j'implore votre pardon, mais nous nous sommes présentés à vous sous de faux noms.

— J'ai connu quelqu'un d'autre qui a agi ainsi un jour, déclara Daenerys. Un certain Arstan Barbe-Blanche. Allons, dites-moi vos noms véritables.

— Volontiers... Mais si nous pouvons implorer l'indulgence de la reine, y a-t-il un endroit avec moins d'yeux et d'oreilles ? »

Un entrelacs de petits jeux. « Comme vous voulez. Skahaz, fais évacuer ma cour. »

Le Crâne-ras rugit des ordres. Ses Bêtes d'airain firent le reste, guidant hors de la salle le reste des Ouestriens et les pétitionnaires du jour. Ses conseillers demeurèrent.

« À présent, décida Daenerys, vos noms. »

Le séduisant jeune Gerrold s'inclina : « Ser Gerris Boisleau, Votre Grâce. Mon épée vous appartient. »

Vertes-tripes croisa ses bras sur son torse. « Et ma masse d'armes. Je suis ser Archibald Ferboys.

— Et vous, ser ? demanda la reine au jeune Guernouille.

— N'en déplaise à Votre Grâce, puis-je d'abord offrir mon présent ?

— Si vous le souhaitez », répondit Daenerys avec curiosité.

Mais alors que Guernouille s'avançait, Daario vint s'interposer en tendant une main gantée. « Donne-moi ce présent. »

Avec un visage de marbre, le jeune homme trapu se pencha, délaça sa botte et retira un parchemin jauni d'un rabat caché à l'intérieur.

« Est-ce là votre présent ? Un bout d'écriture ? » Daario arracha le parchemin des mains du Dornien et le déroula, plissant les yeux pour scruter les sceaux et les paraphes. « Très joli, tout cet or et ces rubans, mais je ne sais pas lire vos pattes de mouche ouestriennes.

— Apportez-le à la reine, ordonna ser Barristan. Tout de suite. »

Daenerys sentit la colère monter dans la salle. « Je ne suis qu'une jeune fille, et il faut remettre leur présent aux jeunes filles, dit-elle sur un ton badin. Daario, je vous en prie, ne me taquinez pas. Donnez-le-moi. »

Le parchemin était rédigé en Langue Commune. La reine le déploya lentement, étudiant les sceaux et les paraphes. Quand elle vit le nom de ser Willem Darry, son cœur battit un peu plus vite. Elle le lut une fois complètement, puis une deuxième.

« Pouvons-nous savoir ce que cela dit, Votre Grâce ? demanda ser Barristan.

— C'est un pacte secret, répondit Daenerys, conclu à Braavos alors que j'étais encore petite fille. Ser Willem Darry a signé pour nous : l'homme qui nous a soustraits à Peyredragon, mon frère et moi, avant que les hommes de l'Usurpateur puissent nous prendre. Le prince Oberyn Martell a signé pour Dorne, avec le Seigneur de la Mer de Braavos pour témoin. » Elle tendit le parchemin à ser Barristan, afin qu'il pût le lire lui-même. « L'alliance doit se sceller par un mariage, y explique-t-on. En retour pour l'aide de Dorne afin de jeter à bas l'Usurpateur, mon frère Viserys devra prendre pour reine la fille du prince Doran, Arianne. »

Le vieil homme lut lentement le pacte. « Si Robert l'avait su, il aurait écrasé Lancehélion comme il a jadis écrasé Pyk et pris les têtes du prince Doran et de la Vipère Rouge... et très probablement celle de cette princesse de Dorne par la même occasion.

— Nul doute la raison pour laquelle le prince Doran a choisi de garder ce pacte secret, suggéra Daenerys. Si mon frère Viserys avait su qu'une princesse de Dorne l'attendait, il aurait fait la traversée vers Lancehélion dès qu'il aurait été en âge de se marier.

— Abattant par la même occasion la masse d'armes de Robert sur lui, et sur Dorne également, compléta Guernouille. Mon père se satisfaisait d'attendre le jour où le prince Viserys aurait trouvé son armée.

— Ton père ?

— Le prince Doran. » Il retomba un genou en terre. « Votre Grâce, j'ai l'honneur d'être Quentyn Martell, prince de Dorne et votre plus féal sujet. »

Daenerys éclata de rire.

Le prince dornien rougit, tandis que la cour de la reine et ses conseillers lui lançaient des regards intrigués. « Votre Splendeur ? dit Skahaz Crâne-ras en langue ghiscarie. Pourquoi riez-vous ?

— Ils l'appellent *Guernouille*, dit-elle, et nous venons tout juste de comprendre pourquoi. Dans les Sept Couronnes, les contes pour enfants parlent de grenouilles qui se changent en princes enchantés lorsqu'elles sont embrassées par l'élue de leur cœur. » Souriant aux chevaliers de Dorne, elle reprit en Langue Commune : « Dites-moi, prince Quentyn, êtes-vous enchanté ?

— Non, Votre Grâce.

— C'est bien ce que je craignais. » *Ni enchanté ni enchanteur, hélas. Dommage que ce soit lui, le prince, et non celui aux larges épaules et aux cheveux blonds.* « Cependant, vous êtes venu chercher un baiser. Vous avez l'intention de m'épouser. Est-ce bien là le principe ? Le cadeau que vous m'apportez est votre douce personne. Au lieu de Viserys et de votre sœur, vous et moi devons sceller ce pacte, si je veux Dorne.

— Mon père espérait que vous me trouveriez acceptable. »

Daario Naharis jeta un rire dédaigneux. « Je dis que tu es un chiot. À ses côtés, la reine a besoin d'un homme, pas d'un nourrisson qui braille. Tu n'es pas un mari digne d'une telle femme. Quand tu te lèches les lèvres, est-ce que tu y sens encore le goût du lait de ta mère ? »

Ser Gerris Boisleau se rembrunit à ces paroles. « Surveille ta langue, mercenaire. Tu parles à un prince de Dorne.

— Et à sa nourrice, j'imagine. » Daario frottait du pouce la poignée de son épée et souriait dangereusement.

Skahaz grimaça, comme lui seul savait le faire. « Pour Dorne, le petit pourrait convenir, mais Meereen a besoin d'un roi de sang ghiscari.

— Je connais ce Dorne, déclara Reznak mo Reznak. Dorne se résume à du sable et à des scorpions, et de sinistres montagnes rouges qui cuisent au soleil. »

Le prince Quentyn lui répondit : « Dorne représente cinquante mille piques et épées, jurées au service de notre reine.

— Cinquante mille ? se gaussa Daario. J'en compte trois.

— *Cela suffit*, intervint Daenerys. Le prince Quentyn a traversé la moitié du monde pour m'offrir ce présent, je ne veux pas le voir traité sans courtoisie. » Elle se tourna vers les Dorniens. « Si seulement vous étiez arrivés un an plus tôt. Je suis promise en mariage au noble Hizdahr zo Loraq.

— Il n'est pas encore trop tard… hasarda ser Gerris.

— C'est à moi d'en juger, assura Daenerys. Reznak, veille à ce que le prince et ses compagnons reçoivent des appartements appropriés à leur haute naissance, et que leurs désirs soient satisfaits.

— À vos ordres, Votre Splendeur. »

La reine se leva. « Bien, nous en avons terminé pour aujourd'hui. »

Daario et ser Barristan la suivirent jusqu'en haut de l'escalier menant à ses appartements. « Voilà qui change tout, déclara le vieux chevalier.

— Voilà qui ne change rien, répondit Daenerys tandis qu'Irri lui retirait sa couronne. À quoi servent trois hommes ?

— Trois chevaliers, corrigea Selmy.

— Trois menteurs, dit Daario d'un ton noir. Ils m'ont trompé.

— Et acheté, en plus, je n'en doute pas. » Il ne se donna pas la peine de le nier. Daenerys déroula le parchemin pour l'examiner de nouveau. *Braavos. Ceci a été établi à Braavos, pendant que nous vivions dans la maison à la porte rouge.* Pourquoi ressentait-elle une aussi curieuse impression ?

Elle se remémora son cauchemar. *Il y a parfois du vrai dans les rêves.* Hizdahr zo Loraq serait-il à la solde des conjurateurs, était-ce là le sens de son rêve ? Ce rêve aurait-il été un message ? Les dieux lui disaient-ils d'écarter Hizdahr et d'épouser plutôt ce prince de Dorne ? Quelque chose chatouilla sa mémoire. « Ser Barristan, quelles sont les armes de la maison Martell ?

— Un soleil en majesté, transpercé d'une lance. »

Le fils du soleil. Un frisson la traversa. « Des ombres et des chuchotements. » Que lui avait dit d'autre Quaithe ? *La jument pâle et le fils du soleil. Il y avait un lion dans l'affaire, en sus, et un dragon. Ou bien serait-ce moi, ce dragon ?* « Défie-toi du sénéchal parfumé. » Cela, elle s'en souvenait. « Des rêves et des prophéties. Pourquoi faut-il toujours qu'ils s'expriment par énigmes ? J'ai horreur de ça. Oh, laissez-moi, ser. C'est demain le jour de mes noces. »

Cette nuit-là, Daario la prit de toutes les façons dont un homme peut prendre une femme, et elle se donna à lui sans nulle réticence. La dernière fois, alors que le soleil se levait, elle usa de sa bouche pour le raidir à nouveau, comme Doreah le lui avait appris il y avait longtemps, puis elle le monta avec tant de fougue que la blessure du capitaine se remit à saigner et que, l'espace d'un délicieux battement de cœur, elle ne sut plus dire s'il était en elle, ou elle en lui.

Mais quand le soleil se leva sur le jour de ses noces, Daario l'imita, revêtant sa tenue et bouclant son baudrier avec ses catins d'or lustré. « Où vas-tu ? lui demanda Daenerys. Je t'interdis de faire une sortie aujourd'hui.

— Ma reine est cruelle, répliqua son capitaine. Si je ne peux pas tuer tes ennemis, comment vais-je me distraire pendant qu'on te marie ?

— À la tombée de la nuit, je n'aurai plus d'ennemis.

— C'est encore que l'aurore, douce reine. Le jour est long. Assez de temps pour une dernière sortie. Je te rapporterai la tête de Brun Ben Prünh en cadeau de noces.

— Pas de tête, insista Daenerys. Un jour, tu m'as apporté des fleurs.

— Qu'Hizdahr t'offre des fleurs. Certes, il n'est pas du genre à se pencher pour cueillir un pissenlit, mais il a des serviteurs qui seront heureux de le faire à sa place. Ai-je ta permission d'aller ?

— Non. » Elle voulait qu'il restât à la serrer dans ses bras. *Un jour il partira et ne reviendra pas*, se dit-elle. *Un jour, un archer plantera une flèche dans son torse, ou dix hommes se jetteront sur lui avec des piques, des épées, des haches, dix hommes qui voudront devenir des héros.* Cinq d'entre eux mourraient, mais cela ne rendrait pas le chagrin de Daenerys plus aisé à supporter. *Un jour, je le perdrai comme j'ai perdu mon soleil et mes étoiles. Mais par pitié, dieux, pas aujourd'hui.* « Reviens au lit et embrasse-moi. » Personne ne l'avait jamais embrassée comme Daario Naharis. « Je suis ta reine, et je t'ordonne de me baiser. »

Elle avait dit cela sur le ton de la plaisanterie, mais les yeux de Daario se firent durs à ces paroles. « Baiser une reine est un travail de roi. Ton noble Hizdahr pourra s'en charger, une fois que vous serez mariés. Et s'il se révèle de trop haute naissance pour une tâche qui donne si chaud, il a des serviteurs qui auront également plaisir à s'en charger à sa place. Ou tu pourrais faire venir le petit Dornien dans ton lit, et son ami au joli minois aussi, pourquoi pas ? » Il quitta la chambre à grands pas.

Il va effectuer une sortie, comprit Daenerys, *et s'il prend la tête de Ben Prünh, il entrera durant le banquet de noces et la jettera à mes pieds. Que les Sept me préservent. Pourquoi ne pouvait-il pas être mieux né ?*

Quand il fut parti, Missandei apporta à la reine un frugal repas, fromage de chèvre et olives, avec des raisins secs en dessert. « Votre Grâce a besoin de déjeuner d'autre chose que de vin. Vous êtes toute menue et, assurément, vous aurez besoin de toutes vos forces, aujourd'hui. »

La réflexion fit rire Daenerys, de la part d'une gamine si menue. Elle s'appuyait tant sur la petite scribe qu'elle l'oubliait souvent : Missandei venait tout juste d'avoir onze ans. Elles partagèrent la nourriture sur la terrasse. Tandis que Daenerys grignotait une olive, la Naathie la considéra avec des yeux d'or fondu et lui déclara : « Il n'est pas trop tard pour leur dire que vous avez décidé de ne pas vous marier. »

Et pourtant si, songea la reine avec tristesse. « Hizdahr est d'un sang noble et ancien. Notre union rassemblera mes affranchis et son peuple. Lorsque nous ne ferons plus qu'un, la cité nous imitera.

— Votre Grâce n'aime pas le noble Hizdahr. Ma personne estime que vous préféreriez avoir un autre pour mari. »

Je ne dois pas penser à Daario aujourd'hui. « Une reine aime où elle doit, non où elle veut. » Tout appétit l'avait quittée. « Emporte cette nourriture, dit-elle à Missandei. Il est temps que je prenne mon bain. »

Ensuite, alors que Jhiqui séchait Daenerys en la tamponnant, Irri approcha avec son *tokar.* Daenerys enviait aux cméristes dothrakies leurs pantalons lâches en soie des sables et leurs gilets peints. Elles seraient beaucoup plus au frais qu'elle dans son *tokar,* avec sa lourde frange de perles naines. « Aidez-moi à enrouler ça autour de moi, je vous prie. Je ne peux pas me dépêtrer seule de toutes ces perles. »

Elle aurait dû être dévorée d'anticipation en songeant à son mariage et à la nuit qui suivrait, elle le savait. Elle se rappela la nuit de ses premières noces, quand le *khal* Drogo l'avait déflorée sous les étoiles intruses. Elle se souvenait combien elle avait eu peur, et combien elle était excitée. En ira-t-il de même avec Hizdahr ? *Non. Je ne suis plus la fille que j'étais, et il n'est pas mon soleil et mes étoiles.*

Missandei réémergea de la pyramide. « Reznak et Skahaz sollicitent l'honneur d'escorter Votre Grâce jusqu'au Temple des Grâces. Reznak a ordonné de préparer votre palanquin. » Les Meereenais allaient rarement à cheval, dans l'enceinte de la cité. Ils préféraient les palanquins, les litières et les chaises à porteurs, posées sur les épaules de leurs esclaves. « Les chevaux souillent les rues, lui avait expliqué un homme de Zahk. Pas les esclaves. » Daenerys avait affranchi les esclaves ; pourtant, palanquins, litières et chaises à porteurs encombraient les rues comme par le passé, et aucun d'entre eux ne flottait par magie dans les airs.

« La journée est trop chaude pour s'enfermer dans un palanquin, décida Daenerys. Faites seller mon argenté. Je ne voudrais point rejoindre le seigneur mon époux sur le dos de porteurs.

— Votre Grâce, insista Missandei, ma pauvre personne le déplore, mais vous ne pouvez pas chevaucher en *tokar*. »

La petite scribe avait raison, comme bien souvent. Le *tokar* n'était pas un vêtement conçu pour la monte. Daenerys fit une moue. « Tu as raison. Pas le palanquin, pourtant. Je suffoquerais, derrière ces tentures. Fais-leur préparer une chaise à porteurs. » Si elle devait arborer ses oreilles de lapin, que tous les lapins puissent la voir.

Quand Daenerys effectua sa descente, Reznak et Skahaz tombèrent à genoux. « Votre Excellence brille d'un tel éclat que vous aveuglerez tout homme qui osera vous regarder », déclara Reznak. Le sénéchal portait un *tokar* de samit bordeaux avec des franges dorées. « Hizdahr zo Loraq est très fortuné, de vous avoir... et vous, de l'avoir, lui, si je puis avoir la hardiesse de le dire. Cette union va sauver notre cité, vous verrez.

— Nous prions pour cela. Je veux planter mes oliviers et les voir fructifier. » *Quelle importance si les baisers d'Hizdahr ne me contentent pas ? La paix me satisfera. Suis-je une reine ou une simple femme ?*

« Les foules grouillent comme des nuées de mouches, aujourd'hui. » Le Crâne-ras était vêtu d'une jupe plissée noire et d'un plastron à la musculature moulée, et il avait sous son bras un casque d'airain conformé en tête de serpent.

« Ai-je à craindre les mouches ? Tes Bêtes d'airain me protégeront de tout mal. »

Le crépuscule régnait en permanence dans la base de la Grande Pyramide. Des murs de trente pieds d'épaisseur étouffaient le tumulte des rues et gardaient la chaleur au-dehors, si bien qu'il faisait frais et sombre à l'intérieur. L'escorte se constituait face aux portes. Les chevaux, les mules et les ânes étaient placés dans les stalles contre le mur de l'ouest, les éléphants contre le mur de l'est. En même temps que sa pyramide, Daenerys avait acquis trois de ces énormes animaux bizarres. Ils lui rappelaient des mammouths gris et chauves, malgré leurs défenses raccourcies et dorées ; et leurs yeux étaient tristes.

Elle trouva Belwas le Fort en train de manger des raisins, tandis que Barristan Selmy surveillait un garçon d'écurie qui assurait la sangle de son gris pommelé. Les trois Dorniens se trouvaient avec lui, en pleine discussion, mais ils s'interrompirent quand la reine apparut. Leur prince mit un genou en terre. « Votre Grâce, je me dois de vous implorer. Les forces de mon père déclinent, mais son dévouement à votre cause reste aussi fort que jamais. Si mes façons ou ma personne vous ont déplu, j'en ai de la peine, mais…

— Si vous voulez me plaire, ser, soyez heureux pour moi, lui répondit Daenerys. C'est aujourd'hui le jour de mes noces. On dansera dans la Cité Jaune, je n'en doute pas. » Elle poussa un soupir. « Levez-vous, mon prince, et souriez. Un jour, je reviendrai à Westeros pour faire valoir mes droits au trône de mon père, et je me tournerai vers Dorne pour son aide. Mais en ce jour, les Yunkaïis ont encerclé d'acier ma cité. Je peux mourir avant que de voir les Sept Couronnes. Hizdahr peut mourir. Westeros peut être engloutie sous les flots. » Daenerys lui embrassa la joue. « Venez. Il est temps que je me marie. »

Ser Barristan l'aida à monter dans sa chaise à porteurs. Quentyn rejoignit ses compatriotes. Belwas le Fort beugla pour faire ouvrir les portes, et Daenerys Targaryen fut portée dans le soleil. Selmy vint se placer à sa hauteur sur son gris pommelé.

« Dites-moi, demanda Daenerys tandis que la procession se dirigeait vers le Temple des Grâces, si mon père et ma mère avaient été libres de suivre leur cœur, qui auraient-ils épousé ?

— C'était il y a longtemps, Votre Grâce ne les connaîtrait pas.

— Mais vous le savez, vous. Dites-moi. »

Le vieux chevalier inclina la tête. « La reine votre mère avait toujours à l'esprit son devoir. » Il était beau dans son armure d'or et d'argent, sa grande cape blanche flottant à ses épaules, mais on aurait dit un homme qui souffrait, à l'entendre, comme si chaque mot était un calcul que son rein devait éliminer. « Petite fille, cependant... Elle s'était une fois entichée d'un jeune chevalier des terres de l'Orage qui avait porté sa faveur durant un tournoi et l'avait nommée reine d'amour et de beauté. Une brève chose.

— Qu'est devenu ce chevalier ?

— Il a rangé sa lance le jour où la dame votre mère a épousé votre père. Il est ensuite devenu fort pieux, et on l'entendit dire que seule la Jouvencelle pouvait remplacer la reine Rhaella dans son cœur. C'était une passion impossible, bien entendu. Un chevalier fieffé n'est point un consort digne d'une princesse de sang royal. »

Et Daario Naharis n'est qu'une épée-louée, indigne même de boucler les éperons d'or d'un chevalier fieffé. « Et mon père ? Y avait-il une femme qu'il aimait plus que sa reine ? »

Ser Barristan parut mal à l'aise sur sa selle. « Aimait... Aimait, non. Peut-être le mot *voulait* conviendrait-il mieux, mais... ce n'étaient que ragots de cuisine, des rumeurs de lavandières et de garçons d'écurie...

— Je veux savoir. Je n'ai jamais connu mon père. Je veux tout savoir de lui. Le bon et le... reste.

— Si vous l'ordonnez. » Le chevalier blanc choisit ses mots avec soin. « Le prince Aerys... Dans sa jeunesse, il s'était entiché d'une certaine dame de Castral Roc, cousine de Tywin Lannister. Lorsque Tywin et elle se sont mariés, votre père a abusé du vin au banquet de noces et on l'a entendu clamer que c'était grande pitié que le droit du seigneur à la première nuit ait été aboli. Plaisanterie d'après boire, rien de plus, mais Tywin

Lannister n'était pas homme à oublier de telles paroles, ni les... les libertés prises par votre père au moment du coucher. » Son visage s'empourpra. « J'en ai trop dit, Votre Grâce. Je...

— *Gracieuse reine, quelle heureuse rencontre !* » Une autre procession était venue accoster la sienne, et Hizdahr zo Loraq lui souriait depuis sa propre chaise à porteurs. *Mon roi.* Daenerys se demanda où se trouvait Daario Naharis, ce qu'il faisait. *Si nous étions dans une histoire, il arriverait au galop juste au moment où nous atteindrions le temple, pour défier Hizdahr et remporter ma main.*

Côte à côte, les processions de la reine et d'Hizdahr zo Loraq traversèrent lentement Meereen, jusqu'à ce qu'enfin le Temple des Grâces se dressât devant eux, ses dômes d'or clignotant au soleil. *Comme c'est beau,* essaya de se dire la reine, mais, en son for intérieur, une petite idiote ne pouvait s'empêcher de chercher Daario autour d'elle. *S'il t'aimait, il viendrait t'enlever à la pointe de l'épée, comme Rhaegar a emporté sa Nordienne,* insistait la gamine en elle, mais la reine savait que c'était pure sottise. Même si son capitaine avait la folie de s'y risquer, les Bêtes d'airain l'abattraient avant qu'il n'approchât à cent pas d'elle.

Galazza Galare les attendait devant les portes du temple, entourée par ses sœurs en blanc, rose et rouge, bleu, or et pourpre. *Elles sont moins nombreuses que par le passé.* Daenerys chercha des yeux Ezzara, et ne la trouva pas. *La dysenterie l'aurait-elle emportée, elle aussi ?* Bien que la reine ait laissé les Astaporis mourir de faim sous ses murs pour empêcher la propagation de l'épidémie, celle-ci se propageait quand même. Beaucoup avaient été frappés : des affranchis, des épées-louées, des Bêtes d'airain, et même des Dothrakis, bien que, jusqu'ici, aucun Immaculé n'ait été atteint. Elle pria pour que le pire fût passé.

Les Grâces firent avancer un fauteuil d'ivoire et une coupe d'or. Retenant délicatement son *tokar* afin de ne pas marcher sur ses franges, Daenerys Targaryen s'installa sur le siège de velours du fauteuil, et Hizdahr zo Loraq se mit à genoux, lui délaça les sandales et lava ses pieds tandis que cinquante eunuques chantaient et que dix mille yeux contemplaient la scène. *Il a les mains douces*, songea-t-elle, tandis que des chrêmes parfumés coulaient entre ses doigts de pied. *S'il a le cœur aussi doux, je pourrais m'attacher à lui, avec le temps.* Quand ses pieds furent lavés, Hizdahr les sécha avec une serviette moelleuse, lui relaça les sandales et l'aida à se relever. Main dans la main, ils suivirent la Grâce Verte à l'intérieur du temple, où l'air était chargé d'encens et où les dieux de Ghis se dressaient, revêtus d'ombre dans leurs alcôves.

Quatre heures plus tard, ils émergeaient à nouveau, comme mari et femme, liés ensemble par le poignet et la cheville avec des chaînes d'or jaune.

JON

La reine Selyse s'abattit sur Châteaunoir avec sa fille, le fou de cette dernière, ses servantes et ses dames de compagnie, et une escorte de chevaliers, d'épées liges et d'hommes d'armes, forte de cinquante éléments. *Tous gens de la reine*, Jon Snow le savait. *Ils peuvent bien suivre Selyse, mais c'est Mélisandre qu'ils servent.* La prêtresse rouge l'avait averti de leur arrivée presque un jour avant celle du corbeau de Fort-Levant porteur du même message.

Il accueillit la reine et son escorte devant l'écurie, accompagné par Satin, Bowen Marsh et une demi-douzaine de gardes en longues capes noires. Se présenter devant cette reine sans sa propre escorte aurait été impolitique, si la moitié de ce qu'on racontait sur elle était vrai. Elle aurait pu le prendre pour un garçon d'écurie et lui remettre les rênes de son cheval.

Les neiges s'étaient enfin déplacées vers le sud, leur laissant un répit. Il y avait même dans l'air un soupçon de douceur quand Jon Snow posa un genou en terre devant la reine sudière. « Votre Grâce. Châteaunoir vous souhaite la bienvenue, à vous et aux vôtres. »

La reine Selyse le toisa. « Je vous en remercie. Veuillez m'escorter jusqu'à votre lord Commandant.

— Mes frères m'ont choisi pour cet honneur. Je suis Jon Snow.

— Vous ? On vous disait jeune, mais... » La reine Selyse avait le visage pincé et pâle. Elle arborait une couronne d'or roux avec des pointes en forme de flammes, jumelle de celle que portait Stannis. « … Vous pouvez vous lever, lord Snow. Voici ma fille, Shôren.

— Princesse. » Jon inclina la tête. Shôren était une enfant au physique ingrat, encore enlaidie par la léprose qui avait laissé son cou et une partie de sa joue raide, grise et craquelée. « Mes frères et moi sommes à votre service », déclara-t-il à la jeune fille.

Shôren rougit. « Merci, messire.

— Je crois que vous connaissez mon parent, ser Axell Florent ? poursuivit la reine.

— Par corbeau, uniquement. » *Et divers rapports.* Les lettres qu'il avait reçues de Fort-Levant avaient eu beaucoup à dire sur Axell Florent, et peu qui fût bon. « Ser Axell.

— Lord Snow. » Homme massif, Florent avait la jambe courte et le torse épais. Un poil rêche couvrait ses joues et ses bajoues et pointait de ses oreilles et de ses narines.

« Mes loyaux chevaliers, poursuivit la reine Selyse. Ser Nabert, ser Benethon, ser Brus, ser Patrek, ser Dorden, ser Malegorn, ser Lambert, ser Perkin. » Chacun de ces dignes personnages s'inclina à son tour. Elle ne se donna pas la peine de présenter son fou, mais les clarines accrochées à son couvre-chef muni d'andouillers et le tatouage mi-parti sur ses joues rondes le rendaient difficile à négliger. *Bariol.* Les lettres de Cotter Pyke l'avaient également évoqué. Pyke affirmait qu'il était simple d'esprit.

Puis la reine désigna un autre curieux membre de son entourage : un grand flandrin étique dont la taille était encore accentuée par un invraisemblable chapeau comportant trois étages de feutre mauve. « Et voici l'honorable Tycho Nestoris, un émissaire de la Banque de Fer de Braavos, venu traiter avec Sa Grâce le roi Stannis. »

Le banquier retira son chapeau et exécuta une ample révérence. « Lord Commandant. Je vous remercie, vous et vos frères, de votre hospitalité. » Il parlait la Langue Commune de façon impeccable, avec juste un infime soupçon d'accent. Plus grand que Jon d'une demi-tête, le Braavien arborait une barbiche en ficelle qui jaillissait de son menton pour lui descendre pratiquement à la taille. Ses robes étaient d'un mauve sévère, bordé d'hermine. Un grand col raide encadrait son visage étroit. « J'espère que nous ne vous dérangerons pas trop.

— Point du tout, messire. Vous êtes tout à fait bienvenu. » *Davantage que cette reine, à parler franc.* Cotter Pyke avait envoyé un corbeau en avant-garde afin de les avertir de l'arrivée du banquier. Jon Snow n'avait guère pensé à autre chose depuis lors.

Jon se retourna vers la reine. « Les appartements royaux dans la tour du Roi ont été préparés pour Votre Grâce pour aussi longtemps qu'il vous plaira de rester avec nous. Voici notre lord Intendant, Bowen Marsh. Il trouvera des quartiers pour vos hommes.

— Que c'est aimable de nous faire de la place. » Certes, les mots de la reine étaient courtois, mais le ton laissait entendre : *Ce n'est que votre devoir, et vous avez intérêt à ce que ces quartiers me plaisent.* « Nous ne séjournerons pas longtemps avec vous. Quelques jours, tout au plus. Nous avons l'intention de poursuivre jusqu'à notre nouveau siège de Fort Nox dès que nous serons reposés. Le voyage depuis Fort-Levant a été épuisant.

— Comme vous voudrez, Votre Grâce, répondit Jon. Vous devez avoir froid et faim, j'en suis sûr. Un repas chaud vous attend dans notre salle commune.

— Fort bien. » La reine jeta un coup d'œil sur la cour. « Mais tout d'abord, nous souhaiterions nous entretenir avec la dame Mélisandre.

— Bien entendu, Votre Grâce. Elle a ses appartements dans la tour du Roi, également. Par ici, si vous voulez bien. » La reine Selyse hocha la tête, prit sa fille par la main et permit qu'il les guidât hors de l'écurie. Ser Axell, le banquier braavien et le reste de son groupe suivirent, comme autant de canetons bardés de laine et de fourrures.

« Votre Grâce, déclara Jon Snow, mes ouvriers ont fait tout leur possible pour préparer Fort Nox à vous recevoir... Une grande partie reste toutefois en ruine. C'est un vaste château, le plus grand sur le Mur, et nous n'avons réussi à en restaurer qu'une fraction. Vous auriez peut-être plus de confort à Fort-Levant. »

La reine Selyse renifla. « Nous en avons terminé avec Fort-Levant. Nous ne nous y sommes pas plu. Une reine doit être maîtresse sous son toit. Nous avons jugé que votre Cotter Pyke était un personnage vulgaire et désagréable, querelleur et ladre. »

Vous devriez entendre ce que Cotter dit de vous. « Je suis marri de l'entendre, mais je crains que Votre Grâce ne trouve les conditions à Fort Nox encore moins à son goût. Nous parlons d'une forteresse, et non d'un palais. Un lieu sinistre, et froid. Tandis que Fort-Levant...

— Fort-Levant *n'est pas sûr.* » La reine posa une main sur l'épaule de sa fille. « Voici l'héritière légitime du roi. Un jour, Shôren siégera sur le Trône de Fer et gouvernera les Sept Couronnes. On doit la protéger de tout, et c'est à Fort-Levant que se portera l'attaque. Ce Fort Nox est l'endroit que mon époux a élu pour siège, et c'est là que nous résiderons. Nous... oh ! »

Une ombre énorme émergea de derrière la carcasse de la tour du lord Commandant. La princesse Shôren poussa un hurlement et trois des chevaliers de la reine eurent de concert le souffle perceptiblement coupé. Un autre jura. « *Que les Sept nous préservent* », dit-il, oubliant tout à fait son nouveau dieu rouge sous l'empire du choc.

« Ne craignez rien, enjoignit Jon. Il n'est pas dangereux, Votre Grâce. Voici Wun Wun.

— Wun Weg Wun Dar Wun. » La voix du géant gronda comme un quartier de roc dévalant un flanc de montagne. Il tomba à genoux devant eux. Même agenouillé, il les dépassait. « À genoux reine. Petite reine. » Des paroles que lui avait apprises Cuirs, sans aucun doute.

Les yeux de la princesse Shôren devinrent aussi grands que des assiettes à soupe. « C'est un *géant* ! Un véritable géant, comme dans les contes. Mais pourquoi parle-t-il d'une si drôle façon ?

— Il ne connaît pour l'instant que quelques mots de la Langue Commune, expliqua Jon. Dans leur propre pays, les géants emploient la Vieille Langue.

— Puis-je le toucher ?

— Il vaudrait mieux éviter, la mit en garde sa mère. Regarde-le. Quelle créature crasseuse.» La reine tourna son expression de déplaisir vers Jon. « Lord Snow, que fait cette chose bestiale de notre côté du Mur ?

— Wun Wun est un hôte de la Garde de Nuit, comme vous.» La réponse n'eut pas l'heur de plaire à la reine. Ni à ses chevaliers. Ser Axell grimaça d'un air dégoûté, ser Brus gloussa avec nervosité, ser Nabert commenta : « On m'avait raconté que tous les géants étaient morts.

— Presque tous.» *Ygrid les a pleurés.*

« Dans le noir, les géants dansent.» Bariol traîna des pieds en un grotesque pas de gigue. « Je sais, je sais, hé hé hé.» À Fort-Levant, quelqu'un lui avait cousu une cape bigarrée en peaux de castor, toisons de mouton et fourrures de lapin. Son couvre-chef s'enorgueillissait d'andouillers d'où se balançaient des clarines et de longs rabats en fourrure d'écureuil, qui lui pendaient sur les oreilles. Chacun de ses pas le faisait tintin-nabuler.

Wun Wun le regarda, bouche bée de fascination, mais, quand le géant tendit la main vers lui, le fou recula d'un bond, en sonnaillant. « Oh non, oh non, oh non ! » Le mouvement fit se redresser le géant d'un sursaut. La reine se saisit de la princesse Shôren pour la haler en arrière, ses chevaliers portèrent la main à leurs épées et, dans son alarme, Bariol pivota, perdit pied et tomba le cul dans une pile de neige.

Wun Wun se mit à rire. Le rire d'un géant aurait ridiculisé le rugissement d'un dragon. Bariol se couvrit les oreilles, la princesse Shôren enfouit son visage dans les fourrures de sa mère et le plus hardi des chevaliers de la reine s'avança, l'acier à la main. Jon leva un bras pour lui barrer le passage. « Vous avez *tout intérêt* à ne pas le mettre en colère. Rengainez votre acier, ser. Cuirs, ramène Wun Wun à Hardin.

— Manger main'nant, Wun Wun ? demanda le géant.

— Manger maintenant », acquiesça Jon. À Cuirs, il annonça : « Je vais faire envoyer un boisseau de légumes pour lui, et de la viande pour toi. Allume un feu. »

Cuirs grimaça un sourire. « Je vais le faire, m'sire, mais Hardin est froide comme un os. Peut-être pourriez-vous faire envoyer du vin pour nous réchauffer, m'sire ?

— Pour toi. Pas pour lui. » Wun Wun n'avait jamais goûté de vin avant de venir à Châteaunoir, mais, depuis lors, il y avait pris goût. *Beaucoup trop.* Jon avait pour l'heure assez de soucis sans ajouter un géant ivre au brouet. Il se retourna vers les chevaliers de la reine. « Le seigneur mon père avait coutume de dire qu'un homme ne devrait jamais tirer son épée à moins d'avoir l'intention de s'en servir.

— J'en avais bien l'intention. » Le chevalier était rasé de près et cuit au soleil ; sous une cape de fourrure blanche, il portait un surcot en tissu d'argent frappé d'une étoile bleue à cinq pointes. « Je m'étais laissé dire que la Garde de Nuit protégeait le royaume contre de tels monstres. Personne n'avait parlé de les garder comme animaux familiers. »

Encore un imbécile de chevalier sudier. « Et vous êtes... ?

— Ser Patrek du Mont-Réal, ne vous déplaise, messire.

— Je ne sais comment l'on observe les droits des invités sur votre mont, ser. Dans le Nord, nous les tenons pour sacrés. Wun Wun est un hôte, ici. »

Ser Patrek sourit. « Dites-moi, lord Commandant, si les Autres se présentaient, avez-vous prévu de leur offrir également l'hospitalité ? » Le chevalier se tourna vers sa reine. « Votre Grâce, la tour du Roi est là-bas, si je ne me trompe pas. Puis-je avoir l'honneur ?

— Comme vous voudrez. » La reine lui prit le bras et passa devant les hommes de la Garde de Nuit sans leur accorder un regard de plus.

Ces flammes sur sa couronne sont son trait le plus chaleureux. « Lord Tycho, appela Jon. Un moment, s'il vous plaît. »

Le Braavien s'arrêta. « Je ne suis point lord. Rien qu'un humble serviteur de la Banque de Fer.

— Cotter Pyke m'informe que vous êtes arrivé à Fort-Levant avec trois navires. Une galéasse, une galère et une cogue.

— C'est cela même, messire. La traversée peut être périlleuse en cette saison. Un seul navire pourrait sombrer, alors que trois ont la ressource de se secourir mutuellement. La Banque de Fer agit toujours avec prudence en de telles entreprises.

— Peut-être avant votre départ pourrions-nous avoir un entretien en particulier ?

— Je suis à votre service, lord Commandant. Et à Braavos, nous avons coutume de dire qu'aucun moment ne vaut le présent. Cela vous convient-il ?

— Cela en vaut bien un autre. Voulez-vous m'accompagner dans mes appartements, ou souhaitez-vous voir le sommet du Mur ? »

Le banquier leva les yeux, vers l'endroit où la glace s'érigeait, vaste et pâle contre le ciel. « Je crains qu'il ne fasse un froid cruel, au sommet.

— En effet, et beaucoup de vent aussi. On apprend à marcher à bonne distance du bord. Des hommes ont été emportés par le vent. Quoi qu'il en soit. Le Mur n'a pas d'équivalent sur terre. Vous n'aurez peut-être jamais une autre occasion de le voir.

— Sans nul doute, je me repentirai de ma prudence sur mon lit de mort, mais, après une longue journée en selle, une pièce chauffée me paraît préférable.

— Mes appartements, donc. Satin, du vin chaud, si tu veux bien. »

Les appartements de Jon derrière l'armurerie, s'ils étaient assez tranquilles, n'étaient pas particulièrement douillets. Son feu s'était éteint depuis un moment ; Satin n'avait pas, pour l'alimenter, la diligence d'Edd-la-Douleur. Le corbeau de Mormont les accueillit par son glapissement de « Grain ! » Jon pendit sa cape. « Vous veniez rencontrer Stannis, est-ce bien cela ?

— C'est cela, messire. La reine Selyse nous a suggéré d'envoyer par corbeau un message à Motte-la-Forêt afin d'informer Sa Grâce que j'attendais son bon plaisir à Fort Nox. L'affaire dont je dois l'entretenir est trop délicate pour la confier à des missives.

— Des dettes. » *Qu'est-ce que cela pourrait être d'autre ?* « Les siennes ? Ou celles de son frère ? »

Le banquier pressa ses doigts ensemble. « Il ne serait pas convenable que je discute de l'existence ou de l'absence d'une dette de lord Stannis. Quant au roi Robert... nous avons en effet eu le plaisir d'assister Sa Grâce dans son besoin. Tant que Robert vivait, tout allait bien. À présent, toutefois, le Trône de Fer a cessé tout remboursement. »

Les Lannister pourraient-ils vraiment être aussi sots ? « Vous n'avez tout de même pas l'intention de tenir Stannis responsable des dettes de son frère.

— Les dettes s'attachent au Trône de Fer, déclara Tycho, et c'est l'occupant de ce siège qui doit les payer. Puisque le jeune roi Tommen et ses conseillers manifestent tant de réticence, nous avons l'intention d'aborder le sujet avec le roi Stannis. S'il se révélait plus digne de notre confiance, nous aurions bien entendu grand plaisir à lui prêter toute l'aide dont il a besoin.

— *Aide*, criailla le corbeau. *Aide, aide, aide.* »

Jon avait subodoré une grande partie de tout ceci dès l'instant où il avait appris que la Banque de Fer dépêchait au Mur un émissaire. « Aux dernières nouvelles, Sa Grâce avançait sur Winterfell afin d'affronter lord Bolton et ses alliés. Vous pouvez l'y aller chercher si vous le désirez, mais cela comporte des risques. Vous pourriez vous retrouver mêlé à sa guerre. »

Tycho inclina son chef. « Nous qui servons la Banque de Fer affrontons la mort tout aussi souvent que vous qui servez le Trône de Fer. »

Est-ce donc là qui je sers ? Jon Snow n'en était plus très sûr. « Je peux vous fournir des chevaux, des provisions et des guides, tout le nécessaire pour vous conduire jusqu'à Motte. De là, vous devrez vous arranger vous-même pour rejoindre Stannis. » *Et vous risquez bien de trouver sa tête au bout d'une pique.* « Cela aura un prix.

— *Prix*, glapit le corbeau de Mormont. *Prix, prix.*

— Il y a toujours un prix, n'est-ce pas ? » Le Braavien eut un sourire. « Que demande la Garde ?

— Vos vaisseaux, pour commencer. Avec leurs équipages.

— Tous les trois ? Comment regagnerai-je Braavos ?

— Je n'aurai besoin d'eux que pour un seul voyage.

— Un voyage périlleux, j'imagine. *Pour commencer*, disiez-vous ?

— Nous avons également besoin d'un prêt. Assez d'or pour nous nourrir jusqu'au printemps. Pour acheter des vivres et louer les vaisseaux qui nous les apporteront.

— Au printemps ? » Tycho poussa un soupir. « Ce n'est pas possible, messire. »

Que lui avait donc dit Stannis ? *Vous marchandez comme une vieillarde avec un cabillaud, lord Snow. Ned Stark vous aurait-il enfanté avec une poissonnière ?* Peut-être, qui savait ?

Il fallut le plus gros d'une heure pour que l'impossible devînt possible, et une heure encore avant qu'ils s'accordassent sur les conditions. La carafe de vin chaud qu'avait apportée Satin les aida à régler les points les plus épineux. Le temps que Jon Snow signât le parchemin qu'avait établi le Braavien, tous deux étaient à demi ivres et fort mécontents. Jon jugeait que c'était bon signe.

Les trois navires braaviens porteraient la flotte de Fort-Levant à onze bâtiments, en comptant le baleinier ibbénien réquisitionné par Cotter Pyke sur l'ordre de Jon, une galère de commerce de Pentos enrôlée de même, et trois vaisseaux de guerre lysiens malmenés, vestiges de l'ancienne flotte de Sladhor Saan drossés vers le Nord par les tempêtes d'automne. Les trois navires de Saan avaient eu un sérieux besoin de radoub, mais l'ouvrage devait être désormais terminé.

Onze navires, ce n'était pas assez prudent, mais s'il attendait davantage, le peuple libre serait mort quand la flotte de secours arriverait à Durlieu. *Prends la mer à présent, ou pas du tout.* Savoir si la mère Taupe et son peuple seraient assez désespérés pour confier leur vie à la Garde de Nuit, en revanche...

Le jour avait décliné quand Tycho et lui quittèrent ses appartements. La neige avait commencé à tomber. « Notre répit aura été bref, dirait-on. » Jon serra plus étroitement sa cape contre lui.

« L'hiver est presque sur nous. Le jour où j'ai quitté Braavos, il y avait de la glace sur les canaux.

— Trois de mes hommes sont passés par Braavos, il n'y a pas longtemps, lui confia Jon. Un vieux mestre, un chanteur et un jeune intendant. Ils escortaient à Villevieille une jeune sauvageonne et son enfant. Je suppose que vous ne les auriez pas vus, par le plus grand des hasards ?

— Je crains que non, messire. Des Ouestriens traversent chaque jour Braavos, mais la plupart arrivent et partent du port du Chiffonnier. Les vaisseaux de la Banque de Fer s'amarrent au port Pourpre. Si vous le souhaitez, je peux me renseigner sur leur sort quand je rentrerai chez moi.

— Inutile. Ils devraient déjà être rendus sains et saufs à Villevieille.

— Espérons-le. Le détroit est périlleux à cette époque de l'année, et dernièrement de troublants rapports ont fait état de navires étranges, parmi les Degrés de Pierre.

— Sladhor Saan ?

— Le pirate lysien ? On raconte qu'il serait de retour dans ses parages habituels, c'est exact. Et la flotte de guerre de lord Redwyne se faufile également par le Bras Cassé. Pour rentrer chez elle, certainement. Mais ces hommes et leurs navires sont connus de nous. Non, ces autres voiles... venues de plus loin à l'est, peut-être... On entend de curieuses histoires de dragons.

— Si seulement nous en avions un ici. Un dragon pourrait un peu réchauffer la situation.

— Vous plaisantez, messire. Vous me pardonnerez de ne pas rire. À Braavos, nous descendons de ceux qui ont fui Valyria et le courroux de ses seigneurs dragons. Nous ne plaisantons pas sur le chapitre des dragons. »

Non, je suppose. « Toutes mes excuses, lord Tycho.

— Elles ne sont pas nécessaires, lord Commandant. Voilà que je m'aperçois que j'ai faim. Prêter d'aussi importantes quantités d'or ouvre l'appétit. Auriez-vous la bonté de m'indiquer le chemin de votre salle à manger ?

— Je vais vous y accompagner personnellement. » Jon tendit la main. « Par ici. »

Une fois sur place, ne pas rompre le pain avec le banquier aurait manqué de courtoisie, aussi Jon envoya-t-il Satin leur chercher un repas. La tentation de voir des nouveaux venus avait attiré pratiquement tous les hommes qui n'étaient pas de quart ou en train de dormir, et la cave était bondée et chaude.

La reine elle-même était absente, de même que sa fille. Sans doute en ce moment même s'installaient-elles dans la tour du Roi. Mais ser Brus et ser Malegorn étaient présents, régalant l'assemblée des frères de nouvelles de Fort-Levant et d'au-delà de la mer. Trois dames de la reine étaient assises en un groupe, servies par leurs demoiselles de compagnie et une douzaine d'admirateurs de la Garde de Nuit.

Plus près de la porte, la Main de la Reine s'attaquait à une paire de chapons, curant la viande sur les os et arrosant de bière chaque bouchée. Lorsqu'il aperçut Jon Snow, Axell Florent envoya promener son os, s'essuya la bouche du revers de la main et approcha d'un pas dégagé. Avec ses jambes arquées, son torse en barrique et ses oreilles proéminentes, il présentait un aspect comique, mais Jon se gardait bien de rire de lui. Cet oncle de la reine Selyse avait été parmi les premiers à la suivre et à accepter le dieu rouge de Mélisandre. *S'il n'est pas un fratricide, il est ce qui en est le plus proche.* Le frère d'Axell Florent avait été brûlé par Mélisandre, l'avait informé mestre Aemon. Pourtant, ser Axell avait fait tant et moins pour s'y opposer. *Quelle sorte d'homme peut rester sans bouger, en regardant son propre frère brûler vif ?*

« Nestoris, salua Axell, et le lord Commandant. Puis-je me joindre à vous ? » Il se posa sur le banc avant qu'ils aient pu répondre. « Lord Snow, si je puis vous poser la question… cette princesse sauvageonne dont Sa Grâce le roi Stannis nous a parlé dans ses lettres… où peut-elle bien se trouver, messire ? »

À de longues lieues d'ici, se dit Jon. *Si les dieux sont bons, elle devrait déjà avoir rejoint Tormund Fléau-d'Ogres.* « Val est la sœur cadette de Della, qui était l'épouse de Mance Rayder et la mère de son fils. Le roi Stannis a capturé Val et l'enfant après la mort en couches de Della, mais elle n'est pas princesse, pas au sens où vous l'entendez. »

Ser Axell haussa les épaules. « Peu importe ce qu'elle est. À Fort-Levant, les hommes disaient la drôlesse accorte. J'aimerais en juger de mes propres yeux. Il y a de ces sauvageonnes, ma foi, qu'un homme se devrait de retourner pour pouvoir accomplir son devoir conjugal. Ne vous déplaise, lord Commandant, produisez-la, que nous lui jetions un coup d'œil.

— Ce n'est pas un cheval qu'on présente à l'inspection, ser.

— Je promets de ne pas lui compter les dents. » Florent eut un sourire. « Oh, ne craignez rien, je la traiterai avec toute la déférence qui lui est due. »

Il sait que je ne l'ai pas. Il n'y a pas de secrets, dans un village, et pas davantage à Châteaunoir. Si l'absence de Val n'était pas ouvertement évoquée, certains hommes savaient, et dans la salle commune, le soir, les frères parlaient. *Qu'a-t-il entendu dire ?* se demanda Jon. *Qu'en croit-il ?* « Pardonnez-moi, ser, mais Val ne nous rejoindra pas.

— J'irai la voir. Où gardez-vous la drôlesse ? »

Loin de toi. « Quelque part, en sécurité. Il suffit, ser. »

Le visage du chevalier s'assombrit. « Messire, auriez-vous oublié qui je suis ? » Son haleine sentait la bière et les oignons. « Dois-je parler à la reine ? Un mot de Sa Grâce et je puis faire livrer cette sauvageonne nue dans la grande salle pour notre inspection. »

Le tour de force serait joli, même pour une reine. « La reine n'abuserait jamais ainsi de notre hospitalité, répliqua Jon en espérant dire vrai. À présent, je crains de devoir prendre congé, avant que de manquer à mes devoirs d'hôte. Lord Tycho, je vous prie de m'excuser.

— Mais bien sûr, fit le banquier. Ce fut un plaisir. »

Dehors, la neige tombait de plus en plus lourdement. De l'autre côté de la cour, la tour du Roi s'était muée en une ombre massive, les chutes de neige masquant les lumières à ses fenêtres.

De retour dans ses appartements, Jon trouva le corbeau du Vieil Ours perché sur le dossier du fauteuil de chêne et de cuir, derrière la table sur tréteaux. L'oiseau commença à réclamer à manger à grands glapissements, dès l'instant où Jon entra. Dans le sac à côté de la porte, ce dernier prit une poignée de grains séchés et il les sema sur le sol, puis s'empara du fauteuil.

Tycho Nestoris avait laissé derrière lui un exemplaire de leur accord. Jon le lut trois fois. *Ça a été facile*, jugea-t-il. *Plus simple que je n'osais l'espérer. Plus simple que ça n'aurait dû.*

Il en tirait une sensation de malaise. Les subsides braaviens permettraient à la Garde de Nuit d'acheter au Sud de la nourriture quand leurs propres réserves s'épuiseraient, assez de provisions pour tenir jusqu'au terme de l'hiver, quelle que fût sa longueur.

Un hiver long et rigoureux endettera si profondément la Garde que nous ne nous en sortirons jamais, se remit Jon en tête, *mais si le choix balance entre les dettes et la mort, mieux vaut emprunter.*

Ce qui ne signifiait pas que cela lui plaisait pour autant. Et au printemps, quand viendrait l'heure de rembourser tout cet or, cela lui plairait encore moins. Tycho Nestoris lui avait donné l'impression d'être un homme cultivé et courtois, mais la Banque de Fer de Braavos avait une réputation redoutable en matière de collecte des dettes. Chacune des neuf Cités libres possédait une banque, voire plus pour certaines, qui se disputaient chaque pièce comme des chiens autour d'un os, mais la Banque de Fer était plus riche et plus puissante que toutes les autres combinées. Lorsque des princes n'honoraient pas leurs dettes auprès des banques mineures, les banquiers ruinés vendaient femmes et enfants comme esclaves et s'ouvraient les veines. Lorsque des princes ne pouvaient rembourser la Banque de Fer, de nouveaux princes surgissaient de nulle part pour leur ravir le trône.

Comme ce pauvre Tommen tout dodu va peut-être le découvrir sous peu. Sans nul doute, les Lannister avaient de bonnes raisons pour refuser d'honorer les dettes du roi Robert, mais cela restait néanmoins une folie. Si Stannis n'avait pas la nuque trop raide pour accepter leurs conditions, les Braaviens lui fourniraient tout l'or et l'argent dont il aurait besoin, une somme suffisante pour acheter une douzaine de compagnies d'épées-louées, graisser la patte de cent lords, continuer à payer, nourrir, vêtir et armer ses hommes. *Sauf si Stannis gît mort sous les remparts de Winterfell, il vient peut-être de remporter le Trône de Fer.* Il se demanda si *cela*, Mélisandre l'avait vu dans ses feux.

Jon s'enfonça dans son fauteuil, bâilla, s'étira. Demain, il rédigerait des ordres pour Cotter Pyke. *Onze vaisseaux pour Durlieu. Ramenez-en autant que vous pourrez, les femmes et les enfants d'abord.* Il était temps qu'ils hissent la voile. *Devrais-je y aller moi-même, cependant, ou laisser Cotter s'en charger* ? Le Vieil Ours avait pris la tête d'une patrouille. *Ouida. Et il n'en était jamais revenu.*

Jon ferma les yeux. Rien qu'un moment...

... et s'éveilla, raide comme une planche, avec le corbeau du Vieil Ours qui grommelait « *Snow, Snow* » et Mully qui le secouait. « M'sire, on vous demande. Vous d'mande pardon, m'sire. On a trouvé une fille.

— Une fille ? » Jon se rassit, se frottant les yeux du revers des deux mains pour chasser le sommeil. « Val ? Est-ce que Val est revenue ?

— Pas Val, m'sire. C'est d'ce côté du Mur, là. »

Arya. Jon se redressa. Ce devait être elle.

« Fille, hurla le corbeau. *Fille, fille.*

— Ty et Dannel l'ont rencontrée à deux lieues au sud d' La Mole. I' traquaient des sauvageons qu'ont décampé sur la route Royale. Ils les ont ram'nés aussi, et pis après, i' tombent sur la fille. Elle est d' la haute, m'sire, et elle vous demande.

— Combien, avec elle ? » Il alla à sa cuvette, s'éclaboussa d'eau le visage. Dieux, mais qu'il était fatigué.

« Aucun, m'sire. L'arrive toute seule. Son cheval était crevé sous elle. Rien qu'la peau et les côtes, y avait, boiteux et tout écumant. I' l'ont détaché et zont amené la fille pour l'interroger. »

Une fille grise sur un cheval agonisant. Les feux de Mélisandre n'avaient pas menti, semblait-il. Mais qu'étaient devenus Mance Rayder et ses piqueuses ? « Où est la fille, à présent ?

— Dans les appartements de mestre Aemon, m'sire. » Les hommes de Châteaunoir les appelaient encore ainsi, alors qu'à cette heure-ci, le vieux mestre devait être bien au chaud, sain et sauf à Villevieille. « La fille, l'était bleue d'froid, elle tremblait comme tout, alors Ty, l'a voulu que Clydas y jette un coup d'œil.

— C'est bien. » Jon avait l'impression d'avoir retrouvé ses quinze ans. *Petite sœur.* Il se leva et endossa sa cape.

La neige tombait toujours quand il traversa la cour avec Mully. Une aube dorée se levait à l'est, mais, à la fenêtre de lady Mélisandre dans la tour du Roi, une lueur rougeâtre continuait

de danser. *Elle ne dort donc jamais ? À quel jeu joues-tu, prêtresse ? Avais-tu confié à Mance une autre tâche ?*
Il voulait croire que ce serait Arya. Il voulait revoir son
visage, lui sourire et lui ébouriffer les cheveux, lui dire qu'elle
était en sécurité. *Mais elle ne le sera pas. Winterfell est incendiée et détruite, il n'y a plus de lieux sûrs.*
Il ne pouvait pas la garder ici avec lui, malgré toute l'envie
qu'il en avait. Le Mur n'était pas un lieu pour une femme, et
encore moins pour une jeune fille de noble naissance. Pas question non plus de la confier à Stannis ou à Mélisandre. Le roi
ne songerait qu'à la marier avec un de ses hommes, Horpe ou
Massey ou Godry Mort-des-Géants, et seuls les dieux savaient
à quel usage la femme rouge pourrait vouloir l'employer.
La meilleure solution qu'il vît consistait à l'expédier à Fort-
Levant, en demandant à Cotter Pyke de la placer sur un navire
en partance pour quelque part, de l'autre côté de la mer, hors
d'atteinte de tous ces rois querelleurs. On devrait attendre que
tous les navires soient revenus de Durlieu, bien entendu. *Elle
pourrait rentrer à Braavos avec Tycho Nestoris. Peut-être la
Banque de Fer pourrait-elle aider à trouver une noble famille
pour la recueillir.* Braavos était la Cité libre la plus proche,
cependant... Ce qui rendait le choix à la fois le meilleur et le
pire. *Lorath ou Port-Ibben pourraient être plus sûrs.* Où qu'il
l'envoie, cependant, Arya aurait besoin d'argent pour vivre,
d'un toit au-dessus de sa tête, de quelqu'un pour la protéger.
Ce n'était qu'une enfant.
Les anciens appartements de mestre Aemon étaient si chauds
que le subit nuage de buée quand Mully ouvrit la porte suffit
à les aveugler tous les deux. À l'intérieur, un nouveau feu flambait dans l'âtre, les bûches crépitant et crachotant. Jon enjamba
une jonchée de vêtements trempés. « *Snow, Snow, Snow* »,
croassèrent d'en haut les corbeaux. La fille était recroquevillée
près du feu, enveloppée dans une cape de laine noire trois fois
plus vaste qu'elle, et elle dormait à poings fermés.
Elle ressemblait assez à Arya pour faire hésiter Jon, mais un
instant seulement. Une fille de grande taille, maigre et dégin-
gandée, toute en jambes et en coudes, aux cheveux bruns noués

en une tresse épaisse et retenus par des bandelettes de cuir. Elle avait un visage allongé, un menton pointu, de petites oreilles. Mais elle était trop vieille, bien trop vieille. *Cette fille a presque mon âge.* « Est-ce qu'elle a mangé ? demanda Jon à Mully.

— Rien que du pain et un bouillon, messire. » Clydas se leva d'un fauteuil. « Il vaut mieux procéder lentement, comme disait toujours mestre Aemon. Un peu plus, et elle ne l'aurait peut-être pas digéré. »

Mully opina. « Dannel avait une des saucisses de Hobb et lui en a proposé une bouchée, mais elle en a pas voulu. »

Jon ne pouvait lui en faire grief. Les saucisses de Hobb se composaient de lard, de sel et d'ingrédients auxquels mieux valait ne pas trop réfléchir. « Peut-être devrions-nous la laisser se reposer. »

C'est alors que la fille se redressa, serrant la cape contre ses petits seins pâles. Elle parut désorientée. « Où… ?

— Châteaunoir, madame.

— Le Mur. » Ses yeux s'emplirent de larmes. « J'y suis arrivée. »

Clydas s'approcha. « Ma pauvre enfant. Quel âge avez-vous ?

— Seize ans à mon prochain anniversaire. Et je ne suis pas une enfant, mais une femme faite et fleurie. » Elle bâilla, couvrit sa bouche avec la cape. Un genou nu pointa à travers ses replis. « Vous ne portez pas de chaîne. Vous êtes un mestre ?

— Non, répondit Clydas. Mais j'ai été au service de l'un d'eux. »

C'est vrai qu'elle ressemble un peu à Arya, songea Jon. *Affamée et amaigrie, mais elle a des cheveux de la même couleur, et les yeux.* « On m'apprend que vous m'avez demandé. Je suis…

— … Jon Snow. » La fille rejeta sa tresse en arrière. « Ma maison et la vôtre sont liées par le sang et l'honneur. Écoutez-moi, parent. Mon oncle Cregan est lancé à mes trousses. Vous ne devez pas le laisser me ramener à Karhold. »

Jon la dévisageait. *Je connais cette fille.* Il y avait *quelque chose* dans ses yeux, dans sa façon de se tenir, de parler. Un instant, le souvenir lui échappa. Puis lui revint. « Alys Karstark. »

Cela amena le fantôme d'un sourire aux lèvres de la fille. « Je n'étais pas sûre que vous vous souviendriez. J'avais six ans, la dernière fois que vous m'avez vue.

— Vous êtes venue à Winterfell avec votre père. » *Le père qu'a décapité Robb.* « Je ne me souviens plus pourquoi. » Elle rougit. « Afin que je rencontre votre frère. Oh, il y avait un autre prétexte, mais c'était la raison véritable. J'avais presque le même âge que Robb, et mon père jugeait que nous pourrions faire un beau couple. Il y a eu un banquet. J'ai dansé avec vous et avec votre frère. Lui, il a été très courtois et m'a dit que je dansais très bien. Vous, vous avez été bourru. Mon père a dit qu'il fallait s'y attendre, avec un bâtard.

— Je me souviens. » Il ne mentait qu'à moitié.

« Vous êtes encore un peu bourru, dit la fille, mais je vous pardonne, si cela peut me sauver de mon oncle.

— Votre oncle... s'agirait-il de lord Arnolf ?

— Il n'est pas lord, répliqua Alys avec mépris. Le lord légitime est mon frère Harry et, par la loi, je suis son héritière. Une fille a préséance sur un oncle. L'oncle Arnolf est un simple gouverneur. En fait, c'est mon grand-oncle, l'oncle de *mon père*. Cregan est son fils. Je suppose que ça fait de lui mon cousin, mais nous l'avons toujours appelé oncle. Et à présent, ils se sont mis en tête de me le faire appeler époux. » Elle serra le poing. « Avant la guerre, j'étais promise à Daryn Corbois. Nous attendions simplement ma floraison pour nous marier, mais le Régicide a tué Daryn au Bois-aux-Murmures. Mon père m'a écrit qu'il me trouverait un lord sudier à épouser, mais il ne l'a jamais fait. Votre frère Robb lui a coupé la tête pour avoir tué des Lannister. » Sa bouche se tordit. « Il me semblait que la seule raison pour laquelle nous avions marché vers le Sud était de tuer des Lannister.

— Ce n'était pas... aussi simple. Lord Karstark a tué deux prisonniers, madame. Des garçons désarmés, des écuyers dans une cellule. »

Elle n'en parut pas surprise. « Mon père n'a jamais autant beuglé que le Lard-Jon, mais son ire n'en était pas moins dangereuse. Et il est mort, maintenant, lui aussi. Comme votre frère. Mais nous sommes encore en vie, vous et moi. Y a-t-il querelle de sang entre nous, lord Snow ?

— Quand un homme prend le noir, il laisse derrière lui ses querelles. La Garde de Nuit n'a aucune querelle avec Karhold, ni avec vous.

— Bien. Je craignais... J'ai supplié mon père de laisser un de mes frères comme gouverneur, mais aucun d'eux n'aurait voulu manquer la gloire et les rançons à remporter dans le Sud. À présent, Torr et Edd sont morts. Aux dernières nouvelles que nous avons eues, Harry était prisonnier à Viergétang, mais c'était il y a presque un an. Il se peut qu'il soit mort lui aussi. Je ne savais plus où me tourner, sinon vers le dernier fils d'Eddard Stark.

— Pourquoi pas le roi ? Karhold s'est déclaré pour Stannis.

— Mon *oncle* s'est déclaré pour Stannis, dans l'espoir de pousser les Lannister à prendre la tête de ce pauvre Harry. Si mon frère venait à périr, Karhold m'échoirait, mais mes oncles guignent mon héritage pour s'en emparer. Dès que Cregan m'aura fait un enfant, ils n'auront plus besoin de moi. Il a déjà enterré deux épouses. » Elle essuya une larme avec colère, comme Arya aurait pu le faire. « Voulez-vous m'aider ?

— Les affaires de mariages et d'héritages concernent le roi, madame. J'écrirai en votre nom à Stannis, mais... »

Alys Karstark éclata de rire, mais c'était un rire de découragement. « Écrivez, mais n'attendez point de réponse. Stannis sera mort avant que de recevoir votre message. Mon oncle y veillera.

— Que voulez-vous dire ?

— Arnolf se hâte vers Winterfell, certes, mais uniquement afin de planter son poignard dans le dos de votre roi. Il a depuis longtemps embrassé le parti de Roose Bolton... Pour l'or, la promesse d'un pardon et la tête de ce pauvre Harry. Lord Stannis court au massacre. Aussi ne peut-il m'aider, et ne le ferait point, même s'il le pouvait. » Alys s'agenouilla devant lui, agrippant la cape noire. « Vous êtes mon seul espoir, lord Snow. Au nom de votre père, je vous en supplie. Protégez-moi. »

LA PETITE AVEUGLE

Ses nuits étaient éclairées par des étoiles lointaines et le reflet du clair de lune sur la neige, mais à chaque aube elle s'éveillait aux ténèbres.

Elle ouvrit les yeux et fixa en aveugle le noir qui l'enveloppait, son rêve s'effaçant déjà. *Si beau.* Elle s'humecta les lèvres, en se souvenant. Le bêlement des moutons, la terreur dans les yeux du berger, le bruit produit par les chiens tandis qu'elle les tuait un par un, les grondements de sa meute. Le gibier était plus rare depuis les premières neiges, mais la nuit dernière ils avaient fait bombance. De l'agneau, du chien, du mouton et la chair d'un homme. Certains de ses petits cousins gris craignaient les hommes, même morts, mais pas elle. La viande était de la viande, et les hommes étaient du gibier. Elle était la louve des nuits.

Mais uniquement dans ses rêves.

La petite aveugle roula sur le côté, s'assit, se mit debout d'un bond, s'étira. Sa couche était un matelas bourré de chiffons sur un bat-flanc de pierre froide et elle était toujours courbatue et raide au réveil. Elle alla à sa cuvette, sur de petits pieds nus et calleux, silencieuse comme une ombre, s'aspergea le visage d'eau fraîche, puis s'essuya. *Ser Gregor*, ressassa-t-elle. *Dunsen, Raff Tout-Miel, ser Ilyn, ser Meryn, la reine Cersei.* Sa prière du matin. Vraiment ? *Non*, rectifia-t-elle, *pas la mienne. Je ne suis personne. c'est la prière de la louve des nuits. Un jour, elle les retrouvera, les traquera, humera leur peur, savourera leur sang. Un jour.*

Elle localisa son petit linge en tas, le renifla pour s'assurer que ses dessous étaient assez propres pour les porter, les enfila dans les ténèbres. Sa tenue de servante pendait à l'endroit où elle l'avait accrochée – une longue tunique en laine écrue rêche, qui grattait. Elle la fit claquer et l'enfila par-dessus sa tête en un seul mouvement fluide et exercé. Les bas passèrent en dernier. Un noir et un blanc. Le noir portait des points de couture tout en haut, le blanc aucun ; elle pouvait les différencier au toucher, s'assurer qu'elle enfilait chacun sur le bon pied. Si maigres qu'elles fussent, ses jambes avaient de la vigueur et du ressort, et s'allongeaient chaque jour. Elle s'en félicitait. Un danseur d'eau avait besoin de bonnes jambes. Beth l'aveugle n'était pas danseuse d'eau, mais elle ne serait pas éternellement Beth.

Elle connaissait le chemin des cuisines, mais son nez l'y aurait conduite, même dans le cas contraire. *Piments et poisson frit*, jaugea-t-elle, humant en remontant le couloir, *et du pain frais sorti du four d'Umma*. Ces fumets lui faisaient gronder l'estomac. La louve des nuits s'était repue, mais cela ne remplissait pas le ventre de la petite aveugle. La viande des rêves ne nourrissait pas, elle l'avait tôt appris.

Elle déjeuna de sardines, frites dans de l'huile de piment et servies si chaudes qu'on s'y brûlait les doigts. Elle sauça le fond d'huile avec un quignon de pain arraché à la miche matinale d'Umma et arrosa le tout d'un gobelet de vin coupé d'eau, savourant les goûts et les odeurs, le contact rugueux de la croûte du pain sous ses doigts, l'onctuosité de l'huile, la piqûre du piment quand il entra dans l'écorchure à demi guérie sur le dos de sa main. *Écoute, renifle, goûte, palpe*, se répéta-t-elle. *Il y a bien des façons de connaître le monde pour ceux qui ne voient pas.*

Quelqu'un était entré dans la pièce derrière elle, se déplaçant sur des sandales souples et matelassées dans un silence de souris. Les narines de l'aveugle se dilatèrent. *L'homme plein de gentillesse.* Les hommes avaient une odeur différente des femmes, et il y avait dans l'air un soupçon d'orange, au surplus. Le prêtre aimait à mâcher des écorces d'orange pour s'adoucir l'haleine, chaque fois qu'il en trouvait.

« Et qui es-tu, ce matin ? » l'entendit-elle demander, tandis qu'il prenait son siège en bout de table. *Tac-tac*, entendit-elle, puis un minuscule craquement. *Il casse son premier œuf.*

« Personne, répondit-elle.

— Mensonge. Je te connais. Tu es la petite mendiante aveugle.

— Beth. » Elle avait connu une Beth, autrefois, à Winterfell, quand elle était Arya Stark. Peut-être était-ce pour cela qu'elle avait choisi ce nom. Ou peut-être simplement parce qu'il se mariait si bien au mot *aveugle*.

« Pauvre enfant, dit l'homme plein de gentillesse. Voudrais-tu retrouver tes yeux ? Demande, et tu verras. »

Il posait chaque matin la même question. « Je les voudrai peut-être demain. Pas aujourd'hui. » Elle avait un visage d'eau dormante, qui cache tout et ne révèle rien.

« Comme tu voudras. » Elle l'entendit écaler l'œuf ; puis un léger tintement argentin quand il prit la cuillère à sel. Il aimait ses œufs bien salés. « Où ma pauvre petite aveugle est-elle allée mendier hier soir ?

— À l'auberge de L'Anguille verte.

— Et quelles sont les trois nouveautés que tu sais et que tu ne savais pas la dernière fois que tu nous as quittés ?

— Le Seigneur de la Mer est toujours malade.

— Ce n'est pas une nouveauté. Le Seigneur de la Mer était malade hier, et il le sera encore demain.

— Ou mort.

— Quand il sera mort, ce sera une nouveauté. »

Quand il sera mort, il faudra choisir, et alors, les couteaux sortiront. Ainsi en allait-il à Braavos. À Westeros, à un roi mort succédait son fils aîné, mais les Braaviens n'avaient pas de rois.

« Tormo Fregar sera le nouveau Seigneur de la Mer.

— Est-ce là ce qu'on raconte à l'auberge de L'Anguille verte ?

— Oui. »

L'homme plein de gentillesse mordit dans son œuf. La fille l'entendit mastiquer. Il ne parlait jamais la bouche pleine. Il déglutit et dit : « Certains prétendent qu'il y a de la sagesse dans le vin. Ceux-là sont des imbéciles. Dans d'autres auberges, on murmure d'autres noms, n'en doute pas. » Il mordit de nouveau dans l'œuf, mastiqua, avala. « Quelles sont les trois nouveautés que tu *sais*, et que tu ne savais pas avant ?

— Je *sais* que certains *disent* que Tormo Fregar sera à coup sûr le prochain Seigneur de la Mer, répondit-elle. Des ivrognes.

— C'est mieux. Et que sais-tu d'autre ? »

Il neige sur le Conflans, à Westeros, faillit-elle répondre. Mais il lui aurait demandé comment elle le savait, et elle ne pensait pas qu'il apprécierait sa réponse. Elle se mordilla la lèvre, passant en revue la soirée de la veille. « La catin S'vrone porte un enfant. Elle n'est pas sûre du père, mais elle croit que ce pourrait être l'épée-louée tyroshie qu'elle a tuée.

— C'est bon à savoir. Quoi d'autre ?

— La Reine des Tritons a choisi une nouvelle Sirène pour remplacer celle qui s'est noyée. C'est la fille d'une servante des Prestayn, treize ans, désargentée, mais jolie.

— Elles le sont toutes, au départ, déclara le prêtre, mais tu ne peux savoir qu'elle est jolie, à moins de l'avoir vue de tes propres yeux, et tu n'en as pas. Qui es-tu, enfant ?

— Personne.

— Beth l'aveugle, la petite mendiante, voilà qui je vois. Une piètre menteuse, celle-là. Va effectuer tes tâches. *Valar morghulis.*

— *Valar dohaeris.* » Elle ramassa son bol et son gobelet, son couteau et sa cuillère, et se remit debout. En dernier lieu, elle empoigna son bâton. Il mesurait cinq pieds de long, était mince et souple, épais comme son pouce, avec du cuir pour envelopper la hampe à un pied du sommet. *Mieux que des yeux, une fois qu'on apprend à s'en servir,* lui avait assuré la gamine abandonnée.

C'était un mensonge. Ils lui mentaient souvent, pour la mettre à l'épreuve. Aucun bâton ne valait une paire d'yeux. Mais c'était un bon instrument à avoir, aussi le gardait-elle toujours près d'elle. Umma avait pris l'habitude de l'appeler la Canne, mais les noms n'avaient pas d'importance. Elle était elle. *Personne. Je ne suis personne. Rien qu'une petite aveugle, une servante de Celui-qui-a-Maints-Visages.*

Chaque soir, au repas, la gamine abandonnée lui apportait une coupe de lait en lui disant de l'avaler. La boisson avait un drôle de goût, une amertume que la petite aveugle avait vite appris à détester. Même la légère odeur qui la mettait en garde sur sa nature avant que le liquide touche sa langue lui donnait vite envie de vomir, mais elle vidait sa coupe quand même. « Combien de temps dois-je rester aveugle ? demandait-elle.

— Jusqu'à ce que les ténèbres te soient aussi douces que la lumière, répondait la gamine abandonnée, ou jusqu'à ce que tu nous demandes tes yeux. Demande et tu verras. »

Et ensuite, vous me renverrez. Mieux valait être aveugle. Ils ne la feraient pas céder.

Le jour où elle s'était réveillée aveugle, elle avait été prise par la main par la gamine abandonnée et conduite par les caves et les tunnels du roc sur lequel était bâtie la Demeure du Noir et du Blanc, au sommet de degrés escarpés jusqu'au temple proprement dit. « Compte les marches en montant, lui avait recommandé la gamine. Laisse tes doigts effleurer le mur. Il y a des marques, là, invisibles à l'œil, mais claires au toucher. »

Ce fut sa première leçon. Il y en avait eu bien d'autres.

Les après-midi étaient consacrés aux poisons et aux potions. Elle avait l'odorat, le toucher et le goût pour l'aider, mais le toucher et le goût pouvaient être dangereux quand on pile des poisons et, avec certaines des concoctions les plus toxiques de la gamine, même l'odorat était rien moins que sûr. Les bouts de petit doigt brûlés et les cloques aux lèvres lui devinrent familiers et, un jour, elle s'était rendue si malade qu'elle n'avait pu garder de nourriture plusieurs jours durant.

Le dîner était dévolu aux cours de langues. La petite aveugle comprenait le braavien et le parlait de façon passable, elle avait même perdu la plus grosse partie de son accent barbare, mais l'homme plein de gentillesse n'était pas satisfait. Il insistait pour qu'elle améliorât son haut valyrien et apprît aussi les langues de Lys et de Pentos.

Le soir, elle jouait aux mensonges avec la gamine, mais sans yeux pour voir, le jeu était bien différent. Parfois, elle ne pouvait se fonder que sur le ton de la voix et sur le choix des mots ; d'autres fois, la gamine abandonnée l'autorisait à poser les mains sur son visage. Au début, le jeu était bien plus difficile, pratiquement impossible... Mais juste au moment où elle était prête à hurler de frustration, tout devint beaucoup plus facile. Elle apprit à *entendre* les mensonges, à les détecter dans le jeu des muscles autour de la bouche et des yeux.

Nombre de ses autres tâches n'avaient pas varié, mais en y vaquant, elle trébuchait contre les meubles, se cognait dans les murs, laissait choir les plateaux et se perdait totalement, irrémédiablement, à l'intérieur du temple. Une fois, elle avait failli basculer la tête la première dans l'escalier, mais dans une autre existence Syrio Forel lui avait enseigné l'équilibre, lorsqu'elle était la fille nommée Arya, et sans savoir comment, elle se reprit et se rattrapa à temps.

Certaines nuits, elle aurait pu s'endormir en pleurant, si elle avait encore été Arry, Belette ou Cat, ou même Arya de la maison Stark... Mais pour personne, pas de larmes. Sans yeux, même la tâche la plus simple devenait périlleuse. Vingt fois elle se brûla en travaillant avec Umma aux cuisines. Une fois, en coupant les oignons, elle s'entama le doigt jusqu'à l'os. À deux reprises, incapable de retrouver sa propre chambre dans la cave, elle dut dormir par terre, au pied des marches. Tous les recoins et les alcôves rendaient le temple traître, même après que la petite aveugle eut appris à utiliser ses oreilles ; la façon dont ses pas se répercutaient contre le plafond et résonnaient autour des jambes des trente hautes statues des dieux donnait l'impression que les murs eux-mêmes se mouvaient, et le bassin d'eau noire et immobile jouait également d'étranges tours avec le son.

« Tu as cinq sens, avait dit l'homme plein de gentillesse. Apprends à te servir des quatre autres, tu recevras moins d'estafilades, d'égratignures et de croûtes. »

Elle sentait désormais les courants d'air sur sa peau. Elle pouvait localiser les cuisines à l'odeur, différencier à leur parfum les hommes des femmes. Elle reconnaissait Umma, les serviteurs et les acolytes à la cadence de leurs pas, pouvait les distinguer les uns des autres avant qu'ils s'approchent assez pour les flairer (mais pas la gamine ou l'homme plein de gentillesse, qui ne faisaient presque aucun bruit, à moins de le vouloir).

Les cierges qui brûlaient dans le temple avaient aussi leurs arômes ; même ceux qui n'étaient pas parfumés laissaient échapper de leurs mèches de légères fumerolles. Ils auraient tout aussi bien pu crier, une fois qu'elle eut appris à utiliser son nez.

Les morts aussi avaient leurs relents. Une des corvées de la petite aveugle consistait à les trouver dans le temple chaque matin, partout où ils avaient choisi de s'étendre et de fermer les yeux après avoir bu au bassin.

Ce matin-là, elle en découvrit deux.

Un homme était mort au pied de l'Étranger, une unique chandelle vacillant au-dessus de lui. La petite aveugle sentait sa chaleur, et l'odeur qu'elle dégageait lui chatouillait les narines. Le cierge, elle le savait, brûlait avec une flamme rouge sombre ; pour ceux qui avaient des yeux, le cadavre aurait paru baigné d'une lueur rubiconde. Avant d'appeler les serviteurs pour qu'ils l'emportent, elle s'agenouilla et palpa le visage du mort, suivant la ligne de sa mâchoire, caressant des doigts ses joues et son nez, touchant ses cheveux. *Des cheveux frisés et épais. Un visage séduisant, sans rides. Il était jeune.* Elle se demanda ce qui l'avait amené ici en quête du don de mort. Souvent, des spadassins agonisants prenaient le chemin de la Demeure du Noir et du Blanc pour hâter leur trépas, mais cet homme ne portait aucune blessure qu'elle pût détecter.

Le deuxième corps était celui d'une vieille femme. Elle s'était endormie sur une banquette de rêve, dans l'une des alcôves cachées où des cierges spéciaux invoquaient des visions de choses aimées et perdues. Une mort agréable, et douce, avait coutume de dire l'homme plein de gentillesse. Les doigts de la petite aveugle lui apprirent que la vieille avait expiré un sourire au visage. Elle n'était pas morte depuis longtemps. Son corps était encore tiède au contact. *Elle a la peau si douce, comme un vieux cuir mince qu'on a plié et ridé mille fois.*

Quand les serviteurs arrivèrent pour emporter le cadavre, la petite aveugle les suivit. Elle se laissa guider par le bruit de leurs pas, mais lorsqu'ils descendirent, elle compta. Elle connaissait par cœur le décompte de toutes les marches. Sous le temple existait un dédale de caves et de tunnels où même des hommes avec deux bons yeux se perdaient souvent, mais la petite aveugle en avait appris chaque pouce, et elle avait son bâton pour l'aider à retrouver son chemin, si sa mémoire devait être prise en défaut.

On étendit les cadavres dans la crypte. La petite aveugle se mit à l'ouvrage dans le noir, dépouillant les morts de leurs chaussures, vêtements et autres possessions, vidant leur bourse et comptant leurs pièces. Distinguer une pièce d'une autre au seul toucher était une des premières choses que lui avait enseignées la gamine, après qu'on lui eut ôté ses yeux. Les monnaies braaviennes étaient de vieilles amies ; elle n'avait besoin que de frôler du bout des doigts leur avers pour les reconnaître. Les pièces d'autres pays étaient plus difficiles, en particulier celles qui venaient de loin. Les honneurs volantains étaient les plus courants, de petites monnaies pas plus grosses qu'un sol, avec une couronne d'un côté et un crâne de l'autre. Les espèces lysiennes, ovales, représentaient une femme nue. D'autres pièces étaient frappées de navires, d'éléphants ou de chèvres. Celles de Westeros portaient une tête de roi sur l'avers et un dragon au revers.

La vieille n'avait pas de bourse, pas la moindre richesse, sinon un anneau à un doigt maigre. Sur le bel homme, elle trouva quatre dragons d'or de Westeros. Elle laissait courir le charnu de son pouce sur le plus usé, en essayant de décider quel roi il représentait, quand elle entendit la porte s'ouvrir doucement derrière elle.

« Qui va là ? demanda-t-elle.

— Personne. » La voix était grave, dure, froide.

Et se déplaçait. La petite aveugle fit un pas de côté, saisit son bâton et le leva sèchement pour se protéger le visage. Du bois claqua contre le bois. La force du coup faillit lui arracher le bâton des mains. Elle tint bon, frappa en retour... et ne rencontra que le vide à l'endroit où il aurait dû être. « Pas là, dit la voix. Tu es aveugle ? »

Elle ne répondit pas. Parler ne servirait qu'à brouiller les sons qu'il pouvait produire. Il se déplaçait, elle le savait. *À droite ou à gauche ?* Elle sauta sur la gauche, balança son bâton à droite, ne rencontra rien. Un cuisant coup de taille par-derrière la frappa à l'arrière des jambes. « Tu es sourde ? » Elle pivota, bâton à la main gauche, tournoyant, manquant son coup. Sur sa gauche elle entendit un bruit de rire. Elle frappa à droite. Cette fois-ci, le coup porta. Son bâton choqua celui de l'homme. L'impact envoya une secousse dans le bras de la petite aveugle. « Bien », commenta la voix.

La petite aveugle ne savait pas à qui appartenait la voix. Un des acolytes, supposait-elle. Elle ne se souvenait pas avoir jamais entendu cette voix auparavant, mais qui pouvait dire si les serviteurs du dieu Multiface ne changeaient pas de voix aussi aisément que de visage ? À part elle, la Demeure du Noir et du Blanc abritait deux serviteurs, trois acolytes, Umma la cuisinière et les deux prêtres qu'elle avait baptisés la gamine abandonnée et l'homme plein de gentillesse. D'autres allaient et venaient, parfois par des issues secrètes, mais il n'y avait que ceux-là qui vivaient ici. Son ennemi pouvait être n'importe lequel d'entre eux.

La jeune fille fila sur un côté, son bâton virevoltant, entendit un son derrière elle, pivota dans cette direction et frappa le vide. Et tout de suite, son propre bâton se retrouva entre ses jambes, les embarrassant alors qu'elle tentait de tourner de nouveau, lui écorchant le tibia. Elle trébucha et tomba sur un genou, si durement qu'elle se mordit la langue.

Là, elle se figea. *Immobile comme la pierre. Où est-il ?*

Derrière elle, il rit. Il la tapa sèchement sur une oreille, puis lui frappa les phalanges alors qu'elle cherchait à se relever. Le bâton tomba à grand bruit sur la pierre. Elle poussa un sifflement de fureur.

« Vas-y. Ramasse-le. J'ai fini de te rosser pour aujourd'hui.

— Personne ne me rosse. » La fillette avança à quatre pattes jusqu'à ce qu'elle eût retrouvé son bâton, puis se remit debout d'un bond, meurtrie et sale. La crypte était immobile et silencieuse. Il avait disparu. Vraiment ? Il se tenait peut-être juste à côté d'elle sans qu'elle en sût rien. *Écoute sa respiration*, se dit-elle, mais il n'y avait rien. Elle laissa passer encore un moment, puis déposa son bâton et reprit son ouvrage. *Si j'avais mes yeux, je le laisserais en sang.* Un jour, l'homme plein de gentillesse les lui rendrait, et elle leur montrerait, à tous.

Le cadavre de la vieille était frais, à présent, le corps du spadassin raidissait. La fille avait l'habitude. Presque tous les jours, elle passait plus de temps avec les morts qu'avec les vivants. Ses amis du temps où elle était Cat des Canaux lui manquaient ; le vieux Brusco avec son mal de dos, ses filles, Talea et Brea, les histrions du *Navire*, Merry et ses putains au Havre-Heureux, toutes les autres fripouilles et canailles des quais. C'était par-dessus tout Cat elle-même qui lui manquait, plus encore que ses yeux. Elle avait aimé être Cat, plus qu'elle n'avait aimé être Saline, Pigeonneau, Belette ou Arry. *En tuant ce chanteur, j'ai tué Cat.* L'homme plein de gentillesse lui avait confié qu'ils lui auraient ôté ses yeux de toute façon, pour l'aider à apprendre à utiliser ses autres sens, mais pas avant six mois. Les acolytes aveugles étaient monnaie courante dans la Demeure du Noir et du Blanc, mais peu à un aussi jeune âge qu'elle. La fillette ne regrettait pas, cependant. Dareon était un déserteur de la Garde de Nuit ; il méritait de mourir.

Elle en avait dit autant à l'homme plein de gentillesse. « Tu es donc un dieu, pour décider de qui doit vivre et qui doit mourir ? lui demanda-t-il. Nous offrons le don à ceux qu'a marqués Celui-qui-a-Maints-Visages, après des prières et des sacrifices. Il en a toujours été ainsi, depuis le début. Je t'ai conté la fondation de notre ordre, la façon dont le premier d'entre nous a répondu aux prières des esclaves qui demandaient la mort. Au début, le don n'était accordé qu'à ceux qui le réclamaient... Mais un jour, le premier d'entre nous a entendu un esclave prier non pour sa propre mort, mais pour celle de son maître. Il la souhaitait avec une telle ferveur qu'il offrit tout ce qu'il possédait, afin que sa prière fût exaucée. Et il apparut à notre premier frère que ce sacrifice plairait à Celui-qui-a-Maints-Visages, si bien que cette nuit-là il exauça la prière. Ensuite, il alla voir l'esclave et lui dit : "Tu as offert tout ce que tu possédais pour la mort de cet homme, mais les esclaves ne possèdent rien d'autre que leur vie. Voilà ce que le dieu désire de toi. Pour le reste de tes jours sur cette terre, tu le serviras." Et dès lors, ils furent deux. » La main de l'homme se referma autour du bras de la petite aveugle, avec douceur, mais fermeté. « Tous les hommes doivent mourir. Nous ne sommes que les instruments de la mort, et non point la mort même. En tuant ce chanteur, tu t'es parée des pouvoirs de dieu. Nous tuons les hommes, mais nous n'avons pas la présomption de les juger. Comprends-tu ?»

Non, pensa-t-elle. « Oui, dit-elle.

— Tu mens. Et voilà pourquoi tu dois désormais marcher dans les ténèbres jusqu'à ce que tu trouves la voie. À moins que tu ne désires nous quitter. Il te suffit de demander, et tu pourras recouvrer tes yeux.»

Non, pensa-t-elle. « Non », dit-elle.

Ce soir-là, après dîner et une courte session à jouer aux mensonges, la petite aveugle attacha autour de sa tête une bande de chiffon pour cacher ses yeux inutiles, trouva son écuelle de mendiante et pria la gamine de l'aider à adopter le visage de Beth. La gamine lui avait rasé la tête quand ils lui avaient ôté les yeux ; une coupe de baladin, appelait-elle cela, car nombre d'acteurs agissaient de même afin que leurs perruques s'ajustassent mieux. Mais cela convenait aussi aux mendiants et aidait à préserver leur crâne des puces et des poux. Il lui fallait plus qu'une perruque, cependant. « Je pourrais te couvrir de plaies purulentes, annonça la gamine, mais ensuite, aubergistes et taverniers te chasseraient de leur pas de porte. » Elle la dota plutôt de cicatrices de vérole et d'une verrue de baladin sur une joue, avec un poil noir qui en saillait. « C'est laid ? voulut savoir l'aveugle.

— Ce n'est pas joli.

— Parfait. » Elle ne s'était jamais souciée d'être jolie, même quand elle était cette idiote d'Arya Stark. Seul son père l'avait ainsi qualifiée. *Lui, et Jon Snow, parfois.* Sa mère avait coutume de dire qu'elle *pourrait* être jolie si elle voulait bien se laver, se brosser les cheveux et prendre plus soin de sa mise, comme le faisait sa sœur. Pour sa sœur, les amis de sa sœur et tous les autres, elle avait simplement été Arya la Ganache. Mais ils étaient tous morts, désormais, même Arya, tout le monde sauf son demi-frère Jon. Certaines nuits, elle entendait parler de lui, dans les tavernes et les bordels du port du Chiffonnier. Le Bâtard Noir du Mur, l'avait appelé quelqu'un. *Même Jon ne reconnaîtrait jamais Beth l'aveugle, je parie.* Cette idée l'attrista.

Pour vêtements, elle portait des haillons, fanés et élimés ; des haillons chauds et propres, néanmoins. Par-dessous, elle cachait trois poignards – un dans une botte, un dans sa manche et un dans un fourreau au creux de ses reins. Dans l'ensemble, les Braaviens étaient un peuple obligeant, plus enclin à aider la pauvre petite aveugle qu'à lui vouloir du mal, mais il existait toujours des crapules qui verraient en elle une cible aisée pour un vol ou un viol. Les lames leur étaient réservées, bien que, jusqu'ici, la petite aveugle n'ait pas eu à y recourir. Une sébile de bois fendu et une corde de chanvre pour ceinture en complétaient sa tenue.

Elle s'en fut tandis que le Titan rugissait la venue du couchant et, au sortir de la porte du temple, descendit les marches en les comptant, puis elle tapota de sa canne jusqu'au pont qui lui fit franchir le canal vers l'île des Dieux. Elle sentait que le brouillard était épais à cette façon poisseuse qu'avaient ses vêtements de lui coller à la peau, et à l'humidité de l'air sur ses mains nues. Les brouillards de Braavos jouaient des tours bizarres avec les sons, elle l'avait découvert. *La moitié de la ville sera à moitié aveugle, cette nuit.*

Longeant les temples, elle entendit les acolytes de la Secte de la Sagesse étoilée au sommet de leur tour des visions, chantant aux étoiles du soir. Un filet de fumée aromatique était suspendu dans l'air, l'attirant par un trajet tortueux jusqu'à l'endroit où les prêtres rouges avaient allumé les grands braseros de fer, devant la demeure du Maître de la Lumière. Bientôt, elle perçut même la chaleur dans l'air, tandis que les fidèles de R'hllor le Rouge élevaient leurs voix en prières, psalmodiant : « *Car la nuit est sombre et pleine de terreurs.* »

Pas pour moi. Ses nuits étaient baignées de lune et remplies des chants de sa meute, avec le goût de la viande rouge arrachée à l'os, les odeurs chaudes et familières de ses cousins gris. Elle n'était seule et aveugle que pendant le jour.

Elle n'était pas étrangère au front de quai. Cat avait souvent arpenté les docks et les ruelles du port du Chiffonnier afin de vendre des huîtres, des palourdes et des coques pour Brusco.

Avec son chiffon, son crâne rasé et son poireau, elle ne ressemblait plus à ce qu'elle avait été à l'époque, mais, par simple précaution, elle garda ses distances avec le Bateau et le Havre-Heureux, et les autres lieux où l'on avait bien connu Cat.

Elle identifiait chaque auberge et chaque taverne à son odeur. Le Chalandier noir sentait la saumure. Chez Pynto, ça empestait le vin aigre, le fromage puant et Pynto lui-même, qui ne changeait jamais de vêtements ni ne se lavait les cheveux. Au ravaudeur de voiles, l'air enfumé s'épiçait en permanence des arômes de la viande en train de rôtir. La Maison des sept lampes embaumait l'encens, Le Palais de satin le parfum de jolies donzelles qui rêvaient de devenir des courtisanes.

Chaque lieu avait aussi ses sons propres. Chez Moroggo et à l'auberge de L'Anguille verte, des chanteurs se produisaient presque chaque soir. À l'auberge du Proscrit, c'étaient les clients eux-mêmes qui se chargeaient des chansons, avec des voix avinées, en une cinquantaine de langues. La Maison des brumes était toujours envahie de perchistes descendus de leurs barques serpents, pour discuter des dieux et des courtisanes, et débattre si le Seigneur de la Mer était oui ou non un imbécile. Le Palais de satin était beaucoup plus paisible, un lieu de tendresses chuchotées, de doux froissements de robes en soie et de petits rires de filles.

Beth allait mendier dans un établissement différent chaque nuit. Elle avait vite appris qu'aubergistes et taverniers étaient plus enclins à tolérer sa présence si elle n'était pas un épisode fréquent. La nuit précédente, elle l'avait passée devant l'auberge de L'Anguille verte, aussi ce soir obliqua-t-elle à droite plutôt qu'à gauche après le pont Sanglant et se dirigea-t-elle vers chez Pynto à l'autre bout du port du Chiffonnier, juste en bordure de la Ville Noyée. Aussi gueulard et puant qu'il pût être, Pynto avait un cœur tendre derrière ses vêtements crasseux et ses éclats de voix. La plupart du temps, il la laissait entrer se mettre au chaud, si l'endroit n'était pas trop bondé et, à l'occasion, il lui donnait même un pichet de bière et une croûte à manger, tout en la régalant de ses histoires. Dans son jeune temps, Pynto avait été le plus notoire pirate des Degrés de Pierre, à l'entendre raconter les choses : il n'aimait rien tant que de discourir abondamment de ses exploits.

Elle avait de la chance, ce soir. La taverne était presque vide, et elle put s'attribuer un recoin tranquille pas loin du feu. À peine s'était-elle installée et avait-elle croisé les jambes que quelque chose vint lui frôler la cuisse. « Encore toi ? » s'exclama la petite aveugle. Elle lui gratta la tête derrière une oreille et le chat lui sauta sur les genoux et se mit à ronronner. Les chats pullulaient, à Braavos, et nulle part plus que chez Pynto. Le vieux pirate avait la conviction qu'ils lui portaient bonheur et débarrassaient sa taverne de la vermine. « Tu me connais, toi, hein ? » chuchota-t-elle. Les chats ne se laissaient pas abuser par des verrues d'histrion. Ils se souvenaient de Cat des Canaux.

La soirée fut bonne, pour la petite aveugle. Pynto, d'humeur joviale, lui offrit une coupe de vin coupé d'eau, un morceau de fromage puant et la moitié d'une tourte aux anguilles. « Pynto est un très brave homme », annonça-t-il, puis il s'installa pour lui raconter la fois où il s'était emparé de la cargaison d'épices, une histoire qu'elle avait déjà entendue une douzaine de fois.

Au fil des heures, la taverne se remplit. Pynto eut bientôt trop à faire pour lui accorder grande attention, mais plusieurs de ses clients réguliers laissèrent choir des pièces dans sa sébile de mendiante. D'autres tables étaient occupées par des étrangers : des baleiniers ibbéniens qui puaient le sang et la graisse, un duo de spadassins avec de l'huile parfumée dans les cheveux, un homme gras venu de Lorath qui se plaignit que les boxes de Pynto étaient trop étriqués pour sa panse. Et plus tard, trois Lysiens, des marins débarqués du *Grand-Cœur*, une galère ravagée par la tempête qui s'était traînée jusqu'à Braavos la veille au soir pour se voir saisie ce matin par les gardes du Seigneur de la Mer.

Les Lysiens choisirent la table la plus proche de l'âtre et discutèrent de façon discrète autour de godets de tafia noir goudron, parlant à voix basse pour n'être entendus de personne. Mais elle était Personne et elle en saisit presque chaque mot. Et un moment, il lui sembla aussi les voir, par les prunelles jaunes et fendues du matou qui ronronnait sur ses genoux. Il y avait un vieux et un jeune, et un qui avait perdu une oreille, mais tous trois avaient les cheveux blanc-blond et la peau lisse et claire de Lys, où le sang des anciennes Possessions gardait toute sa vigueur.

Le lendemain matin, quand l'homme plein de gentillesse lui demanda quelles étaient les trois nouvelles choses qu'elle savait et ne savait pas avant, elle était prête.

« Je sais pourquoi le Seigneur de la Mer a fait saisir le *Grand-Cœur*. Il transportait des esclaves. Des centaines, femmes et enfants, ligotés ensemble à fond de cale. » À Braavos, fondée par des esclaves en fuite, le commerce des esclaves était interdit.

« Je sais d'où venaient les esclaves. C'étaient des sauvageons de Westeros, d'un endroit appelé Durlieu. Un ancien site de ruines, maudit. » Sa vieille nourrice lui avait raconté les histoires sur Durlieu, à Winterfell, au temps où elle était encore Arya Stark. « Après la grande bataille où le Roi au-delà du Mur a été tué, les sauvageons se sont enfuis, mais une sorcière des bois leur a prédit que, s'ils allaient à Durlieu, des vaisseaux viendraient les transporter dans un lieu chaud. Pourtant, aucun navire n'est venu, excepté ces deux pirates lysiens, le *Grand-Cœur* et l'*Éléphant*, qu'une tempête avait poussés vers le Nord. Ils ont jeté l'ancre au large de Durlieu pour effectuer des réparations, et ils ont vu les sauvageons. Mais il y en avait des milliers et ils n'avaient pas de place pour tout le monde. Alors, ils ont décidé de ne prendre que les femmes et les enfants. Les sauvageons n'avaient plus rien à manger, aussi les hommes ont-ils envoyé leurs femmes et leurs filles. Mais dès que les navires ont été au large, les Lysiens les ont poussées à la cale et ligotées. Ils avaient l'intention de toutes les vendre à Lys. Seulement, ils ont croisé une autre tempête, et les vaisseaux ont été séparés. Le *Grand-Cœur* a été tellement endommagé que son capitaine n'a pas eu d'autre choix que de faire escale ici. L'*Éléphant*, lui, a peut-être réussi à rallier Lys. Les Lysiens de chez Pynto estimaient qu'il allait revenir avec d'autres navires. Le prix des esclaves grimpe, à les entendre, et il reste des milliers de femmes et d'enfants à Durlieu.

— C'est bon à savoir. Ça fait deux. Y en a-t-il une troisième ?

— Oui. Je sais que c'est vous qui m'avez frappée. » Son bâton fulgura et frappa les doigts de l'homme, envoyant le bâton de celui-ci valdinguer au sol.

Le prêtre fit la grimace et retira la main d'un geste vif. « Et comment une fillette aveugle pourrait-elle le savoir ? »

Je t'ai vu. « Je vous en ai donné trois. Je n'ai pas besoin de vous en donner quatre. » Peut-être demain lui parlerait-elle du chat qui l'avait suivie jusque chez elle la nuit dernière depuis chez Pynto, le chat qui se cachait sur les poutres, et les regardait d'en haut. *Peut-être pas, non.* S'il pouvait avoir des secrets, elle en aurait aussi.

Ce soir-là, Umma servit au dîner des crabes en croûte de sel. Quand on lui présenta sa coupe, la petite aveugle fronça le nez et la but en trois longues gorgées. Puis elle hoqueta et lâcha la coupe. Elle avait la langue en feu et, quand elle avala une coupe de vin, le brasier se propagea dans sa gorge et remonta dans ses narines.

« Le vin n'aidera pas, et l'eau ne fera qu'alimenter le feu, lui dit la gamine. Mange ça. » On lui pressa dans la main un quignon de pain. La petite aveugle n'en fit qu'une bouchée, mastiqua, avala. Cela aida. Un deuxième morceau aida davantage.

Et au matin, quand la louve des nuits la quitta et qu'elle ouvrit les yeux, elle vit une chandelle de suif brûler où il n'y avait pas de chandelle la veille au soir, sa flamme incertaine ondulant comme une putain au Havre heureux. Elle n'avait jamais rien vu d'aussi beau.

UN FANTÔME À WINTERFELL

On trouva le mort au pied de la chemise du rempart, la nuque brisée ; seule sa jambe gauche dépassait de la neige qui l'avait enseveli durant la nuit. Si les chiennes de Ramsay ne l'avaient pas dégagé, il aurait pu rester enfoui jusqu'au printemps. Le temps que Ben-les-Os les fasse reculer, Jeyne la Grise avait tant dévoré du visage du mort que la moitié de la journée passa avant qu'ils aient une certitude sur son identité : un homme d'armes de quarante et quatre ans, monté au Nord avec Roger Ryswell. « Un ivrogne, déclara Ryswell. Il pissait du haut du mur, je parie. Il a glissé et il est tombé. » Personne ne le contredit. Mais Theon Greyjoy se demanda pourquoi l'on irait gravir les marches glissantes de neige jusqu'au chemin de ronde dans la nuit noire, juste pour pisser un coup.

Tandis que la garnison déjeunait ce matin-là de pain rassis frit dans la graisse de bacon (le bacon alla aux seigneurs et aux dames), on ne discuta guère d'autre chose que du cadavre, sur les bancs.

« Stannis a des amis à l'intérieur du château », Theon entendit un sergent marmonner. C'était un homme des Tallhart, un vieux avec trois arbres brodés sur un surcot plein d'accrocs. On venait de relever la garde. Des hommes arrivaient du froid, tapant des pieds pour décrocher la neige de leurs bottes et de leurs chausses tandis qu'on servait le repas de midi – du boudin, des poireaux et du pain bis tout chaud tiré des fours.

« Stannis ? s'esclaffa un des cavaliers de Roose Ryswell. Stannis étouffe sous les neiges, à l'heure qu'il est. À moins qu'il soit reparti au galop vers le Mur, sa queue gelée entre ses jambes.

— Il pourrait avoir dressé le camp à cinq pieds de nos murs avec cent mille hommes, commenta un archer aux couleurs de Cerwyn. On en verrait pas un seul, à travers c'te tempête. »

Interminable, incessante, impitoyable, la neige tombait jour et nuit. Des congères escaladaient les murs et comblaient les créneaux au long des remparts, de blancs édredons couvraient chaque toit, les tentes ployaient sous son poids. On tendait des cordes d'une salle à une autre pour aider les hommes à ne pas se perdre en traversant les cours. Les sentinelles se pressaient dans les tourelles de garde, afin de réchauffer leurs mains à demi gelées sur des braseros luisants, cédant le chemin de ronde aux sentinelles en neige dressées par les écuyers, qui devenaient chaque nuit plus grosses et plus étranges, au fur et à mesure que le vent et les éléments exerçaient sur elles leurs caprices. D'hirsutes barbes de glace descendaient le long des piques serrées dans leurs poings de neige. Hosteen Frey en personne, qu'on avait entendu bougonner qu'un peu de neige ne lui faisait pas peur, perdit une oreille à une engelure.

Les chevaux rassemblés dans les cours souffrirent le plus. Les couvertures jetées sur leur dos pour les garder au chaud s'imbibaient et gelaient si on ne les changeait pas souvent. Quand on alluma des feux pour tenir le froid en respect, ils causèrent plus de mal que de bien. Les palefrois craignaient le feu et se débattirent pour fuir, se blessant et blessant les autres montures qui se tordaient dans leurs lignes. Seules les bêtes dans les écuries étaient en sécurité au chaud, mais les écuries étaient déjà combles.

« Les dieux se sont retournés contre nous, entendit-on le vieux lord Locke déclarer dans la grande salle. Voici leur courroux. Un vent aussi froid que l'enfer lui-même et des chutes de neige qui ne s'arrêtent plus. Nous sommes maudits.

— C'est *Stannis*, le maudit, insista un homme de Fort-Terreur. C'est lui qui est là dehors, sous la tempête.

— Lord Stannis pourrait avoir plus chaud qu'on le pense, eut la sottise d'observer un franc-coureur. Sa sorcière sait invoquer le feu. Son dieu rouge fait peut-être fondre ces neiges. » *C'était une imprudence*, Theon le sentit immédiatement. L'homme avait parlé trop fort et à portée de Dick le Jaune, d'Alyn le Rogue et de Ben-les-Os. Quand l'histoire parvint à lord Ramsay, il envoya ses Gars du Bâtard s'emparer de l'homme et l'entraîner dehors sous la neige. « Puisque tu sembles tant apprécier Stannis, nous allons t'envoyer vers lui », déclara-t-il. Damon Danse-pour-moi administra au franc-coureur quelques coups de son long fouet graissé. Puis, tandis que l'Écorcheur et Dick le Jaune pariaient sur le temps qu'il faudrait à son sang pour geler, Ramsay fit traîner l'homme jusqu'à la porte des remparts.

Les grandes portes principales de Winterfell étaient closes et barrées, et tellement prises par les glaces et la neige qu'il faudrait casser la carapace afin de libérer la herse, avant de pouvoir la lever. Il en allait à peu près de même avec la porte du Veneur, bien que là, au moins, la glace ne fût pas un problème, puisque la porte avait été récemment utilisée. Ce qui n'était pas le cas de la porte de la route Royale, et la glace avait saisi les chaînes du pont-levis qui étaient dures comme la pierre. Ce qui ne laissait que la porte des Remparts, une petite poterne en arche dans la chemise intérieure. À peine une demi-porte, en vérité. Elle possédait un pont-levis qui enjambait la douve prise par les glaces. Mais, faute de sortie correspondante à travers le rempart extérieur, elle n'offrait d'accès qu'à l'enceinte, et non point au monde au-delà.

Le franc-coureur ensanglanté, protestant toujours, fut transporté sur le pont et en haut de l'escalier. Là, l'Écorcheur et Alyn le Rogue l'empoignèrent par les bras et les jambes et le jetèrent du haut du mur vers le sol, quatre-vingts pieds plus bas. Les congères étaient montées si haut qu'elles avalèrent entièrement l'homme… Mais des archers sur le chemin de ronde affirmèrent l'avoir aperçu un peu plus tard, traînant une jambe cassée dans la neige. L'un d'eux lui empluma la croupe d'une flèche tandis que l'homme partait en se tortillant. « Il sera mort d'ici une heure, promit lord Ramsay.

— À moins qu'il ne pompe la queue de lord Stannis avant le coucher du soleil, riposta Pestagaupes Omble.

— Il lui faudra prendre garde à ne la point casser, s'esclaffa Rickard Ryswell. S'il y a par là un homme dans ces neiges, il doit avoir la queue gelée raide.

— Lord Stannis est égaré dans la tempête, commenta lady Dustin. Il se trouve à des lieues d'ici, en train de mourir, si ce n'est déjà fait. Que l'hiver fasse son œuvre. Encore quelques jours et les neiges les enseveliront, tant lui que son armée. »

Et nous par la même occasion, songea Theon, s'ébahissant de la folie de la dame. Lady Barbrey, étant du Nord, aurait dû y songer. Les anciens dieux écoutaient peut-être.

Le repas du soir se composa de gruau de pois et de pain de la veille, et cela excita également des murmures parmi les simples soldats ; au haut bout de la table, on voyait les lords et chevaliers dîner de jambon.

Theon était penché sur une écuelle de bois pour finir sa portion de pois, quand un léger contact sur son épaule lui fit lâcher sa cuillère. « Ne me touchez jamais », lança-t-il, se tordant vers le bas pour attraper l'ustensile par terre avant qu'une des filles de Ramsay puisse s'en emparer. « Ne me touchez *jamais*. »

Elle s'assit à côté de lui, trop près, encore une lavandière d'Abel. Celle-ci était jeune, quinze ans, seize peut-être, avec une crinière de cheveux blonds qui aurait eu besoin d'un bon lavage, et une paire de lèvres boudeuses qui auraient eu besoin d'un bon baiser. « Y a des filles qui aiment toucher, dit-elle, avec un léger demi-sourire. Ne vous déplaise, m'sire, j' suis Houssie. »

Houssie la putain, se dit-il, mais elle n'était pas vilaine. Jadis il aurait pu rire et l'attirer sur ses genoux, mais ce temps était révolu. « Que veux-tu ?

— Voir les cryptes. Où elles sont, m'sire ? Vous voulez me les montrer ? » Houssie jouait avec une mèche de ses cheveux, l'enroulant autour de son petit doigt. « Profondes et noires, à ce qu'ils disent. Un bon endroit pour toucher. Avec tous les rois morts qui regardent.

— C'est Abel qui t'envoie à moi ?

— Ça se pourrait. Ou ça se pourrait que je sois venue de mon propre chef. Mais si c'est Abel que vous voulez, j' peux aller le chercher. Il vous chantera une jolie ballade, m'sire.» Chaque mot qu'elle prononçait persuadait Theon qu'il s'agissait d'une sorte de feinte. *Mais de qui, et à quelle fin ?* Que pouvait lui vouloir Abel ? C'était un simple chanteur, un maquereau avec un luth et un sourire faux. *Il veut savoir comment j'ai pris le château, mais pas pour en tirer une chanson.* La réponse lui vint. *Il veut savoir comment nous sommes entrés, afin de pouvoir sortir.* Lord Bolton avait pris tout Winterfell dans un carcan de surveillance plus serré que les langes d'un marmot. Nul ne pouvait entrer ou sortir sans son assentiment. *Il veut fuir, lui et ses lavandières.* Theon ne pouvait l'en blâmer, néanmoins il répondit : « Je ne veux nullement avoir affaire avec Abel, ni avec toi, ni aucune de tes sœurs. Laissez-moi, c'est tout.»

Dehors, la neige dansait et tourbillonnait. Theon chercha à tâtons son chemin vers le mur, puis suivit celui-ci jusqu'à la porte des Remparts. Il aurait pu confondre les gardes avec deux des bonshommes de neige de Petit Walder s'il n'avait pas vu les panaches blancs de leur souffle. « Je veux aller me promener sur les murs », leur dit-il, sa propre haleine gelant dans les airs.

« Fait foutrement froid, là-haut, l'avertit l'un des deux.

— Fait foutrement froid ici en bas, répliqua l'autre. Mais fais donc à ta guise, tourne-casaque.» Il fit signe à Theon de passer.

Les marches étaient couvertes de neige et glissantes, traîtresses dans le noir. Une fois qu'il eut atteint le chemin de ronde, il ne lui fallut pas longtemps pour repérer l'endroit d'où on avait jeté le franc-coureur. Il démolit la cloison de neige fraîchement tombée qui comblait le créneau et se pencha entre les merlons. *Je pourrais sauter*, se dit-il. *Il a survécu, pourquoi pas moi ?* Il sauterait, et... *Et après, quoi ? Se casser la jambe et mourir sous la neige ? Te traîner plus loin jusqu'à ce que tu périsses gelé ?*

C'était de la folie. Ramsay le traquerait, avec les filles. Jeyne la Rouge, et Jez, et Helicent, le tailleraient en pièces si les dieux étaient cléments. Ou pire, on pourrait le reprendre vivant. « Il faut que je me souvienne de mon *nom* », chuchota-t-il.

Le lendemain matin, l'écuyer grisonnant de ser Aenys Frey fut retrouvé tout nu, mort de froid dans le vieux cimetière du château, son visage tellement dissimulé sous le givre qu'il semblait porter un masque. Ser Aenys supposa que l'homme avait trop bu et qu'il s'était perdu dans la tempête, bien que nul ne sût expliquer pour quelle raison il avait retiré ses vêtements avant de sortir. *Encore un ivrogne*, constata Theon. Le vin pouvait noyer une armée de soupçons.

Puis, avant la fin du jour, on retrouva un arbalétrier lige des Flint dans les écuries, le crâne fendu. La ruade d'un cheval, déclara lord Ramsay. *Une massue, plus probablement*, décida Theon.

Tout cela paraissait tellement familier, comme un spectacle de baladins qu'il aurait déjà vu. Seuls en avaient changé les acteurs. Roose Bolton tenait le rôle qu'interprétait Theon la dernière fois et les morts, ceux d'Aggar, de Gynir Nez-Rouge et de Gelmarr le Hargneux. *Schlingue était là-bas, aussi, se souvenait-il, mais un autre Schlingue, un Schlingue aux mains couvertes de sang et aux mensonges qui coulaient de ses lèvres, doux comme le miel. Schlingue, Schlingue, ça commence comme chafouin.*

Ces morts déclenchèrent dans la grande salle des querelles ouvertes entre les seigneurs de Roose Bolton. Certains commençaient à perdre patience. « Combien de temps allons-nous devoir attendre ici sur notre cul ce roi qui n'arrive pas ? voulut savoir ser Hosteen Frey. Nous devrions porter le combat contre Stannis et en terminer avec lui.

— Quitter le château ? » croassa Harbois Stout le manchot. Le ton de sa voix laissait entendre qu'il préférerait se faire trancher l'autre bras. « Voulez-vous donc nous faire charger à l'aveuglette dans la neige ?

— Pour combattre lord Stannis, il nous faudrait d'abord le trouver, fit observer Roose Ryswell. Nos éclaireurs sortent par la porte du Veneur, mais, ces derniers temps, aucun d'eux ne revient. »

Lord Wyman Manderly se claqua son ample bedaine. « Blancport ne craint pas de chevaucher à vos côtés, ser Hosteen. Menez-nous, et mes chevaliers galoperont derrière vous. »

Ser Hosteen se retourna vers le gros homme. « Assez près pour me planter une pique dans le dos, assurément. Où sont mes parents, Manderly ? Dites-le-moi. Vos invités, qui vous ont ramené votre fils.

— Ses os, voulez-vous dire. » Manderly harponna une pièce de jambon avec son poignard. « Je me souviens clairement d'eux. Rhaegar au dos rond, avec sa langue melliflue. Le hardi ser Jared, si prompt à tirer l'épée. Symond le maître espion, toujours à sonnailler des monnaies. Ils ont ramené chez lui les ossements de Wendel. C'est Tywin Lannister qui m'a rendu Wylis, sauf et en son entier, comme il l'avait promis. Un homme de parole, lord Tywin, que les Sept préservent son âme. » Lord Wyman jeta la viande dans sa bouche, la mastiqua bruyamment, claqua des lèvres et poursuivit : « Il y a maints dangers sur la route, ser. J'ai offert à vos frères des présents d'invités quand nous avons pris congé de Blancport. Nous avons fait serment de nous revoir aux noces. Tant et plus se sont portés témoins de nos adieux.

— Tant et plus ? ironisa Aenys Frey. Ou vous et les vôtres ?

— Que suggérez-vous, Frey ? » Le sire de Blancport se frotta les lippes de la manche. « Votre ton ne me plaît point du tout, ser. Non, je ne le digère pas.

— Sortez dans la cour, sac de suif, et je vous donnerai bien autre chose à digérer », riposta ser Hosteen.

Wyman Manderly éclata de rire, mais une douzaine de ses chevaliers se levèrent d'un même élan. Il échut à Roger Ryswell et à Barbrey Dustin de les apaiser par des paroles posées. Roose Bolton ne dit rien du tout. Mais Theon Greyjoy vit dans ses yeux pâles une expression qu'il n'y avait encore jamais vue – un malaise, et même un soupçon de peur.

Cette nuit-là, la nouvelle écurie s'effondra sous le poids de la neige qui l'avait ensevelie. Vingt-six chevaux et deux garçons périrent, écrasés par le poids du toit ou étouffés sous la neige. Il fallut la plus grande partie de la matinée pour dégager les corps. Lord Bolton apparut brièvement dans la grande cour pour inspecter la scène, puis il ordonna que les chevaux restants fussent conduits à l'intérieur, en même temps que les montures encore attachées au même endroit. Et les hommes n'avaient pas sitôt fini de dégager les morts et d'équarrir les chevaux qu'on découvrit un nouveau cadavre.

On ne pouvait pas balayer celui-ci d'un geste négligent en l'attribuant à une chute d'ivrogne ou une ruade de cheval. Le mort était un des favoris de Ramsay, l'homme d'armes trapu, scrofuleux et malgracieux qu'on appelait Dick le Jaune. Savoir si ce jaune avait concerné l'intégralité de sa personne resterait difficile à déterminer. On lui avait tranché le jaquemart pour le lui fourrer en bouche avec tant de vigueur qu'on lui avait cassé trois dents, et quand les cuisiniers le trouvèrent dehors, sous les cuisines, enfoui jusqu'au cou dans une congère, tant le jaquemart que l'homme étaient bleus de froid. « Brûlez le corps, ordonna Roose Bolton, et veillez à ne pas ébruiter ceci. Je ne veux pas voir l'histoire se répandre. »

L'histoire ne s'en répandit pas moins. À midi, la plus grande partie de Winterfell l'avait entendue, pour beaucoup de la bouche de Ramsay Bolton, dont Dick le Jaune avait été un des « gars ». « Quand nous trouverons l'homme qui a commis cela, promit lord Ramsay, je l'écorcherai tout vif, pour griller sa couenne jusqu'à ce qu'elle croustille, et la lui ferai ingurgiter jusqu'à la dernière bouchée. » On diffusa la nouvelle : le nom du tueur rapporterait un dragon d'or.

Lorsque arriva le soir, on aurait pu couper la puanteur dans la grande salle au couteau. Avec des centaines de chevaux, de chiens et d'hommes serrés sous un seul toit, le sol baveux de boue et de neige fondante, de crottin de cheval, de crottes de chien et même d'excréments humains, l'air chargé des remugles de chien mouillé, de laine humide et de couvertures de cheval détrempées, on ne pouvait trouver aucun réconfort sur les bancs bondés, mais il y avait à manger. Les cuisiniers servirent de généreuses tranches de cheval frais, grillées sur l'extérieur et saignantes au cœur, avec des oignons rôtis et des panais… Et pour une fois, la piétaille ordinaire mangea aussi bien que les lords et les chevaliers.

La viande de cheval était trop coriace pour les décombres des dents de Theon. Ses tentatives de mastication lui infligèrent une douleur atroce. Aussi écrasa-t-il panais et oignons tout ensemble avec le plat de son poignard et en fit-il son repas.

Ensuite, il découpa le cheval en tout petits morceaux, qu'il suça chacun avant de le recracher. De cette façon au moins, il en tirait le goût, et quelque substance de la graisse et du sang. L'os dépassait ses possibilités, aussi le jeta-t-il aux chiennes et regarda-t-il Jeyne la Grise s'enfuir avec, tandis que Sara et Saule claquaient des dents à ses trousses.

Lord Bolton ordonna à Abel de jouer pour eux, tandis qu'ils mangeaient. Le barde chanta *Lances de fer*, puis *La Pucelle d'hiver*. Quand Barbrey Dustin réclama quelque chose de plus enjoué, il leur interpréta *La Reine retira sa sandale, et le Roi sa couronne* et *La Belle et l'Ours*. Les Frey se joignirent aux chants, et des Nordiens cognèrent même du poing sur la table au refrain, en beuglant : « *L'ours ! L'ours !* » Mais le vacarme alarma les chevaux, aussi les chanteurs cessèrent-ils et la musique mourut-elle.

Les Gars du Bâtard se réunirent sous un porte-flambeau du mur où une torche brûlait avec force fumée. Luton et l'Écorcheur jouaient aux dés. Grogne avait une femme sur les genoux, un sein dans sa main. Damon Danse-pour-moi, assis, graissait son fouet. « *Schlingue* », appela-t-il. Il frappa le fouet contre son mollet, comme on le ferait pour attirer un chien. « Tu recommences à puer, Schlingue. »

À cela, Theon n'avait rien à répondre, hormis un « oui » tout bas.

« Lord Ramsay a l'intention de te découper les lèvres, quand tout ceci sera fini », déclara Damon en lustrant son fouet avec un chiffon graisseux.

Mes lèvres sont allées entre les jambes de sa dame. Cette insolence ne peut demeurer impunie. « Comme vous le dites. »

Luton s'esclaffa. « I' m' semble bien qu'il en a envie.

— Décampe, Schlingue, lança l'Écorcheur. Tu pues, ça me tourne l'estomac. » Les autres rirent.

Il s'enfuit sans délai, avant qu'ils ne changent d'avis. Ses tourmenteurs ne le suivraient pas au-dehors. Pas tant qu'il y avait à manger et à boire, à l'intérieur, des filles qui consentaient et des feux qui réchauffaient. Lorsqu'il quitta la salle, Abel chantait *Celles que fait éclore le printemps*.

Dehors, la neige tombait si fort que Theon ne voyait pas à plus de trois pieds devant lui. Il se retrouva tout seul dans un désert de blancheur, encadré de part et d'autre par des murs de neige à hauteur de poitrine. Quand il leva la tête, les flocons lui frôlèrent les joues comme de doux baisers froids. Il entendait sonner la musique dans la salle derrière lui. Une chanson douce à présent, et triste. Un instant, il se sentit presque en paix.

Plus loin, il rencontra un homme qui marchait à grands pas en sens opposé, une cape à capuchon claquant derrière lui. Quand ils se retrouvèrent face à face, leurs regards se croisèrent brièvement. L'homme posa une main sur son poignard. « Theon Tourne-Casaque. Theon tueur des siens.

— Non. Jamais... J'étais fer-né.

— Fourbe, voilà tout ce que tu as toujours été. Comment se fait-il que tu respires encore ?

— Les dieux n'en ont pas fini avec moi », répondit Theon en se demandant s'il s'agissait du tueur, du promeneur nocturne qui avait plongé le guilleri de Dick le Jaune dans sa gorge et poussé l'écuyer de Roger Ryswell du haut des remparts. Curieusement, il ne ressentait aucune crainte. Il retira le gant de sa main gauche. « Lord Ramsay n'en a pas fini avec moi. »

L'homme regarda et rit. « Je te laisse à lui, en ce cas. »

Theon avança difficilement dans la tempête jusqu'à ce que ses bras et ses jambes soient caparaçonnés de neige, ses mains et ses pieds engourdis de froid, puis il monta de nouveau sur le chemin de ronde de la muraille intérieure. Ici en haut, à cent pieds de hauteur, un peu de vent soufflait, qui remuait la neige. Tous les créneaux étaient comblés. Theon dut donner un coup de poing dans une paroi de neige pour y pratiquer un trou... et constater qu'il ne distinguait rien au-delà des douves. De la muraille extérieure, ne subsistait plus qu'une ombre vague et des lumières brouillées qui flottaient dans le noir.

Le monde a disparu. Port-Réal, Vivesaigues, Pyk et les îles de Fer, l'ensemble des Sept Couronnes, tous ces lieux qu'il avait connus, tous ceux dont les livres lui avaient parlé, ou dont il avait rêvé, disparu tout cela. Ne subsistait plus que Winterfell.

Il était pris au piège ici, avec les fantômes. Les vieux fantômes de la crypte et les plus récents, qu'il avait lui-même créés,

Mikken et Farlen, Gynir Nez-Rouge, Aggar, Gelmarr le Hargneux, la femme du meunier de la Gland et ses deux jeunes fils, et tout le reste. *Mon œuvre. Mes fantômes. Ils sont ici, tous, et ils sont en colère.* Il songea aux cryptes et à ces épées disparues.

Theon regagna ses quartiers. Il se dépouillait de ses vêtements trempés quand Walton Jarret d'Acier le trouva. « Viens avec moi, tourne-casaque. Sa Seigneurie te réclame. »

Il n'avait pas de vêtements propres et secs, aussi renfila-t-il les mêmes hardes humides et suivit. Jarret d'Acier le ramena au Grand Donjon, et à la salle privée qui appartenait jadis à Eddard Stark. Lord Bolton n'était pas seul. Lady Dustin était assise avec lui, blême de mine et sévère ; une broche en fer représentant une tête de cheval retenait la cape de Roger Ryswell ; Aenys Frey, debout près du feu, avait ses joues pincées rougies de froid.

« On me dit que tu te promènes dans le château, commença lord Bolton. Des hommes ont affirmé t'avoir vu dans l'écurie, dans les cuisines, dans les baraquements, sur le chemin de ronde. On t'a observé près des ruines des donjons écroulés, devant l'ancien septuaire de lady Catelyn, entrer et sortir du bois sacré. Le nies-tu ?

— Non, m'sire. » Theon prit soin de bien grasseyer le mot. Il savait que cela plaisait à lord Bolton. « Je ne puis dormir, m'sire. Je marche. » Il gardait la tête baissée, fixée sur les vieux roseaux défraîchis qui jonchaient le sol. Il n'était pas prudent de regarder Sa Seigneurie en face.

« J'étais enfant ici, avant la guerre. Pupille d'Eddard Stark.

— Tu étais otage, riposta Bolton.

— Oui, m'sire. Otage. » *J'étais chez moi, cependant. Pas réellement chez moi, mais le meilleur foyer que j'aie jamais connu.*

« Quelqu'un tue mes hommes.

— Oui, m'sire.

— Pas toi, j'espère ? » La voix de Bolton se fit encore plus douce. « Tu ne me repaierais pas de toutes mes bontés par tant de traîtrise.

— Non, m'sire, pas moi. Jamais. Je... Je me promène, c'est tout. »

Lady Dustin prit la parole. « Retire tes gants. »

Theon leva brusquement la tête. « Je vous en prie, non. Je... Je...

— Fais ce qu'elle te dit, insista ser Aenys. Montre-nous tes mains. »

Theon retira ses gants et brandit ses mains pour qu'ils les voient. *Ce n'est pas comme si je me tenais nu devant eux. Ce n'est pas aussi terrible.* Sa main gauche avait trois doigts, sa droite quatre. Ramsay n'avait retiré que le petit doigt de l'une, l'annulaire et l'index de l'autre.

« C'est le Bâtard qui t'a fait ça, dit lady Dustin.

— Ne vous en déplaise, madame, je... je le lui ai demandé. » *Ramsay lui faisait toujours demander. Ramsay me fait toujours implorer.*

« Pourquoi ferais-tu ça ?

— Je... Je n'avais pas besoin d'autant de doigts.

— Quatre suffisent. » Ser Aenys Frey caressa la barbe brune éparse qui poussait comme une queue de rat sur son menton fuyant. « Quatre à la main droite. Il pourrait encore tenir une épée. Un poignard. »

Lady Dustin en rit. « Tout le monde est-il donc si sot, chez les Frey ? Mais regardez-le. Tenir un poignard ? C'est à peine s'il a la force de tenir une cuillère. Vous imaginez-vous vraiment qu'il aurait pu vaincre l'ignoble créature du Bâtard et lui enfoncer sa virilité dans la gorge ?

— Tous les morts étaient de solides gaillards, commenta Roger Ryswell, et aucun d'entre eux n'a été poignardé. Le tourne-casaque n'est point notre tueur. »

Les yeux pâles de Roose Bolton étaient rivés sur Theon, aussi tranchants que le couteau de l'Écorcheur. « J'incline vers la même opinion. Force mise à part, il n'a pas en lui le cran de trahir mon fils. »

Roger Ryswell poussa un grognement. « Si ce n'est lui, qui d'autre ? Stannis a introduit un homme à lui dans le château, la chose est claire. »

Schlingue n'est pas un homme. Pas Schlingue. Pas moi. Il se demanda si lady Dustin leur avait parlé des cryptes, des épées disparues.

« Nous devons chercher du côté de Manderly, bougonna ser Aenys Frey. Lord Wyman ne nous aime point. »

Ryswell n'était pas convaincu. « Il aime les steaks, les côtelettes et les tourtes de viande, en revanche. Rôder dans le château la nuit exigerait qu'il quittât la table. La seule fois où il le fait, c'est quand il se retire au cabinet d'aisances pour l'une de ses sessions d'une heure.

— Je ne prétends pas que lord Wyman agit lui-même. Il a amené trois cents hommes avec lui. Cent chevaliers. N'importe lequel d'entre eux aurait pu…

— Travail du soir n'est point œuvre de ser, déclara lady Dustin. Et lord Wyman n'est pas seul à avoir perdu de la famille à vos Noces Pourpres, Frey. Imaginez-vous que Pestagaupes vous tienne en plus grande affection ? Si vous ne séquestriez pas le Lard-Jon, il vous déviderait les entrailles et vous forcerait à les manger, comme lady Corbois a mangé ses propres doigts. Les Flint, les Cerwyn, les Tallhart, les Ardoise… Tous avaient des hommes avec le Jeune Loup.

— La maison Ryswell aussi, ajouta Roger Ryswell.

— Et même les Dustin de Tertre-bourg. » Lady Dustin ouvrit ses lèvres en un mince sourire carnassier. « Le Nord se souvient, Frey. »

La bouche d'Aenys Frey frémit de colère. « Stark nous a déshonorés. Voilà de quoi vous feriez mieux de vous souvenir, Nordiens. »

Roose Bolton massa ses lèvres gercées. « Ces disputes ne nous avanceront à rien. » Il claqua des doigts à l'adresse de Theon. « Tu es libre, va-t'en. Prends garde où tu t'égares. Sinon, ce pourrait être toi qu'on retrouvera demain, avec un sourire rouge.

— Vous dites vrai, m'sire. » Theon renfila ses gants sur ses mains mutilées et prit congé, boitant sur son pied estropié.

L'heure du loup le découvrit éveillé, enveloppé dans plusieurs couches de laine lourde et de fourrure graisseuse, en train d'accomplir un nouveau circuit de la chemise intérieure, espérant assez s'épuiser pour trouver le sommeil. Ses jambes étaient matelassées de neige jusqu'aux genoux, sa tête et ses épaules portaient un suaire blanc. Sur cette portion du mur, le vent lui arrivait en face, et la neige en fondant coulait sur ses joues comme des larmes de glace.

Puis il entendit la trompe.

Long mugissement grave, le son parut rester en suspens au-dessus des remparts, s'attarder dans l'air noir, s'insinuer au plus profond des os de tous les hommes qui l'entendaient. Tout au long des remparts du château, les sentinelles se tournèrent vers l'appel, crispant leurs mains autour des hampes de leurs piques. Dans les salles et les donjons en ruine de Winterfell, des lords intimèrent silence à d'autres, des chevaux renâclèrent, et des dormeurs remuèrent dans leurs recoins obscurs. L'appel de la trompe de guerre ne s'était pas plus tôt éteint qu'un tambour se mit à battre : *Bam damne Bam damne Bam damne.* Et un nom courut des lèvres de chacun à celles de son voisin, écrit en petits nuages de souffle : *Stannis*, chuchotaient-ils, *Stannis est là, Stannis est arrivé, Stannis, Stannis, Stannis.*

Theon frissonna. Baratheon ou Bolton, il n'en avait cure. Sur le Mur, Stannis avait fait cause commune avec Jon Snow, et Jon le décapiterait en un battement de cœur. *Tirés des griffes d'un bâtard pour périr aux mains d'un autre, quelle farce.* Theon aurait ri tout haut, s'il s'était rappelé comment faire.

Le tambour semblait émaner du Bois-aux-Loups, par-delà la porte du Veneur. *Ils sont juste sous les remparts.* Theon avança le long du chemin de ronde, un homme parmi la vingtaine qui agissait de même. Mais même lorsqu'ils atteignirent les bastions flanquant la porte proprement dite, il n'y avait rien à voir, au-delà du rideau blanc.

« Auraient-ils l'intention de *souffler* nos murs ? plaisanta un Flint quand la trompe de guerre résonna de nouveau. Peut-être s'imagine-t-il avoir trouvé le Cor de Joramun.

— Stannis serait-il assez niais pour prendre le château d'assaut ? demanda une sentinelle.

— C'est pas Robert, déclara un homme de Tertre-bourg. Il va nous assiéger, vous verrez. Pour essayer de nous réduire par la faim.

— Il va s'y geler les couilles, déclara une autre sentinelle.

— Nous devrions porter le combat contre lui », déclara un Frey.

Mais faites donc, se dit Theon. *Sortez à cheval dans la neige et crevez-y. Laissez Winterfell aux fantômes, et à moi.* Roose Bolton accueillerait volontiers un tel combat, il le sentait. *Il a besoin d'en terminer avec tout cela.* Le château était trop rempli pour soutenir un long siège, et la loyauté de trop de lords présents restait indécise. Le bouffi Wyman Manderly, Pestagaupes Omble, les hommes des maisons Corbois et Tallhart, les Locke et les Flint et les Ryswell, tous étaient des *Nordiens*, jurés à la maison Stark depuis des générations sans nombre. C'était la fille qui les retenait ici, le sang de lord Eddard, mais cette fille n'était qu'un stratagème d'histrions, un agneau paré de la peau du loup-garou. Aussi, pourquoi ne pas envoyer les Nordiens se battre contre Stannis avant que la farce ne soit éventée ? *Massacre dans la neige. Et chaque homme qui tombe représente pour Fort-Terreur un ennemi de moins.*

Theon se demanda si on l'autoriserait à combattre. Là, au moins, il pourrait mourir comme un homme, l'épée à la main. C'était un présent que jamais Ramsay ne lui ferait, mais lord Roose le pourrait. *Si je l'implore. J'ai fait tout ce qu'il a demandé de moi, j'ai joué mon rôle, j'ai accordé la main de la fille.*

La mort était la plus douce délivrance qu'il pût souhaiter.

Dans le bois sacré, la neige continuait à fondre en touchant le sol. La vapeur montait des étangs chauds, embaumée d'une odeur de mousse et de boue et de décomposition. Un brouillard tiède flottait dans l'air, changeant les arbres en sentinelles, en hauts soldats enveloppés dans des capes de pénombre. Durant les heures de jour, le bois de vapeurs était souvent rempli de Nordiens venus prier les anciens dieux, mais à cette heure-ci Theon Greyjoy découvrit qu'il l'avait pour lui tout seul.

Et au cœur du bois, le barral attendait avec ses lucides yeux rouges. Theon s'arrêta au bord du bassin et inclina la tête devant ce visage rouge sculpté. Même d'ici, il entendait le martèlement, *Bam damne Bam damne Bam damne Bam damne.* Comme un tonnerre au loin, le son semblait monter de partout à la fois.

La nuit était dénuée de vent, la neige tombait droit d'un ciel froid et noir, et pourtant les feuilles de l'arbre-cœur frissonnaient son nom. « Theon, semblaient-elles chuchoter. Theon. » *Les anciens dieux, se dit-il. Ils me connaissent. Ils savent mon nom. J'étais Theon de la maison Greyjoy. J'étais pupille d'Eddard Stark, un ami et un frère pour ses enfants.* « De grâce. » Il tomba à genoux. « Une épée, c'est tout ce que je demande. Laissez-moi mourir Theon, et non point Schlingue. » Les larmes ruisselaient sur ses joues, avec une impossible chaleur. « J'étais fer-né. Un fils... un fils de Pyk, des Îles. »

Une feuille voleta d'en haut, frôla son front et se posa sur l'étang. Elle flotta sur l'eau, rouge avec cinq doigts, telle une main sanglante. « ... Bran », murmura l'arbre.

Ils savent. Les dieux savent. Ils ont vu ce que j'ai fait. Et pendant un étrange moment, il sembla que c'était le visage de Bran qui était gravé dans le tronc blême du barral, qui le contemplait avec des yeux rouges, lucides et tristes. *Le fantôme de Bran*, pensa-t-il, mais c'était de la folie. Pourquoi Bran voudrait-il le hanter ? Il avait éprouvé de l'affection pour l'enfant, il ne lui avait jamais fait de mal. *Ce n'est pas Bran que nous avons tué. Ni Rickon. Ce n'étaient que des fils de meunier, du moulin sur la Gland.* « Il me fallait deux têtes, sinon ils se seraient moqué de moi... auraient ri de moi... Ils...

— À qui parles-tu ? » demanda une voix.

Theon pivota sur lui-même, terrifié à l'idée que Ramsay l'avait découvert, mais ce n'étaient que les lavandières – Houssie, Aveline et une autre dont il ne savait pas le nom. « Les fantômes, laissa-t-il échapper. Ils me chuchotent des choses. Ils... ils connaissent mon nom.

— Theon Tourne-Casaque. » Aveline lui attrapa l'oreille, la tordit. « Il te fallait deux têtes, hein ?

— Sinon, les hommes auraient *ri* de lui », ajouta Houssie.

Elles ne comprennent pas. Theon se libéra d'une secousse. « Que me voulez-vous ? demanda-t-il.

— Toi », répondit la troisième lavandière, une femme plus mûre, à la voix grave, avec des mèches grises dans les cheveux.

« Je t'avais dit. Je veux te toucher, tourne-casaque. » Houssie sourit. Dans sa main apparut une lame.

Je pourrais crier, réfléchit Theon. *Quelqu'un entendra. Le château est rempli d'hommes en armes*. Il serait mort avant que du secours n'arrive, certes, son sang imprégnant le sol pour nourrir l'arbre-cœur. *Et quel mal y aurait-il à cela ?* « Touche-moi, dit-il. Tue-moi. » Sa voix renfermait plus de désespoir que de défi. « Allez-y. Exécutez-moi, comme vous avez tué les autres. Dick le Jaune et le reste. C'était vous. »

Houssie rit. « Comment cela se pourrait-il ? Nous sommes des femmes. Des tétons et des conets. Bonnes à baiser, et non à craindre.

— Le Bâtard t'a fait du mal ? demanda Aveline. Tranché les doigts, hein ? Écorché tes mignons petits orteils ? Cassé tes dents ? Pauvre chou. » Elle lui tapota la joue. « C'est fini tout ça, je te l' promets. T'as prié et les dieux nous ont envoyées. Tu veux mourir, Theon ? On te l'accorde. Une bonne mort rapide, c'est à peine si tu souffriras. » Elle sourit. « Mais pas avant que t'aies chanté pour Abel. Il t'attend. »

TYRION

« Lot quatre-vingt-dix-sept. » Le commissaire-priseur fit claquer son fouet. « Un couple de nains, bien dressés pour votre divertissement. »

On avait installé le bloc des enchères à l'endroit où le large flot brun de la Skahazadhan se jetait dans la baie des Serfs. Tyrion Lannister sentait le sel dans l'air, mêlé à la puanteur de la tranchée des latrines creusée derrière l'enclos des esclaves. La chaleur ne le dérangeait pas autant que l'humidité. L'air même semblait peser sur lui, comme une couverture humide et chaude posée sur sa tête et ses épaules.

« Chien et cochon compris dans le lot, annonça le commissaire-priseur. Les nains les montent. Enchantez les invités de votre prochain banquet ou employez-les pour une folie. »

Les enchérisseurs, assis sur des bancs de bois, sirotaient des boissons fruitées. Quelques-uns étaient éventés par leurs esclaves. Beaucoup portaient des *tokars*, ce curieux vêtement qu'affectionnaient les vieilles familles de la baie des Serfs, aussi élégant que malcommode. D'autres étaient vêtus de façon plus courante – des hommes en tuniques et en capes capuchonnées, des femmes en soies colorées. Des putains ou des prêtresses, sans doute ; si loin en Orient, il devenait difficile de distinguer les deux.

En retrait derrière les bancs, échangeant des plaisanteries et se gaussant du déroulement de l'affaire, se tenait un groupe d'Occidentaux. *Des épées-louées*, Tyrion le savait. Il apercevait des épées, des poignards et des miséricordes, quelques haches de jet, de la maille sous les capes. Leurs cheveux, leurs barbes, leurs visages désignaient la plupart comme des habitants des Cités libres, mais çà et là quelques-uns auraient pu être Ouestriens. *Est-ce qu'ils achètent ? Ou sont-ils simplement venus assister au spectacle ?*

« Qui ouvre les enchères pour la paire ?

— Trois cents, lança une matrone sur un antique palanquin.

— Quatre », contra un Yunkaïi monstrueusement obèse, de la litière sur laquelle il se vautrait comme un léviathan. Entièrement emballé de soie jaune frangée d'or, il paraissait aussi gros que quatre Illyrio. Tyrion plaignit les esclaves qui devaient le porter. *Au moins, on nous épargnera cette tâche. Quelle joie d'être nain.*

« Et un », dit une vieillarde en *tokar* violet. Le commissaire-priseur lui jeta un regard aigre, mais ne refusa pas l'enchère.

Les marins du *Selaesori Qhoran*, vendus à la pièce, étaient partis à des prix allant de cinq cents à neuf cents pièces d'argent. Les matelots expérimentés représentaient une marchandise de prix. Aucun n'avait opposé la moindre résistance lorsque les esclavagistes avaient abordé leur cogue dévastée. Pour eux, il ne s'agissait que de changer de propriétaire. Les officiers du bord étaient des hommes libres, mais la veuve du front de quai leur avait rédigé une convention, s'engageant, dans une telle éventualité, à acquitter leur rançon. Les trois doigts ardents survivants n'avaient pas encore été vendus, mais ils appartenaient au Maître de la Lumière et pouvaient s'attendre à ce qu'un temple rouge les rachetât. Les flammes tatouées sur leur visage constituaient leur convention.

Tyrion et Sol n'avaient aucune assurance de ce genre.

« Quatre cent cinquante, enchérit-on.

— Quatre quatre-vingts.

— Cinq cents. »

Certaines enchères étaient lancées en haut valyrien, d'autres dans la langue bâtarde de Ghis. Quelques acheteurs faisaient signe d'un doigt, d'une rotation de poignet ou d'un mouvement de leur éventail peint.

« Je suis contente qu'ils nous gardent ensemble », chuchota Sol.

Le commissaire-priseur leur jeta un regard comminatoire. « On ne parle pas. »

Tyrion pressa l'épaule de Sol. Des mèches de cheveux, blond pâle et noirs, collaient à son front, les lambeaux de sa tunique à son dos. En partie à cause de la sueur, en partie à cause du sang séché. Il n'avait pas eu la sottise d'affronter les esclavagistes, comme l'avait fait Jorah Mormont, mais cela ne voulait pas dire qu'il avait évité toute punition. Dans son cas, c'était sa langue qui lui avait valu des coups de fouet.

« Huit cents.

— Et cinquante.

— Et un. »

Nous valons autant qu'un marin, constata Tyrion. Mais peut-être était-ce Jolie Cochonne que les acheteurs guignaient. *Pas facile de trouver un cochon bien dressé.* Ils n'enchérissaient assurément pas en fonction du poids.

À neuf cents pièces d'argent, les enchères commencèrent à s'essouffler. À neuf cent cinquante et une (enchère de la vieillarde), elles s'arrêtèrent. Le commissaire-priseur était excité, toutefois, et il n'eut de cesse que les nains donnassent à la foule un avant-goût de leur spectacle. On mena Croque et Jolie Cochonne sur l'estrade. Sans selle ni bride, la monte s'en révéla malaisée. À l'instant où la truie se mettait en route, Tyrion dégringola de sa croupe pour atterrir sur la sienne, provoquant des tempêtes de rires chez les enchérisseurs.

« Mille, renchérit le monstrueux obèse.

— Et un. » La vieillarde, encore une fois.

La bouche de Sol était figée en un rictus de sourire. *Bien dressée pour votre divertissement.* Son père devait répondre de bien des choses, dans le petit enfer qu'on réservait sans doute quelque part aux nains.

« Douze cents. » Le léviathan en jaune. À côté de lui, un esclave lui tendit une boisson. *Du citron, certainement.* La façon dont ces yeux jaunes étaient rivés sur le bloc mettait Tyrion mal à l'aise.

« Treize cents.

— Et un », ajouta la vieillarde.

Mon père disait toujours qu'un Lannister valait dix fois plus que n'importe quel homme ordinaire.

À seize cents, le rythme commença de nouveau à fléchir, si bien que le marchand d'esclaves invita certains des acheteurs à venir examiner les nains de près. « La femme est jeune, promit-il. Vous pourriez les accoupler, tirer des petits un beau revenu.

— Il a la moitié du nez emportée », se plaignit la vieillarde, une fois qu'elle les eut inspectés de près. Son visage ridé se fripa de mécontentement. Elle avait la chair blanche des larves ; emballée dans son *tokar* violet, elle ressemblait à une prune moisie. « Il a pas les yeux semblables, non plus. Vilaine créature.

— Vous n'avez point encore vu le meilleur de moi, madame. » Tyrion s'empoigna l'entrejambe, au cas où le sous-entendu lui aurait échappé.

La Harpie siffla devant l'outrage, et Tyrion reçut un coup de fouet sur le dos, une coupure piquante qui le fit choir à genoux. Le goût du sang lui emplit la bouche. Il sourit et cracha.

« Deux mille », lança une nouvelle voix, à l'arrière des gradins.

Et qu'est-ce qu'une épée-louée irait faire d'un nain ? Tyrion se remit debout pour mieux voir. Le nouvel enchérisseur était un homme d'âge mûr, aux cheveux blancs, mais grand et musclé, avec une peau brune et tannée, et une barbe poivre et sel, coupée court. À demi dissimulées sous une cape d'un pourpre fané se trouvaient une longue épée et une paire de poignards.

« Deux mille cinq cents. » Une voix de femme, cette fois-ci ; une jeune femme, courte, la taille épaisse et la poitrine lourde, vêtue d'une armure ornementée. Sa cuirasse d'acier noir sculpté, marqueté d'or, dépeignait une harpie prenant son essor, des chaînes pendant de ses serres. Une paire d'esclaves soldats l'élevaient à hauteur d'épaule sur un pavois.

« Trois mille. » L'homme à la peau brune se fraya un chemin à travers la foule, ses compagnons mercenaires poussant les acheteurs pour dégager le passage. *Oui. Approchez-vous.* Tyrion savait se comporter avec des épées-louées. Il n'imaginait pas un seul instant que cet homme avait envie de le voir cabrioler durant les banquets. *Il me connaît. Il a l'intention de me ramener à Westeros pour me vendre à ma sœur.* Le nain se frotta la bouche pour cacher son sourire. Cersei et les Sept Couronnes se trouvaient à une moitié de monde de là. Tant et plus de choses pouvait se produire avant d'y parvenir. *J'ai retourné Bronn. Laissez-moi la moitié d'une chance et il se pourrait bien que je retourne celui-ci aussi.*

La vieillarde et la fille sur le pavois abandonnèrent la lutte à trois mille, mais pas l'obèse en jaune. De ses yeux jaunes, il jaugea les épées-louées, passa vivement sa langue sur ses dents jaunes et annonça : « Cinq mille pièces d'argent pour le lot. »

L'épée-louée fronça les sourcils, haussa les épaules et se détourna.

Sept enfers. Tyrion en était absolument certain, il ne voulait pas devenir la propriété de l'immense lord Pansejaune. La seule vue de ce personnage, avachi sur sa litière, cette montagne de chair jaunâtre aux petits yeux jaunes et porcins, et aux tétons aussi gros que Jolie Cochonne pressés contre la soie de son *tokar*, suffisait à donner la chair de poule au nain. Et on aurait pu couper au couteau l'odeur qui émanait de lui, même sur le bloc.

« S'il n'y a plus d'enchères…

— Sept mille », s'écria Tyrion.

Des rires ondulèrent sur les gradins. « Le nain veut s'acheter lui-même », commenta la fille sur le pavois.

Tyrion lui lança un sourire lascif. « Un esclave rusé mérite un maître rusé, et vous avez tous l'air de parfaits idiots. »

La remarque provoqua de nouveaux rires des enchérisseurs, et une moue du commissaire-priseur, qui tripota son fouet avec indécision, en se demandant si tout cela pouvait œuvrer à son bénéfice.

« Cinq mille, et une insulte ! s'écria Tyrion. Je joute, je chante, je lance d'amusants traits d'esprit, je baiserai votre femme et je la ferai hurler. Ou la femme de votre ennemi, si vous préférez, quelle meilleure façon de l'humilier ? Donnez-moi une arbalète, vous n'en reviendrez pas. Des hommes de trois fois ma taille tremblent et frémissent quand nous nous affrontons de part et d'autre d'une table de *cyvosse*. À l'occasion, j'ai même tâté de la cuisine. J'offre *dix* mille pièces d'argent pour moi-même ! Et je peux les garantir, je le peux, je le peux. Mon père m'a enseigné à toujours payer mes dettes. »

L'épée-louée au manteau pourpre se retourna. Ses yeux croisèrent ceux de Tyrion par-dessus les rangées des autres enchérisseurs, et il sourit. *Voilà un sourire chaleureux,* jugea le nain. *Amical. Mais, diantre, qu'il a les yeux froids. Je ne tiens peut-être pas tant que ça à ce qu'il nous achète, lui non plus, finalement.*

L'énormité jaune se tortillait sur sa litière, une expression d'agacement sur son visage en forme de tarte. Il murmura en ghiscari quelques paroles aigres que Tyrion ne comprit pas, mais le ton de sa voix était assez clair. « Était-ce une nouvelle enchère ? » Le nain inclina la tête. « J'offre tout l'or de Castral Roc. »

Il entendit le fouet avant que de le sentir, un sifflement dans l'air, aigu et sec. Tyrion grogna sous l'impact, mais cette fois-ci, il réussit à rester debout. Ses pensées le ramenèrent le temps d'un éclair aux tout débuts de son périple, lorsque son problème le plus pressant avait été de décider quel vin boire avec ses escargots du matin. *Voilà ce qu'on gagne à chasser les dragons.* Un rire lui jaillit des lèvres, éclaboussant le premier rang d'acheteurs de sang et de postillons.

« Vous êtes vendus », annonça le commissaire-priseur. Puis il le frappa de nouveau, parce qu'il le pouvait. Cette fois-ci, Tyrion tomba.

Un des gardes le remit sur ses pieds avec brusquerie. Un autre, avec la hampe de sa pique, poussa Sol à descendre de l'estrade. On guidait déjà l'article suivant pour prendre leur place. Une fille, quinze ou seize ans, qui ne venait pas du *Selaesori Qhoran*, cette fois-ci. Tyrion ne la connaissait pas. *Le même âge que Daenerys Targaryen, ou peu s'en faut.* Le marchand d'esclaves eut vite fait de la mettre nue. *Au moins, on nous a épargné cette humiliation.*

Tyrion jeta un coup d'œil, par-dessus le camp yunkaïi, aux remparts de Meereen. Ces portes paraissaient si proches… Et si l'on pouvait se fier aux discussions dans les enclos des esclaves, Meereen demeurait une cité libre. Dans l'enceinte de ces murs croulants, l'esclavage et le commerce des esclaves étaient toujours interdits. Il lui suffisait d'atteindre ces portes, de les franchir, et il serait de nouveau un homme libre.

Mais c'était difficilement possible, à moins d'abandonner Sol. *Elle voudrait emporter sa truie et son chien avec elle.*

« Ce ne sera pas si terrible, non ? chuchota Sol. Il a payé si cher pour nous. Il sera bon avec nous, non ? »

Tant que nous l'amuserons. « Nous sommes trop précieux pour qu'il nous maltraite », la rassura-t-il, le sang des deux derniers coups de fouet coulant toujours dans son dos. *Quand notre spectacle deviendra ennuyeux, cependant... Et c'est bien le cas, il devient ennuyeux...*

Le factotum de leur maître attendait pour prendre livraison d'eux, avec un chariot tiré par une mule et deux soldats. Il avait un long visage étroit et, au bout du menton, une barbe liée avec du fil d'or ; sa chevelure raide, rouge sombre, s'élevait de ses tempes pour former une paire de mains griffues. « Quelles charmantes petites créatures vous faites, dit-il. Vous me rappelez mes propres enfants... enfin, vous me les rappelleriez si mes petits n'étaient pas morts. Je prendrai grand soin de vous. Dites-moi vos noms.

— Sol. » Sa voix était un murmure, menu et effrayé.

Tyrion, de la maison Lannister, seigneur légitime de Castral Roc, lamentable vermisseau. « Yollo.

— Yollo le Hardi. Sol la Brillante. Vous êtes la propriété du noble et valeureux Yezzan zo Qaggaz, érudit et guerrier, révéré au sein des Judicieux de Yunkaï. Estimez-vous heureux, car Yezzan est un maître bon et bienveillant. Considérez-le comme vous considéreriez votre père. »

Volontiers, songea Tyrion, mais, cette fois-ci, il tint sa langue. Ils devraient bientôt se produire devant leur nouveau maître, il n'en doutait pas, et ne pouvait se permettre de recevoir un autre coup de fouet.

« Votre père aime ses trésors particuliers, et il vous chérira, expliquait le factotum. Et moi, considérez-moi comme vous considériez la nourrice qui s'occupait de vous lorsque vous étiez petits. Nourrice, tous mes enfants m'appellent ainsi.

— Lot quatre-vingt-dix-neuf, annonça le commissaire-priseur. Un guerrier. »

La fille s'était rapidement vendue, et on la remettait à son nouvel acquéreur, ses vêtements serrés contre de petits seins aux pointes roses. Deux esclavagistes traînèrent Jorah Mormont sur le bloc pour lui succéder. Le chevalier était nu, hormis un pagne, le dos mis à vif par le fouet, le visage tellement enflé qu'il en était presque méconnaissable. Des chaînes lui entravaient poignets et chevilles. *Un petit échantillon du repas qu'il m'avait préparé*, se dit Tyrion, et pourtant il constata qu'il ne tirait aucun plaisir des déboires du grand chevalier.

Même enchaîné, Mormont paraissait dangereux, une brute massive aux gros bras épais et aux épaules arrondies. Tout ce poil noir et hirsute sur son torse le faisait sembler plus animal qu'humain. Ses deux yeux étaient pochés, deux cavités sombres dans ce visage bouffi de façon grotesque. Sur une joue, il portait une marque : un masque de démon.

Quand les esclavagistes avaient envahi le *Selaesori Qhoran*, ser Jorah les avait accueillis l'épée à la main, en éliminant trois avant de succomber sous le nombre. Leurs compagnons de navire l'auraient volontiers tué, mais le capitaine le leur interdit ; un combattant valait toujours une coquette somme. Aussi avait-on attaché Mormont au banc de nage, pour le battre presque jusqu'à la mort, l'affamer et le marquer.

« Grand et fort, celui-ci, déclara le commissaire-priseur. Il regorge de vigueur. Il offrira un beau spectacle, dans les arènes de combat. Je commence à trois cents. Qui veut relancer ? »

Personne.

Mormont n'accordait aucune attention à la foule disparate ; ses yeux étaient fixés au-delà des lignes de siège, sur la ville lointaine avec ses vieux remparts de brique multicolore. Tyrion savait lire ce regard aussi aisément qu'un livre : *si près et pourtant si loin*. Le pauvre diable était revenu trop tard. Daenerys Targaryen était mariée, leur avaient appris les gardes des enclos, hilares. Elle avait élu pour roi un esclavagiste de Meereen, aussi riche qu'il était noble, et une fois la paix signée et scellée, les arènes de combat de Meereen rouvriraient. D'autres esclaves soutenaient que les gardes mentaient, que jamais Daenerys Targaryen ne conclurait de paix avec des esclavagistes. *Mhysa*, l'appelaient-ils. Quelqu'un lui expliqua que cela signifiait *Mère*. Bientôt, la reine d'argent sortirait de sa cité pour écraser les Yunkaïis et briser leurs fers, se chuchotaient-ils entre eux.

Et ensuite, elle nous préparera une tarte au citron et fera un bisou sur nos bobos et nous serons tous guéris, se dit le nain. Il n'avait aucune confiance dans les sauvetages royaux. Si besoin était, il veillerait lui-même à leur délivrance. Pour Sol et lui, les champignons coincés dans le bout de sa botte suffiraient. Croque et Jolie Cochonne devraient se débrouiller tout seuls.

Nourrice poursuivit l'éducation des nouveaux trophées de son maître. « Faites tout ce qu'on vous dit et rien de plus, et vous vivrez comme de petits lords, dorlotés, choyés, promit-il. Désobéissez... Mais jamais vous ne désobéiriez, n'est-ce pas ? Pas mes mignons. » Il tendit la main et pinça la joue de Sol.

« Alors, deux cents, annonça le commissaire-priseur. Une grande brute comme lui, ça vaut trois fois ce prix. Quel garde du corps il ferait ! Aucun ennemi n'osera s'en prendre à vous !

— Venez, mes petits amis, dit Nourrice. Je vais vous montrer votre nouveau domicile. À Yunkaï, vous habiterez dans la pyramide d'or de Qaggaz et dînerez dans de la vaisselle d'argent, mais ici nous vivons simplement, dans d'humbles tentes de soldats.

— Qui m'en offrira cent ? » cria le commissaire-priseur.

Cela attira enfin une enchère, mais de seulement cinquante pièces d'argent. L'enchérisseur était un homme maigre en tablier de cuir.

« Et un », annonça la vieillarde en *tokar* violet.

Un des soldats souleva Sol pour l'installer à l'arrière de la charrette à mule. « Qui est cette vieille femme ? lui demanda le nain.

— Zahrina, dit l'homme. Combattants bon marché, elle. Viande pour héros. Vous ami mort bientôt. »

Ce n'était pas mon ami. Et pourtant, Tyrion Lannister se vit se tourner vers Nourrice pour dire : « Vous ne pouvez pas le lui laisser. »

Nourrice le regarda en plissant les yeux. « Quel est ce bruit que tu fais ? »

Tyrion tendit le doigt. « Celui-là. Il fait partie de notre spectacle. La Belle et l'ours. Jorah joue l'ours, Sol la Belle et moi le brave chevalier qui la sauve. Je danse autour de lui et je le frappe dans les couilles. C'est très drôle. »

Le factotum plissa les yeux pour mieux distinguer le bloc des enchères. « Lui ? » Les enchères pour Jorah Mormont avaient atteint deux cents pièces d'argent.

« Et un, renchérit la vieillarde en *tokar* violet.

— Votre ours. Je vois. » Nourrice disparut dans la foule, se pencha sur l'énorme Yunkaïi sur sa litière, chuchota à son oreille. Son maître opina, ses bajoues ballottant, puis leva son éventail. « Trois cents », lança-t-il d'une voix essoufflée.

La vieille se raidit et se détourna.

« Pourquoi as-tu fait ça ? demanda Sol, dans la Langue Commune.

Très bonne question, admit Tyrion. *Pourquoi l'ai-je fait ?* « Ton spectacle devenait ennuyeux. Tout baladin a besoin d'un ours danseur. »

Elle lui jeta un regard de reproche, puis se retira à l'arrière du chariot et s'assit, entourant Croque de ses bras comme si le chien était son dernier véritable ami au monde. *C'est peut-être le cas.*

Nourrice revint avec Jorah Mormont. Deux des esclaves soldats de leur maître le jetèrent à l'arrière de la carriole, entre les nains. Le chevalier ne résista pas. *Toute envie de lutter l'a quitté au moment où il a appris que sa reine était mariée*, comprit Tyrion. Un chuchotement avait accompli ce que les poings, les fouets et les massues n'avaient pas obtenu : le briser. *J'aurais dû le laisser à la vieillarde. Il va nous être aussi utile qu'une paire de tétons sur une cuirasse.*

Nourrice grimpa à l'avant de la carriole et saisit les rênes, et ils se mirent en route, traversant le camp des assiégeants jusqu'au bivouac de leur nouveau maître, le noble Yezzan zo Qaggaz. Quatre esclaves soldats marchaient au pas à leurs côtés, deux de chaque côté de la carriole.

Sol ne pleura pas, mais elle avait les yeux rouges et pitoyables, et ne les leva jamais de Croque. *Est-ce qu'elle s'imagine que tout ça va disparaître si elle ne le regarde pas ?* Ser Jorah Mormont ne voyait rien ni personne. Assis, recroquevillé, il méditait dans ses chaînes.

Tyrion regardait tout et tout le monde.

Le campement yunkaïi n'était pas un seul camp, mais une centaine, édifiés côte à côte selon un croissant autour des murailles de Meereen, une cité de soie et de toile avec ses propres avenues et ses ruelles, ses tavernes et ses puterelles, ses bons quartiers et ses mauvais. Entre les lignes de siège et la baie, des tentes avaient poussé comme des champignons jaunes. Certaines étaient petites et dérisoires, rien de plus qu'une bâche de toile tachée pour s'abriter de la pluie et du soleil, mais à côté d'elles se dressaient des tentes casernes assez grandes pour accueillir une centaine de dormeurs, et des pavillons de soie vastes comme des palais, avec des harpies qui brillaient au sommet de leurs mâts de faîte. Certains camps étaient ordonnés, avec des tentes disposées en cercles concentriques autour de la fosse du feu, les armes et les cuirasses entassées autour de l'anneau central, les lignes des chevaux à l'extérieur. Ailleurs, semblait régner un pur chaos.

Les plaines autour de Meereen, sèches et cuites au soleil, s'étiraient, plates et nues, sur de longues lieues dénuées d'arbres, mais les navires yunkaïis avaient apporté du Sud du bois et des peaux de bœufs, assez pour édifier six énormes trébuchets. Ils étaient disposés sur trois côtés de la cité, tous sauf la berge du fleuve, entourés d'amas de pierres brisées et de barils de poix et de résine qui n'attendaient plus qu'une torche. Un des soldats qui escortaient la carriole vit dans quelle direction regardait Tyrion et il lui confia avec orgueil que chacun des trébuchets avait reçu un nom : Brise-Dragon, la Mégère, la Fille de la Harpie, la Méchante Sœur, le Spectre d'Astapor et le Poing de Mazdhan. Dominant de quarante pieds les tentes, les trébuchets constituaient les plus remarquables points de repère du camp des assiégeants. « À leur seule vue, la reine dragon est tombée à genoux, se vanta l'homme. Et elle va rester comme ça, à sucer la noble queue d'Hizdahr, sinon nous réduirons ses murailles en miettes. »

Tyrion vit un grand esclave qu'on fouettait, un coup après l'autre, jusqu'à ce que son dos ne soit plus que du sang et de la viande crue. Une file d'hommes passa, chargés de fers, cliquetant à chaque pas ; ils tenaient des piques et portaient des épées courtes, mais des chaînes les reliaient, poignet à poignet et cheville à cheville. L'air sentait la viande rôtie et il vit un homme écorcher un chien pour le mettre dans la marmite.

Il vit les morts aussi, et entendit les agonisants. Sous la fumée en suspension, l'odeur des chevaux et le vif goût salé de la baie, persistait un remugle de sang et de merde. *Une dysenterie*, comprit-il, en observant deux épées-louées qui emportaient le cadavre d'un troisième hors d'une tente. Ses doigts commencèrent à s'agiter. La maladie pouvait anéantir une armée plus vite que n'importe quelle bataille, avait-il entendu son père dire, une fois.

Raison de plus pour s'échapper, et vite.

À un quart de mille de là, il trouva une bonne occasion d'y réfléchir. Une foule s'était assemblée autour de trois esclaves capturés pendant une tentative d'évasion. « Je sais que mes petits trésors sont gentils et obéissants, déclara Nourrice. Voyez ce qui arrive à ceux qui essaient de s'enfuir. »

On avait attaché les captifs à une rangée de solives, et un duo de frondeurs les utilisait pour mettre leurs talents à l'épreuve. « Des Tolosiens, leur dit un des gardes. Les meilleurs frondeurs du monde. Ils lancent des balles en plomb mou, plutôt que des cailloux. »

Tyrion n'avait jamais perçu l'intérêt des frondes, alors que les arcs avaient une bien meilleure portée... Mais il n'avait encore jamais vu de Tolosiens à l'œuvre. Leurs balles de plomb causaient énormément plus de dégâts que les pierres lisses employées par d'autres frondeurs, et plus que n'importe quel arc, également. L'une d'elles frappa le genou d'un des captifs, et la rotule explosa dans une gerbe de sang et d'os, qui laissa le bas de la jambe de l'homme pendre par le cordon rouge sombre d'un tendon. *Ma foi, en voilà un qui n'ira plus courir*, reconnut Tyrion tandis que l'homme se mettait à hurler. Ses cris se mélangèrent dans l'air du matin aux rires des filles de camp et aux malédictions de ceux qui avaient parié une coquette somme que le frondeur manquerait son coup. Sol détourna les yeux, mais Nourrice l'attrapa sous le menton et lui tordit le cou en sens inverse. « Regarde, ordonna-t-il. Toi aussi, l'ours. » Jorah Mormont leva la tête et dévisagea Nourrice. Tyrion vit la tension dans ses bras. *Il va l'étrangler, et ce sera la fin, pour nous tous.* Mais le chevalier se borna à grimacer, puis il se tourna pour observer le sanglant spectacle.

À l'est, les massifs remparts de briques de Meereen ondulaient à travers la chaleur matinale. Voilà le refuge que ces pauvres idiots avaient essayé d'atteindre. *Mais combien de temps restera-t-il un refuge ?*

Les trois candidats à l'évasion étaient morts avant que Nourrice ait repris les rênes. La carriole reprit sa route avec fracas.

Le camp de leur maître se trouvait au sud-est de la Mégère, presque dans son ombre, et s'étalait sur un hectare ou deux. L'humble tente de Yezzan zo Qaggaz se révéla être un palais de soie citron. Des harpies dorées se dressaient sur le mât central de chacun des neuf toits pointus, brillant au soleil. Des tentes plus modestes la cernaient de tous côtés. « Ce sont les lieux où vivent les cuisiniers, les concubines et les guerriers de notre noble maître, et quelques parents en moindre faveur, leur expliqua Nourrice, mais vous aurez le rare privilège de dormir dans le propre pavillon de Yezzan, mes petits chéris. Il prend plaisir à conserver près de lui ses trésors. » Il regarda Mormont en se rembrunissant. « Pas toi, l'ours. Tu es gros et laid, tu seras enchaîné dehors. » Le chevalier ne réagit pas. « Mais d'abord, vous devez tous recevoir vos colliers. »

Les colliers étaient en fer, légèrement dorés pour les faire scintiller à la lumière. Le nom de Yezzan était ciselé dans le métal en glyphes valyriens, et deux minuscules clochettes étaient attachées sous les oreilles, si bien que chaque pas de celui qui le portait produisait un joyeux petit tintement. Jorah Mormont reçut le sien dans un silence morose, mais Sol fondit en larmes tandis qu'on assujettissait le sien. « Qu'il est lourd ! » se plaignit-elle.

Tyrion lui pressa la main. « C'est de l'or massif, mentit-il. À Westeros, des dames de haute naissance rêvent d'un tel collier. » *Mieux vaut un collier qu'une marque. On peut toujours retirer un collier.* Il se souvint de Shae, et de la façon dont la chaîne d'or avait lui tandis qu'il la serrait de plus en plus étroitement autour de sa gorge.

Ensuite, Nourrice fit attacher les chaînes de ser Jorah à un poteau près du feu des cuisines, tandis qu'il escortait les deux nains à l'intérieur du pavillon du maître et leur indiquait où ils dormiraient, dans une alcôve dotée d'un tapis et séparée de la tente principale par des parois de soie jaune. Ils partageraient cet espace avec d'autres trésors de Yezzan : un gamin avec des jambes torses et velues, des « pattes de bouc » ; une fille à deux têtes, originaire de Mantarys ; une femme à barbe ; et une ondulante créature appelée Douceur qui se vêtait d'opales et de dentelle de Myr. « Vous essayez de décider si je suis un homme ou une femme », leur dit Douceur quand on la présenta aux nains. Puis elle souleva ses jupes et leur montra ce qui se trouvait dessous. « Je suis les deux, et c'est moi que le maître préfère. »

Une galerie de monstres, comprit Tyrion. *Quelque part, il y a un dieu qui se tord de rire.* « Ravissant, répondit-il à Douceur, qui avait les cheveux pourpres et des yeux violets, mais nous espérions être les plus jolis, pour une fois. »

Douceur ricana, mais cela n'amusa pas Nourrice. « Réserve tes plaisanteries pour ce soir, quand vous vous produirez devant notre noble maître. Si vous lui plaisez, vous serez bien récompensés. Sinon... » Il gifla Tyrion en pleine figure.

« Il faudra faire attention avec Nourrice, leur dit Douceur après le départ du factotum. C'est le seul véritable monstre, ici. » La femme à barbe parlait un type incompréhensible de ghiscari, le garçon chèvre un sabir guttural de marin appelé la langue du commerce. La fille à deux têtes était simple d'esprit ; une tête, pas plus grosse qu'une orange, ne parlait pas du tout, l'autre avait les dents limées et était susceptible de grogner si l'on approchait trop de sa cage. Mais Douceur parlait couramment quatre langues, dont le haut valyrien.

« À quoi ressemble le maître ? demanda Sol avec inquiétude.

— Il a les yeux jaunes et il pue, répondit Douceur. Il y a dix ans, il est allé à Sothoros et depuis lors, il pourrit de l'intérieur. Faites-lui oublier qu'il se meurt, même un court moment, et il peut se montrer très généreux. Ne lui refusez rien. »

Ils n'eurent que l'après-midi pour apprendre la vie des biens matériels. Les esclaves personnels de Yezzan remplirent d'eau chaude un baquet et les nains eurent la permission de se baigner – Sol d'abord, puis Tyrion. Ensuite, un autre esclave étala un onguent cuisant sur les coupures de son dos afin de les empêcher de se mortifier, avant de les couvrir d'une compresse fraîche. On coupa les cheveux de Sol, et on tailla la barbe de Tyrion. On leur donna des babouches souples et des vêtements neufs, simples, mais propres.

Alors que tombait le soir, Nourrice revint leur annoncer qu'il était temps d'endosser leur plate de baladins. Yezzan recevait le commandant suprême des forces yunkaïes, le noble Yurkhaz zo Yunzak, et on attendait d'eux une représentation. « Faut-il détacher votre ours ?

— Pas ce soir, répondit Tyrion. Commençons par jouter devant notre maître, et gardons l'ours pour une autre occasion.

— Fort bien. Une fois vos cabrioles achevées, vous aiderez comme serveurs et échansons. Veillez à ne rien renverser sur les invités, ou il vous en cuira. »

Un jongleur entama les festivités de la soirée. Puis vint un énergique trio d'acrobates. Après eux, le garçon aux pattes de bouc apparut et exécuta une gigue grotesque, tandis qu'un des esclaves de Yurkhaz jouait d'une flûte en os. Tyrion eut presque envie de lui demander s'il connaissait *Les Pluies de Castamere*. En attendant leur tour de se produire, il observa Yezzan et ses invités. Le pruneau humain occupant la place d'honneur, à l'évidence le commandant suprême des forces yunkaïes, paraissait aussi formidable qu'un étron mou. Une douzaine d'autres seigneurs yunkaïis étaient à son service. Deux capitaines épées-louées se trouvaient également présents, chacun accompagné d'une douzaine d'éléments de sa compagnie. L'un d'eux était un Pentoshi élégant, aux cheveux gris, vêtu de soie à l'exception de sa cape, une loque cousue de dizaines de bandeaux de tissus déchirés et tachés de sang. L'autre capitaine était l'homme qui avait essayé de les acheter ce matin-là, l'enchérisseur à la peau mate et à la barbe poivre et sel. « Brun Ben Prünh, le nomma Douceur. Capitaine des Puînés. »

Un Ouestrien, et un Prünh de surcroît. De mieux en mieux. « Vous passez ensuite, les informa Nourrice. Soyez amusants, mes petits chéris, ou vous regretterez de ne pas l'avoir été. »

Tyrion n'avait pas maîtrisé la moitié des anciens tours de Liard, mais il savait chevaucher la truie, tomber quand il le devait, rouler et bondir de nouveau sur ses pieds. Tout cela reçut un excellent accueil. Le spectacle de petites personnes qui couraient comme des ivrognes et se frappaient avec des armes en bois semblait aussi désopilant dans un camp d'assiégeants sur les bords de la baie des Serfs qu'au banquet de noces de Joffrey à Port-Réal. *Le mépris*, songea Tyrion, *ce langage universel.*

C'était leur maître Yezzan qui riait le plus fort et le plus longtemps chaque fois qu'un de ses nains faisait une chute ou recevait un coup, tout son vaste corps agité comme du suif dans un tremblement de terre ; ses invités attendaient de voir la réaction de Yurkhaz zo Yunzak avant de l'imiter. Le commandant suprême paraissait si frêle que Tyrion eut peur que rire ne le tuât. Quand le casque de Sol fut arraché par un coup et s'envola sur les genoux d'un Yunkaïi renfrogné en *tokar* rayé vert et or, Yurkhaz gloussa comme une poule. Quand le lord en question plongea la main dans le casque et en retira un gros melon mauve ruisselant de pulpe, il chuinta jusqu'à ce que son visage vire au même coloris que le fruit. Il se retourna vers son hôte et murmura quelque chose qui fit pouffer et se pourlécher leur maître... bien qu'un soupçon de colère passât dans ces yeux jaunes plissés, sembla-t-il à Tyrion.

Après le numéro, les nains se dépouillèrent de leur armure de bois et des tenues trempées de sueur au-dessous pour se changer et revêtir les tuniques jaunes propres qu'on leur avait fournies pour servir. On confia à Tyrion une carafe de vin mauve, à Sol une carafe d'eau. Ils circulèrent sous la tente en remplissant les coupes, leurs pieds chaussés de babouches chuchotant sur les épais tapis. La tâche était plus pénible qu'il n'y paraissait. Sous peu, Tyrion ressentit de mauvaises crampes dans ses jambes, et une des entailles sur son dos avait recommencé à saigner, le rouge transperçant le tissu jaune de sa tunique. Tyrion se mordit la langue et continua à verser.

La plupart des invités ne leur accordaient pas plus d'attention qu'aux autres esclaves... mais un Yunkaïi ivre clama que Yezzan devrait faire baiser les deux nains ensemble, et un autre exigea de savoir comment Tyrion avait perdu son nez. *Je l'ai fourré dans le con de ta femme, et elle l'a sectionné d'un coup de dents*, manqua-t-il répondre... Mais la tempête l'avait convaincu qu'il ne tenait pas à mourir tout de suite, aussi se borna-t-il à dire : « On me l'a tranché pour punir mon insolence, seigneur. »

C'est alors qu'un lord en *tokar* bleu frangé d'yeux de tigre se souvint que Tyrion s'était vanté de son talent au *cyvosse*, pendant la vente aux enchères. « Mettons-le à l'épreuve », proposa-t-il. On apporta aussitôt une table et ses pièces. À peine quelques instants plus tard, le seigneur, le visage rubicond, envoyait promener la table avec fureur, dispersant les pièces sur les tapis, sous les rires des Yunkaïis.

« Tu aurais dû le laisser gagner », chuchota Sol.

Brun Ben Prünh souleva la table renversée en souriant. « Et maintenant, essaie avec moi, nain. Quand j'étais plus jeune, les Puînés ont pris un contrat avec Volantis. J'y ai appris le jeu.

— Je ne suis qu'un esclave. À mon noble maître de décider du moment où je joue et de l'adversaire que j'affronte. » Tyrion se retourna vers Yezzan. « Maître ? »

L'idée parut amuser le seigneur jaune. « Quels enjeux proposez-vous, capitaine ?

— Si je gagne, donnez-moi cet esclave, répondit Prünh.

— Non, décida Yezzan zo Qaggaz. Mais si vous parvenez à vaincre mon nain, vous aurez le prix que je l'ai payé, en or.

— Conclu », dit l'épée-louée. Les pièces culbutées furent ramassées sur le tapis et ils s'assirent pour jouer.

Tyrion remporta la première manche. Prünh gagna la seconde, pour le double des enjeux. Tandis qu'ils s'installaient pour une troisième manche, le nain étudia son adversaire. Brun de peau, les joues et la mâchoire couvertes d'une barbe courte de poils raides gris et blancs, le visage raviné par mille rides et quelques anciennes cicatrices, Prünh avait la mine aimable, en particulier quand il souriait. *Le fidèle serviteur*, décida Tyrion. *L'oncle préféré de tout le monde, débordant de petits rires, de vieilles maximes et de sagesse un peu fruste.* Tout cela était un masque. Ces sourires ne montaient jamais jusqu'aux yeux de Prünh, où la cupidité se cachait derrière un voile de prudence. *Affamé, mais méfiant, celui-là.*

L'épée-louée jouait presque aussi mal que le seigneur yunkaïi, mais il privilégiait la régularité et la ténacité sur la hardiesse. Ses dispositions d'ouverture changeaient à chaque fois, mais demeuraient pourtant identiques – classiques, défensives, passives. *Il ne joue pas pour gagner*, comprit Tyrion. *Il joue pour ne pas perdre.* La tactique avait fonctionné au cours de leur deuxième partie, quand le petit homme s'était trop dispersé sur un assaut imprudent. Elle n'opéra pas à la troisième, ni à la quatrième, ni à la cinquième, qui fut aussi leur dernière.

Vers la fin de cet ultime affrontement, avec sa forteresse en ruine, son dragon mort, des éléphants face à lui et de la cavalerie lourde qui prenait son arrière-garde dans un mouvement tournant, Prünh leva les yeux en souriant et déclara : « Yollo a encore gagné. La mort en quatre coups.

— En trois. » Tyrion tapota son dragon. « J'ai eu de la chance. Peut-être devriez-vous frictionner mon crâne un bon coup avant notre prochaine partie, capitaine. Un peu de cette chance pourrait déteindre sur vos doigts. » *Tu perdras quand même, mais la partie y gagnera peut-être en intérêt.* En souriant, il s'écarta de la table de *cyvosse*, reprit sa carafe de vin et recommença à servir, laissant un Yezzan zo Qaggaz considérablement enrichi et un Brun Ben Prünh considérablement appauvri. Au cours de la troisième partie, son titanesque maître avait sombré dans un sommeil aviné, sa coupe échappant à ses doigts jaunis pour répandre son contenu sur le tapis, mais peut-être serait-il content au réveil.

Lorsque Yurkhaz zo Yunzak, commandant suprême des forces yunkaïies, prit congé, soutenu par une paire de solides esclaves, il sembla donner aux autres invités le signal du départ général. Une fois que la tente fut vide, Nourrice réapparut pour annoncer aux serviteurs qu'ils pouvaient faire leur propre banquet avec les restes. « Dépêchez-vous de manger. Tout ceci devra être nettoyé avant que vous alliez dormir. »

Tyrion était à genoux, les jambes douloureuses et son dos ensanglanté hurlant de douleur, en train d'essayer d'effacer la tache de vin renversé laissée sur le tapis par le noble Yezzan, quand le factotum lui tapota gentiment la joue avec le bout de son fouet. « Yollo. Tu t'es bien comporté. Toi et ton épouse.

— Ce n'est pas mon épouse.

— Ta putain, alors. Debout, tous les deux. »

Tyrion se leva maladroitement, une jambe tremblant sous lui. Il avait les cuisses nouées, tellement saisies de crampes que Sol dut lui tendre la main pour l'aider à se remettre debout. « Qu'avons-nous fait ?

— Tant et plus, déclara le factotum. Nourrice vous a dit que vous seriez récompensés si vous satisfaisiez votre père, n'est-ce pas ? Bien que le noble Yezzan répugne à perdre ses petits trésors, comme vous l'avez vu, Yurkhaz zo Yunzak l'a convaincu qu'il serait égoïste de garder d'aussi cocasses gambades pour lui seul. Réjouissez-vous ! Pour célébrer la signature de la paix, vous aurez l'honneur de jouter dans la Grande Arène de Daznak. Ils seront des milliers à venir vous voir ! Des dizaines de milliers ! Et, oh, que nous allons rire ! »

JAIME

Le château de Corneilla était ancien. Entre ses vieilles pierres, la mousse poussait dru, entoilant ses murs comme des varices sur des jambes de vieillarde. Deux énormes tours flanquaient la porte principale du château et de plus petites défendaient chaque angle de ses remparts. Toutes étaient carrées. Des tours rondes ou des demi-lunes résistaient mieux aux catapultes, puisque la courbure du mur avait plus de chances de dévier les pierres, mais Corneilla précédait cette habile découverte des architectes.

Le château dominait la large vallée fertile que les cartes et les hommes avaient appelée le val Nerbosc, le val du Bois noir. Val, certes, c'en était un, sans aucun doute, mais nul bois n'avait poussé ici depuis plusieurs millénaires, qu'il fût noir, brun ou vert. Jadis, oui, mais les haches avaient depuis long-temps abattu les arbres. Des maisons, des moulins et des redoutes s'étaient dressés où autrefois se tenaient de hauts chênes. Le sol nu et boueux se ponctuait çà et là de congères de neige en train de fondre.

Dans l'enceinte du château, en revanche, persistait encore un peu de forêt. La maison Nerbosc révérait les anciens dieux et pratiquait comme l'avaient fait les Premiers Hommes avant l'arrivée des Andals à Westeros. Certains arbres de leur bois sacré étaient réputés aussi anciens que les tours carrées de Corneilla, et singulièrement l'arbre-cœur, un barral de taille colossale dont les ramures supérieures se voyaient à des lieues, tels des doigts osseux griffant le ciel.

Lorsque Jaime Lannister et son escorte, sinuant à travers le moutonnement des collines, pénétrèrent dans le val, il ne restait plus grand-chose des champs, des fermes et des vergers qui avaient jadis entouré Corneilla – rien que de la boue et des cendres et, ici ou là, les coquilles noircies de maisons et de moulins. Dans cette désolation croissaient mauvaises herbes, ronces et orties, mais rien qu'on pût qualifier de récolte. Partout où Jaime portait son regard, il voyait la main de son père, même dans les ossements qu'ils apercevaient parfois en bordure de route. Des moutons, pour la plupart, mais on voyait également des chevaux, du bétail et, de temps en temps, un crâne humain ou un squelette décapité dont les herbes folles envahissaient la cage thoracique.

Corneilla n'était pas encerclée par de grands osts, comme cela s'était passé à Vivesaigues. Ici, le siège était une affaire plus intime, un nouveau pas dans une danse qui remontait à bien des siècles. Au mieux, Jonos Bracken avait cinq cents hommes autour du château. Jaime ne voyait ni beffroi de siège, ni boutoir, ni catapulte. Bracken n'avait nulle intention d'enfoncer les portes de Corneilla ni de prendre d'assaut ses hauts remparts épais. Sans perspective de renforts, il se satisfaisait de réduire son rival par la faim. Assurément, il y avait eu au début du siège des sorties et des escarmouches, et des échanges de flèches ; au bout de la moitié d'un an, tout le monde était trop épuisé pour s'adonner à de pareilles sottises. L'ennui et la routine, les ennemis de la discipline, avaient pris le dessus.

Il est grand temps de régler ceci, songeait Jaime Lannister. Maintenant que Vivesaigues était en sécurité dans les mains des Lannister, Corneilla constituait le dernier bastion de l'éphémère royaume du Jeune Loup. Une fois qu'elle aurait capitulé, le travail de Jaime sur le Trident serait achevé et il serait libre de revenir à Port-Réal. *Au roi*, se dit-il, mais une autre partie de lui souffla : *à Cersei*.

Il devrait l'affronter, il s'en doutait. En supposant que le Grand Septon ne l'avait pas mise à mort quand il regagnerait la cité. « *Viens tout de suite* », écrivait-elle dans la lettre qu'il

avait fait brûler par Becq à Vivesaigues. « *Aide-moi. Sauve-moi.*
J'ai besoin de toi aujourd'hui comme jamais je n'ai eu besoin
de toi auparavant. Je t'aime. Je t'aime. Je t'aime. Viens tout
de suite. » Son besoin d'aide était réel, Jaime n'en doutait pas.
Quant au reste... *Elle a baisé avec Lancel, Osmund Potaunoir,*
et Lunarion pour ce que j'en sais... Même s'il était revenu, il
n'aurait pu espérer la sauver. Elle était coupable de toutes les
trahisons dont on l'accusait, et Jaime avait une main d'épée en
moins.

Lorsque la colonne arriva des champs au petit trot, les sentinelles les considérèrent avec plus de curiosité que de peur.
Nul ne sonna l'alarme, ce qui convenait fort bien à Jaime. Le
pavillon de lord Bracken ne se révéla pas très compliqué à localiser. C'était le plus grand du camp, et le mieux situé ; sis au
sommet d'une légère éminence, près d'un ruisseau, il jouissait
d'une vue dégagée sur deux des portes de Corneilla.

La tente était marron, comme l'étendard qui claquait à son
mât central, où l'étalon rouge de la maison Bracken se cabrait
sur son blason d'or. Jaime donna ordre de mettre pied à terre
et indiqua aux hommes qu'ils pouvaient aller fraterniser s'ils
le souhaitaient. « Pas vous deux, précisa-t-il à ses porte-bannière.
Restez tout près. Ça ne prendra pas longtemps. » Jaime sauta
d'Honneur pour se diriger d'un pas décidé vers la tente de Bracken, son épée cliquetant dans son fourreau.

Les gardes en poste devant le rabat de la tente échangèrent
un coup d'œil inquiet à son approche. « Messire, dit l'un.
Devons-nous vous annoncer ?

— Je m'annoncerai tout seul. » Jaime écarta le rabat avec sa
main dorée et s'inclina pour le passer.

Ils étaient bel et bien en pleine action quand il entra, tant
préoccupés de leur copulation qu'aucun ne remarqua sa venue.
La femme avait les yeux clos. Ses mains agrippaient le poil
rude et brun sur le dos de Bracken. Elle hoquetait chaque fois
qu'il la tabourait. Sa Seigneurie avait la tête enfouie entre ses
seins, les mains nouées sur ses hanches. Jaime s'éclaircit la
gorge. « Lord Jonos. »

Les yeux de la femme s'ouvrirent tout grand et elle poussa
un cri de surprise. Jonos Bracken roula de sur elle, saisit son

441

fourreau et se redressa, l'acier nu à la main, en sacrant. « *Par sept foutus enfers*, commença-t-il, *qui ose...* » Puis il vit la cape blanche et la cuirasse dorée de Jaime. La pointe de son épée retomba. « Lannister ?

— Je suis navré d'interrompre vos plaisirs, messire, déclara Jaime avec un demi-sourire, mais je suis quelque peu pressé. Pouvons-nous parler ?

— Parler. Certes. » Lord Jonos rengaina son épée. Il n'était point si grand que Jaime, mais plus lourd, avec une carrure épaisse et des bras qui auraient excité l'envie d'un forgeron. Un chaume court et brun couvrait ses joues et son menton. Il avait les yeux bruns aussi, pleins d'une colère mal dissimulée. « Je n'étais pas averti de votre arrivée, messire. Elle me prend au dépourvu.

— Il me semblait que c'était vous qui la preniez », répondit Jaime en adressant un sourire à la femme dans le lit. Elle avait une main posée sur le sein gauche et l'autre entre ses jambes, ce qui laissait son sein droit exposé. Ses aréoles, plus sombres que celles de Cersei, avaient le triple de leur taille. Quand elle sentit le regard de Jaime, elle se couvrit le sein droit, mais cela exposa son minon. « Toutes les filles du camp sont-elles si pudiques ? s'étonna-t-il. Si un homme veut vendre ses navets, il lui faut les exposer.

— Vous lorgnez mes navets depuis que zêtes entré, ser. » La femme trouva la couverture et la tira assez haut pour se couvrir jusqu'à la taille, puis elle leva une main pour écarter ses cheveux de ses yeux. « Et puis, 'sont pas à vendre. »

Jaime haussa les épaules. « Pardonnez-moi si je vous ai prise pour ce que vous n'êtes pas. Mon petit frère a connu cent catins, je n'en doute pas, mais je n'ai couché qu'avec une seule.

— C'est une prise de guerre. » Bracken récupéra son haut-de-chausses sur le plancher et le fit claquer pour le déployer. « Elle appartenait à une des épées liges de Nerbosc jusqu'à ce que je lui fende le crâne en deux. Baisse donc tes mains, bonne femme. Messire Lannister veut pouvoir regarder ces tétons. »

Jaime ignora la remarque. « Vous enfilez vos chausses à l'envers, messire », prévint-il Bracken. Tandis que Jonos jurait, la femme se glissa hors du lit pour ramasser ses vêtements épars, ses doigts voletant nerveusement de ses seins à sa fente tandis qu'elle se penchait, se tournait et tendait la main. Ses efforts pour se dissimuler étaient curieusement provocants, beaucoup plus que si elle avait simplement vaqué toute nue à sa tâche. « Avez-vous un nom, la femme ? lui demanda-t-il.

— Ma mère m'a nommée Hildy, ser. » Elle enfila une chemise sale par-dessus sa tête et secoua ses cheveux pour les dégager. Elle avait la figure presque aussi crasseuse que les pieds, et assez de poil entre les jambes pour passer pour la sœur de Bracken, mais il y avait tout de même en elle quelque chose d'attrayant. Ce nez épaté, sa crinière hirsute... ou la manière dont elle exécuta une petite courbette après avoir enfilé son jupon. « Avez-vous vu mon autre chaussure, m'sire ? »

La question sembla irriter lord Bracken. « Mais pour qui me prends-tu, foutre ? Ta femme de chambre, pour que j'aille te quérir tes chaussures ? Va pieds nus, s'il le faut. Mais file.

— Cela signifie-t-il que vous ne m'emmènerez pas chez vous, m'sire, pour prier auprès de votre petite femme ? » En riant, Hildy jeta à Jaime un coup d'œil impudent. « Avez-vous une petite femme, ser ? »

Non, j'ai une sœur. « De quelle couleur est ma cape ?

— Blanche, répondit-elle, mais votre main est d'or massif. Ça me plaît, chez un homme. Et vous préférez quoi chez une femme, m'sire ?

— L'innocence.

— Chez une femme, j'ai dit. Pas chez votre fille. »

Il songea à Myrcella. *Il faudra aussi que je le lui dise.* Les Dorniens pourraient ne pas apprécier. Doran Martell l'avait promise à son fils avec l'idée qu'elle était du même sang que Robert. *Des nœuds et des entrelacs,* se dit Jaime en regrettant de ne pouvoir trancher tout cela d'un prompt coup d'épée. « J'ai prêté serment, dit-il à Hildy avec lassitude.

— Pas de navets pour vous, en ce cas, repartit la drôlesse avec impudeur.

— *Décampe* », rugit lord Jonos à son adresse.

Ce qu'elle fit. Mais en se glissant devant Jaime, serrant une chaussure et le tas de ses vêtements, elle tendit la main vers le bas et lui pressa la queue à travers le haut-de-chausses.

« *Hildy* », lui rappela-t-elle avant de déguerpir, à demi vêtue, hors de la tente.

Hildy, se dit Jaime, songeur. « Et comment se porte madame votre épouse ? demanda-t-il à lord Jonos quand la fille eut disparu.

— Que voulez-vous que j'en sache ? Interrogez son septon. Lorsque votre père a incendié notre château, elle a décidé que les dieux nous punissaient. Désormais, elle ne fait plus que prier. » Jonos avait enfin passé son haut-de-chausses dans le bon sens et se le laçait. « Qu'est-ce qui vous amène ici, messire ? Le Silure ? Nous avons appris qu'il s'était enfui.

— Vraiment ? » Jaime s'assit sur un tabouret. « Pas par le bougre en personne, par hasard ?

— Ser Brynden n'est pas assez fou pour accourir chez moi. J'ai de l'affection pour le personnage, je ne le nie point. Cela ne me retiendra pas de le coller aux fers s'il présente sa trogne près de moi ou des miens. Il sait que j'ai ployé le genou. Il aurait dû en faire autant, mais il a toujours été cabochard. Son frère aurait pu vous en dire autant.

— Tytos Nerbosc n'a pas ployé le genou, fit observer Jaime. Se pourrait-il que le Silure ait cherché refuge à Corneilla ?

— Il pourrait, mais pour le trouver, il devrait franchir mes lignes de siège et, aux dernières nouvelles, il ne lui était point poussé des ailes. Tytos aura lui-même bientôt besoin d'un refuge. Ils en sont réduits aux rats et aux racines, là-dedans. Il capitulera avant la prochaine pleine lune.

— Il capitulera avant que le soleil se couche. J'ai l'intention de lui présenter des conditions et de l'accepter de nouveau dans la paix du roi.

— Je vois. » Lord Jonos se tortilla pour enfiler une tunique de laine brune portant l'étalon rouge de Bracken brodé sur l'avant. « Voulez-vous prendre une corne de bière, messire ?

— Non, mais ne vous desséchez point à cause de moi. »

Bracken se remplit une corne, en but la moitié et s'essuya la bouche. « Vous parliez de conditions. De quel genre ?

— Les termes habituels. On exigera de lord Nerbosc qu'il confesse sa trahison et abjure ses allégeances aux Stark et aux Tully. Il prêtera solennellement serment devant les hommes et les dieux de demeurer dorénavant féal vassal d'Harrenhal et du Trône de Fer, et je lui accorderai le pardon au nom du roi. Nous prélèverons un ou deux pots d'or, bien entendu. Le prix de la rébellion. Je demanderai également un otage, afin de garantir que Corneilla ne se soulèvera plus.

— Sa fille, suggéra Bracken. Nerbosc a six fils, mais une seule fille. Il en raffole. Une morveuse petite drôlesse, elle ne doit pas avoir plus de sept ans.

— C'est jeune, mais elle pourrait convenir. »

Lord Jonos vida sa corne de bière et l'envoya promener. « Et qu'en est-il des terres et des châteaux qui nous ont été promis ?

— De quelles terres parlez-vous ?

— La rive orientale de la Veuve, de la crête de l'Arbalète jusqu'au Pacage au Rut, et toutes les îles de la rivière. Les moulins de Meueblé et du Seigneur, les ruines de Fort d'Alluve, de la Ravissée, la vallée de la Bataille, Vieilleforge, les villages de Boucle, Nerboucle, Cairns et la Mare-argile, et le bourg de Tomballuve. Bois-aux-Vespes, le bois de Lorgen, Vertebutte et les Tétons de Barba. Chez les Nerbosc, on les appelle les Tétons de Missy, mais ce furent d'abord ceux de Barba. La Miélaie et toutes les ruches. Tenez, je vous les ai indiqués, si vous voulez jeter un coup d'œil, messire. » Il farfouilla sur une table et exhiba une carte tracée sur parchemin.

Jaime la prit de sa main valide, mais dut employer celle en or pour l'ouvrir et la maintenir à plat. « Voilà beaucoup de terres, observa-t-il. Vous allez accroître vos domaines d'un quart. »

La bouche de Bracken se figea dans un pli obstiné. « Toutes ces terres appartenaient autrefois à la Haye-Pierre. Les Nerbosc nous les ont volées.

— Et ce village ici, entre les Tétons ? » Jaime tapota la carte d'une phalange dorée.

« L'Arbre-sous. Celui-là nous appartenait aussi, jadis, mais c'est un fief royal depuis cent ans. Laissez cela en dehors. Nous ne demandons que les terres volées par les Nerbosc. Le seigneur votre père avait promis de nous les restituer, si nous réduisions lord Tytos pour lui.

— Et pourtant en arrivant à cheval, j'ai vu voler des bannières de Tully sur les murs du château, ainsi que le loup-garou de Stark. Cela semblerait indiquer que lord Tytos n'a pas été réduit.

— Nous l'avons chassé du champ de bataille, lui et les siens, et enfermés dans Corneilla. Donnez-moi assez d'hommes pour prendre les murailles d'assaut, messire, et je réduirai tout le lot à la tombe.

— Si je vous donnais assez d'hommes, c'est eux qui réduiraient, et non pas vous. Auquel cas, je devrais me récompenser moi-même. » Jaime laissa la carte s'enrouler de nouveau. « Je vais conserver ceci, si je puis.

— La carte est à vous. Les terres sont à nous. On dit qu'un Lannister paie toujours ses dettes. Nous avons combattu pour vous.

— Pas moitié tant que contre nous.

— Le roi nous a pardonné cela. J'ai perdu mon neveu sous vos épées, et mon fils naturel. Votre Montagne a volé ma récolte et brûlé tout ce qu'il ne pouvait point emporter. Il a passé mon château à la torche et violé une de mes filles. J'exige dédommagement.

— La Montagne n'est plus, ni mon père, lui répondit Jaime, et certains trouveraient votre tête un dédommagement suffisant. Vous vous êtes déclaré pour Stark, après tout, et lui avez été loyal jusqu'à ce que lord Walder le tue.

— L'assassine, lui et une douzaine de braves de mon propre sang. » Lord Jonos détourna la tête et cracha. « Certes, j'ai été loyal envers le Jeune Loup. Ainsi que je le serai envers vous, tant que vous me traiterez avec justice. J'ai ployé le genou, car je ne voyais pas de sens à mourir pour des morts, non plus qu'à verser le sang des Bracken pour une cause perdue.

— Un homme prudent. » *Même si certains pourraient juger plus honorable la conduite de lord Nerbosc.* « Vous aurez vos terres. Une partie, tout au moins. Puisque vous avez réduit les Nerbosc en partie. »

Cela parut satisfaire lord Jonos. « Nous serons contents de toute portion que vous jugerez équitable, messire. Si je puis offrir un conseil, cependant, il ne sert de rien d'agir avec trop de bonté avec ces Nerbosc. Ils ont la cautèle dans le sang. Avant l'arrivée des Andals à Westeros, la maison Bracken régnait sur cette rivière. Nous étions rois et les Nerbosc nos vassaux, mais ils nous ont trahis et ont usurpé la couronne. Chaque Nerbosc est né tourne-casaque. Vous feriez bien de vous en souvenir quand vous établirez vos conditions.

— Oh, je n'y manquerai pas », promit Jaime.

Quand il quitta Bracken et le camp des assiégeants pour les portes de Corneilla, Becq passa devant lui, porteur d'une bannière de paix. Avant qu'ils aient atteint le château, vingt paires d'yeux les observaient depuis les remparts de la porte de garde. Il fit arrêter Honneur au bord des douves, une profonde tranchée bordée de pierre, aux eaux vertes asphyxiées d'écume. Jaime allait ordonner à ser Kennos de sonner de la trompe de Sarocq quand le pont-levis commença à s'abaisser.

Lord Tytos Nerbosc vint à sa rencontre dans la large cour, monté sur un destrier aussi efflanqué que lui. Très grand et très maigre, le sire de Corneilla avait le nez busqué, les cheveux longs et une barbe éparse poivre et sel où le sel surpassait le poivre. Incrusté en argent sur la cuirasse de son armure écarlate polie figurait un arbre blanc nu et mort, entouré de corneilles en onyx qui prenaient leur essor. Une cape en plumes de corneilles frémissait à ses épaules.

« Lord Tytos, dit Jaime.

— Ser.

— Merci de me permettre d'entrer.

— Je ne dirai pas que vous êtes le bienvenu. Je ne nierai pas non plus que j'espérais votre arrivée. Vous êtes ici pour mon épée.

— Je suis ici pour mettre un terme à tout cela. Vos hommes ont vaillamment combattu, mais votre guerre est perdue. Êtes-vous prêt à capituler ?

— Devant le roi. Pas devant Jonos Bracken.

— Je comprends. »

Nerbosc hésita un moment. « Souhaitez-vous que je mette pied à terre et que je m'agenouille devant vous ici et maintenant ? »

Cent yeux les observaient. « Le vent est froid et la cour boueuse, décida Jaime. Vous pourrez vous agenouiller sur le tapis dans vos appartements, une fois que nous nous serons accordés sur les conditions.

— Vous êtes chevaleresque, déclara lord Tytos. Venez, ser. Mon château manque peut-être de nourriture, mais jamais de courtoisie. »

Les appartements de Nerbosc se trouvaient au premier étage d'un caverneux donjon de bois. Un feu flambait dans l'âtre quand ils entrèrent. La pièce était vaste et aérée, avec de grands madriers de chêne noirci en soutènement du haut plafond. Des tapisseries de laine couvraient les murs, et une paire de larges portes à meneaux donnaient sur le bois sacré. À travers leurs épais carreaux losangés de verre jaune, Jaime aperçut les ramures noueuses de l'arbre qui avait inspiré les armes du château. C'était un barral ancien et colossal, dix fois plus grand que celui du Jardin de Pierre de Castral Roc. Mais celui-ci était nu et mort.

« Les Bracken l'ont empoisonné, expliqua son hôte. Depuis mille ans il n'a pas produit une feuille. Dans mille autres, il se sera changé en pierre, disent les mestres. Les barrals ne pourrissent jamais.

— Et les corneilles ? demanda Jaime. Où sont-elles ?

— Elles arrivent au crépuscule et restent posées là toute la nuit. Par centaines. Elles couvrent l'arbre comme un noir feuillage, chaque branche et chaque brindille. Elles viennent depuis des millénaires. Comment, pourquoi, nul ne saurait le dire, et pourtant l'arbre les attire chaque soir. » Nerbosc s'assit dans un fauteuil à haut dossier. « L'honneur exige que je vous interroge sur mon seigneur suzerain.

— Ser Edmure est prisonnier et fait route vers Castral Roc. Son épouse demeurera aux Jumeaux jusqu'à la naissance de son enfant. Ensuite elle et le marmot le rejoindront. Tant qu'il n'essaiera pas de s'évader ni de fomenter une rébellion, Edmure aura longue vie.

— Longue et amère. Une vie sans honneur. Jusqu'à son dernier jour, les hommes diront qu'il a eu peur de se battre. »

Injustement, songea Jaime. *C'est pour son enfant qu'il a eu peur. Il savait de qui je suis le fils, mieux que ma propre tante.*

« Le choix lui appartenait. Son oncle nous aurait fait verser le sang.

— Nous sommes en accord sur ce point. » La voix de Nerbosc ne trahissait rien. « Qu'avez-vous fait de ser Brynden, si je puis vous poser la question ?

— Je lui ai proposé de prendre le noir. Mais il a fui. » Jaime sourit. « L'auriez-vous ici, par hasard ?

— Non.

— Me le diriez-vous, si vous l'aviez ? »

Ce fut au tour de Tytos Nerbosc de sourire.

Jaime joignit les mains, ses doigts d'or à l'intérieur de ceux de chair. « Peut-être est-il temps que nous parlions de conditions.

— Est-ce ici que je dois me mettre à genoux ?

— Si cela vous plaît. Ou nous pouvons dire que vous l'avez fait. »

Lord Nerbosc resta assis. Ils parvinrent rapidement à un accord sur les points principaux : confession, féauté, pardon, une certaine somme d'or et d'argent à verser. « Quelles terres demandez-vous ? » s'enquit lord Tytos. Quand Jaime lui tendit la carte, il jeta un seul coup d'œil et eut un petit rire. « Bien entendu. Le tourne-casaque doit recevoir sa récompense.

— Oui, mais moindre qu'il l'imagine, pour un moindre service rendu. De laquelle de ces terres consentirez-vous à vous séparer ? »

Lord Tytos réfléchit un moment. « Haie-du-Bois, la crête de l'Arbalète et Boucle.

— Une ruine, une crête et quelques taudis ? Allons, messire. Vous devez souffrir, pour votre trahison. Il voudra au moins un des moulins. » Les moulins étaient une précieuse source d'impôts. Le seigneur percevait un dixième de tout le grain moulu.

« Le moulin du Seigneur, en ce cas. Meuleblé est à nous.

— Et un village de plus. Cairns ?

— J'ai des ancêtres ensevelis sous les rochers de Cairns. » Il regarda de nouveau la carte. « Donnez-lui la Miélaie et ses ruches. Tout ce sucre le rendra gras et lui gâtera les crocs.

— Conclu, donc. Sinon pour un dernier détail.

— Un otage.

— Oui, messire. Vous avez une fille, ce me semble ?

— Bethany. » Lord Tytos parut défait. « Mais j'ai aussi deux frères et une sœur. Deux tantes veuves. Des nièces, des neveux et des cousins. Je pensais que vous consentiriez...

— Ce doit être un enfant de votre sang.

— Bethany n'a que huit ans. Une enfant douce, pleine de rires. Elle ne s'est jamais éloignée de plus d'une journée de cheval de mon castel.

— Pourquoi ne pas lui permettre de voir Port-Réal ? Sa Grâce a pratiquement le même âge qu'elle. Il serait ravi d'avoir une nouvelle amie.

— Une amie qu'il pourra pendre, si le père de cette amie le mécontentait ? demanda lord Tytos. « J'ai quatre fils. Envisageriez-vous de prendre plutôt l'un d'eux ? Ben a douze ans et il rêve d'aventure. Il pourrait vous servir d'écuyer, s'il plaît à Votre Seigneurie.

— J'ai plus d'écuyers que je n'en sais que faire. Chaque fois que je vais pisser, ils se battent pour le droit de me tenir la queue. Et vous avez six fils, messire, et non pas quatre.

— Autrefois. Robert était mon benjamin, mais jamais vigoureux. Il est mort il y a neuf jours, d'un relâchement des entrailles. Lucas a été assassiné aux Noces Pourpres. La quatrième épouse de Walder Frey était une Nerbosc, mais la parenté ne compte pas plus que le droit de l'hôte, aux Jumeaux. J'aimerais ensevelir Lucas sous l'arbre, mais les Frey n'ont point encore jugé bon de me rendre ses os.

— Je veillerai à ce qu'ils le fassent. Lucas était-il votre aîné ?

— Le cadet. Mon aîné est Brynden, et mon héritier. Puis vient Hoster. Un amateur de lecture, je le crains.

— Il y a aussi des livres, à Port-Réal. Je me souviens que mon petit frère en lisait de temps en temps. Peut-être votre fils aimerait-il les consulter. J'accepterai Hoster comme otage. »

Le soulagement de Nerbosc fut perceptible. « Merci, messire. » Il hésita un moment. « Si je puis être si hardi, vous feriez bien d'exiger également un otage de lord Jonos. Une de ses filles. En dépit de toutes ses galipettes, il ne s'est pas avéré assez mâle pour engendrer des fils.

— Il a eu un fils bâtard tué à la guerre.

— Vraiment ? Certes, Harry était bâtard, mais savoir si c'est Jonos qui lui a donné le jour, voilà une question plus épineuse. C'était un garçon aux cheveux clairs, et à belle mine. Jonos n'affiche ni les uns ni l'autre. » Lord Tytos se remit debout. « Me ferez-vous l'honneur de dîner avec moi ?

— Une autre fois, messire. » Le château crevait de faim ; il ne servirait à rien que Jaime leur volât la nourriture de la bouche. « Je ne puis m'attarder. Vivesaigues attend.

— Vivesaigues ? Ou Port-Réal ?

— Les deux. »

Lord Tytos n'essaya pas de le dissuader. « Hoster peut être prêt à partir dans l'heure. »

Il le fut. Le garçon rejoignit Jaime aux écuries, une couverture de couchage jetée sur une épaule et un boisseau de rouleaux sous le bras. Il ne pouvait avoir plus de seize ans, et pourtant il était encore plus grand que son père, presque sept pieds de haut, tout en jambes, en tibias et en coudes, un garçon dégingandé et gauche avec une mèche rebelle. « Lord Commandant. Je suis Hoster, votre otage. Hos, ils m'appellent. » Il sourit.

Est-ce qu'il prend tout cela à la plaisanterie ? « Et, je vous prie, qui sont-*ils* ?

— Mes amis. Mes frères.

— Je ne suis pas votre ami, et je ne suis pas votre frère. » Cela balaya tout net ce sourire du visage du drôle. Jaime se tourna vers lord Tytos. « Messire, qu'il n'y ait point ici de malentendu. Lord Béric Dondarrion, Thoros de Myr, Sandor Clegane, Brynden Tully, cette Cœurdepierre… Tous ceux-là sont hors-la-loi et rebelles, des ennemis du roi et de tous ses féaux sujets. Si je devais apprendre que vous ou les vôtres les cachez, les protégez ou les assistez en quelque manière, je n'hésiterai pas à vous renvoyer le chef de votre fils. J'espère que vous le comprenez. Comprenez ceci également : je ne suis point Ryman Frey.

— Non. » Toute trace de chaleur avait quitté la bouche de lord Nerbosc. « Je sais à qui j'ai affaire. Régicide.

— Fort bien. » Jaime monta en selle et tourna Honneur vers la porte. « Je vous souhaite bonne récolte et la joie de la paix du roi. »

Il ne chevaucha pas loin. Lord Jonos Bracken l'attendait devant Corneilla, tout juste hors de portée d'une bonne arbalète. Il était monté sur un destrier caparaçonné et avait revêtu sa plate et sa maille, et un grand heaume d'acier gris orné d'un cimier en crin de cheval. « Je les ai vus amener la bannière du loup-garou, dit-il quand Jaime l'atteignit. Est-ce fait ?

— Fait et conclu. Rentrez chez vous ensemencer vos champs. »

Lord Jonos leva sa visière. « Je gage que j'ai plus de champs à ensemencer que lorsque vous êtes entré dans ce château.

— Boucle, Haie-du-Bois, la Miélaie et toutes ses ruches. » Il en oubliait une. « Oh, et la crête de l'Arbalète.

— Un moulin, insista Bracken. Il me faut un moulin.

— Le moulin du Seigneur. »

Lord Jonos émit un renâclement de dérision. « Certes, cela fera l'affaire. Pour le moment. » Il désigna Hoster Nerbosc, qui chevauchait en arrière avec Peck. « Est-ce cela qu'il a vous a donné comme otage ? On vous a abusé, ser. Un avorton, celui-ci. De l'eau en lieu de sang. Sa taille n'y fait rien, n'importe laquelle de mes filles saurait le casser en deux comme une branche morte.

— Combien de filles avez-vous, messire ? lui demanda Jaime.

— Cinq. Deux de ma première femme et trois de ma troisième. » Trop tard, il parut comprendre qu'il avait pu en dire trop.

« Envoyez-en une à la cour. Elle aura le privilège de servir la reine régente. »

Le visage de Bracken s'assombrit quand il prit conscience de la teneur de ces paroles. « Est-ce ainsi que vous payez la Haye-Pierre de son amitié ?

— Servir la reine est un grand honneur, rappela Jaime à Sa Seigneurie. Vous voudrez sans doute insister auprès d'elle sur ce point. Nous espérons voir l'enfant avant la fin de l'année. » Sans attendre la réponse de lord Bracken, il toucha avec légèreté Honneur de ses éperons dorés et s'en fut au trot. Ses hommes se mirent en formation et le suivirent dans un flot de bannières. Le château et le camp furent vite perdus derrière eux, voilés par la poussière de leurs sabots.

Ni les hors-la-loi ni les loups ne les avaient ennuyés en route vers Corneilla, aussi Jaime décida-t-il de rentrer par un trajet différent. Si les dieux étaient bons, il pourrait tomber sur le Silure, ou inciter Béric Dondarrion à quelque attaque imprudente.

Ils suivaient la Veuve quand le jour vint à manquer. Jaime appela son otage à l'avant et lui demanda où trouver le plus proche gué, et le garçon les y conduisit. Tandis que la colonne traversait dans des gerbes d'eau, le soleil se coucha derrière une paire de collines herbeuses. « Les Tétons », annonça Hoster Nerbosc.

Jaime se remémora la carte de lord Bracken. « Il y a un village entre ces collines.

— L'Arbre-sous, confirma le gamin.

— Nous allons y camper cette nuit. » S'il y avait sur place des villageois, ils connaîtraient peut-être la présence de ser Brynden ou des hors-la-loi. « Lord Jonos a fait un commentaire sur la possession de ces tétons », rappela-t-il au fils Nerbosc tandis qu'ils faisaient route vers les collines qui s'assombrissaient et les derniers feux du jour. « Les Bracken les appellent par un nom et les Nerbosc par un autre.

— Certes, messire. Depuis une centaine d'années. Auparavant, c'étaient les Tétons de la Mère, ou juste les Tétons. Il y en a deux, et on trouvait qu'elles ressemblaient…

— Je vois bien à quoi elles ressemblent. » Jaime se retrouva à penser à la femme sous la tente, et à la manière dont elle avait voulu cacher ses grandes aréoles brunes. « Qu'est-ce qui a changé, il y a cent ans ?

— Aegon l'Indigne a pris Barba Bracken pour maîtresse, répondit l'amateur de livres. C'était une fille fort mamelue, dit-on, et un jour que le roi visitait la Haye-Pierre, il s'en alla chasser, vit les Tétons, et…

— … leur donna le nom de sa maîtresse. » Aegon IV était mort longtemps avant la naissance de Jaime, mais il se souvenait assez de l'histoire de son règne pour deviner ce qui s'était passé ensuite. « Seulement plus tard, il a délaissé la fille pour se lier avec une Nerbosc, est-ce bien ce qui est advenu ?

— Lady Melissa, confirma Hoster. Missy, on l'appelait. Il y a une statue d'elle dans notre bois sacré. Elle était *beaucoup* plus belle que Barba Bracken, mais fine, et on entendit Barba clamer que Missy était plate comme un garçon. Quand le roi Aegon l'entendit, il...

— ... il lui a donné les tétons de Barba. » Jaime rit. « Comment tout a-t-il commencé, entre les Nerbosc et les Bracken ? Est-ce consigné par écrit ?

— Oui, messire, assura le garçon, mais certaines chroniques ont été rédigées par leurs mestres et d'autres par les nôtres, des siècles après les événements qu'elles ont l'ambition de rapporter. Cela remonte à l'Âge des Héros. Les Nerbosc étaient rois, en ce temps-là. Les Bracken étaient des nobliaux, renommés par leur élevage de chevaux. Plutôt que de payer au roi son juste dû, ils employèrent l'or que leur rapportaient les chevaux pour engager des épées et le renverser.

— Quand cela est-il arrivé ?

— Cinq cents ans avant les Andals. Mille, s'il faut en croire *L'Histoire véritable*. Seulement, nul ne sait quand les Andals ont traversé le détroit. *L'Histoire véritable* dit que quatre mille ans se sont écoulés depuis lors, mais certains mestres affirment qu'il n'y en a eu que deux. Au-delà d'un certain point, toutes les dates s'embrouillent et se mélangent, et la clarté de l'histoire cède la place à la brume des légendes. »

Il plairait à Tyrion, celui-là. Ils pourraient causer du crépuscule à l'aube, à discuter de livres. Un moment, son amertume vis-à-vis de son frère fut oubliée, jusqu'à ce qu'il se souvînt ce qu'avait fait le Lutin. « Alors, vous vous disputez une couronne que l'un de vous a prise à l'autre au temps où les Castral tenaient encore Castral Roc, est-ce là la racine de tout ? La couronne d'un royaume qui n'existe plus depuis des millénaires ? » Il eut un petit rire. « Tant d'années, tant de guerres, tant de rois... On pourrait penser que quelqu'un aurait conclu une paix.

— Certains l'ont fait, messire. Bien des certains. Nous avons eu cent paix avec les Bracken, nombre d'entre elles scellées par des mariages. Il y a du sang de Nerbosc dans chaque Bracken, et du sang de Bracken chez chaque Nerbosc. La Paix du Vieux Roi a duré un demi-siècle. Et puis, une fraîche querelle a éclaté, et les vieilles blessures se sont rouvertes et ont recommencé à saigner. C'est ainsi qu'il en va toujours, dit mon père. Tant que les hommes se souviendront des torts causés à leurs ancêtres, aucune paix ne durera jamais. Aussi, nous continuons, siècle après siècle, et nous haïssons les Bracken et ils nous haïssent. Mon père assure que cela n'aura jamais de fin.

— Cela pourrait, pourtant.

— Comment, messire ? Les anciennes blessures ne guérissent jamais, affirme mon père.

— Mon père aussi avait une maxime. Jamais ne blesse un adversaire que tu peux tuer. Les morts ne crient pas vengeance.

— Leurs fils, si, remarqua Hoster sur un ton désolé.

— Pas si tu tues également les fils. Interroge les Castral sur ce compte, si tu m'en crois. Demande à lord et lady Tarbeck, ou aux Reyne de Castamere. Demande au prince de Peyre-dragon. » Un instant, les nuages d'un rouge profond qui couronnaient les collines à l'ouest lui rappelèrent les enfants de Rhaegar, tout enveloppés dans leurs capes écarlates.

« Est-ce pour cela que vous avez tué tous les Stark ?

— Pas tous. Les filles de lord Eddard vivent encore. L'une d'elles vient tout juste d'être mariée. L'autre... » *Brienne, où es-tu ? L'as-tu retrouvée ?* « ... si les dieux sont bons, elle oubliera qu'elle a été une Stark. Elle épousera quelque forgeron épais ou un aubergiste à la trogne grasse, lui garnira sa maison d'enfants et n'aura jamais raison de craindre qu'un chevalier s'en vienne briser leurs crânes contre un mur.

— Les dieux sont bons », déclara son otage sur un ton incertain.

Continue à le croire. Jaime fit tâter de ses éperons à Honneur.

L'Arbre-sous se révéla un plus grand village que Jaime ne s'y attendait. La guerre était passée par ici, aussi ; des vergers noircis et le squelette calciné de maisons démolies en témoignaient. Mais pour chaque maison en ruine, on en avait rebâti trois nouvelles. À travers le bleu du crépuscule qui montait, Jaime nota du chaume frais sur une vingtaine de toits, et des portes taillées dans du bois encore vert. Entre une mare à canards et une forge, il trouva l'arbre qui donnait son nom au lieu, un chêne, ancien et haut. Ses racines torses serpentaient pour entrer et sortir de la terre comme un nid de lents serpents bruns, et des centaines de vieux sous de cuivre avaient été cloués sur son énorme tronc.

Becq contempla l'arbre, puis les maisons vides. « Où sont passés les gens ?

— Ils se cachent », répondit Jaime.

À l'intérieur des habitations, on avait éteint les feux, mais certains fumaient encore, et aucun n'était froid. La chèvre que Harry Merrell le Bouillant découvrit en train de fourrager dans un potager était la seule créature vivante en vue... Mais le village avait une redoute aussi solide que n'importe laquelle dans le Conflans, avec d'épais murs de pierre hauts de douze pieds, et Jaime sut que c'était là qu'il trouverait les villageois. *Ils se sont cachés derrière ces murs quand les pillards sont venus, c'est pour cela qu'il existe encore un village ici. Et ils s'y cachent de nouveau, de moi.*

Il mena Honneur jusqu'aux portes de la redoute. « Holà de la place. Nous ne vous voulons aucun mal. Nous sommes des gens du roi. »

Des visages apparurent sur le mur au-dessus de la porte. « C'est des gens du roi qu'ont brûlé not' village, lui lança un des hommes. Et avant ça, c'est d'aut' gens du roi qu'ont volé nos moutons. Ils étaient pour un autre roi, mais ça a pas fait grande différence à nos moutons. Des gens du roi ont tué Harsley et ser Ormond, et ont violé Lacey jusqu'à ce qu'elle meure.

— Pas mes hommes, répondit Jaime. Voulez-vous ouvrir ces portes ?

— Quand vous serez partis, ouais. »

Ser Kennos vint se placer près de lui. « Nous pourrions aisément enfoncer la porte, ou l'incendier.

— Pendant qu'ils nous laissent tomber des pierres dessus, ou nous hérissent de plumes. » Jaime secoua la tête. « La besogne serait sanglante, et pour quoi ? Ces gens ne nous ont fait aucun mal. Nous nous abriterons dans les maisons, mais je ne veux pas qu'on y vole rien. Nous avons nos propres provisions. »

Tandis qu'une demi-lune grimpait dans le ciel, ils attachèrent leurs chevaux sur le pré communal et dînèrent de mouton salé, de pommes séchées et de fromage sec. Jaime mangea frugalement et partagea une outre de vin avec Becq et Hos l'otage. Il essaya de dénombrer les sous cloués au vieux chêne, mais il y en avait trop et il perdait sans cesse le compte. *À quoi sert donc tout ça ?* Le petit Nerbosc le lui expliquerait, s'il lui posait la question, mais cela gâcherait le mystère.

Il posta des sentinelles afin de veiller à ce que personne ne franchît les confins du village. Il dépêcha également des éclaireurs, pour s'assurer qu'aucun ennemi ne les prenait par surprise. Minuit approchait quand deux cavaliers revinrent avec une femme qu'ils avaient capturée. « Elle est arrivée à cheval, en toute impudence, et elle a demandé à vous parler, m'sire. »

Jaime se remit rapidement debout. « Je ne pensais pas vous revoir si tôt, madame. » *Bonté des dieux, elle paraît avoir vieilli de dix ans depuis la dernière fois que je l'ai vue. Et qu'est-il arrivé à son visage ?* « Ce pansement... vous avez été blessée...

— Une morsure. » Elle toucha la poignée de son épée, l'épée qu'il lui avait donnée. *Féale.* « Messire, vous m'avez chargée d'une quête.

— La fille. Vous l'avez retrouvée ?

— En effet », dit Brienne, la Pucelle de Torth.

« Où est-elle ?

— À un jour de cheval d'ici. Je peux vous conduire à elle, ser... Mais vous devrez venir seul. Sinon, le Limier la tuera. »

JON

« R'hllor, chanta Mélisandre, ses bras levés sous la neige qui tombait, tu es la lumière dans nos yeux, le feu dans nos cœurs, la chaleur dans nos ventres. À toi le soleil qui réchauffe nos jours, à toi les étoiles qui nous gardent dans le noir de la nuit.

— *Louons tous R'hllor, le Maître de la Lumière* », répondirent les invités de la noce en un unisson hésitant, avant qu'une rafale glacée n'emporte leurs paroles. Jon Snow releva le capuchon de sa cape.

La neige tombait légèrement, ce jour, une maigre poudre de flocons dansant dans l'air, mais le vent soufflait de l'est dans l'axe du Mur, froid comme le souffle du dragon de glace dans les histoires que racontait sa vieille nourrice. Même le feu de Mélisandre frissonnait ; les flammes se tassaient dans la fosse, crépitant bas tandis que psalmodiait la prêtresse rouge. Seul Fantôme semblait ne pas avoir conscience du froid.

Alys Karstark se pencha vers Jon. « De la neige aux noces présage d'un mariage froid. La dame ma mère le disait toujours. »

Il jeta un coup d'œil à la reine Selyse. *Une tempête de neige a dû éclater le jour où elle a épousé Stannis.* Pelotonnée sous sa mante d'hermine et entourée de ses dames, servantes et chevaliers, la reine sudière paraissait une créature fragile, pâle et ratatinée. Un sourire forcé avait gelé sur ses lèvres minces, mais ses yeux débordaient de révérence. *Elle déteste le froid, mais elle adore les flammes.* Il suffisait à Jon de la regarder pour le constater. *Sur un mot de Mélisandre, elle entrerait de son plein gré dans le feu, l'étreindrait comme un amant.*

Tous les gens de la reine ne semblaient pas partager sa ferveur. Ser Brus paraissait à demi ivre, la main gantée de ser Malegorn empaumait le cul de la dame sa voisine, ser Narbert bâillait et ser Patrek du Mont-Réal semblait furieux. Jon Snow commençait à comprendre pourquoi Stannis les avait laissés auprès de sa reine.

« La nuit est sombre et pleine de terreurs, récita Mélisandre. Seuls nous naissons et seuls nous mourrons, mais en traversant cette vallée obscure, nous puisons notre force l'un de l'autre, et de toi, notre maître. » Ses soieries et ses satins écarlates tourbillonnaient à chaque rafale. « Ils sont deux qui s'avancent ce jour pour unir leurs vies, afin d'affronter ensemble les ténèbres de ce monde. Emplis de feu leurs cœurs, seigneur, qu'ils puissent suivre ta voie brillante pour toujours main dans la main.

— *Maître de la Lumière, protège-nous* », s'exclama la reine Selyse. D'autres voix reprirent le répons en écho. Les fidèles de Mélisandre : des dames pâles, des servantes grelottantes, ser Axell, ser Narbert et ser Lambert, des hommes d'armes en maille de fer et des Thenns couverts de bronze, et même quelques-uns des frères noirs de Jon. « *Maître de la Lumière, bénis tes enfants.* »

Mélisandre tournait le dos au Mur, sur un côté de la fosse profonde où flambait son feu. Le couple à unir lui faisait face de l'autre côté du fossé. Derrière eux se tenait la reine, avec sa fille et son bouffon tatoué. La princesse Shôren était bardée de tant de fourrures qu'elle paraissait toute ronde, respirant par bouffées blanches à travers l'écharpe qui couvrait la plus grande part de son visage. Ser Axell Florent et les gens de la reine entouraient le groupe royal.

Bien que peu de membres de la Garde de Nuit fussent réunis autour du feu de la fosse, d'autres regardaient depuis les toits et les fenêtres, et les degrés du grand escalier en Z. Jon prit bonne note de ceux qui se trouvaient là, et de ceux qui n'y étaient pas. Certains hommes étaient pris par leurs obligations ;

beaucoup qui quittaient juste leur tour de garde dormaient profondément. Mais d'autres avaient choisi d'être absents pour manifester leur désapprobation. Othell Yarwyck et Bowen Marsh figuraient parmi les absents. Le septon Chayle avait émergé brièvement du septuaire, en tripotant son cristal à sept côtés sur la lanière autour de son cou, pour se retirer de nouveau à l'intérieur dès le début des prières.

Mélisandre éleva ses mains, et le feu dans la fosse bondit vers ses doigts, comme un grand chien rouge qui saute pour attraper une friandise ; un tourbillon d'étincelles s'éleva à la rencontre des flocons qui descendaient. « Oh, Maître de la Lumière, nous te remercions, chanta-t-elle pour les flammes voraces. Nous te remercions de Stannis le brave, par ta grâce notre roi. Guide-le et défends-le, R'hllor. Protège-le des fourberies des méchants hommes et accorde-lui la force d'écraser les serviteurs des ténèbres.

— *Accorde-lui la force* », répondirent la reine Selyse, ses chevaliers et ses dames. « *Accorde-lui le courage. Accorde-lui la sagesse.* »

Alys Karstark glissa son bras sous celui de Jon. « Combien de temps encore, lord Snow ? Si je dois périr ensevelie sous cette neige, j'aimerais mourir mariée.

— Bientôt, madame, bientôt, assura Jon Snow.

— *Nous te rendons grâces pour le soleil qui nous réchauffe,* entonna la reine. *Nous te remercions pour les étoiles qui veillent sur nous dans le noir de la nuit. Nous te remercions pour nos âtres et pour nos torches qui tiennent en respect la sauvagerie des ténèbres. Nous te rendons grâces pour la clarté de nos esprits, le feu dans nos ventres et dans nos cœurs.* »

Et Mélisandre dit : « Qu'ils approchent, ceux qui veulent s'unir. » Les flammes jetaient sa silhouette contre le Mur derrière elle, et son rubis luisait sur la pâleur de sa gorge.

Jon se tourna vers Alys Karstark. « Madame. Êtes-vous prête ?

— Oui. Oh oui.

— Vous n'avez pas peur ? »

La jeune fille sourit d'une façon qui rappela tellement à Jon sa petite sœur qu'il en eut presque le cœur brisé. « À lui d'avoir peur de moi. » Les flocons de neige fondaient sur ses joues, mais elle avait les cheveux enveloppés dans un toron de dentelle que Satin avait trouvé on ne savait où, et la neige avait commencé à s'y amasser, lui posant une couronne de givre. Elle avait les joues vivement rougies et ses yeux pétillaient.

« La dame d'Hiver. » Jon lui pressa la main.

Le Magnar de Thenn attendait debout auprès du feu, vêtu comme pour la bataille, de fourrures, de cuir et d'écailles de bronze, une épée de bronze à la hanche. Son front dégarni le faisait paraître plus vieux que son âge, mais quand il se tourna pour regarder sa promise approcher, Jon vit le jeune homme en lui. Il avait les yeux gros comme des noix, mais était-ce le feu, la prêtresse ou la femme qui avaient placé cette peur en lui, Jon n'aurait su le dire. *Alys a dit plus vrai qu'elle ne le pensait.*

« Qui amène cette femme pour la marier ? demanda Mélisandre.

— Moi, répondit Jon. Voici que se présente Alys de la maison Karstark, une femme adulte et fleurie, de noble sang et noble lignée. » Il donna une dernière pression à sa main et recula pour rejoindre les autres.

« Qui vient revendiquer cette femme ? poursuivit Mélisandre.

— Moi ! » Sigorn se frappa le torse. « Le Magnar de Thenn.

— Sigorn, demanda Mélisandre, veux-tu partager ton feu avec Alys, et la réchauffer quand la nuit sera sombre et pleine de terreurs ?

— Moi jure. » La promesse du Magnar formait dans l'air une nuée blanche. La neige mouchetait ses épaules. Il avait les oreilles rouges. « Par les flammes du dieu rouge, je réchauffe elle tous mes jours.

— Alys, jures-tu de partager ton feu avec Sigorn, et de le réchauffer quand la nuit sera sombre et pleine de terreurs ?

— Jusqu'à ce qu'il ait le sang bouillant. » Son manteau de vierge était la laine noire de la Garde de Nuit. Le soleil des Karstark cousu sur le dos était composé de la même fourrure blanche qui la doublait.

Les yeux de Mélisandre brillèrent aussi fort que le rubis à sa gorge. « Alors, venez à moi et ne faites qu'un. » Quand elle leur fit signe, un mur de flammes monta en rugissant, léchant les flocons de neige d'ardentes langues orange. Alys Karstark prit son Magnar par la main.

Côte à côte ils sautèrent le fossé.

« Deux sont entrés dans les flammes. » Une rafale souleva les robes écarlates de la femme rouge, jusqu'à ce qu'elle les rabatte. « Il en émerge un. » Ses cheveux cuivrés dansaient autour de sa tête. « Ce que le feu a uni, nul ne peut le disjoindre.

— *Ce que le feu a uni, nul ne peut le disjoindre* », répéta l'écho, venu des hommes de la reine, des Thenns, et même de quelques frères noirs.

Sauf les rois et les oncles, se dit Jon Snow.

Cregan Karstark était arrivé un jour plus tard que sa nièce. Avec lui s'en venaient quatre hommes d'armes à cheval, un pisteur et une meute de chiens, flairant la piste de lady Alys comme si elle était un cerf. Jon Snow les avait attendus sur la route Royale, à une demi-lieue au sud de La Mole, avant qu'ils puissent se présenter à Châteaunoir, se prévaloir des droits de l'hôte ou exiger des pourparlers. Un des hommes de Karstark avait tiré un carreau d'arbalète contre Ty, et l'avait payé de sa vie. Cela en laissait quatre, et Cregan lui-même.

Par chance, ils avaient une douzaine de cellules de glace. *De la place pour tout le monde.*

Comme tant d'autres sujets, l'héraldique s'arrêtait au Mur. Les Thenns n'avaient pas de blasons familiaux comme la coutume en demandait chez la noblesse des Sept Couronnes, aussi Jon avait-il demandé aux intendants d'improviser. Il estimait qu'ils avaient fait de la belle ouvrage. Le manteau d'épouse que Sigorn accrocha autour des épaules de lady Alys montrait un disque de bronze sur champ de laine blanche, entouré de flammes, composées de lambeaux de soie vermillon. L'écho du soleil des Karstark était présent pour ceux qui se donnaient la peine de le voir, mais différencié afin de rendre le blason adéquat pour la maison Thenn.

Le Magnar avait pratiquement arraché le manteau de pucelle des épaules d'Alys, mais en accrochant sur elle son manteau d'épouse, il se montra presque tendre. Comme il se penchait pour l'embrasser sur la joue, leurs souffles se mêlèrent. De nouveau les flammes rugirent. Les gens de la reine entonnèrent un chant de louanges. Jon entendit Satin chuchoter : « Est-ce fini ?

— Fini et bien fini, marmonna Mully, et tant mieux. Ils sont mariés et je suis à moitié gelé. » Il était emmitouflé dans ses plus beaux noirs, des vêtements de laine si neufs qu'ils avaient à peine eu l'occasion de faner, mais le vent avait rendu ses joues aussi rouges que ses cheveux. « Hobb a fait chauffer du vin avec de la cannelle et des clous de girofle. Ça nous réchauffera un peu.

— C'est quoi, la giroffe ? » voulut savoir Owen Ballot.

La neige avait commencé à descendre plus fort et le feu dans sa fosse s'éteignait. La foule se disloqua peu à peu pour s'écouler hors de la cour, gens de la reine, gens du roi et peuple libre également, tous pressés de quitter le vent et le froid. « Serez-vous au banquet avec nous, messire ? demanda Mully à Jon Snow.

— Brièvement. » Sigorn pourrait interpréter son absence comme un affront. *Et ce mariage est mon œuvre, après tout.* « J'ai d'abord d'autres affaires à régler, cependant. »

Jon traversa la cour jusqu'à la reine Selyse, Fantôme sur ses talons. Ses bottes crissaient à travers des piles de vieille neige. Dégager à la pelle les chemins entre les bâtiments devenait de plus en plus fastidieux ; de plus en plus, les hommes recouraient à ces passages souterrains qu'ils appelaient les tunnels de ver.

« ... un si beau rituel, disait la reine. Je sentais sur nous le regard ardent de notre seigneur. Oh, vous n'imaginez pas combien de fois j'ai supplié Stannis de nous marier de nouveau, une véritable union de corps et d'esprits bénie par le Maître de la Lumière. Je sais que je pourrais donner plus d'enfants à Sa Grâce, si nous étions liés par le feu. »

Pour lui donner plus d'enfants, tu aurais d'abord besoin de le faire entrer dans ton lit. Même au Mur, il était de notoriété générale que Stannis Baratheon négligeait son épouse depuis des années. On ne pouvait qu'imaginer la réaction de Sa Grâce à l'idée d'un second mariage en plein milieu de sa guerre.

Jon s'inclina. « S'il plaît à Votre Grâce, le banquet attend. »

La reine jeta à Fantôme un coup d'œil soupçonneux, puis leva la tête vers Jon. « Certainement. Lady Mélisandre connaît le chemin. »

La prêtresse rouge intervint. « Je dois veiller à mes feux, Votre Grâce. Peut-être R'hllor m'accordera-t-il un aperçu de Sa Grâce le roi. Une vision d'une grande victoire, peut-être.

— Oh. » La reine Selyse parut dépitée. « Certainement... prions pour une vision de notre maître...

— Satin, conduis Sa Grâce à sa place », demanda Jon.

Ser Malegorn s'avança. « J'escorterai Sa Grâce au banquet. Nous n'avons pas besoin de votre... intendant. » La façon dont l'homme avait traîné sur le dernier mot apprit à Jon que le chevalier avait envisagé d'employer un autre terme. *Mignon ? Favori ? Bardache ?*

Jon s'inclina de nouveau. « Comme vous voudrez. Je vous rejoindrai sous peu. »

Ser Malegorn offrit son bras, et la reine Selyse le prit avec raideur. Son autre main se posa sur l'épaule de sa fille. Les canetons royaux se disposèrent derrière eux pour traverser la cour, marchant à la musique des clarines sur le couvre-chef du bouffon. « Sous la mer, les tritons s'empiffrent de soupe d'étoile de mer, et tous les serviteurs sont des crabes, proclama Bariol tandis qu'ils avançaient. Je le sais, je le sais, hé, hé, hé. »

Le visage de Mélisandre s'assombrit. « Cette créature est dangereuse. Plus d'une fois, je l'ai aperçue dans mes flammes. Parfois, il y a des crânes autour de lui, et ses lèvres sont rouges de sang. »

Étonnant que tu n'aies pas fait brûler ce malheureux. Il suffirait de glisser un mot à l'oreille de la reine, et Bariol irait alimenter ses feux. « Vous voyez des bouffons dans vos feux, mais pas une trace de Stannis ?

— Quand je le cherche, je ne vois que de la neige. »

La même réponse inutile. Clydas avait dépêché un corbeau à Motte-la-Forêt pour avertir le roi de la traîtrise d'Arnolf Karstark, mais l'oiseau avait-il atteint Sa Grâce à temps, Jon l'ignorait. Le banquier de Braavos était lui aussi parti à la recherche de Stannis, accompagné par les guides que lui avait fournis Jon, mais entre la guerre et le temps, ce serait un miracle qu'il le trouvât. « Le sauriez-vous, si le roi était mort ? demanda Jon à la prêtresse rouge.

— Il n'est pas mort. Stannis est l'élu du Maître, destiné à mener le combat contre les ténèbres. Je l'ai vu dans les flammes, lu dans d'anciennes prophéties. Quand saignera l'étoile rouge et que s'amasseront les ténèbres, Azor Ahaï renaîtra dans la fumée et le sel pour réveiller des dragons de pierre. Peyredragon est le lieu de fumée et de sel. »

Jon avait déjà entendu tout cela. « Stannis Baratheon était sire de Peyredragon, mais il n'y est pas né. Il est né à Accalmie, comme ses frères. » Il fronça les sourcils. « Et qu'en est-il de Mance ? S'est-il lui aussi perdu ? Que montrent vos feux ?

— La même chose, je le crains. Rien que de la neige. »

La neige. Il neigeait abondamment au sud, Jon le savait. À deux jours de cheval d'ici, on disait la route Royale impraticable. *Mélisandre sait cela aussi.* Et à l'est, une terrible tempête faisait rage sur la baie des Phoques. Au dernier rapport, la flotte disparate qu'ils avaient assemblée pour sauver le peuple libre de Durlieu était toujours blottie à Fort-Levant, bloquée au port par des mers démontées. « Vous voyez des cendres danser dans le courant d'air chaud.

— Je vois des crânes. Et vous. Je vois votre visage chaque fois que je regarde dans les flammes. Le danger dont je vous ai averti est tout proche, désormais.

— Des poignards dans le noir, je sais. Vous pardonnerez mes doutes, madame. *Une fille grise sur un cheval qui crève, fuyant un mariage*, voilà ce que vous disiez.

— Je ne me trompais pas.

— Vous n'avez pas vu juste. Alys n'est pas Arya.

— La vision était vraie. C'est ma lecture qui était erronée. Je suis aussi mortelle que vous, Jon Snow. Tous les mortels s'égarent.

— Même les lords Commandants. » Mance Rayder et ses piqueuses n'étaient pas rentrés, et Jon ne pouvait s'empêcher de se demander si la femme rouge avait menti délibérément. *Joue-t-elle sa propre partie ?*

« Vous feriez bien de garder votre loup près de vous, messire.

— Fantôme est rarement bien loin. » Le loup géant leva la tête au bruit de son nom. Jon le gratta derrière les oreilles. « Mais à présent, veuillez m'excuser. Fantôme, à moi. »

Creusées dans la base du Mur et fermées de lourdes portes de bois, les cellules de glace se déclinaient de petites à minuscules. Certaines étaient assez grandes pour permettre à un homme de faire les cent pas, d'autres si réduites que les prisonniers étaient contraints de s'asseoir ; la plus étroite était même trop exiguë pour permettre cela.

Jon avait attribué à son principal captif la plus grande cellule, un seau pour y chier, assez de fourrure pour l'empêcher de geler et une outre de vin. Il fallut aux gardes quelque temps pour ouvrir la cellule, car de la glace s'était formée à l'intérieur de la serrure. Des charnières rouillées hurlèrent comme des âmes damnées quand Wick Taillebois écarta suffisamment le battant pour permettre à Jon de se glisser à l'intérieur. Une odeur vaguement fécale l'accueillit, quoique moins suffocante qu'il ne s'y attendait. Même la merde gelait par un froid aussi rude. Jon Snow voyait confusément son propre reflet à l'intérieur des parois de glace.

Dans un coin de la cellule, un empilement de fourrures s'élevait presque à hauteur d'homme. « Karstark, lança Jon Snow. Réveillez-vous. »

Les fourrures remuèrent. Certaines avaient gelé ensemble, et le givre qui les couvrait scintilla quand elles bougèrent. Un bras émergea, puis un visage – des cheveux bruns, emmêlés, collés, striés de gris, deux yeux féroces, un nez, une bouche, une barbe. La glace formait une croûte sur la moustache du prisonnier, des grumeaux de morve gelée. « Snow. » Son souffle s'éleva en vapeur dans l'air, embuant la glace derrière sa tête. « Vous n'avez aucun droit de me retenir. Les lois de l'hospitalité…

— Vous n'êtes pas mon hôte. Vous êtes venu au Mur sans mon consentement, armé, pour emporter votre nièce contre son gré. Lady Alys a reçu le pain et le sel. Elle est une invitée. Vous êtes un prisonnier. » Jon laissa ces mots en suspens un moment, puis ajouta : « Votre nièce est mariée. »

Les lèvres de Cregan Karstark se retroussèrent sur ses dents. « Alys m'était promise. » Bien qu'ayant dépassé les cinquante ans, il avait été un colosse en entrant dans la cellule. Le froid lui avait dérobé beaucoup de cette vigueur, le laissant raide, affaibli. « Le seigneur mon père...

— Votre père est gouverneur, et non point lord. Et un gouverneur n'a aucun droit de conclure des pactes de mariage.

— Mon père, Arnolf, est sire de Karhold.

— Le fils passe avant l'oncle, selon toutes les lois que je connais. »

Cregan se poussa pour se remettre debout et écarta d'un coup de pied les fourrures où se prenaient ses chevilles. « Harrion est mort. »

Ou le sera bientôt. « La fille aussi passe avant un oncle. Si son frère est mort, Karhold revient à lady Alys. Et elle a accordé sa main en mariage à Sigorn, Magnar de Thenn.

— Un sauvageon. Un sale sauvageon meurtrier. » Les mains de Cregan se serrèrent en poings. Les couvraient des gants de cuir, doublés de fourrure pour les assortir à la cape qui pendait, collée et raide, de ses larges épaules. Son surcot de laine noire était frappé de l'éclatant soleil blanc de sa maison. « Je vous vois pour ce que vous êtes, Snow. Moitié loup et moitié sauvageon, rejeton de vile extraction d'un traître et d'une putain. Vous voulez livrer une vierge de haute naissance au lit d'un sauvage puant. L'avez-vous d'abord essayée vous-même ? » Il rit. « Si vous avez l'intention de me tuer, faites-le et soyez maudit comme meurtrier des vôtres. Stark et Karstark ne sont qu'un seul sang.

— Mon nom est Snow.

— *Bâtard.*

— Coupable. De cela, à tout le moins.

— Que ce Magnar vienne à Karhold. Nous lui trancherons la tête et la fourrerons dans un lieu d'aisances, afin de pouvoir lui pisser dans la bouche.

— Sigorn conduit deux cents Thenns, fit observer Jon, et lady Alys estime que Karhold lui ouvrira ses portes. Deux de vos hommes lui ont déjà juré allégeance et confirmé tout ce qu'elle avait à dire sur les plans que votre père a fomentés avec Ramsay Snow. Vous avez à Karhold des parents proches, me dit-on. Un mot de vous pourrait leur sauver la vie. Cédez le château.

Alys pardonnera aux femmes qui l'ont trahie et laissera les hommes prendre le noir. »

Cregan secoua la tête. Des glaçons s'étaient formés autour de la broussaille de ses cheveux et tintèrent doucement quand il bougea. « Jamais, dit-il. Jamais, jamais, jamais. »

Je devrais offrir sa tête en présent de noces à lady Alys et à son Magnar, se dit Jon, mais il n'osait pas en courir le risque. La Garde de Nuit ne prenait pas parti dans les querelles du royaume ; certains pourraient juger qu'il avait déjà accordé trop d'assistance à Stannis. *Que je décapite cet imbécile, et ils raconteront que je tue des Nordiens pour offrir leurs terres aux sauvageons. Que je le libère, et il s'ingéniera à mettre en pièces tout ce que j'ai accompli avec lady Alys et le Magnar.* Jon se demanda ce que ferait son père, comment son oncle aurait traité ce problème. Mais Eddard Stark était mort, Benjen Stark perdu dans les désolations glacées au-delà du Mur. *T'y connais rien, Jon Snow.*

« C'est bien long, jamais, dit Jon. Vous aurez peut-être des sentiments différents demain, ou dans un an. Tôt ou tard, le roi Stannis reviendra au Mur, cependant. Quand cela arrivera, il vous fera exécuter... à moins que vous ne portiez une cape noire. Quand un homme prend le noir, tous ses crimes sont effacés. » *Même un homme tel que toi.* « À présent, veuillez me pardonner, je dois assister à un banquet. »

Après le froid mordant des cellules de glace, il faisait si chaud dans la cave bondée que Jon se sentit suffoquer à l'instant où il descendit les marches. L'air puait la fumée, la viande grillée et le vin chaud. Au moment où Jon s'installa à sa place sur l'estrade, Axell Florent portait un toast. « Au roi Stannis et à son épouse, la reine Selyse, Lumière du Nord ! beugla ser Axell. À R'hllor, Maître de la Lumière, puisse-t-il tous nous défendre ! Une terre, un dieu, un roi !

— *Une terre, un dieu, un roi !* » reprirent les gens de la reine.

Jon but avec les autres. Si Alys Karstark trouverait beaucoup de joie dans son mariage, Jon n'aurait pu le dire, mais cette nuit au moins devrait être dévolue aux festivités.

Les intendants commencèrent à apporter le premier plat, une soupe à l'oignon parfumée avec des morceaux de chèvre et de carottes. Pas précisément une chère royale, mais nourrissante ; cela avait assez de saveur et vous réchauffait le ventre. Owen Ballot empoigna le violon, et plusieurs membres du peuple libre se joignirent à lui avec cornemuses et tambours. *Ces mêmes cornemuses et tambours dont ils ont joué pour accompagner l'attaque de Mance Rayder contre le Mur.* Jon trouvait leur son plus agréable, à présent. Avec la soupe arrivèrent des miches de pain brun grossier, tout chaud sorties du fournil. Le sel et le beurre trônaient sur les tables. Cette vision rendit Jon morose. Ils avaient de bonnes provisions de sel, lui avait confirmé Bowen Marsh, mais le beurre aurait disparu d'ici une lune.

Le vieux Flint et le Norroit avaient reçu des places de grand prestige juste en dessous de l'estrade. Les deux hommes étaient trop vieux pour marcher avec Stannis ; ils avaient envoyé à leur place leurs fils et petits-fils. Mais ils n'avaient pas traîné à descendre sur Châteaunoir pour les noces. Chacun avait amené au Mur une nourrice, également. Celle des Norroit avait quarante ans, avec les plus grosses mamelles que Jon Snow ait jamais vues. Celle des Flint en avait quatorze et une poitrine plate comme celle d'un garçon, bien qu'elle ne manquât pas de lait. Entre elles deux, l'enfant que Val appelait Monstre semblait prospérer.

De cela dans l'ensemble, Jon était reconnaissant... mais il ne croyait pas un instant que d'aussi vétustes guerriers seraient descendus de leurs collines simplement pour cela. Chacun avait amené une escorte de combattants – cinq pour le vieux Flint, douze pour le Norroit, tous vêtus de peaux en loques et de cuirs cloutés, aussi farouches que la trogne de l'hiver. Certains portaient de longues barbes, d'autres des cicatrices, d'autres encore les deux ; tous adoraient les anciens dieux du nord, ces mêmes dieux adorés par le peuple libre de l'autre côté du Mur. Et pourtant, ils étaient là, siégeant à un mariage béni par un bizarre dieu rouge venu d'au-delà des mers.

Mieux vaut ça qu'un refus de boire. Ni Flint ni Norroit n'avaient renversé leur coupe pour répandre leur vin sur le sol. Cela pouvait témoigner d'une certaine acceptation. *Ou peut-être ont-ils simplement horreur de gaspiller du bon vin sudier. Ils n'ont pas dû en goûter souvent dans leurs collines rocailleuses.*

Entre les plats, ser Axell Florent conduisit la reine Selyse sur l'espace réservé à la danse. D'autres suivirent leur exemple – d'abord les chevaliers de la reine, en couples avec leurs dames. Ser Brus fit danser la princesse Shôren pour la première fois, puis prit son tour avec la mère. Ser Narbert dansa avec chacune des dames de compagnie de Selyse à tour de rôle.

Les hommes de la reine surpassaient ses dames en effectif par trois contre une, aussi même les plus humbles servantes se trouvèrent-elles sollicitées pour danser. Après quelques chansons, des frères noirs se souvinrent de talents appris dans les cours et les châteaux de leur enfance, avant que leurs péchés les expédiassent au Mur, et ils descendirent à leur tour sur la piste. Cette vieille fripouille d'Ulmer de Bois-du-Roi se révéla aussi habile pour la danse qu'il l'était à l'arc, régalant sans doute ses partenaires de ses histoires sur la Fraternité Bois-du-Roi, lorsqu'il chevauchait avec Simon Tignac et Ben Gros-Bide et qu'il aidait Wenda Faonblanc à apposer sa marque ardente sur les fesses de ses captifs de haut rang. Satin n'était que grâce, dansant tour à tour avec trois servantes, mais ne présumant jamais de s'approcher d'une dame de haute naissance. Jon jugea cela prudent. Il n'aimait pas la façon dont certains chevaliers de la reine considéraient l'intendant, en particulier ser Patrek du Mont-Réal. *Celui-là a envie de verser un peu de sang*, se dit-il. *Il cherche une provocation.*

Quand Owen Ballot commença à danser avec Bariol le bouffon, les rires résonnèrent contre la voûte. Ce spectacle fit sourire lady Alys. « Dansez-vous souvent, ici, à Châteaunoir ?

— Chaque fois que nous avons un mariage, madame.

— Vous pourriez danser avec moi, vous savez. Ce ne serait que courtoisie. Vous avez dansé avec moi, naguère.

— Naguère ? la taquina Jon.

— Quand nous étions enfants. » Elle brisa un quignon de pain et le lança sur lui. « Comme vous le savez bien.

— Vous devriez danser avec votre époux, madame.

— Mon Magnar n'est pas homme à danser, je le crains. Si vous refusez de danser avec moi, au moins versez-moi un peu de vin chaud.

— À vos ordres. » Il fit signe qu'on lui apportât une carafe.

« Bien, déclara Alys tandis que Jon versait. Me voilà donc une femme mariée. Un époux sauvageon avec son propre petit camp de sauvageons.

— Ils se nomment le peuple libre. Enfin, la plupart. Les Thenns sont un peuple à part, en fait. Très ancien. » Ygrid le lui avait raconté. *T'y connais rien, Jon Snow.* « Ils viennent d'une vallée cachée au nord des Crocgivre, entourée de hauts pics, et pendant des millénaires ils ont eu plus de commerce avec les géants qu'avec les autres hommes. Ça les a rendus différents.

— Différents, dit-elle, mais plutôt comme nous.

— Certes, madame. Les Thenns ont des lords et des lois. » *Ils savent ployer le genou.* « Des mines, ils extraient l'étain et le cuivre pour fabriquer du bronze, ils forgent leurs propres armes et leurs armures, plutôt que de les voler. Un peuple fier, et brave. Mance Rayder a dû vaincre le vieux Magnar à trois reprises avant que Styr ne l'accepte comme Roi d'au-delà du Mur.

— Et les voici maintenant de notre côté du Mur. Chassés de leurs forteresses des montagnes et poussés dans ma chambre à coucher. » Elle eut un sourire caustique. « C'est ma faute. Le seigneur mon père m'avait demandé de charmer votre frère Robb, mais je n'avais que six ans et je ne savais pas comment faire. »

Certes, mais t'en voilà maintenant presque seize, et nous devons prier pour que tu saches charmer ton nouvel époux. « Madame, comment se présente la situation à Karhold, pour vos provisions ?

— Pas bien. » Alys soupira. « Mon père a emmené tant de nos hommes au Sud avec lui que seuls sont restés les femmes et les jeunes garçons pour engranger la récolte. Eux, et les hommes trop âgés ou trop estropiés pour partir à la guerre. Les récoltes se sont étiolées dans les champs, ou ont été écrasées dans la boue par les pluies d'automne. Et voilà que les neiges sont arrivées. L'hiver sera rude. Peu d'anciens y survivront, et nombre d'enfants périront aussi. »

C'était une histoire que tout Nordien connaissait bien. « La grand-mère maternelle de mon père était une Flint des montagnes, lui confia Jon. Les Premiers Flint, comme ils se nomment. Ils soutiennent que les autres Flint sont du sang de fils

cadets, qui ont dû quitter les montagnes pour trouver de la nourriture, des terres et des femmes. Là-haut, la vie a toujours été
rude. Lorsque les neiges tombent et que la nourriture se fait
rare, leurs jeunes doivent voyager jusqu'à la ville d'hiver ou
se faire engager au service de l'un ou l'autre château. Les vieux
rassemblent toutes les forces qui leur restent et annoncent qu'ils
partent chasser. On en retrouve certains, au printemps. La plupart, on ne les revoit jamais.

— Il en va de même à Karhold. »

Cela ne le surprit pas. « Quand vos vivres commenceront à
manquer, madame, souvenez-vous de nous. Envoyez vos vieillards au Mur. Ici, au moins, ils ne mourront pas seuls dans la
neige, sans rien que des souvenirs pour se réchauffer. Envoyez-
nous aussi des jeunes, si vous en avez de trop.

— Il en sera comme vous dites. » Elle lui toucha la main.
« Karhold se souvient. »

On découpait l'orignac. Il sentait meilleur que Jon n'avait
de raison de l'espérer. En même temps que trois grands plateaux
de légumes rôtis pour Wun Wun, il fit envoyer une portion à
Cuirs à la tour d'Hardin, puis en dévora lui-même une confortable tranche. *Hobb Trois-Doigts s'est distingué.* Cela avait posé
quelque souci. Hobb était venu le trouver, deux nuits plus
tôt, en se plaignant qu'il avait rejoint la Garde de Nuit pour
tuer des sauvageons, et pas pour leur préparer des repas.
« D'ailleurs, j'en ai jamais fait, des banquets d'noces, m'sire.
Les frères noirs, ils prennent pas d' femmes. C'est dans le serment, j'vous jure. »

Jon arrosait le rôti avec une gorgée de vin chaud quand Clydas apparut tout près de son coude. « Un oiseau », annonça-t-il,
et il glissa un parchemin dans la main de Jon. La note était
scellée d'un point de cire noir et dur. *Fort-Levant*, sut Jon, avant
même de rompre le sceau. La lettre avait été écrite par mestre
Harmune ; Cotter Pyke ne savait lire ni écrire. Mais les mots
étaient ceux de Pyke, consignés comme il les avait prononcés,
bruts et sans détour.

*Mers calmes, ce jour. Onze vaisseaux mettent la voile pour
Durlieu avec la marée du matin. Trois braaviens, quatre lysiens,*

quatre des nôtres. Deux des lysiens à peine en état de naviguer. Nous risquons de noyer plus de sauvageons que nous n'en sauverons. Votre ordre. Vingt corbeaux à bord, et mestre Harmune. Enverrai rapports. Je commande de la Serre, *Frippes-au-Sel est second sur le* Merle. *Ser Glendon garde Fort-Levant.*

« Noires ailes, noires nouvelles ? s'enquit Alys Karstark.

— Non, madame. Cette nouvelle était attendue depuis longtemps. » *Pourtant, la dernière partie me trouble.* Glendon Houëtt était un homme aguerri, un homme de poigne, un choix logique pour commander en l'absence de Cotter Pyke. Mais il était aussi ce qui ressemblait le plus à un ami dont Alliser Thorne pouvait se vanter, et une sorte d'acolyte de Janos Slynt, même si cela n'avait pas duré. Jon se souvenait encore comment Houëtt l'avait arraché à son lit, et le contact de sa botte qui lui percutait les côtes. *Pas l'homme que j'aurais choisi.* Il enroula le parchemin et le plaça dans sa ceinture.

Ce fut ensuite le plat de poisson, mais tandis qu'on retirait les arêtes du brochet, lady Alys entraîna le Magnar sur la piste de danse. À sa façon de se mouvoir, on percevait clairement que Sigorn n'avait jamais dansé auparavant, mais il avait assez bu de vin chaud pour que la chose ne parût pas importante.

« Une vierge du Nord et un guerrier sauvageon, liés ensemble par le Maître de la Lumière. » Ser Axell Florent se glissa sur le siège vacant de lady Alys. « Sa Grâce approuve. Je suis proche d'elle, messire, aussi, je connais son sentiment. Le roi Stannis approuvera également. »

Sauf si Roose Bolton a planté sa tête au bout d'une pique.

« Tous n'approuvent pas, hélas. » La barbe de ser Axell était un pinceau râpé sous son menton affaissé ; des poils rudes lui sortaient des oreilles et des narines. « Ser Patrek estime qu'il aurait été un meilleur parti pour lady Alys. Il a perdu ses terres en venant dans le Nord.

— Ils sont nombreux dans cette salle à avoir perdu bien davantage, répliqua Jon, et plus encore qui ont perdu la vie au service du royaume. Ser Patrek devrait s'estimer heureux. »

Axell Florent sourit. « Le roi pourrait en dire autant s'il était ici. Et pourtant, il faut bien envisager des accommodements pour les féaux chevaliers de Sa Grâce, sûrement ? Ils l'ont suivi si loin, et à un tel coût. Et nous nous devons de lier ces sauvageons au roi et au royaume. Ce mariage est un bon premier pas, mais je sais que la reine se réjouirait de voir également mariée la princesse sauvageonne. »

Jon poussa un soupir. Il était las d'expliquer que Val n'était pas vraiment une princesse. Malgré toutes les fois où il l'avait répété, ils ne semblaient jamais entendre. « Vous êtes obstiné, ser Axell, je vous accorde cela.

— M'en blâmez-vous, messire ? On ne remporte pas aisément un tel trophée. Une fille nubile, ai-je entendu dire, et point déplaisante à voir. De bonnes hanches, une bonne poitrine, bien faite pour pondre des enfants.

— Qui les concevrait, ces enfants ? Ser Patrek ? Vous ?

— Qui de mieux placé ? Nous autres Florent avons dans nos veines le sang des anciens rois Jardinier. Lady Mélisandre pourrait célébrer le rituel, comme elle l'a fait pour lady Alys et le Magnar.

— Il ne vous manque qu'une promise.

— On y remédie aisément. » Le sourire de Florent était tellement faux qu'il paraissait douloureux. « Où est-elle, lord Snow ? L'avez-vous déplacée dans un autre de vos châteaux ? Griposte ou Tour Ombreuse ? La Tanière aux Putes, avec les autres drôlesses ? » Il se pencha plus près. « Il en est pour raconter que vous l'avez mise de côté pour votre propre plaisir. Cela ne m'importe point, tant qu'elle n'est pas grosse d'un enfant. Je lui ferai mes propres fils. Si vous l'avez rompue à la selle, ma foi... Nous sommes tous deux des hommes qui connaissent la vie, n'est-ce pas ? »

Jon en avait entendu assez. « Ser Axell, si vous êtes vraiment la Main de la Reine, je plains Sa Grâce. »

Le visage de Florent se colora de colère. « Alors, c'est donc vrai. Vous avez l'intention de vous la conserver pour vous. Je le vois bien, à présent. Le bâtard guigne le siège de son père. »

Le bâtard a refusé le siège de son père. Si le bâtard avait voulu Val, il lui suffisait de la demander. « Vous allez devoir m'excuser, ser, dit-il, j'ai besoin de prendre l'air. » *Ça empeste, ici.* Sa tête se tourna. « C'était une trompe. »

D'autres avaient entendu aussi. La musique et les rires moururent aussitôt. Les danseurs se figèrent sur place, aux aguets. Même Fantôme dressa les oreilles. « Vous avez entendu ? » demanda la reine Selyse à ses chevaliers.

— Une trompe de guerre, Votre Grâce », déclara ser Narbert.

La main de la reine papillonna jusqu'à sa gorge. « Serions-nous attaqués ?

— Non, Votre Grâce, assura Ulmer du Bois-du-Roi. Ce sont les guetteurs sur le Mur, voilà tout. »

Un coup, se dit Jon. *Des patrouilleurs qui reviennent.* Puis on sonna de nouveau. Le bruit sembla emplir la cave.

« Deux coups », fit Mully.

Frères noirs, Nordiens, peuple libre, Thenns, gens de la reine, tous se turent, pour écouter. Cinq battements de cœur s'écoulèrent. Dix. Vingt. Puis Owen Ballot gloussa, et Jon Snow put de nouveau respirer. « Deux coups, annonça-t-il. Des sauvageons. » *Val.*

Tormund Fléau-d'Ogres était enfin arrivé.

REMERCIEMENTS

Ce dernier volume a été l'enfer. Trois enfers et une belle saleté. Encore une fois, mes remerciements vont à mes directeurs littéraires et mes éditeurs, dans leur longue épreuve : à Jane Johnson et Joy Chamberlain chez Voyager, et à Scott Shannon, Nita Taublib et Anne Groell chez Bantam. Leur compréhension, leur bonne humeur et leurs conseils avisés m'ont aidé durant les moments difficiles, et je ne cesserai jamais d'être reconnaissant de leur patience.

Merci également à mes agents, tout aussi patients et encourageants, Chris Lotts, Vince Gerardis, la fabuleuse Kay McCauley et feu Ralph Vicinanza. Ralph, j'aimerais que tu sois là pour partager ce moment.

Et merci à Stephen Boucher, l'Australien errant qui aide à préserver la fluidité et les ronronnements de mon ordinateur chaque fois qu'il fait halte à Santa Fe pour un petit déjeuner burrito (Noël), accompagné de bacon au jalapeño.

Pour en revenir ici, en première ligne, je dois aussi remercier mes chers amis Melinda Snodgrass et Daniel Abraham pour leurs encouragements et leur soutien, à Pati Nagle, ma webmestre qui entretient mon petit coin d'Internet, et à l'épatante Raya Golden, pour les repas, les peintures et la bonne humeur sans faille qui ont aidé à illuminer même les journées les plus sombres, à Terrapin Station. Même si elle a bel et bien tenté de me chouraver mon chat.

Si j'ai pris longtemps pour exécuter cette danse avec les dragons, elle aurait sans doute exigé deux fois plus de temps sans l'assistance de mon fidèle (et acerbe) acolyte et compagnon de voyage à l'occasion, Ty Franck, qui soigne mon ordinateur lorsque Stephen n'est pas là, repousse les hordes virtuelles affamées à mes portes, effectue mes courses, classe mes documents, prépare le café, déchire grave et compte dix mille dollars pour changer une ampoule électrique – tout en écrivant le mercredi des bouquins bien à lui, qui tapent fort.

Et en dernier lieu, mais non le moindre, tout mon amour et ma gratitude vont à ma femme, Parris, qui a dansé chaque pas de tout ceci à mes côtés. Je t'aime, Phipps.

George R.R. Martin
13 mai 2011

Le traducteur et l'éditeur remercient chaleureusement les membres La Garde de Nuit (www.lagardedenuit.com), site francophone des fans du *Trône de Fer*, pour leur aide précieuse et leur relecture attentive.

NORD COMPO
m u l t i m é d i a

CET OUVRAGE
A ÉTÉ ACHEVÉ D'IMPRIMER
SUR CAMERON
PAR L'IMPRIMERIE NIIAG
À BERGAME (ITALIE)
EN AOÛT 2012

N° d'édition : L.01EUCN000457.N001
Dépôt légal : septembre 2012